発展を目指して

いろいろな課題があるようだけど，私たちの暮らしと，どう関係するのかな？

課題の解決方法を考えてみると，私たちの暮らしとの関係がみえてくるかもね。

かえで

しゅん

々は，持続可能な社会を実現するた
ent Goals）とよばれる「持続可能
Gs は，下のように 17 の目標から
までに解決するための目標として，

本の例を，見てみましょう。

GOALS

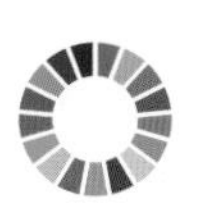

↑**2 海の環境を豊かにするために山地の植林を行う人々**（岩手県，一関市） 里山を良好な状態に保つと，川でつながる海の環境が豊かになるため，漁業者が中心となって多種類の落葉広葉樹の植林を行っています（→ p.263）。

←**5 ショッピングセンターでのさまざまなフェアトレード商品の紹介**（イギリス） 適正な価格で取り引きを行うフェアトレードの取り組みは，世界中で広がっています（→ p.89）。

←**7 地球温暖化対策のための国際会議**（ポーランド，カトビツェ，2018 年撮影） 毎年，世界各国の代表が集まり，温室効果ガスの削減など，地球の気温上昇を抑えるための対策が話し合われます（→ p.105，116）。

↓**8 川に灯籠を流して平和を祈る人々**（広島県，広島市） 原子爆弾が投下された 8 月 6 日に毎年行われています（→ p.193）。

もくじ

二次元コードについて

↑コンテンツメニュー

二次元コードは，タブレットパソコンなどを使って読み取ります。学習の理解を助ける動画などのコンテンツが入っています。

※二次元コードを読み取り，表示されたインターネットのサイトにアクセスした場合には，通信料がかかる場合があります。

下のアドレスを入れてコンテンツメニューを見ることもできます。

https://ict.teikokushoin.co.jp/d-text_03jh/chiri/index.html

第3部 日本のさまざまな地域

第4部 地域の在り方

この教科書の学習のしかた

学習の見通し・振り返りの流れ ～〈主体的な学び〉のために～

1 章・節の始めに（見通し）

第○節の問い p.○～○

その章・節の学習課題について，示しています。

序説

世界の諸地域・日本の諸地域・地域の在り方の３単元には，単元の全体像を見通すページを設けています。

2 本文ページ（授業の展開）

【見通し】

各ページで学習する課題を示しています。

【振り返り】

学習上大切な事項を確認する作業です。

学習した内容を自分の言葉で説明する活動です。

3 章・節の最後に（振り返り）

その章・節で学習した内容を振り返って，章・節の問いに答えるページです。知識を整理する作業から，深い学びのための課題まで，段階を踏みながら学習していきます。

写真で眺める 東北地方

世界と日本の諸地域学習の冒頭には，写真のページがあり，また，日本の諸地域学習の冒頭にはイラスト地図のページもあります。ここで地域への興味・関心をふくらませましょう。

冒頭ページの写真は本文ページの資料にもなります。

写真を振り返ろう

「節の学習を振り返ろう」には，「写真で眺める」ページを振り返りながら，学習した地域をどれだけ理解できたか，確認する作業があります。

本文ページの学習のしかた（p.96～97を例に）

① 導入資料

これから学習する内容と関連する，驚きや疑問を感じてもらえる資料を取り上げています。

② 学習課題

ここでの学習課題を示しています。学習内容の見通しができます。

③ 本文

学習内容を理解するうえで要点となる事項は太字で表しています。

④  

学習内容を振り返る課題です。「確認しよう」は本文や図版を使った内容の確認，「説明しよう」は本文を参考に説明する活動です。

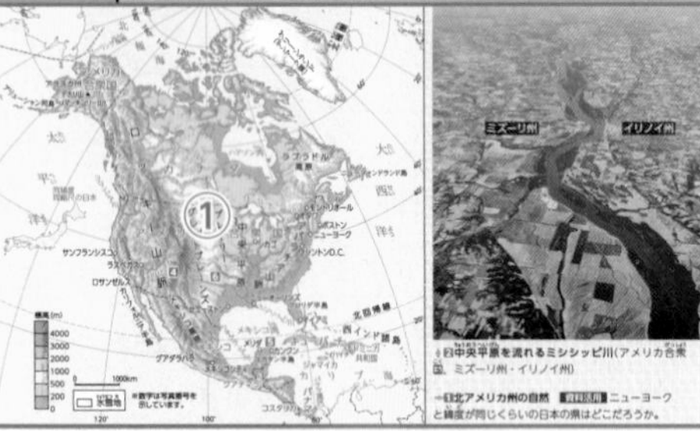

↓3中央平原を流れるミシシッピ川（アメリカ合衆国，ミズーリ州・イリノイ州）

→1北アメリカ州の自然 資料活用 ニューヨークと緯度が同じくらいの日本の県はどこだろうか。

1 北アメリカ州の自然環境

② 学習課題 北アメリカ州の自然環境には，地形や気候にどのような特色がみられるのだろうか。

北アメリカ大陸とカリブ海の島々

北アメリカ州には，カナダ，アメリカ合衆国，メキシコからパナマに至る北アメリカ大陸の国々と，カリブ海に浮かぶキューバ，ジャマイカなどの西インド諸島の国々があります。アメリカ合衆国の西側には，標高4000mを超える高山が連なるロッキー山脈が，カナダにかけて南北に長く延びています。東側には，標高1000m程のなだらかなアパラチア山脈があります。二つの山脈の間には，高原状の大平原である**グレートプレーンズ**や，北アメリカ大陸で最長のミシシッピ川が流れる中央平原が広がります。ミシシッピ川の西側には，メキシコ湾岸からカナダにかけて**プレーリー**とよばれる大草原が広がり，世界的な農業地帯となっています。メキシコは，中央にメキシコ高原があり，国土の大部分が高原と山地になっています。③

↓2世界の面積・人口に占める北アメリカ州の割合（2018年）（Demographic Yearbook 2018）

解説 グレートプレーンズとプレーリー

グレートプレーンズは，ロッキー山脈の東に広がる高原状の大平原で，東に向かって緩やかに低くなっています。プレーリーは，ミシシッピ川の西に広がる草原で，自然の植生では丈の長い草が生えています。

96 小学校●歴史●公民との関連 世界の大陸と海洋（小），主な国の名称と位置（小）

↓4乾燥した大地が広がるモニュメントバレー（アメリカ合衆国，アリゾナ州・ユタ州） 岩や石の砂漠が広がっています。

↓5カリブ海に面したビーチリゾート（メキシコ，カンクン） サンゴ礁が美しい青い海を求めて，世界中から観光客が訪れます。

未来に向けて

防災 大平原で発生する竜巻（トルネード）に備えて

ファンタジー小説『オズの魔法使い』では，カンザス州の農園に住む娘ドロシーが竜巻に襲われ，家ごと吹き上げられて魔法の国オズへと連れて行かれます。この小説の舞台となっているアメリカ合衆国の大平原では，毎年のように大きな竜巻が発生し，住宅などに甚大な被害を出しています。竜巻は，どこで発生するのか予測が困難なため，網の目のように観測網を敷いて，竜巻の発生確率の気象情報をテレビやラジオ，インターネットなどで知らせる取り組みが行われています。また，竜巻が発生した際に避難するためのシェルターを，住宅の地下に設置している家庭も多くあります。

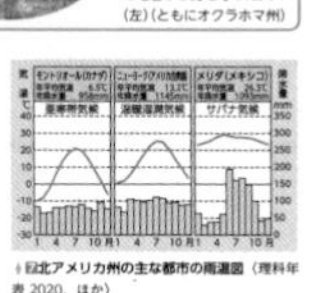

→↓6住宅を襲う竜巻（上）と地下シェルターに避難して竜巻から身を守った人々（左）（ともにオクラホマ州）

寒帯から熱帯までの多様な気候

北アメリカ州には，寒帯から熱帯までのさまざまな気候がみられます。北極海に臨むアラスカ州とカナダには寒帯がみられ，その南から**五大湖**周辺にかけては亜寒帯（冷帯）が広がります。一方，フロリダ半島の南部や，ユカタン半島からパナマにかけての中央アメリカ，西インド諸島は熱帯で，アメリカ合衆国のマイアミやメキシコのカンクンなど，世界的に知られるビーチリゾートもあります。

アメリカ合衆国の気候は，西経100度付近を境にして，東側の大西洋沿岸からメキシコ湾沿岸にかけては温暖で湿潤です。西へ行くほど降水が少なくなり，南西部には砂漠気候もみられます。太平洋沿岸のカリフォルニア州は温暖で夏に降水が少ない地中海性気候となり，オレンジやグレープフルーツなどの かんきつ類や乾燥に強い ぶどう が栽培されています。熱帯や温帯が広がるメキシコ湾に面した地域は，夏から秋にかけてハリケーン❶にたびたび襲われ，風雨や洪水による大きな災害に見舞われることがあります。

↓8北アメリカ州の主な都市の雨温図（理科年表2020，ほか）

❶ 主に8月から10月にかけて，カリブ海やメキシコ湾で空気が温められることで発生する，台風に似た熱帯低気圧のことをいいます。

確認しよう 日本列島の長さとロッキー山脈，アパラチア山脈の長さを図1で比べよう。

説明しよう アメリカ合衆国の気候の特色を，「西経100度」の語句を使って説明しよう。④

97

二次元コード（→巻頭3を参照）

コラム

（4種類）

本文をより理解するための工夫

1	本文に関連する資料
資料活用	資料を活用するための視点
❶	本文の補足説明
→p.95	関連する事項を扱うページ
解説	分かりにくい用語の解説

小学校●歴史●公民との関連

小学校や歴史，公民で学ぶ事項

コラム・特設ページ ～〈対話的な学び〉のために～

未来に向けて

持続可能な社会をつくるために参考になる取り組みを紹介しています。(25 テーマ) 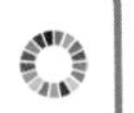

25 テーマすべてが持続可能な開発目標(SDGs) (→巻頭 1 ～ 2 参照) に関連しています。

声 実社会の人々の具体的な話を紹介しています。(18 か所)

地域社会をよりよくするために取り組まれている各地の事例を紹介しています。これらの事例もSDGs に関連しています。地域の在り方を構想する際に参考にしましょう。(7 テーマ)

特設ページ ～〈深い学び〉のために～

(17 か所)

1では章や節で習得した知識を確認し，2では思考力・判断力・表現力を育成します。特に2では，章や節の問いに対して，地理的な見方・考え方を働かせる言語活動に取り組むほか，世界や日本の諸地域の節(13 か所)では，地域にみられる課題の解決に向けた構想に取り組みます。

コラム ～その他～

技能をみがく 0 地理を学習するうえで必要な，基礎的な技能を身に付けられます。(23 テーマ)

解説 分かりにくい用語の解説です。(52 項目)

 地理プラス ページの学習内容に関連した事例です。(37 テーマ)

●使用上の注意

①国名は略称を用いています。
中華人民共和国…中国
大韓民国…韓国 など

②「都道府県」が多く出てくるページでは，都道府県を「県」と省略している場合もあります。

地理的な見方・考え方について

1 漢字の看板があふれるニューヨークの街角（アメリカ合衆国）

地理は，目に映るものすべてが題材になります。ここでは，地理を学習する際のヒントとなる視点を示しています。ここで挙げた視点を意識しておくと，各ページで何を学べばよいか，分かりやすくなります。また，ここで挙げた視点をいくつか組み合わせると，より地理の学習が楽しくなります。

位置や分布 ≫ どこにあるのだろうか？ どこに広がっているのだろうか？

板橋区ってどの辺りにあるのかな？板橋区内の学校は，どこに点在しているのかな？

友達が通っている学校は，東京都板橋区にあるんだよ。板橋区の中でも，西の端にあるんだ。

その場所の特徴 ≫ そこはどのような場所だろうか？

でもブラジルって，日本とは全く違う位置にあるよね。そこになぜ日本人の街があるのかな？

ブラジルには，日本人と関係の深い街があるんだって！

人と自然の関係 ≫ 人々の生活と自然の間には，どのような関係があるのだろうか？

でも木がない所では，家は何で造られているんだろう？

木がたくさん生えている所の家は，やっぱり木でできているんだね。

ほかの場所への影響 ≫ その場所での出来事は，ほかの場所にどのように影響しているのだろうか？

もし輸入されるえびがなくなったら，私たちの食事に影響があるのかな？

インドネシアにはえびの養殖場があって，日本にも輸出しているんだって！

地域全体の傾向 ≫ その地域全体を特徴づけているものは何だろうか？

三つの地域のまとまりには，それぞれ何か共通するものがあるのかな？

同じ2月の写真だけど，地域で景色が全く違うね。

地理的分野の学習の全体像を見通そう

地理的分野で学ぶ事柄　地域のよりよい発展を目指して

第１部　世界と日本の地域構成

地理的な見方・考え方を身に付けるための基礎を理解しよう

第１章　世界の姿（→ p.2）
大陸と海洋
国の名称と位置
緯度・経度
地球儀と地図

第２章　日本の姿（→ p.14）
日本の位置と範囲
世界と日本の時差
都道府県の位置

第２部　世界のさまざまな地域

地理的な見方・考え方を働かせて，世界の諸地域への理解を深めよう

第１章　人々の生活と環境（→ p.26）
世界の気候と生活
世界の衣食住／世界の宗教

第２章　世界の諸地域（→ p.47）
世界の諸地域における自然環境・生活・文化・産業
地域における地球的な課題

第３部　日本のさまざまな地域

地理的な見方・考え方を働かせて，日本の国土への理解を深めよう

第１章　身近な地域の調査（→ p.130）
野外調査，文献調査
結果の分析
結果の発表

第２章　日本の地域的特色（→ p.142）
日本の自然環境と災害・防災／日本の人口・産業・交通・通信／地域区分

第３章　日本の諸地域（→ p.170）
日本の諸地域における自然環境・生活・文化・産業／地域における課題と取り組み

第４部　地域の在り方

地理的な見方・考え方を働かせて，地域をよりよくするための方法を考えよう

第１章　地域の在り方（→ p.285）
地域の課題の把握と考察／課題の解決に向けた構想

歴史的分野で学ぶ事柄（日本と世界の歴史の大きな流れ，各時代の特色について深めよう）

公民的分野の学習へ（持続可能な社会づくりに向けて，考えを深めよう）

学習の始めに

中学校の地理的分野の学習では，世界や日本のさまざまな地域について学習します。それぞれの地域の自然環境や生活・文化，産業にはどのようなものがあり，人々はどのような生活をしているのか，地図や写真などを読み取りながら学んでいきましょう。

そうした学習を通して，巻頭７の地理的な見方・考え方を身に付けていくと，見慣れた景色の中にも，さまざまな気付きを得ることができます。そして，「なぜ」「どのように」という疑問や，「他の地域ではどうだろうか」という比較や関連の視点を大切にして学習を進めていくと，楽しみながら地域への理解を深めることができます。

一方，世界や日本には環境問題や自然災害など，対策が必要な課題が存在します。地理的な見方・考え方を身に付けることで，それらの課題をさまざまな面からとらえ，解決に向けてどのような取り組みが必要なのか，考えてみましょう。私たちの住む地域や日本，そして世界のよりよい発展を目指していくために何ができるのか，地理の学習を通して一緒に考えていきましょう。

第1部 世界と日本の地域構成

第1章 世界の姿

第1章の問い p.2〜12　世界にはどのような国があり，その位置を表すには，どのような方法があるのだろうか。

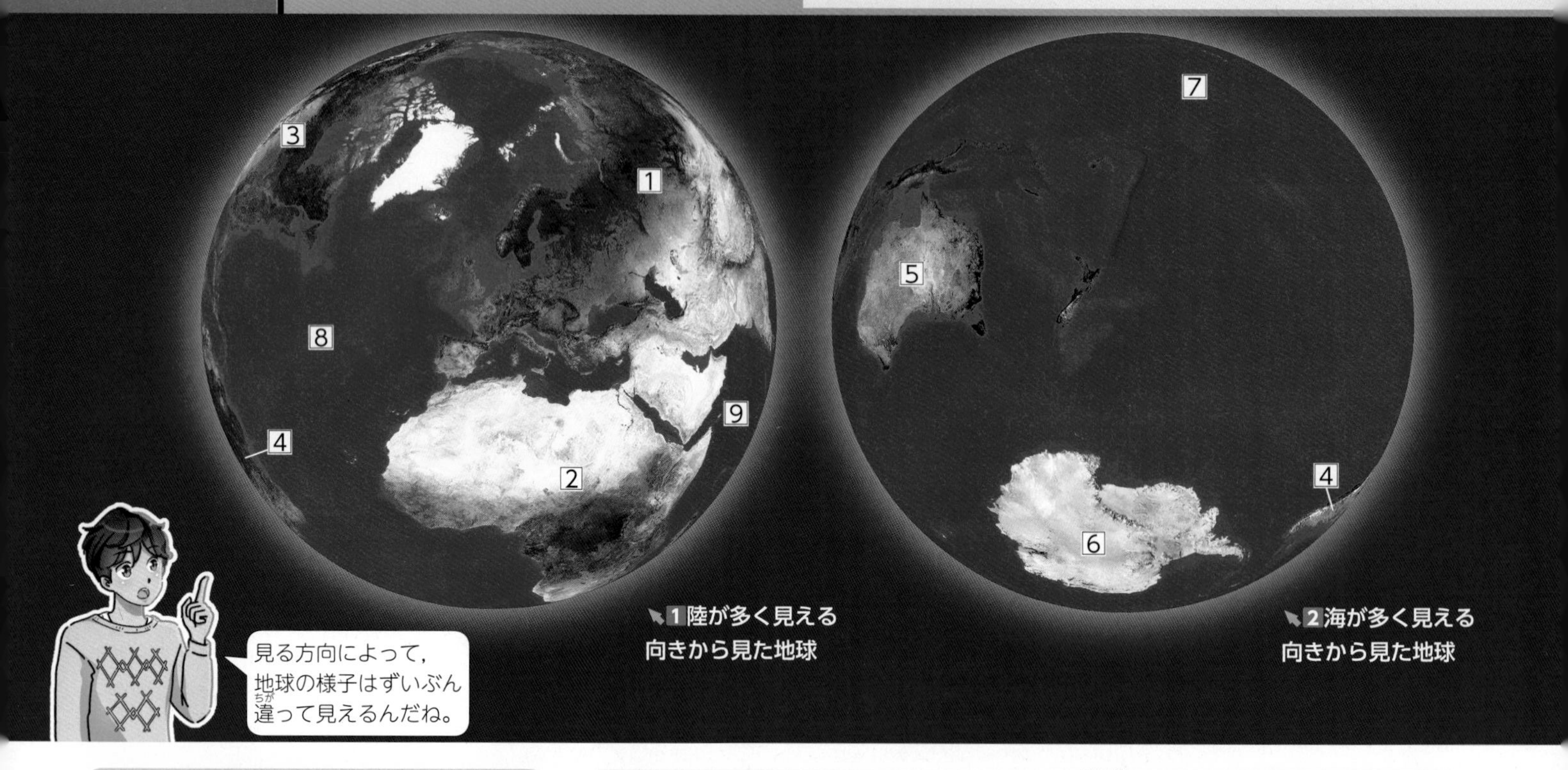

1 陸が多く見える向きから見た地球

2 海が多く見える向きから見た地球

1 私たちの住む地球を眺めて

学習課題　地球上の大陸と大洋はどのように分布しているのだろうか。また，世界はどのように区分することができるのだろうか。

六つの大陸と三つの大洋

宇宙から眺めた地球は，青い海に，緑と茶色の陸地が浮かぶ美しい惑星です。地球は「水の惑星」とよばれるように海の部分が多く1,2，海洋と陸地の面積の割合はおよそ7対3となります。

海洋は，太平洋，大西洋，インド洋の三つの**大洋**と，そのほかの海からなります4。太平洋は世界最大の面積をもつ海洋で，その名前は，世界一周を目指した探検家マゼランが，この海を航海している間，一日も嵐に見舞われなかったことから，ラテン語で「平穏な海」と命名したことに始まるといわれています。

陸地は，ユーラシア大陸，アフリカ大陸，北アメリカ大陸，南アメリカ大陸，オーストラリア大陸，南極大陸の六つの**大陸**と数多くの島々からなります4。最大の陸地はユーラシア（Eurasia）大陸で，その名前はヨーロッパを意味する「Europe」とアジアを意味する

3 タブレットで見る地球儀　地球儀（→ p.10）を用いると，陸地や海洋を確認することができます。地球儀をタブレット上で体験できるソフトウェアもあります。

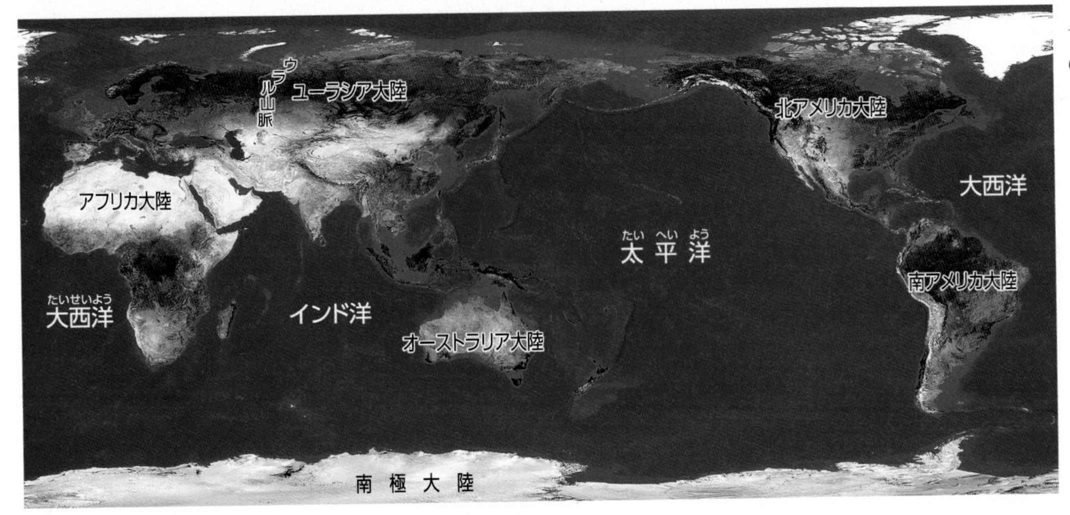

4 大陸と大洋の名前と位置

やってみよう

図1と2の1～9の大陸や大洋の名前を，左の図4で確認しよう。

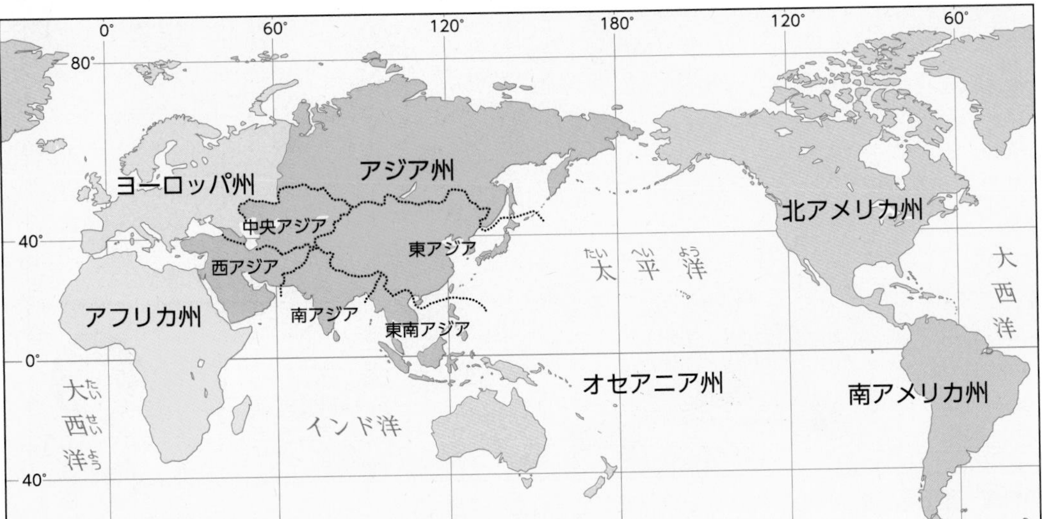

5 六つの州に分けられる世界

やってみよう

1. 地図帳で，アジア州とヨーロッパ州の境をたどり，二つの州にまたがっている国を二つ挙げよう。
2. アジア州とアフリカ州にまたがっている国を一つ挙げよう。
3. 北アメリカ州と南アメリカ州にまたがっている国を一つ挙げよう。

「Asia」とを合わせて作られたといわれています。

世界の地域区分

世界を，島々を含めていくつかの地域に分けるとき，よく使われるのが，六つの**州**に分ける方法です。5 州の中には，北アメリカ州や南アメリカ州などのように，大陸名と同じ名前を使っているところもあります。

東西に広がるユーラシア大陸は，ロシアにあるウラル山脈を境にして，ヨーロッパ州とアジア州に分けられます。また，州をさらに細かい地域に分ける方法もあります。例えば，アジア州の場合は，図5のように東南アジアや南アジアなどの地域に分けられます。私たちが住む日本は，アジア州の中ではどこに区分されるでしょうか。

小学校では，日本とつながりの深い国々について，地図帳などを使って学習しました。中学校では，さらに多くの国や地域について，引き続き地球儀や地図帳などを用いながら学んでいきましょう。

地理プラス　二つの州にまたがるトルコ

トルコの国土は大部分がアジア州ですが，北西の端はヨーロッパ州に属します。ボスポラス海峡をまたぐイスタンブールの町は，東西の文化の交差点として発展してきました。

6 トルコの国土

確認しよう 知っている国を三つ挙げ，その国がある大陸と州を地図帳で確認しよう。

説明しよう 日本の位置を，世界の州名や近くにある大陸名と大洋名を使って説明しよう。

↑1アジア州の国々とアジア生まれの料理　資料活用 料理の写真と，その料理が生まれた国を線で結ぼう。

2 いろいろな国の国名と位置

学習課題　世界のさまざまな国の国名とその位置をつかむには，どのようなことに注目すればよいだろうか。

海との位置関係で見た国々

世界には190余りの国があります。それらの国々は，私たちの生活のさまざまな場面で出てきます。日本も含まれるアジア州の国々を，海との位置関係に着目して見てみましょう。1

日本のように，国の全体が大陸から離れて，周りを海で囲まれている国は**島国**とよばれます。一方，モンゴルのように海に面していない国は**内陸国**とよばれ，周りはすべて，ほかの国と陸続きでつながっています。2 日本のほかには，どのような島国があるでしょうか。また，内陸国としては，どのような国々が挙げられるでしょうか。

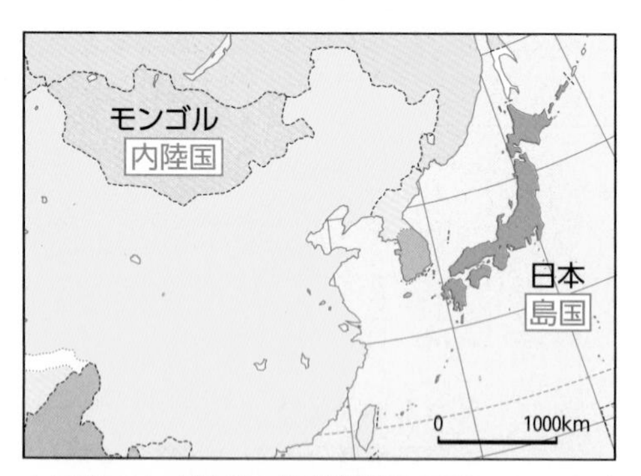

↑2島国と内陸国　資料活用 図1の中の内陸国の国名を赤色で，島国の国名を青色で囲もう。

料理から見た国々

国際化が進んだ現在，私たちは，世界のさまざまな食材や料理を口にする機会が増えています。もともと日本料理ではないシューマイやキムチ，カレーなどは，そもそも

➡3映画『ハリー・ポッター』シリーズの撮影に使われたアニック城（イギリス，ニューカッスル近郊）

⬅4国が発行する切手に描かれているサンタクロース

➡5アルプス山脈のふもとが主な舞台となっている小説『ハイジ』

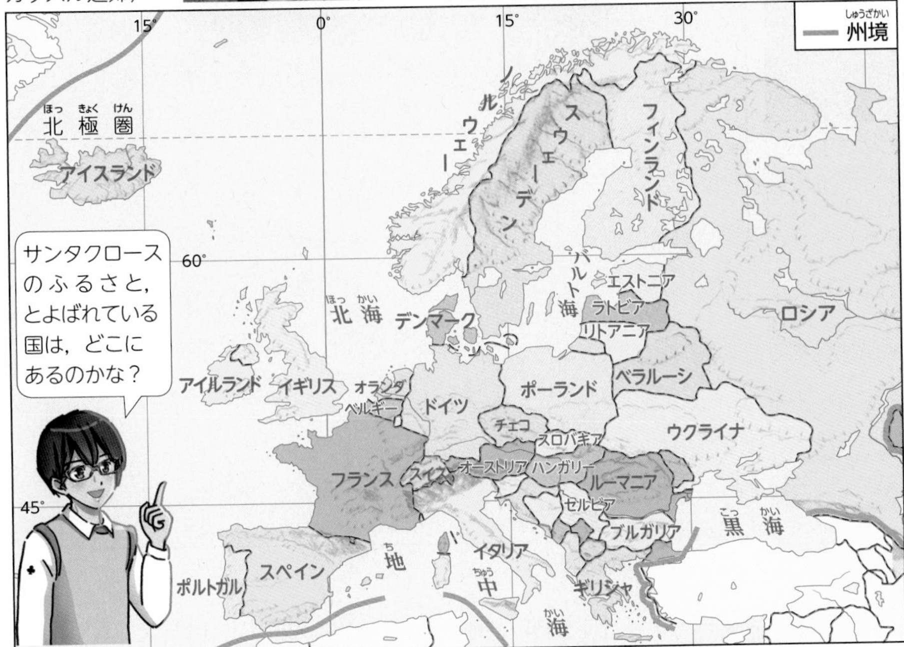

⬆6ヨーロッパ州の国々　**資料活用** 写真3～5と，その舞台となっている国を線で結ぼう。

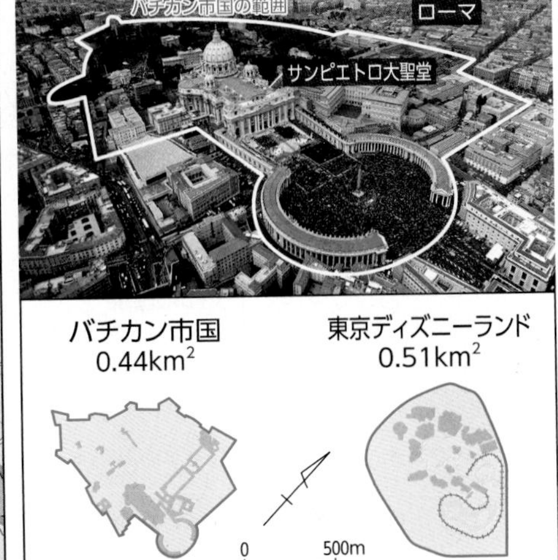

⬆7空から見たバチカン市国（上）（イタリア，ローマ）とその大きさ（下）　ローマの市内にあるバチカン市国は，テーマパークほどの面積です。

どこの国の食文化でしょうか。アジア州の国々を，知っている料理の「ふるさと」という視点で見てみましょう。

映画や物語の舞台となっている国々　映画や小説・童話などには，外国がその舞台となっているものが多くあります。3, 5 また，音楽や季節行事にも，外国から伝わって日本に定着した例がみられます。ヨーロッパ州の国々を，6 見たことがある映画や読んだことがある小説・童話などの「舞台」という視点で見てみましょう。

面積や人口から見た国々　世界には，総面積が日本の45倍もあるロシアのように，面積が特に大きい国があります。一方，オランダやスイス，バチカン市国7のように，日本より面積が小さい国もあります。世界の中で特に面積が大きい国，小さい国には，どのような国々があるでしょうか。

また，人口に注目して世界の国々を見てみると，どのような国が人口の多い国なのでしょうか。日本は，世界の中で見ると，人口の多い国でしょうか，少ない国でしょうか。

技能をみがく 1 地図帳の統計資料の使い方

地図帳の統計資料には，世界の国々の正式国名や人口・面積などの数値が示されています。

やってみよう

1. 地図帳の統計資料で，面積の最も大きい順，最も小さい順に5か国ずつ調べ，国名を書き出して，その位置も地図帳で確認しよう。
2. 地図帳の統計資料で，人口の多い順に5か国を調べ，その位置を地図帳で確認しよう。

正式国名	首都	人口（万人）2018年	面積（万km²）2018年
中華人民共和国	ペキン	142,443	960
朝鮮民主主義人民共和国	ピョンヤン	15) 2,518	12
トルクメニスタン	アシガバット	15) 556	49
トルコ共和国	アンカラ	8,133	78
日本国	東京	※12,744	※38
ネパール連邦民主共和国	カトマンズ	2,921	15
パキスタン・イスラム共和国	イスラマバード	17) 20,777	80

※日本国の人口，面積は2019年。

⬆8地図帳の統計資料の例

1 ザンビアとジンバブエの国境になっているザンベジ川

やってみよう

1. 地図帳でザンベジ川を探し，その流れをたどろう。
2. 図3のアフリカ州でまっすぐに引かれている国境を探そう。

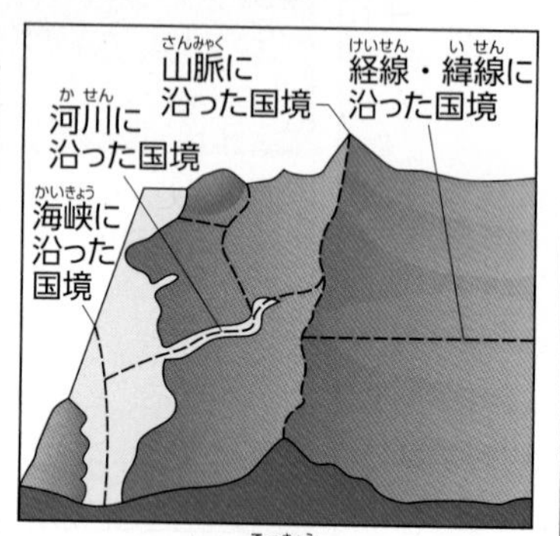

2 いろいろな国境

3 アフリカ州の国々

4 日本人選手も活躍する大リーグの野球(アメリカ合衆国，2018年撮影)

エクアドル…「赤道」という意味。
ガイアナ……「水源」という意味。
コロンビア…探検家コロンブスに由来。
チリ…………「寒い」という意味。
パラグアイ…「豊富な水」という意味。
ペルー………「川」という意味。
ボリビア……独立運動の指導者「シモン＝ボリバル」に由来。

5 南アメリカ州の国名の由来の例

国境線に注目して見た国々

国と国の境を**国境**といいます。世界には，山脈や川，湖などの自然の地形に沿って決められた国境がたくさんあります。国境となる目印が少ない場所では，人間が考えた経線や緯線(→p.8)といったまっすぐな線に沿って，国境が決められていることもあります。1,2 アフリカ大陸に多く見られるまっすぐな国境は，かつてヨーロッパの国々が，この地域を分割して支配したときに引いた境界の なごり です(→p.87)。アフリカの国々の中で，直線的な国境をもつ国を，いくつか挙げてみましょう。また，地図帳のアフリカ大陸のページを眺めて，川や湖が国境となっている所を探してみましょう。

盛んなスポーツに注目して見た国々

世界の国々は，生活の中で見るさまざまなニュースやテレビ番組にも出てきます。4 野球やバスケットボールなどのプロスポーツが盛んな国のニュースは，新聞やテレビなどでよく取り上げられています。北アメリカ州の国々を，盛んなスポーツという視点で見てみましょう。

国名の由来から見た国々

世界の国々には，国名に興味深い由来がある国もたくさんあります。例えばコロンビアの国

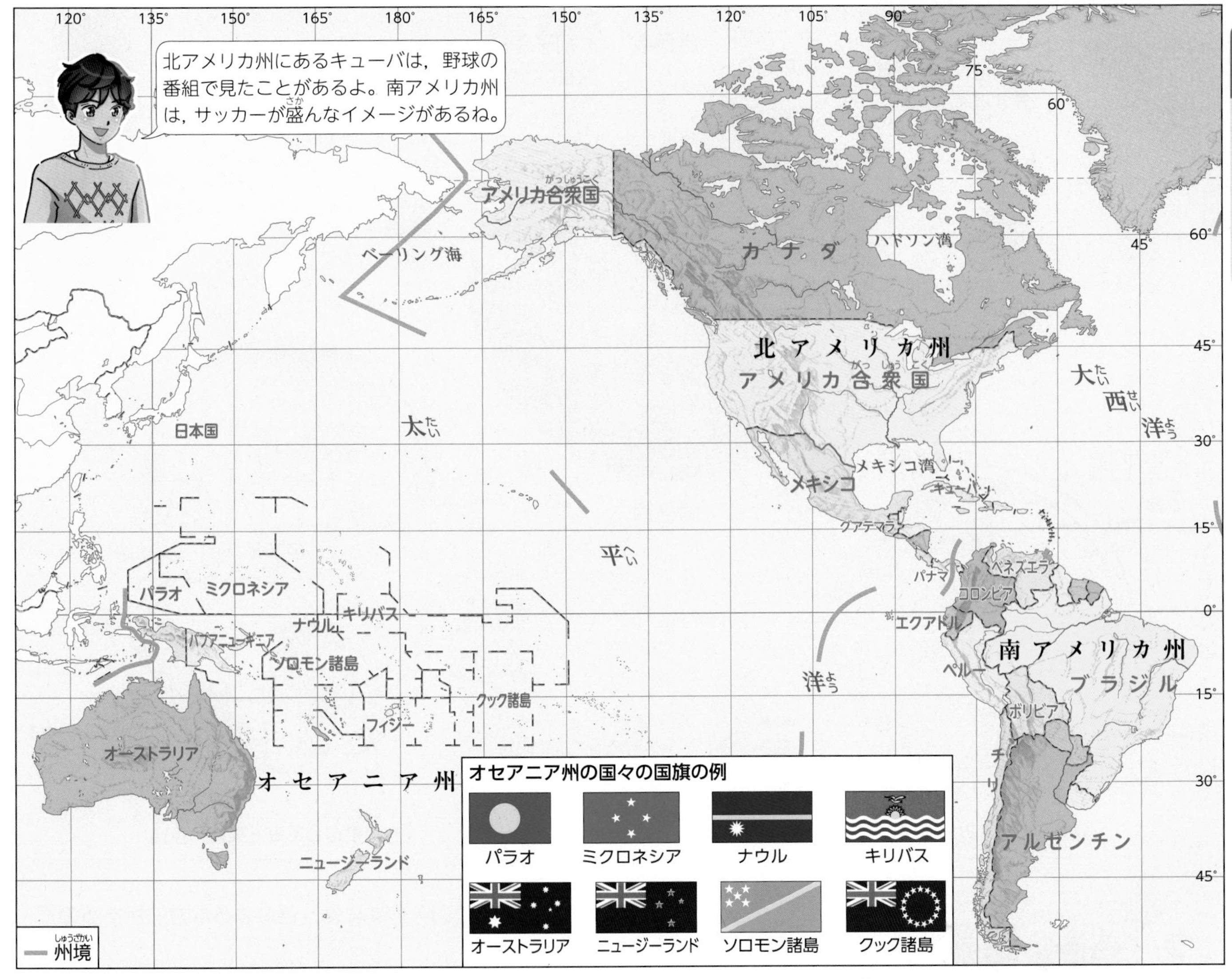

6 北アメリカ州・南アメリカ州・オセアニア州の国々

名は人物の名前に由来し，赤道近くに位置するエクアドルは[7]，国の位置の特色を国名にしています[5]。南アメリカ州の国々を，国名に注目して見てみましょう。

国旗に注目して見た国々

世界の国々には，さまざまな形や色の国旗があります。国旗のデザインには，その国の自然や歴史，宗教などと関係する絵柄が取り入れられていたり，自由や平和といった人々の思いが込められていたりします。

オセアニア州では，南半球の夜空に輝く南十字星が描かれていたり，太平洋を象徴する青色が地色となっていたりする国旗が多く見られます。また，「ユニオンジャック」とよばれるイギリスの国旗が，デザインの一部に取り入れられている国々もあります[6, →p.124]。オセアニア州の国々を，国旗に注目して見てみましょう。

7 赤道記念碑(エクアドル，キト)

p.4～7で，さまざまな点に注目して調べてきた国の国名とその位置を，地図帳や地球儀で確認しよう。

世界の国の中から三つ選び，属する州，面積や人口，国境などの特徴について説明しよう。

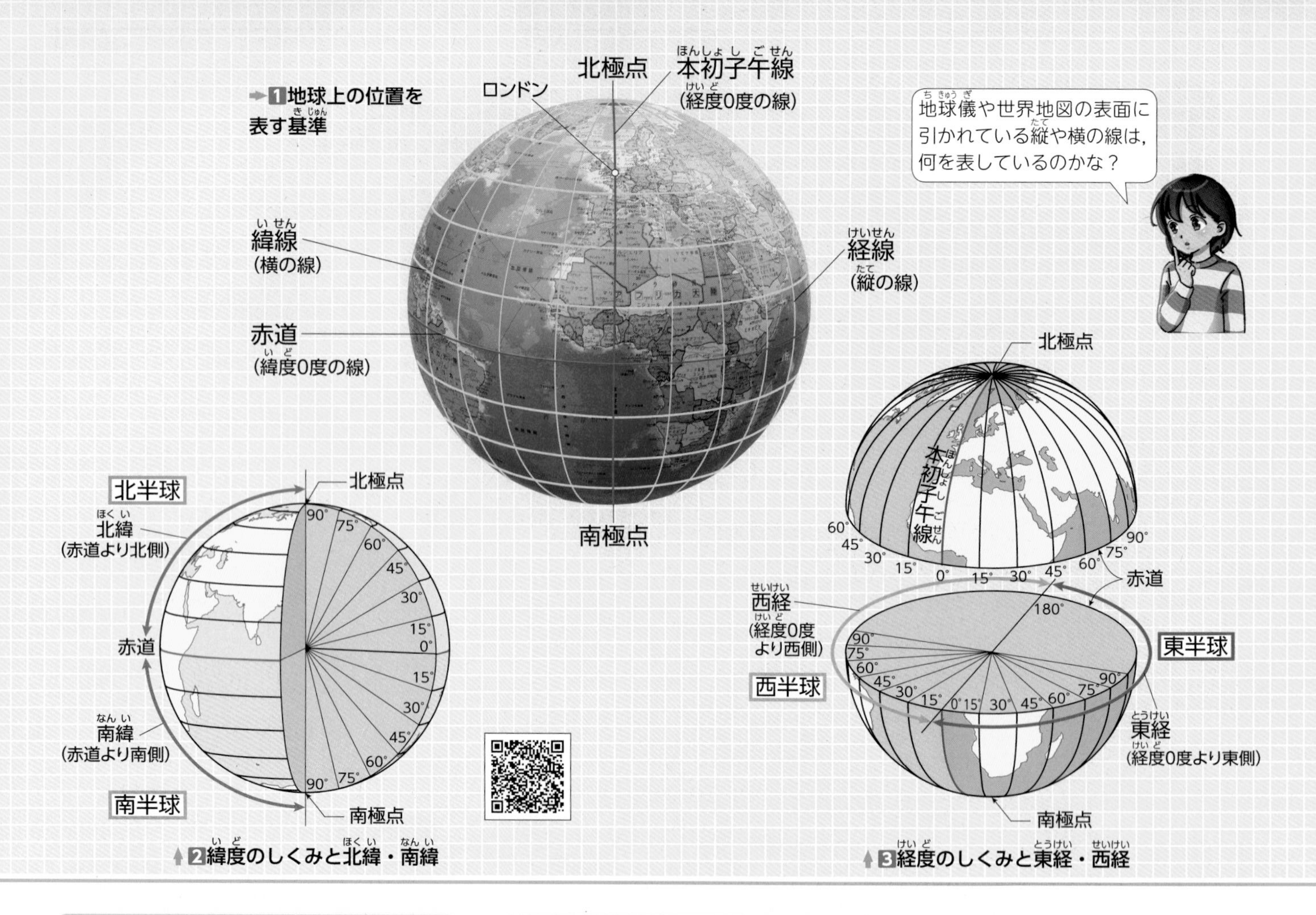

➡ 1 地球上の位置を表す基準

⬆ 2 緯度のしくみと北緯・南緯

⬆ 3 経度のしくみと東経・西経

3 緯度と経度

学習課題 世界の国々や都市の位置を表すには，どのような方法があるのだろうか。

地球上の位置を表す緯度と経度

国や都市の位置を表すときに使うと便利なのが，**緯度**と**経度**です。

緯度は，地球の中心から地表を見たときに，地球を南北に分ける角度のことをいいます[2]。**赤道**を0度としてみると，北極点と南極点までそれぞれ90度に分かれ，赤道より北側は北緯，南側は南緯と表します。同じ緯度を結んだ線は**緯線**といい，すべての緯線が赤道と平行になります[1]。

経度は，地球の中心から地表を見たときに，地球を東西に分ける角度のことをいいます[3]。北極点からイギリスのロンドンを通り，南極点までを結ぶ線を，経度0度の線（**本初子午線**）[解説, 4]として，東西それぞれ180度に分かれます。そして，同じ経度を結んだ線を**経線**といい[1]，本初子午線より東側を東経，西側を西経と表します。東経180度の経線と西経180度の経線は，同じ経線になります。

解説 本初子午線

ロンドンにある旧グリニッジ天文台を通り，経度0度の基準となる経線です。昔の中国の方位を表す言葉で，「子（ね）」は北を，「午（うま）」は南を表します。

⬆ 4 本初子午線をまたぐ観光客（イギリス，ロンドン，旧グリニッジ天文台）

技能をみがく 2 地図帳のさくいんの引き方

地図帳のさくいんには，地名が五十音順に載(の)っています。例えばパリを探(さが)すときは，「ハ」のところを見ると「パリ……45F6N」と示されています。これは，45ページのFの列と6の行が交わる範囲(はんい)にパリがあるという意味です。また，記号Nは，地名がこの範囲の北(North)にあることを意味し，Sの場合は南(South)にあることを意味しています。NとSの表示がない場合は，その地名が範囲内の中央辺りにあることを示しています。

やってみよう

次の都市は，図5でどの辺りに位置しているだろうか。都市名とさくいんの記号を線で結ぼう。

ベルン ●	● 45F5S
ブリュッセル ●	● 45G6

↑5 地図帳でさくいんを使ってパリを探(さが)してみると…

技能をみがく 3 地図帳での緯度(いど)・経度(けいど)の調べ方

地図中の都市が，緯線(いせん)・経線(けいせん)上ではない位置にある場合は，どのようにその位置を調べればよいのでしょうか。例えば，10度おきに緯線・経線が引いてある図6で，アデレードの位置を調べるときは，アデレードが位置する範囲(はんい)を囲(かこ)んでいる緯線・経線を1度ごとに区切る目盛(めも)りを入れて，その緯度・経度を調べます。目盛りを数える際(さい)は，南緯(なんい)の場合は北から南へ，東経(とうけい)の場合は西から東へ数えることに注意しましょう。

やってみよう

図6で，次の都市の位置を調べ，おおよその緯度(いど)・経度(けいど)で示(しめ)そう。

アデレード　（　南緯，　　度）（　東経，　　度）
ケアンズ　　（　　緯，　　度）（　　経，　　度）

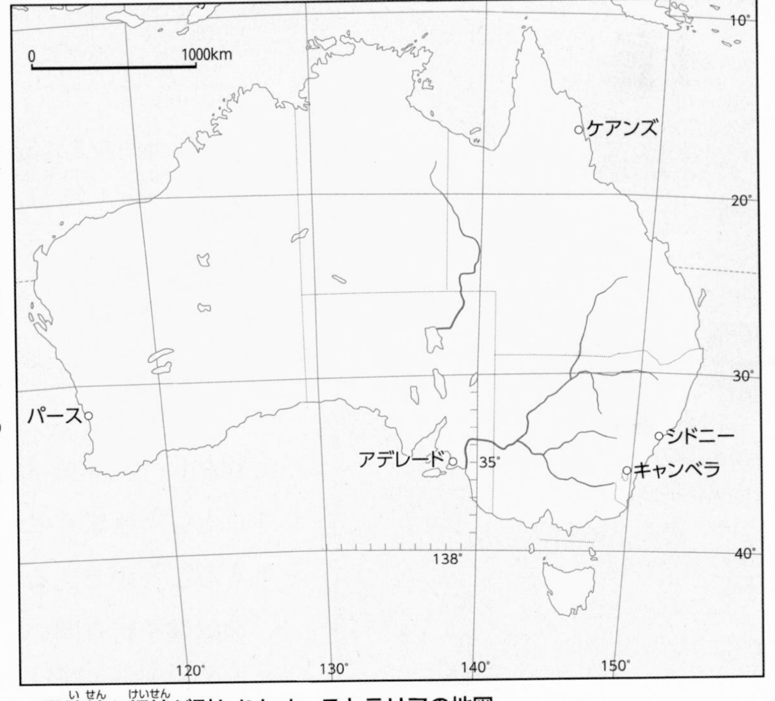

↑6 緯線(いせん)と経線(けいせん)が引かれたオーストラリアの地図

緯度と経度で位置を示(しめ)してみよう

緯度と経度を使うと，地球上の位置を住所の番地のように正確(せいかく)に表すことができます。世界のさまざまな国の首都や都市，都道府県の県庁所在地(けんちょうしょざいち)→p.23，自分が住んでいる市区町村の位置も，緯度・経度で表すことができます。あなたの学校がある市区町村の緯度・経度を調べて，同じ緯度上や経度上にどのような都市があるのかを調べてみましょう。

緯度(いど)と経度(けいど)の基準(きじゅん)となる0度の緯線(いせん)と経線(けいせん)の名称(めいしょう)を，図2と図3を見て答えよう。

地図帳のさくいんを使って，バンコクとニューヨークを探(さが)し，おおよその緯度・経度を説明しよう。

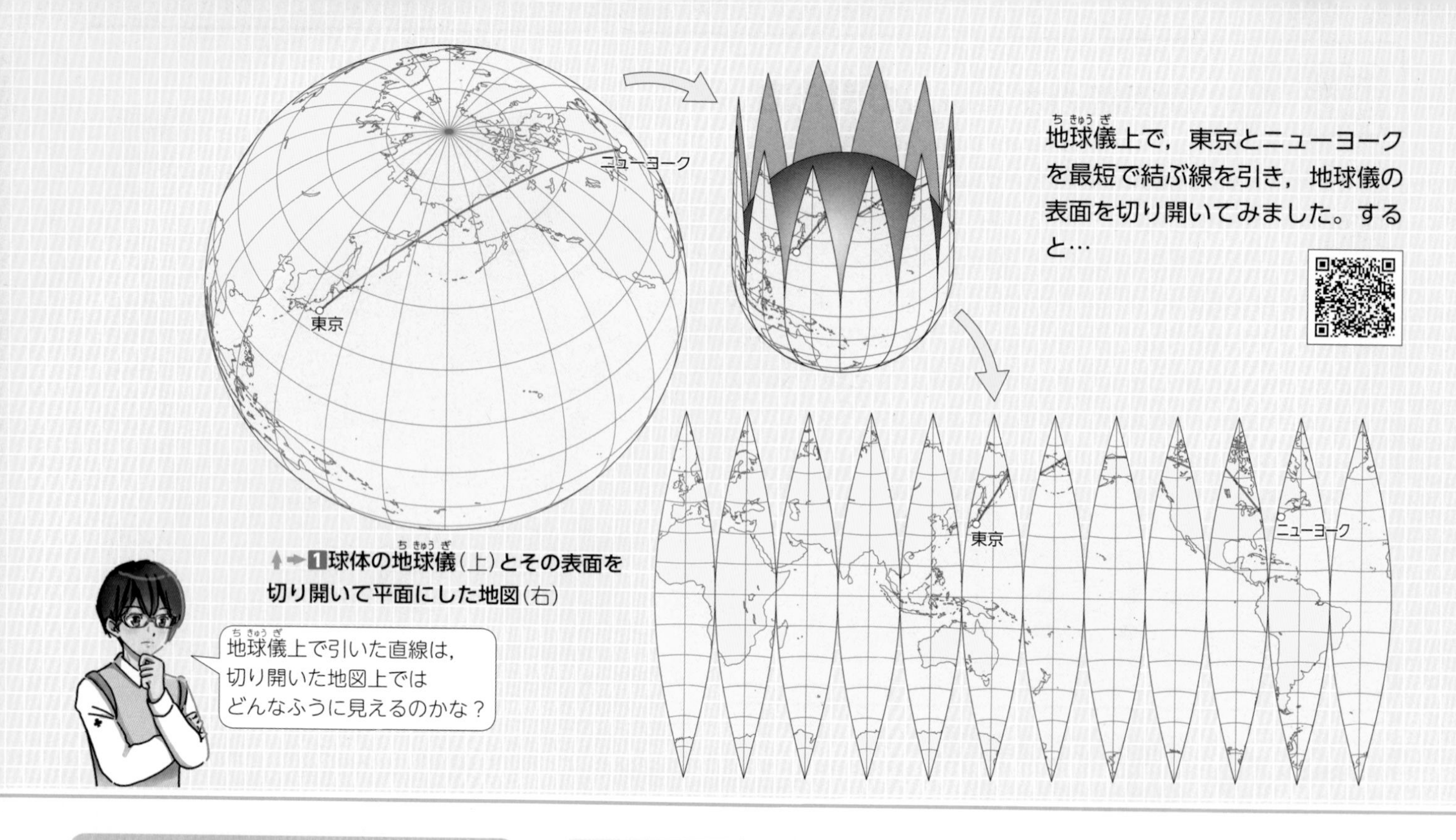

⬆➡1球体の地球儀(上)とその表面を切り開いて平面にした地図(右)

地球儀上で引いた直線は，切り開いた地図上ではどんなふうに見えるのかな？

4 地球儀と世界地図の違い

学習課題 地球儀と世界地図の長所と短所は，それぞれどのような点だろうか。

地球儀と世界地図の違い

地球儀は，地球を小さくした模型で，距離や面積，形，方位などを正しく表しています。地球上のある地点とある地点の距離を調べたり，方位を調べたりするときに便利です。[2] [3, 4]

しかし，地球儀は持ち運びに不便で，かつ世界全体を一度に見渡すことはできません。そこで，持ち運んだり，世界全体を見渡したりすることができるように作られたものが，**世界地図**です。

地球儀を切り開いて，世界地図を作ろうとすると，みかんの皮をむいたときのように，地図がちぎれてしまいます。また，地球儀上で東京とニューヨークを結んだ直線も，大きく曲がり，とぎれる所が出てきます。[1] このように，球体である地球を，平面の世界地図にそのまま表すことはできません。世界地図では，地球儀のように距離や面積，形，方位などを一度に正しく表すことができないため，面積が正しい地図[7]や，中心からの距離と方位が正しい地図[8]など，使う目的に応じていろいろな地図が作られてきました。地図を使うときには，それらの地図の特徴[5]を知っておくことが大切です。

地理プラス 方位の示し方

方位とは，地球上のある地点から見た，ほかの地点の方向をいいます。東西南北の４方位，その中間の北東，北西，南東，南西を加えた８方位などで示されます。さらに細かく分けた16方位で示す場合もあります。

➡2 8方位での示し方

確認しよう 地球儀上で東京からブエノスアイレスを見た場合の方位を調べ，調べた結果を図8で確認しよう。

説明しよう 地球儀と世界地図の長所と短所を表にまとめ，説明しよう。

技能をみがく 4 地球儀での距離と方位の調べ方

▲3 地球儀での距離の調べ方

▲4 地球儀での方位の調べ方

[距離の調べ方]

北極点と南極点の間に紙テープを貼り，そのテープを4回折って16等分しましょう。北極点から南極点までの距離は，約20000kmなので，折り目の1目盛りが約1250kmになります。距離を調べたい2点間にこのテープを置いて，目盛りを読み取ると，おおよその距離が調べられます。

[方位の調べ方]

紙テープを直角に貼り合わせ，交わったところを，地球儀上の方位を調べたい地点(基点)に合わせます。縦のテープを経線に合わせると，横のテープの右は基点から東の方位を，左は西の方位を示します。

5 緯線と経線が直角に交わる地図

地図上の二つの点を結んだ直線上では，経線に対して常に同じ角度になるので，昔は船で海を渡る際に使われていました。赤道から離れ，緯度が高くなるほど，実際の面積よりも大きく表されます。

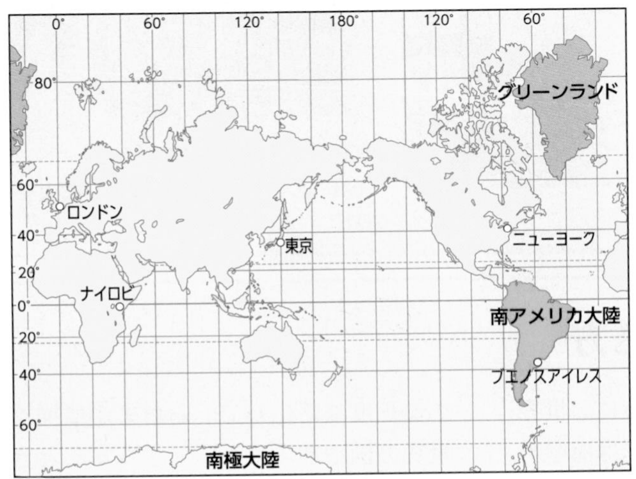

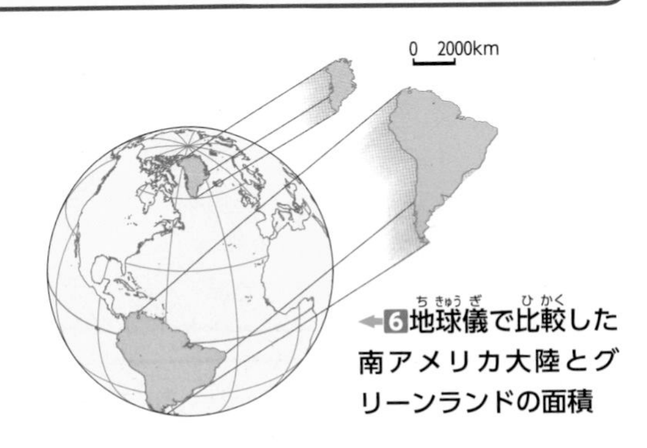

6 地球儀で比較した南アメリカ大陸とグリーンランドの面積

8 中心からの距離と方位が正しい地図 図の中心からほかの地点への距離と方位が正しく表されるように作られた図で，地球儀と方位の見え方は同じです。中心以外の地点どうしの距離と方位は正しく表されません。

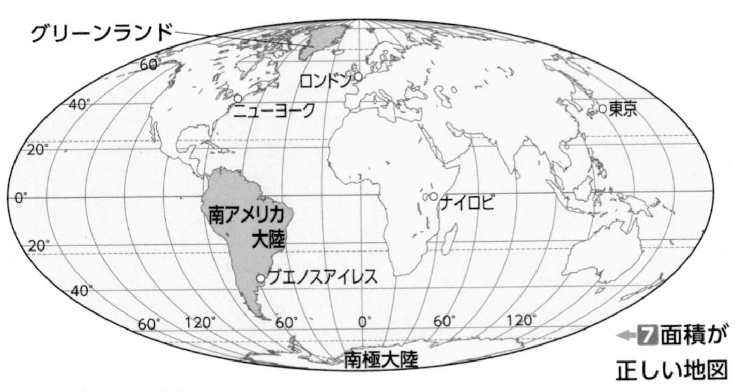

7 面積が正しい地図

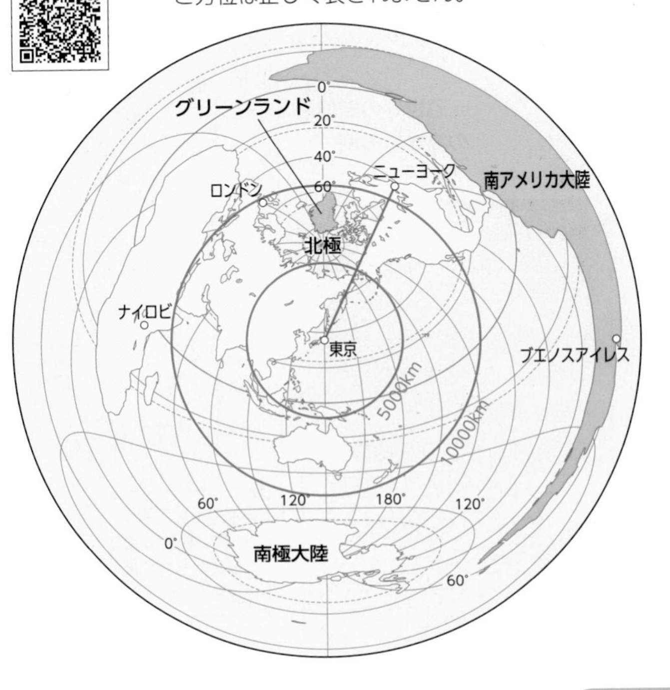

やってみよう

1. 図5～8で，南アメリカ大陸と世界最大の島グリーンランドの面積を比べよう。
2. グリーンランドの形を，地球儀と図5で比べ，なぜ形に違いがあるのか，図1や図6を手がかりにして考えよう。
3. 地球儀や図8を使って，東京～ロンドン間，東京～ナイロビ間の距離を調べよう。また，東京から真東・真西に向かうと，どの国を通るのか地球儀や図8で調べ，図5と比べよう。

地理プラス 緯度が違うと何が違う？

地球は，北極点と南極点を結ぶ地軸が約 23.4 度傾いた状態で自転しながら，太陽の周りを 1 年間で 1 周しています。これを図1で見ると，北半球の日本では地軸の傾きにより，6 月ごろに太陽の光が強く当たるので夏となり，12 月ごろは弱く当たるので冬となります。一方，南半球では，6 月ごろが冬になって 12 月ごろが夏となり，北半球と季節が逆になります。

緯度の高さによる太陽の光の当たり方の違いは，世界各地の気候の違いにも大きな影響を与えています。緯度が低い赤道近くは，太陽の光が常に強く当たるので一年中高温となります。一方，緯度が高い地域では，太陽の光がよく当たらない時期は寒さの厳しい冬になります。

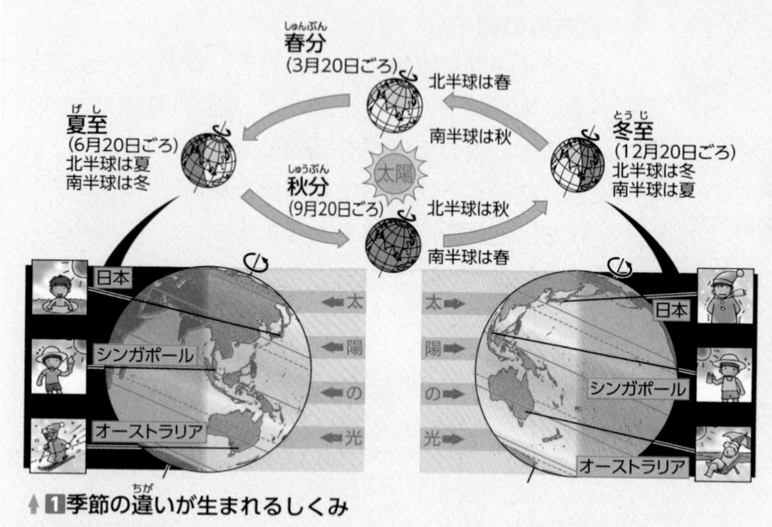

1季節の違いが生まれるしくみ

2クリスマスに海水浴を楽しむ人々（オーストラリア，2017 年 12 月 25 日撮影）

技能をみがく 5 世界の略地図の描き方

世界のおおまかな姿をイメージできるように，世界の略地図を描く練習をしましょう。大陸の形は海岸線が複雑ですが，略地図を描くときには，海岸線の形をある程度簡略化して，おおまかに描くことが大切です。世界の国や地域について学習するときに略地図を使うと，学習した内容を整理しやすくなります。

3世界の略地図の描き方の例

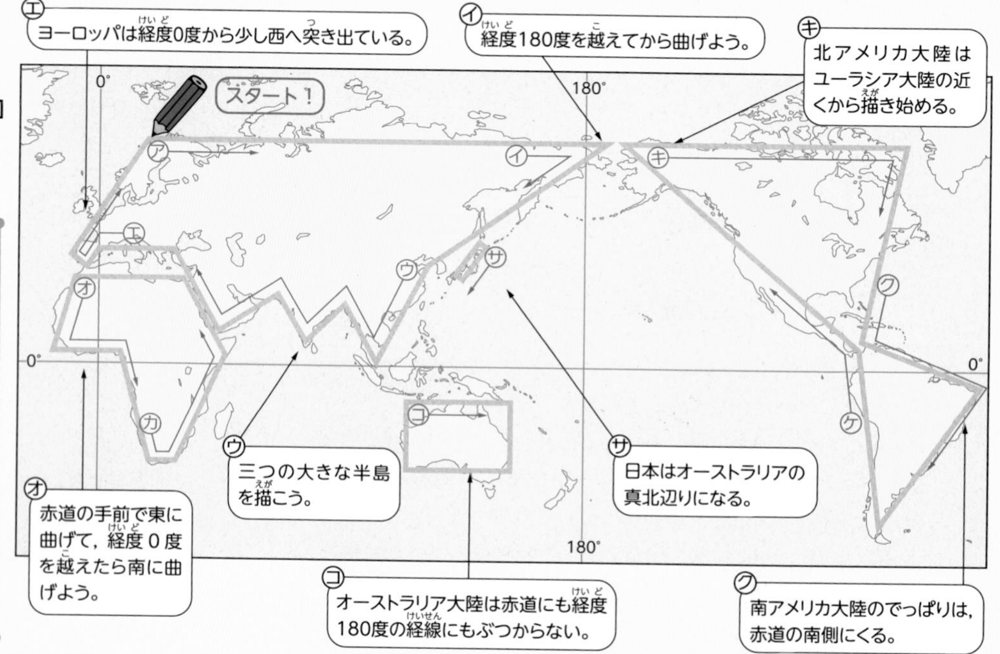

やってみよう

1. 図3の上にトレーシングペーパーを置き，赤線をア～サの順に鉛筆でなぞって略地図を描く練習をしよう。
2. 赤道や経度０度の経線（本初子午線），180 度の経線をノートに描いて，それを目安に略地図を描こう。

章の学習を振り返ろう

第1章 世界の姿

第1章の問い p.2〜12 世界にはどのような国があり，その位置を表すには，どのような方法があるのだろうか。

1 学んだことを確かめよう ≫ 知識

1. 図1のＡ～Ｉにあてはまる大陸名，海洋名を答えよう。
2. 図1のⓐ～ⓕにあてはまる州名を答えよう。
3. 図1のⓐ～ⓕの州にある国をそれぞれ一つ挙げて，その国名と首都名を答えよう。
4. 図1の中から島国を三つ答えよう。また，ⓑ～ⓔの州にある内陸国を一つずつ答えよう。
5. 図1の❶～❿の中から，本初子午線，赤道，東経120度，南緯40度にあてはまる緯線・経線の番号を答えよう。
6. 次のア～エは，世界地図か地球儀のいずれかの特徴を表したものです。世界地図の特徴にあてはまる記号を答えよう。
   ア．持ち運びに便利である
   イ．地球を小さくした模型である
   ウ．世界全体を一度に見ることができる
   エ．距離・面積・形・方位などを正しく表している

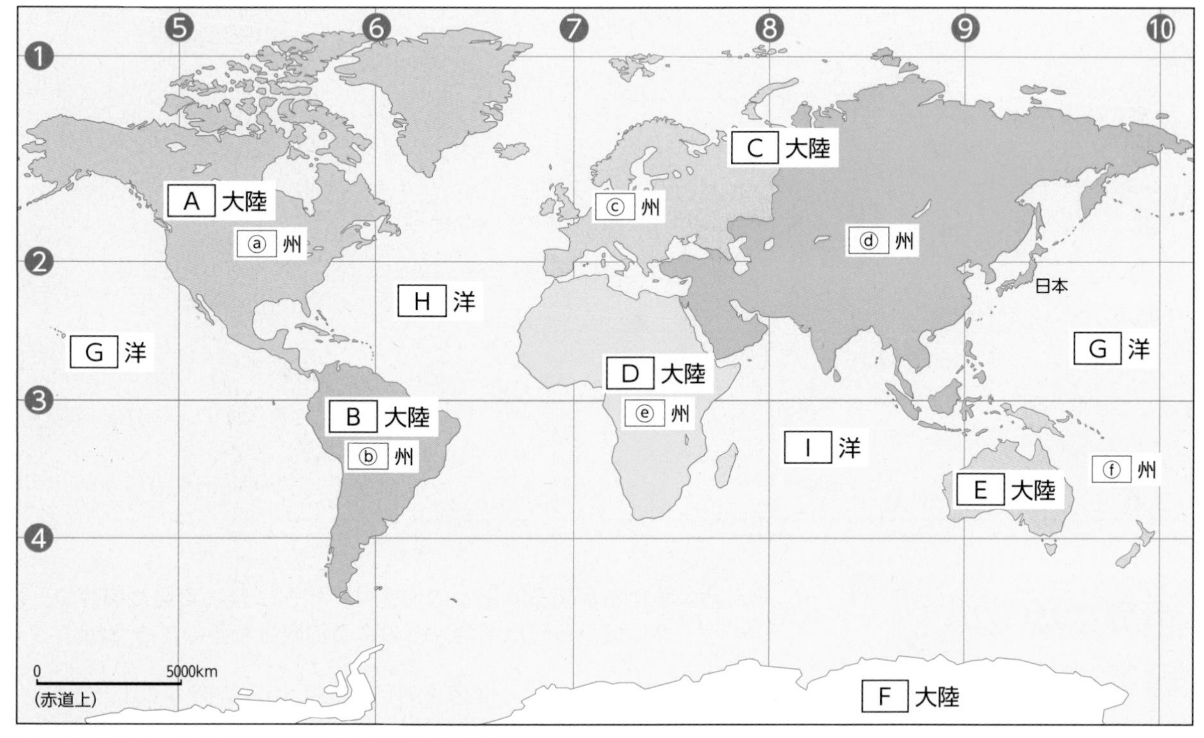

▲1州別に色分けしたヨーロッパ中心の世界地図

2 「地理的な見方・考え方」を働かせて説明しよう ≫ 思考力・判断力・表現力

1. 北半球と南半球の両方にまたがる大陸をすべて答えよう。
2. インド洋の位置について，「アフリカ大陸」，「ユーラシア大陸」，「東」，「南」の語句を使って説明しよう。
3. アジア州の位置について，「ユーラシア大陸」，「ヨーロッパ州」，「インド洋」の語句を使って説明しよう。
4. 2や3の設問を参考に，大陸や海洋，州や国の位置に関する問題を作成し，グループで問題を解き合おう。

「章の問い」に関連が深い見方・考え方

位置や分布 (→巻頭7)

第2章 日本の姿

第2章の問い p.14～24　日本の位置や広がりには，どのような特色があるのだろうか。

1 日本と同じくらいの緯度にあるイタリア（ローマ）

2 日本と同じくらいの緯度にあるアメリカ合衆国（ニューヨーク）

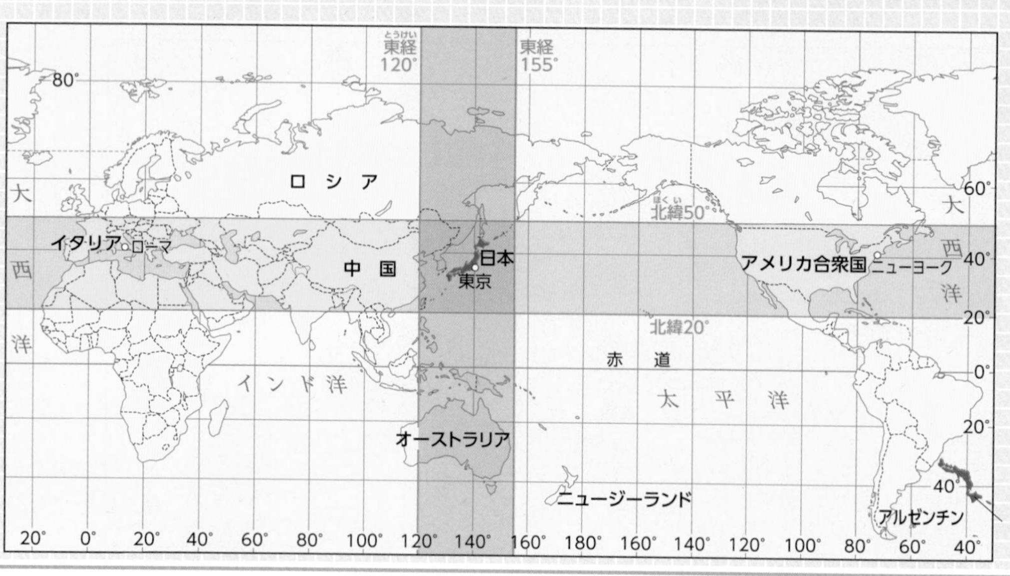

3 日本と同じ緯度，同じ経度の範囲

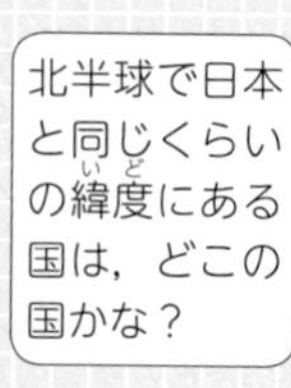

1 世界の中での日本の位置

学習課題　私たちが暮らす日本の位置は，緯度・経度で見た場合や，世界の他地域から見た場合，どのように表されるのだろうか。

緯度・経度で見た日本の位置

世界の中での日本の位置を説明するには，第1部第1章で学習した**緯度**・**経度**（→p.8）や，周りの大陸や国との位置関係で表す方法などがあります。

緯度・経度を用いて日本の位置を見てみると，緯度では，日本はおよそ北緯20度から50度の間にあり，アメリカ合衆国2や中国，アフリカ大陸北部からヨーロッパ南部1などと同じくらいです。3 南半球で，日本と同じくらいの緯度の国を探してみると，ニュージーランドやアルゼンチンなどがあります。また，経度では，およそ東経120度から155度の間にあり，オーストラリアと同じくらいです。3

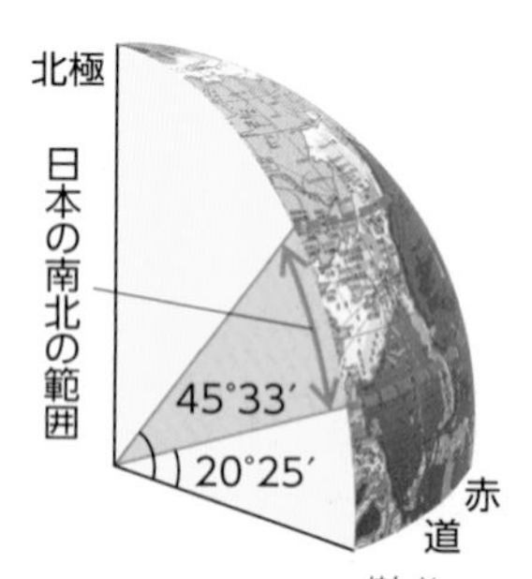

4 緯度で見た日本の南北の範囲　日本は面積のわりに，国土が広がる緯度・経度の範囲が広い国となっています。

地理プラス 極東や中東とは，どこの地域を指している？

日本や中国といった東アジアの国々がある地域は，「極東」とよばれることがあります。これは，ヨーロッパを中心にして世界をとらえたときに，東アジアがヨーロッパから最も東側にある地域に見えたからでした。同じように，ヨーロッパから見て東側の近い位置にあるトルコ周辺のアジアは「近東」とよばれ，極東と近東の間に位置する西アジア諸国は「中東」とよばれます。また，これら二つの地域を合わせて「中近東」とよぶこともあります。

アジアのこのようなよび方は，15世紀以降，ヨーロッパ人が新天地を求めてアジアやアフリカなどに進出していった大航海時代に始まりました。当時のヨーロッパ人が作った世界地図を見ると，東の端「極東」に，まだ島の形もはっきり分かっていなかった日本が描かれています。

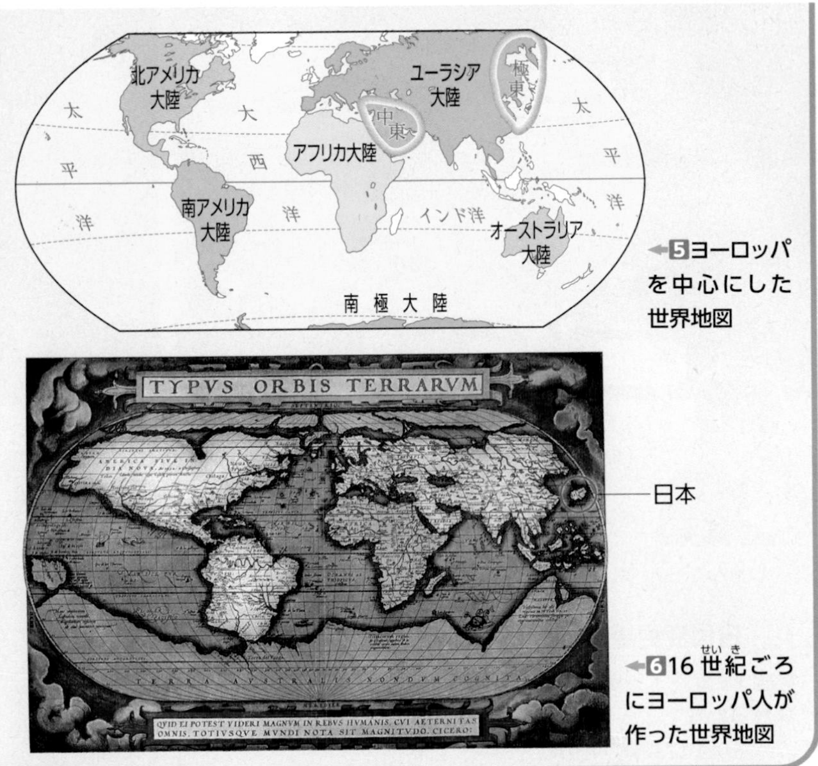

◀5 ヨーロッパを中心にした世界地図

◀6 16世紀ごろにヨーロッパ人が作った世界地図

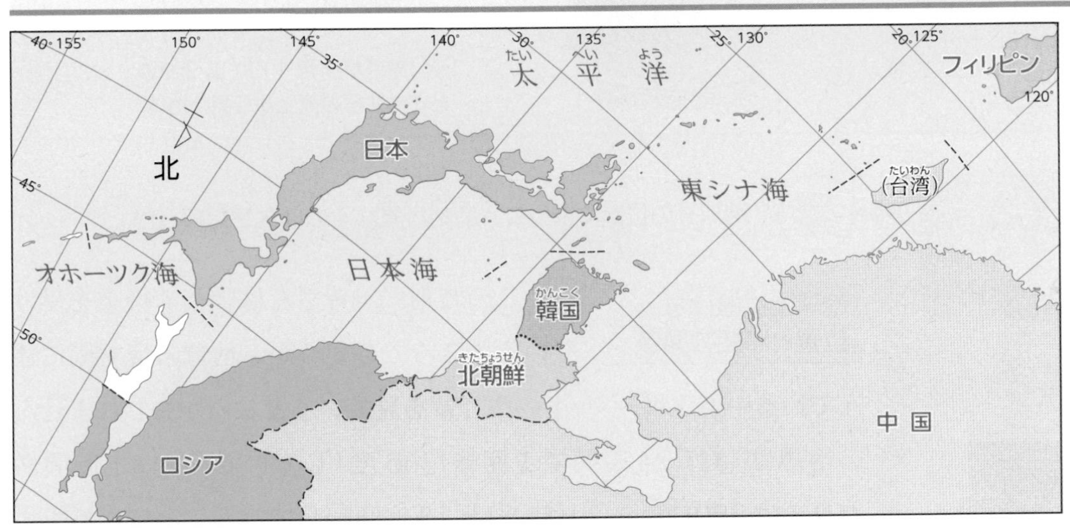

◀7 ユーラシア大陸の隣国から見た日本 資料活用 方位に注意しながら，隣国から見た日本の方向を確認しよう。

世界の他地域から見た日本の位置

日本の位置を大陸との位置関係でとらえてみると，日本はユーラシア大陸の東にあります。[5] また，アメリカ合衆国から見ると，日本は広大な太平洋を挟んで海の向こうにある島国といえるでしょう。

さらに，韓国から見てみると，日本は日本海を挟んで東にある隣国といえます。一方，ロシアの東部から見ると，日本はオホーツク海や日本海を挟んで南に位置する国ともいえます。[7] このように，大陸や海，国との関係から見た位置の表し方は，緯度と経度を使った表し方と違い，どこから見るかで表現が変わります。

確認しよう　図3と地図帳を使って，日本と同じくらいの緯度・経度にある国を，挙げよう。

説明しよう　行ってみたい国を一つ選び，その国から見た日本の位置を，方位や大陸・海洋の名称などを使って説明しよう。

1 初詣で混雑する神社（東京都，千代田区）

2 新年の幕開けを祝う花火（イギリス，ロンドン）

解説 日付変更線

経度15度で1時間ずつ時差を設けながら地球を一周すると，24時間の時差が生じます。このとき時刻は同じでも日付は1日異なることになるので，日付変更線を設けて日付を調節します。

東京にいる しゅんさんは，朝9時に初詣に出かけた際，ロンドンに旅行中の かえでさんに，新年のあいさつの電話をしました。すると，かえでさんは「今，年が明けた」と返答しました。なぜこのような現象が起こるのでしょうか。

3 東京が1月1日午前9時のときに北極の真上から見た地球

2 時差でとらえる日本の位置

学習課題 地球上の位置によって，時刻が異なるのはなぜだろうか。

地球上における位置と時差の関係

今この時刻に，皆さんは学校で授業を受けているところでしょうか。地球の反対側に住んでいる中学生は，ベッドの中で夢を見ているところかもしれません。

地球は ほぼ24時間で1回転（360度）しているので，1時間あたりでは360（度）÷24（時間）＝15度回転していることになります。このため，経度が15度違うと1時間の差が生じます。

世界の国々は，それぞれ基準になる経線（**標準時子午線**）を決めて，それに合わせた時刻を**標準時**として使っています。[5] 日本は，兵庫県明石市を通る東経135度の経線を基準にし，この経線上を太陽が通る時刻を正午として標準時を決めています。[6]

二つの地域の標準時の差を**時差**とよびます。[4] 外国にいる人に電話をかける際は，この時差を考えて電話をしないと，日本は昼間でも相手の国では夜中の寝ている時刻，ということがあります。[1~3]

二つの地域の地球上における経度の差が大きいほど，時差も大き

4 東経135度の表示がある駅のホーム（兵庫県，明石市，2019年撮影）

技能をみがく 6 時差の調べ方

同じ標準時を使う地域のことを**等時帯**といいます。世界の基準となる時刻は，ロンドンの旧グリニッジ天文台を通る本初子午線(→ p.8)での時刻とされており，「グリニッジ標準時(GMT)」とよばれます。図6は，各地域の標準時とグリニッジ標準時との時差を示しており，本初子午線より東側にあたる東経ではGMTより時刻が早くなり，西側にあたる西経ではGMTより時刻が遅くなります。実際に海外旅行に出かける際に，行き先の国と日本との時差を調べたり，国際電話をかけるときに，相手の国の時刻を調べたりするのに便利です。

やってみよう

1. 東京，ロンドン，ロサンゼルスの中で，最も早く元日を迎えるのは，どの都市だろうか。
2. 東京が1月1日の午前9時のとき，ニューヨークは何月何日の何時になるのか，図5で確認しよう。
3. 図6で複数の等時帯をもつ国を探し，国名を三つ挙げよう。
4. オーストラリアの東の端と西の端では，何時間の時差があるだろうか。

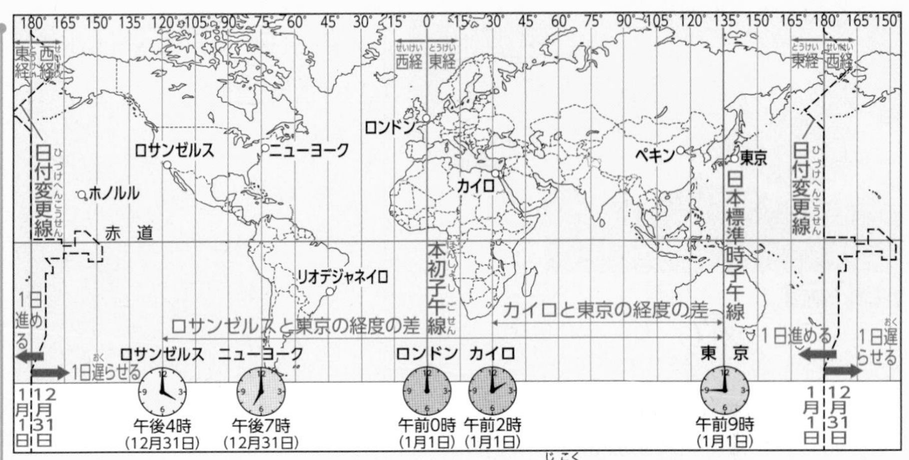

▲5ロンドンが1月1日午前0時のときの主な都市の時刻を表した地図

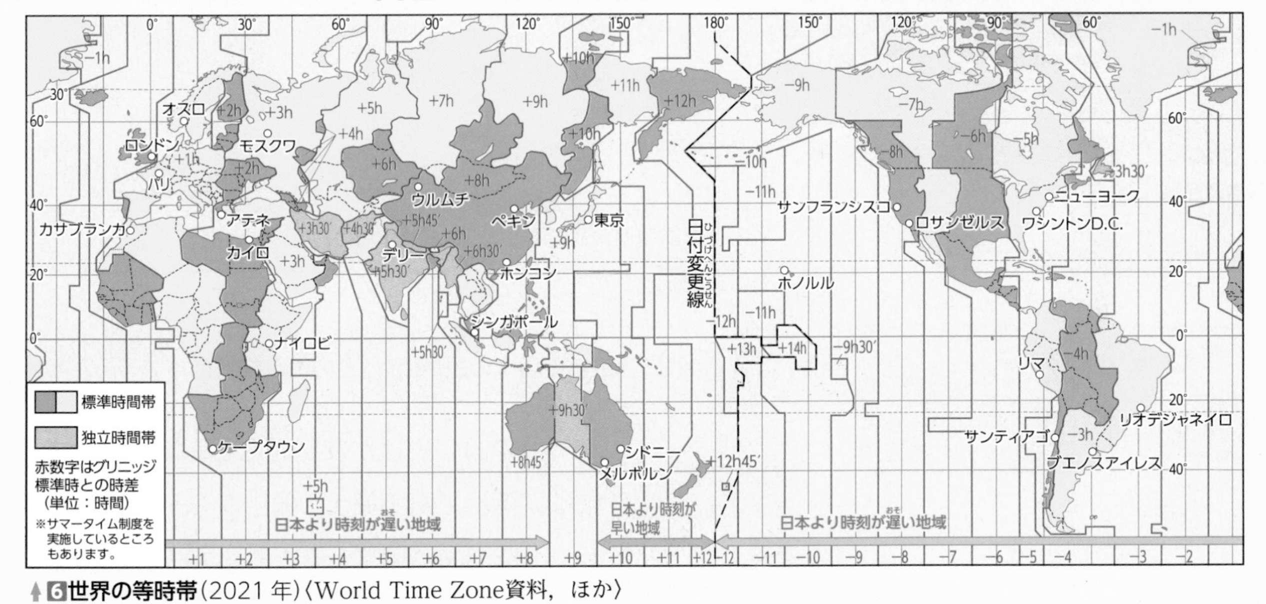

▲6世界の等時帯(2021年)〈World Time Zone資料，ほか〉

くなります。ロシアやアメリカ合衆国のように，東西に長い国では，国内の時刻を一つの標準時だけにすると，日の出・日の入りの時刻が国の東西で大きく異なって日常生活に支障が出るため，国内にいくつもの標準時を設けています。6

5 太平洋上には，**日付変更線**解説がほぼ180度の経線に沿って設けられていて，日付を調節する役割を果たしています。3, 6

確認しよう：日本人の旅行先として人気の韓国は，日本と時差があるのか，図6で確認しよう。

説明しよう：複数の標準時をもつ国があるのはなぜか，説明しよう。

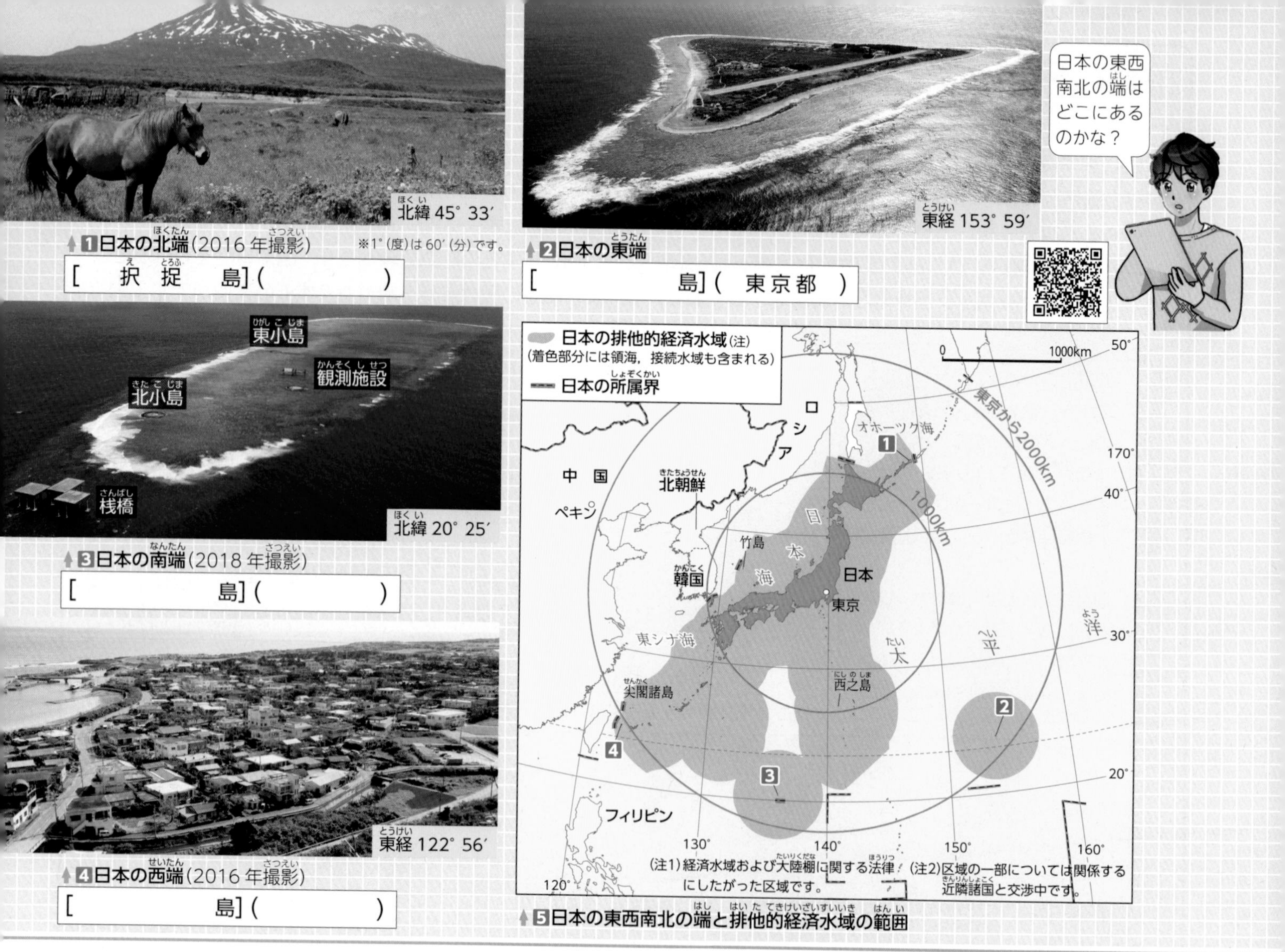

1 日本の北端(2016年撮影)
[択 捉 島]( )

2 日本の東端
[島](東京都)

3 日本の南端(2018年撮影)
[島]( )

4 日本の西端(2016年撮影)
[島]( )

5 日本の東西南北の端と排他的経済水域の範囲

3 日本の領域とその特色

学習課題 海に囲まれた日本の領域には，どのような特色があるのだろうか。

日本の領域

一つの国の主権が及ぶ範囲を**領域**といいます。領域は，陸地である**領土**，領土から一定の範囲である**領海**，領土と領海の上空である**領空**からなります。領海の幅は国によって異なり，日本では海岸線から12海里 7 (約22.2km)の範囲と定められています。

日本は，北海道と本州，四国，九州の四つの大きな島と数千の小さな島々が，ユーラシア大陸の東に約3000kmにわたって弓のような形で細長く連なった島国です。このため日本には，陸上に引かれる国境線がありません。領土の北端 1 と南端 3 の緯度の差は約25度，東端 2 と西端 4 の経度の差は約31度で，国土面積は約**38万km²**です。

やってみよう

1. 地図帳を使って，日本の東西南北の端にある写真2～4の島名を調べ，[ ]に記入しよう。
2. 写真1，3，4の島々が属している都道府県名を調べ，( )に記入しよう。

小学校●歴史●公民との関連 日本の広がり(小)，領土・領海・領空(公)，排他的経済水域(公)

地理プラス 護岸工事によって守られた沖ノ鳥島

沖ノ鳥島は，東京から南へ約1700km離れた無人島で，日本の最も南にあるサンゴ礁(→p.123)の島です。満潮時には，北小島と東小島が海面上に出るだけです。もしこれらの島が波の侵食などにより水没すると領土と認められなくなり，日本は国土面積より広い40万km² 以上の排他的経済水域を失うことになります。そのため，島の周りを消波ブロックやコンクリートで保護し，上部を金網で覆うなどして，島の保全が進められてきました。島のそばには観測施設も設置され，国が直接，島の維持管理を行っています。

6 波の侵食から守るための護岸工事が施された現在の沖ノ鳥島(東京都，小笠原村)　左の写真は，干潮で潮が引いた際に，東小島を調査している様子です。

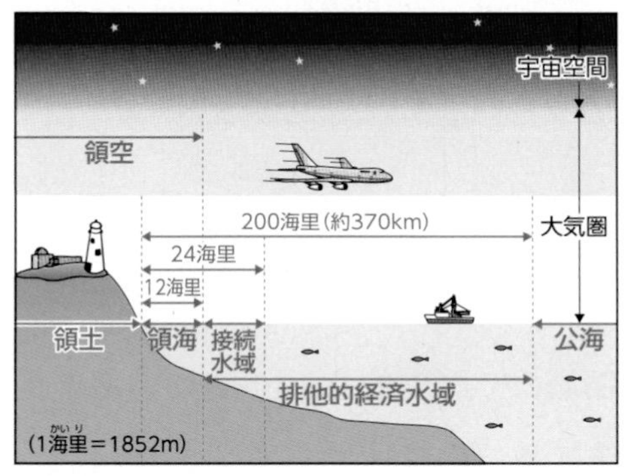

7 領土・領海・領空の模式図　大気圏外にあたる宇宙空間はどの国の主権も及ばないことになっており，平和的な利用が定められています。

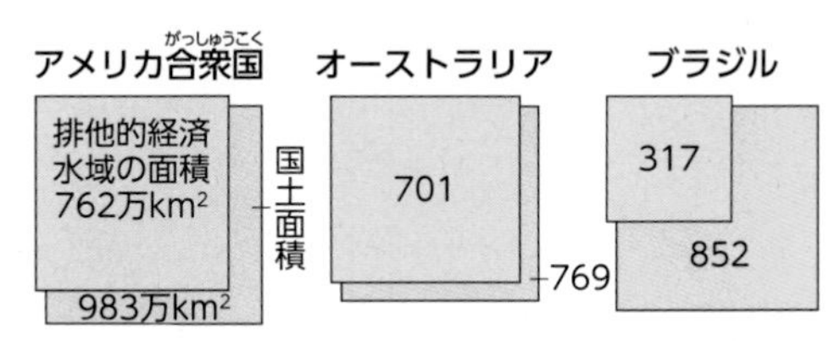

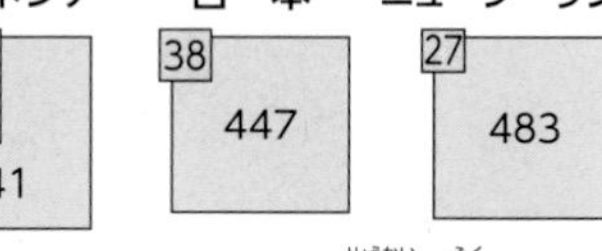

8 主な国の排他的経済水域の面積〈2018 漁港漁場漁村ポケットブック，ほか〉

資料活用 排他的経済水域の面積が国土面積よりも広いのは，どのような国だろうか。

海の資源の利用と排他的経済水域

領海の外側には，沿岸の国が魚などの水産資源や，海底にある鉱産資源を利用する権利をもつ**排他的経済水域**があります。排他的経済水域は，国連海洋法条約で海岸線から200海里(約370km)以内の範囲と定められています。この海域では，船や航空機の通行，海底ケーブルやパイプライン(→p.165)の敷設がどの国にも認められています。また，領海の外側で，海岸線から24海里までの範囲の**接続水域**では，沿岸の国が密輸や密入国(→p.62)などの取り締まりにあたっています。各国の排他的経済水域の面積は，領土における海岸線の形や，隣国との位置関係などで大きく異なります。島国である日本の場合は，領海と排他的経済水域を合わせた面積が，国土面積の10倍以上にもなります。

日本近海は，世界でも有数の漁場です。また，日本近海の海底には，天然ガスをはじめとする地下資源が豊富にあると予測されています。これらの海域が含まれる排他的経済水域は，日本にとって重要です。このため，水没する危険性のあった沖ノ鳥島に護岸工事を施したり，無許可で漁業を行う外国の船などを海上保安庁が取り締まったりして，排他的経済水域を守る取り組みを行っています。

9 活発な噴火を続ける西之島(東京都，小笠原村，2018年7月撮影)　噴火による溶岩の流出で新しく現れた島が，以前からこの場所にあった西之島と一体となったことで，島の面積は拡大しました。この島は現在も成長を続けているため，日本の領土や排他的経済水域も広さを変えつつあります。

10 渥美半島沖の海底から天然ガスを採取する船　資源の乏しい日本では，海底での資源開発に期待が高まっています。

■1 **納沙布岬から見える北方領土の島々**（北海道，根室市，2016年11月撮影） 納沙布岬から，歯舞群島の中で最も近い貝殻島までは，約3.7kmしか離れておらず，貝殻島にある灯台を肉眼で見ることができます。

■2 **北方領土周辺の国境の移り変わり** 日露通好条約が結ばれた2月7日は，1980年に国会で「北方領土の日」と定められました。

（Ⓐ～Ⓓ図共通） ▭日本の領土

Ⓐ日露通好条約（1855年）
樺太（サハリン） 150° カムチャツカ半島 50° オホーツク海 千島列島 得撫島 択捉島 国後島 色丹島 歯舞群島 太平洋 0 200km

Ⓑ樺太・千島交換条約（1875年）
ロシア 樺太（サハリン） 150° 50° 占守島 千島列島 0 200km

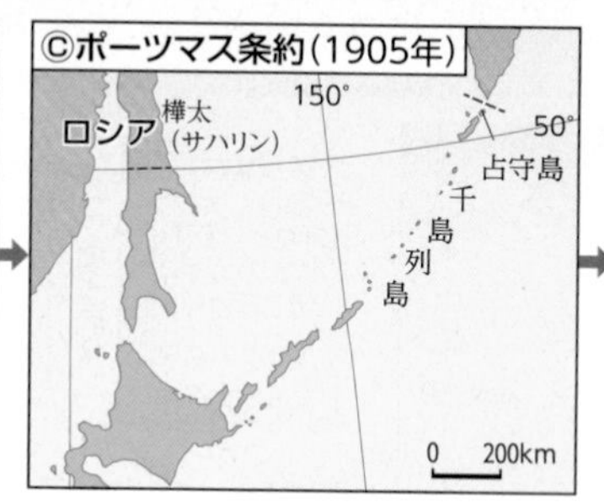

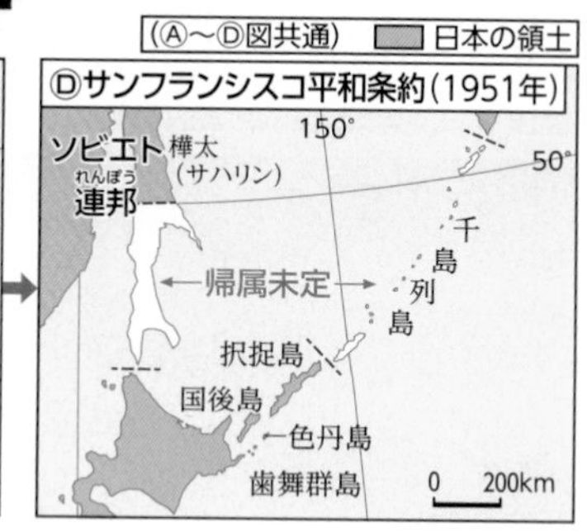

解説 国際法

各国が守るべき国と国との間の関係を定めた法です。文章になっている条約などのほかに，慣習や合意も含まれます。国際法では，「どの国の領土でもない領域は，最初に自国の領土だと主張した国の領土になる」とされています。

■3 **日本国民と北方領土に住むロシア人との交流**（北海道，択捉島，2018年撮影） この交流は互いの理解を深めるために，1992年に始まり，「ビザなし交流」ともよばれています。

❶ 日本は，サンフランシスコ平和条約において，樺太（サハリン）の一部や千島列島を放棄しましたが，北方領土の4島はその放棄地に含まれていないという立場を取っています。

❷ ソビエト連邦は，現在のロシアとその周辺の国々からなる国で，1922年から1991年まで存在していました。

国際法に基づいた日本の領土

日本の領域は，歴史的ないきさつも踏まえて，**国際法**（解説）に基づいて定められてきました。現在の日本の領土は，第二次世界大戦後の1951年に結ばれたサンフランシスコ平和条約によって定められました。しかし，日本の領域には，領有をめぐって隣国との間で課題がある地域もあります。

北方領土

北海道の北東部にある歯舞群島・色丹島・国後島・択捉島は，**北方領土**（■1，➡p.272）とよばれ，北海道根室市などに属する日本固有の領土です。1855年に，日本とロシアの国境を択捉島と得撫島の間で確認してから，北方領土をほかの国の領土とする条約が結ばれたことはありません（❶，■2）。北方領土の近海は水産資源が豊かで，かつて多くの日本人がこれらの島に住んでいました。

しかし，北方領土は1945年に，日本との条約を無視して一方的に侵攻してきたソビエト連邦（❷，➡p.79）に占領され，日本人は立ちのかされました。ソビエト連邦はサンフランシスコ平和条約に署名せず，現在までロシアが不法に占拠した状態となっています。日本は，北方領土の返還に向けてロシアと平和条約を結ぶため，交渉を続けています（■3）。

竹島

日本海にある**竹島**（■4～■6）は，島根県隠岐の島町に属する日本固有の領土です。17世紀には現在の鳥取県の人々が漁を行っており，1905年に明治政府が島根県への編入を内閣で

小学校●歴史●公民との関連 領土の確定（歴），サンフランシスコ平和条約（歴），沖縄返還（歴），国際法（公），領土問題（公）

4 竹島(島根県，隠岐の島町)

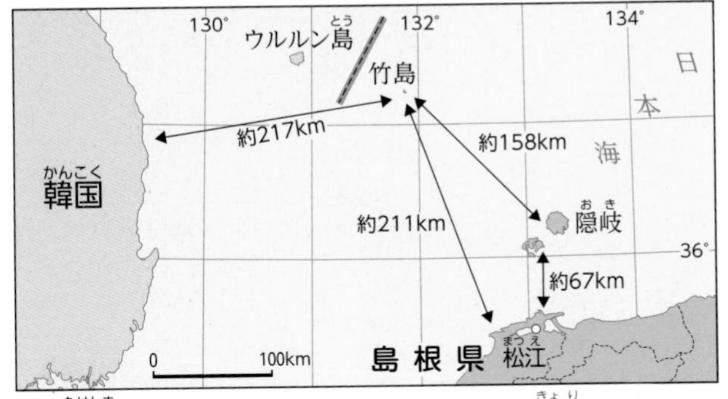

5 竹島の位置　竹島は本州から約211kmの距離にあります。

地理プラス 漁業が盛んだった昔の竹島

竹島は，暖流の対馬海流と寒流のリマン海流がぶつかる海域に位置しているため，周辺の海は昔からさまざまな魚介類がとれる豊かな漁場でした。江戸時代の初めには，米子(鳥取県)の人々が，1900年代からは隠岐(島根県)の人々が，あしか猟やあわび漁を行っていました。

1905年，隠岐の島民の願い出を受けた明治政府は，竹島の島根県への編入を定めました。それを告示した2月22日は，2005年に島根県議会により「竹島の日」と定められました。

6 隠岐の人々が行っていた竹島での漁の様子(昭和初期撮影)〈個人所蔵(島根県竹島資料室提供)〉

定めて，自国の領土とする考えを公式に示しました。

しかし，サンフランシスコ平和条約で竹島に対する主張を退けられた韓国は，1952年に海洋への権利を唱えて一方的に公海の上に境界線を引き，竹島に海洋警察隊や灯台を置いて，不法に占拠しています。日本はこれに抗議し，国際司法裁判所での話し合いをたびたび呼びかけていますが，韓国が応じていません。

尖閣諸島

東シナ海にある**尖閣諸島**は，沖縄県石垣市に属する日本固有の領土です。明治政府が，ほかの国の支配が及んでいないことを慎重に確認したうえで，1895年に沖縄県への編入を内閣で定めて，自国の領土とする考えを公式に示しました。[7, 8] その後，一時は島で200人以上が暮らし，かつおぶし工場も造られました。サンフランシスコ平和条約でも，南西諸島の一部として→p.174日本の領土とされました。尖閣諸島をほかの国の領土とする条約が結ばれたことはなく，日本政府による管理も及んでいるため，ほかの国との間で解決すべき領有をめぐる問題はありません。

尖閣諸島では，1960年代には，石油などの資源が周辺の海底にある可能性が注目され，1970年代に入ると，中国などが領有権を主張するようになりました。その後，日本は2012年に，尖閣諸島を平穏に維持，管理するために，その大半を国有地化しました。

7 尖閣諸島(沖縄県，石垣市)

8 尖閣諸島の位置　沖縄県の与那国島から北に約150kmの距離にあります。

確認しよう　領域を構成する三つの要素を挙げよう。

説明しよう　日本の領域の特色を，領土の広がりと排他的経済水域の面から説明しよう。

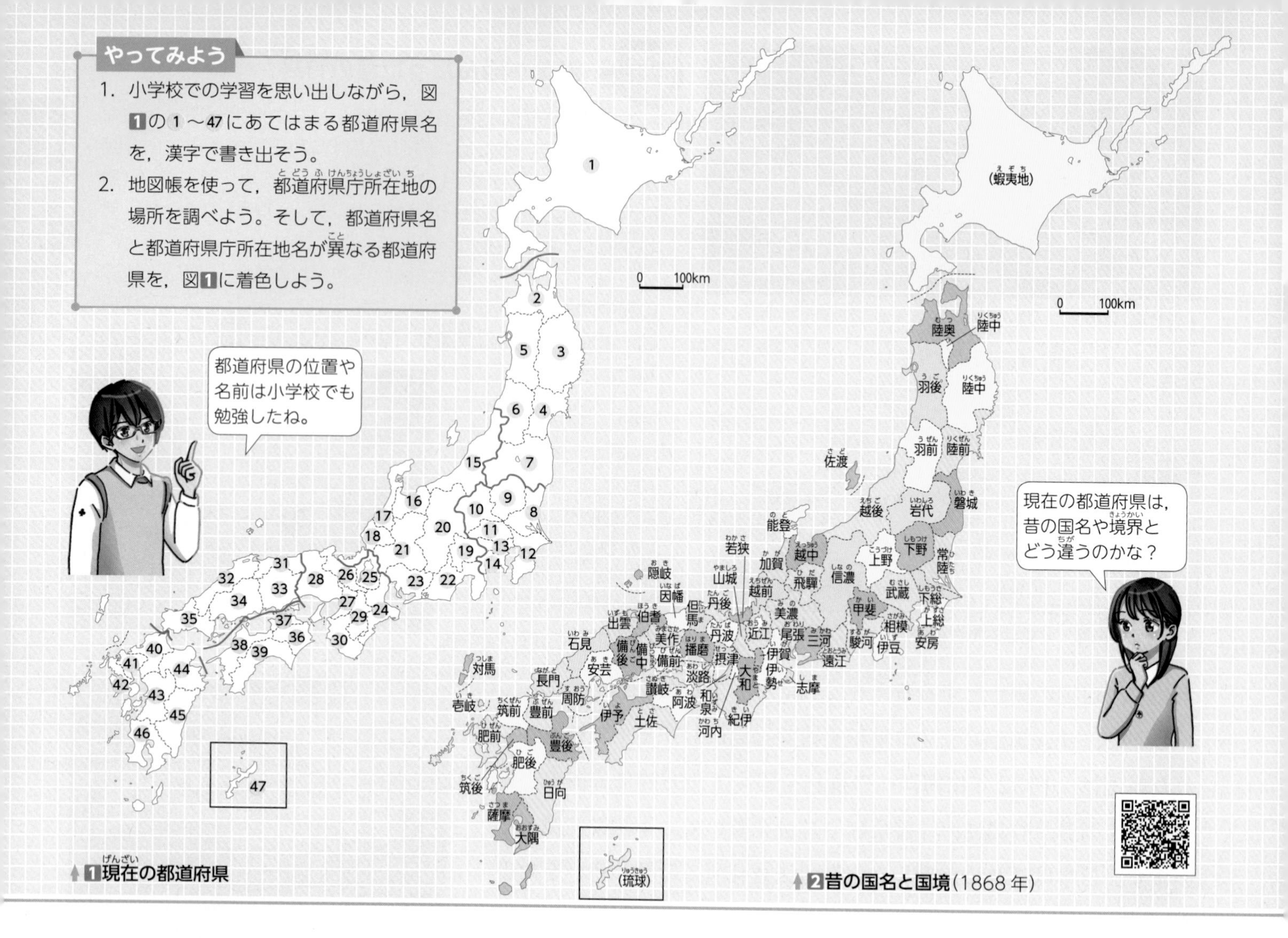

1 現在の都道府県

2 昔の国名と国境(1868年)

4 都道府県と県庁所在地

学習課題 日本の都道府県と都道府県庁の位置には，どのような特色があるのだろうか。

3 **島根県のアンテナショップ**(東京都，千代田区，2020年撮影) アンテナショップでは，情報の提供や特産品の販売を通して，地域の魅力を発信しています。

都道府県の成り立ち

都道府県とは，地方の政治を行うための基本単位のことです。都道府県のしくみは，1871(明治4)年に，明治政府がそれまでの藩を廃止して，「**府**」と「**県**」を置いた廃藩置県を行ったことにより始まりました。これにより，江戸時代以前から重要な都市だった京都と大阪には，「府」が付けられました。

現在の首都である東京も，かつては「府」でしたが，1943年に「**都**」に変更されました。「都」は首都を，「**道**」は「大きな行政の単位」を意味しており，「道」は面積の大きな北海道にだけ用いられるようになりました。そして，東京，大阪，京都，北海道以外には，「県」が付けられました。現在では，1都1道2府43県の計47都道府県になっています。1

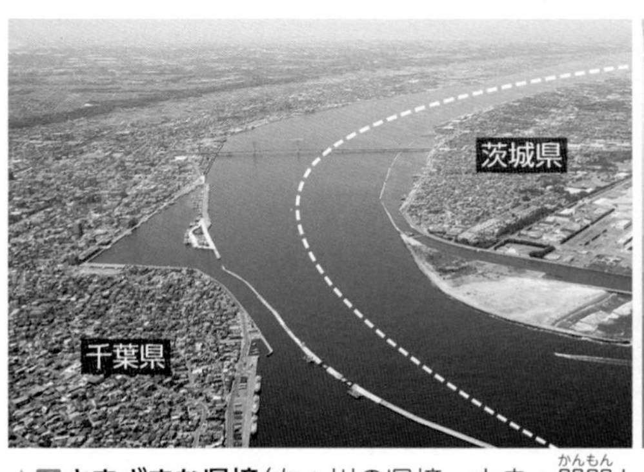

4 さまざまな県境（左：川の県境，中央：関門トンネルの中の県境，右：1か所に集まった3県の県境） 県境は目で確認できない場合が多いため，県境を分かりやすく示した場所には，見学に訪れる人も増えています。

地理プラス 東京都の都庁所在地は「東京」？

東京都庁の建物がある場所は，東京都新宿区です。ほかの道府県にならうと，都庁所在地は「新宿区」となりそうですが，地図帳を見てみると，「東京」と書かれています。なぜ「新宿区」ではないのでしょうか。

現在の東京23区の範囲には，かつて東京市がありましたが，1943年に東京府と東京市が合併して東京都になりました。その後，23に分割された区は，ほかの都市の区とは異なり，区長が選挙で選ばれるなど，一部，市町村の機能をもっています。一方で，東京市がもっていた，上下水道の管理など，市町村としての主要な権限は，東京都がもつことになりました。こうした理由から，新宿区をはじめとする東京23区は，各区が単独で市町村と同じ機能をもっているとはいえません。

このような背景を踏まえて，地図帳では，東京23区をひとまとまりとしてとらえ，国際的にも有名な「東京」の名称で記載されています。

5 地図帳に記載されている都庁所在地の例

都道府県庁所在地の成り立ち

都道府県庁が置かれている都市を，**都道府県庁所在地**といいます。都道府県庁所在地には，都道府県議会や裁判所など，各都道府県の政治の中心的な役割をもつ機関が集まっているのが特徴です。都道府県庁所在地の多くは，江戸時代以前から城下町や港町などとして，地域の政治・経済の中心地として栄えてきた場所です。現在も，都道府県の中で最大の人口を抱え，地域の中心となっている場合がほとんどです。

また，都道府県庁所在地の多くが，都道府県名と同じ都市名になっています。しかし，北海道の札幌市や宮城県の仙台市，兵庫県の神戸市のように，異なる場合もあります。

都道府県の境界

都道府県の境界線を都道府県境といいます。4 都道府県境は，山地や河川，海峡など，地形に沿って引かれる場合が多くあります。なかには，山梨県と静岡県にまたがる富士山の山頂のように，県境が未確定の所や，和歌山県北山村のように，飛び地になっている所もあります。6

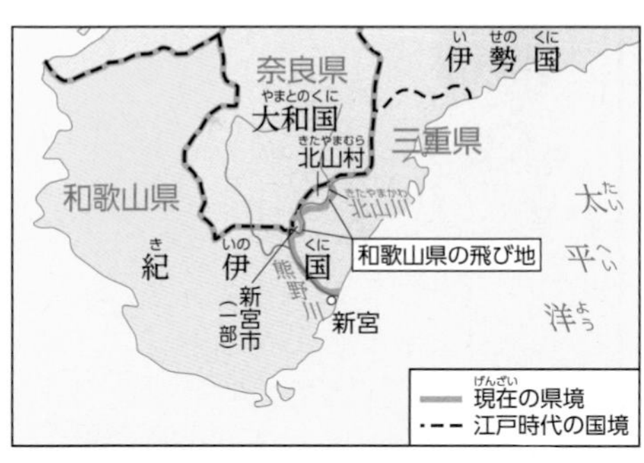

6 和歌山県の飛び地　三重県と奈良県の間には，和歌山県の飛び地があります。この地域は，江戸時代には紀伊国に属していました。しかし，明治時代に熊野川を境として紀伊国が和歌山県と三重県に分かれたとき，林業が盛んで新宮市との結び付きが強かった地域が，飛び地として和歌山県に入ることになりました。

確認しよう　「都」，「道」，「府」が付く都道府県名を，それぞれ挙げよう。

説明しよう　都道府県庁所在地はどのような所に置かれることが多いのか，説明しよう。

技能をみがく 7 日本の略地図の描き方

日本の略地図は，日本の形や都道府県の位置を説明したり，地理の学習内容をノートにまとめたりするときに使うと便利です。ここでは，世界の略地図の描き方(→ p.12)を振り返り，ポイントとなる緯線・経線との位置関係に注意しながら，海岸線が複雑な日本列島を単純な形に略す練習をしましょう。

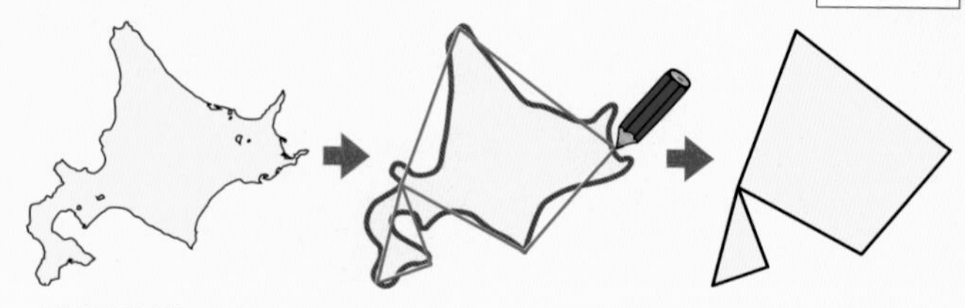

1 北海道の略し方の例

やってみよう

1. 図2の上にトレーシングペーパーを置き，赤線をア〜シの順に鉛筆でなぞり，日本の略地図を描く練習をしよう。
2. ノートに北緯 25 度・35 度・45 度の緯線と，東経 120 度・135 度・150 度の経線を引き，それを目安に日本の略地図を描こう。

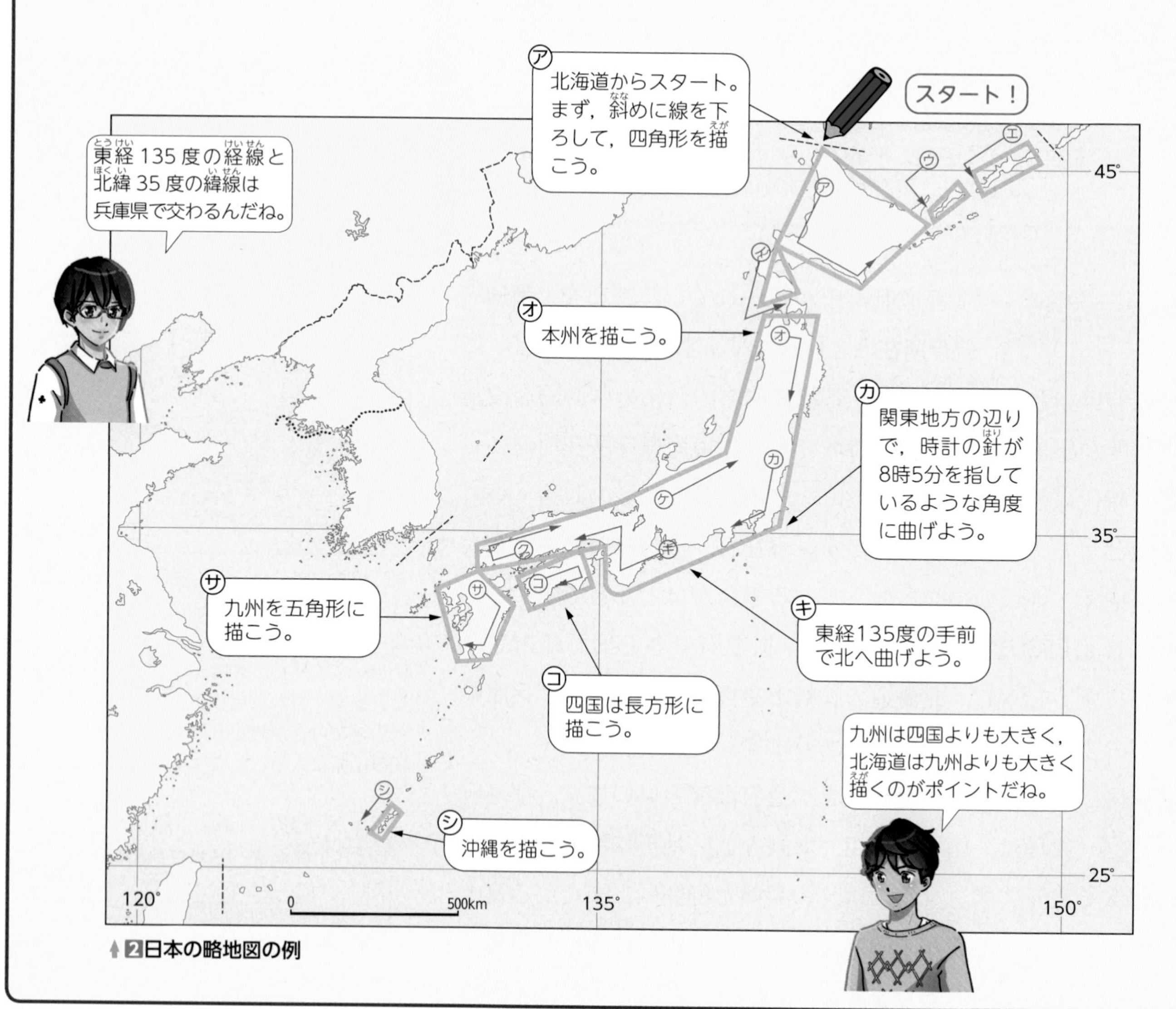

2 日本の略地図の例

章の学習を振り返ろう

第2章 日本の姿

第2章の問い p.14～24 日本の位置や広がりには，どのような特色があるのだろうか。

p.14～24

1 学んだことを確かめよう ≫ 知識

1．A～Eにあてはまる語句を語群から選び，日本の位置と時差について説明した次の文章を完成させよう。

語群 ｜ 8　9　10　20　30　120　125　130　135　140　中近東　中東　極東

日本は，およそ北緯［A］度から北緯50度，およそ東経［B］度から東経155度の間に位置しています。東アジアは，ヨーロッパから見ると最も東にあるため，［C］とよばれることがあります。

日本では，東経［D］度の経線を標準時子午線と定めています。本初子午線が通るロンドンとの時差は［E］時間です。

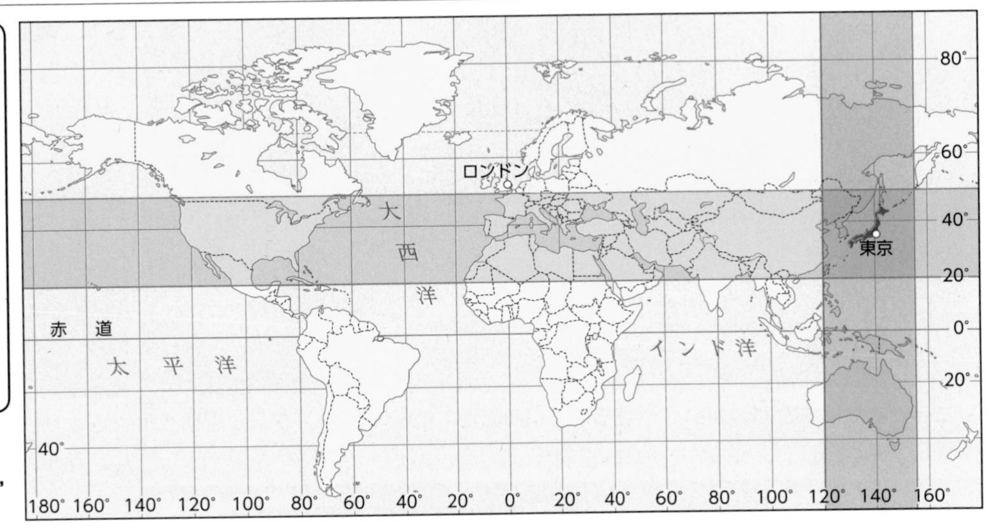

➡1日本と同じ緯度，同じ経度の範囲

2．東海道新幹線（東京～新大阪間）が通る都道府県名を，東京都から順に大阪府まで答えよう。

2 「地理的な見方・考え方」を働かせて説明しよう ≫ 思考力・判断力・表現力

1．図2や3を見ながら，「排他的経済水域」と「国土面積」の語句を使って，日本の領域の特色を説明しよう。

2．択捉島と沖ノ鳥島について，語群の中から二つ以上の語句を使って，それぞれの島を説明しよう。

語群 ｜ 東　西　南　北　北方領土　尖閣諸島　排他的経済水域

「章の問い」に関連が深い見方・考え方
位置や分布（→巻頭7）

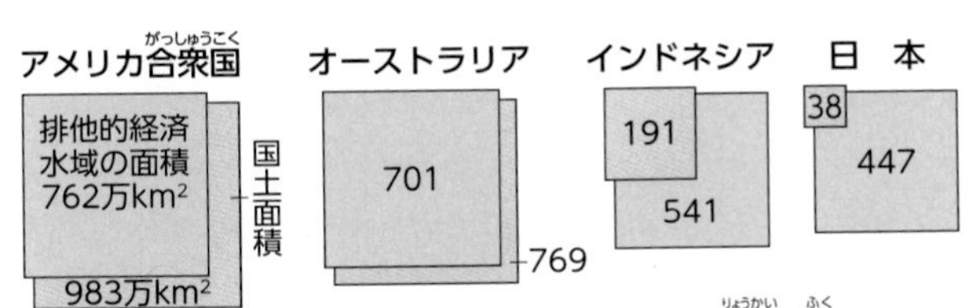

⬆2主な国の排他的経済水域の面積
〈2018 漁港漁場漁村ポケットブック，ほか〉

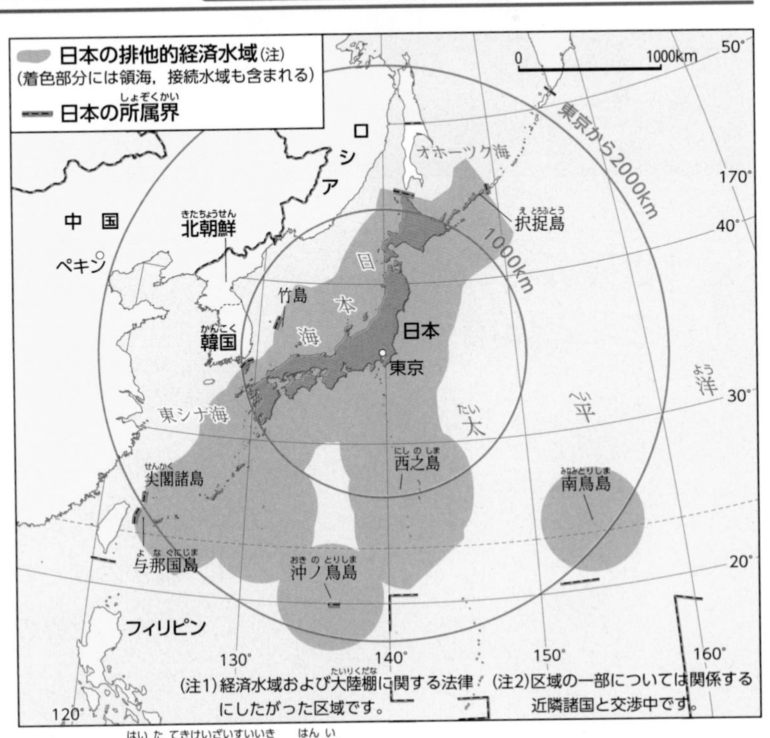

⬆3日本の排他的経済水域の範囲

第2部 世界のさまざまな地域

第1章 人々の生活と環境

第1章の問い p.26～43 世界各地の人々の生活は，自然環境とどのような関わりがあるのだろうか。

1さまざまな種類の じゃがいも が売られている高地の市場(ペルー，クスコ近郊，9月撮影)

2オリーブが売られる温暖な地域の市場(スペイン，カルタヘナ近郊，9月撮影)

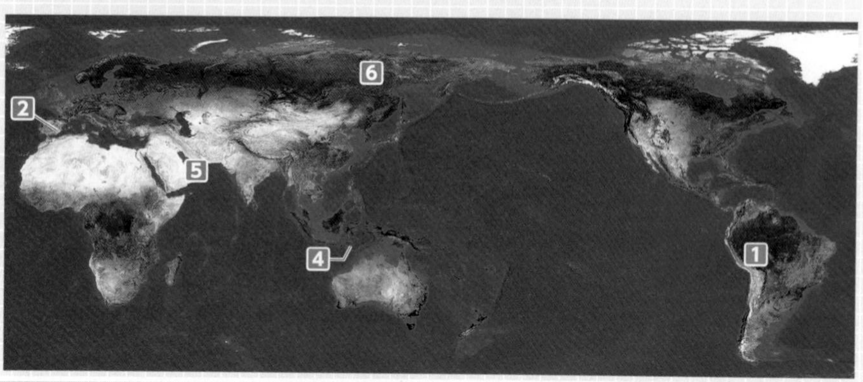

市場はよく，地域の「台所」ってよばれるから，並んでいる商品を見れば，住んでいる人々の食べている物が分かりそうだね。

3p.26 ～ 27 にある写真の撮影地

1 世界のさまざまな生活と環境

学習課題 世界の人々が暮らすそれぞれの地域には，どのような気候の違いがみられるのだろうか。

世界各地の市場を眺めて

多くの人たちが集まって商品を売ったり買ったりする所を市場といいます。世界中のどこの国でも，市場は活気にあふれています。市場の写真を見ると，売られている物や，そこに集まる人々の衣服などから，地域の気候や食文化，ほかの国との結び付きなどを読み取ることができます。

これから，世界の人々が，それぞれの地域の環境に合わせて，どのような工夫をしながら生活しているのか，衣・食・住の特徴などに着目しながら学んでいきましょう。

技能をみがく 8 写真の読み取り方

写真を読み取るポイントを知っていると，実際には行ったことがない場所でも，写真からその土地の気候などの自然環境や，人々の生活の様子などを読み取ることができます。ここでは，市場の写真を例にして，写真を見るときに注目すべきポイントを知り，写真からさまざまな情報を得る方法を学んでいきましょう。

衣服や店の様子に注目

パラソルで強い日ざしを避け，半袖で風通しがよさそうな衣服を着ている。

売り物に注目

パイナップルやパパイヤなど，南国の果物がたくさん売られている。

この写真が撮られた地域は暑い気候の地域ではないかと考えられる。

4 インドネシアの市場（フロレス島，2018年9月撮影）

売り物に注目

乾燥した気候に強い らくだ が売られている。

衣服に注目

長袖で丈の長い服を着て，頭に布を巻きつけた人が多い。

らくだ が飼育されていることから乾燥した気候の地域であり，人々は強い日ざしや砂ぼこりから身を守るための衣服を身につけていると考えられる。

5 アラビア半島のらくだ市（アラブ首長国連邦 東部，2018年9月撮影）

6 シベリアの市場（ロシア，ヤクーツク，1月撮影）

やってみよう

写真6を，次のアとイのポイントで観察し，読み取ったことから考えられることを，自分なりに説明しよう。

ア．どのような商品が，どのような状態で売られているか。

イ．市場に来ている人は，どのような衣服を身につけているか。

熱帯

↑1 **熱帯雨林気候の森林**（マレーシア，1月撮影）

↑2 **サバナ気候の草原と野生動物**（ウガンダ，8月撮影）

乾燥帯

↑3 **砂漠気候に広がる砂漠**（サハラ砂漠，9月撮影）

↑4 **ステップ気候での遊牧生活**（モンゴル，6月撮影）

温帯

↑5 **西岸海洋性気候での酪農**（オランダ，7月撮影）

↑6 **地中海性気候でのオリーブの収穫**（イタリア，11月撮影）

寒帯

↑7 **ツンドラ気候に広がる湿地を行くカリブーの群れ**（アメリカ合衆国，アラスカ州，6月撮影）

亜寒帯

↑8 **亜寒帯気候に広がる針葉樹の森林**（カナダ，10月撮影）

↑9 **氷雪気候に広がる氷に覆われた大地**（南極大陸，10月撮影）

世界のさまざまな気候

世界の気候は，熱帯，乾燥帯，温帯，亜寒帯（冷帯），寒帯の五つの気候帯に分けられます。[10, 11]

熱帯は，赤道を中心に広がっていて，一年中暑くて四季の変化がなく，降水量が多い地域です。雨が一年中多い熱帯雨林気候[1]と，雨季と乾季がはっきりと分かれているサバナ気候[2]があります。

乾燥帯は，雨がとても少ない地域で，砂や岩の砂漠が広がる砂漠気候[3]と，少しだけ雨が降るステップ気候に分けられます。ステップ気候では草原が広がっていて，遊牧などの牧畜が行われています。[4]，→p.40

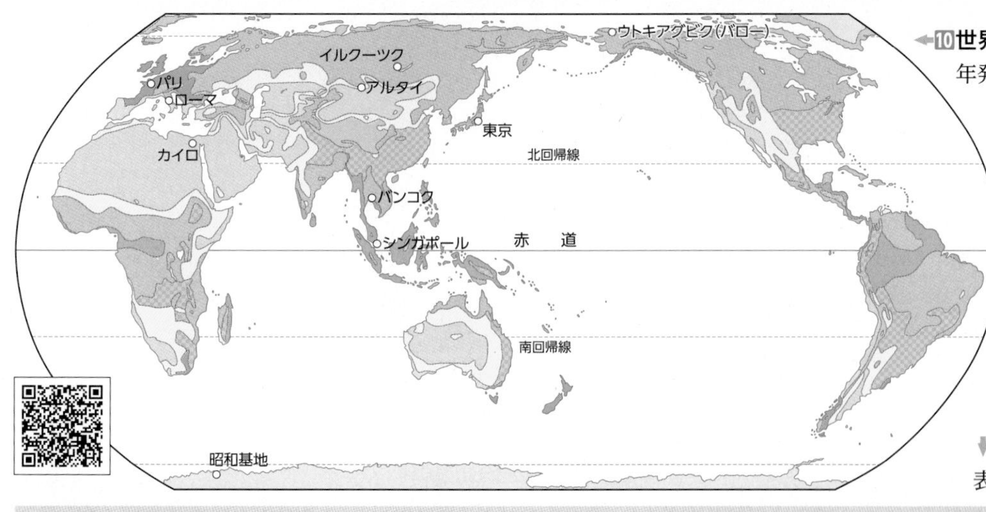

⬅10 世界の気候帯〈W.P. ケッペン原図(1923年発表)，ほか〉

熱帯気候
- 熱帯雨林気候
- サバナ気候

乾燥帯気候
- ステップ気候
- 砂漠気候

温帯気候
- 西岸海洋性気候
- 温暖湿潤気候
- 地中海性気候

亜寒帯(冷帯)気候
- 亜寒帯(冷帯)気候

寒帯気候
- ツンドラ気候
- 氷雪気候

⬇11 さまざまな気候帯の雨温図〈理科年表 2020，ほか〉

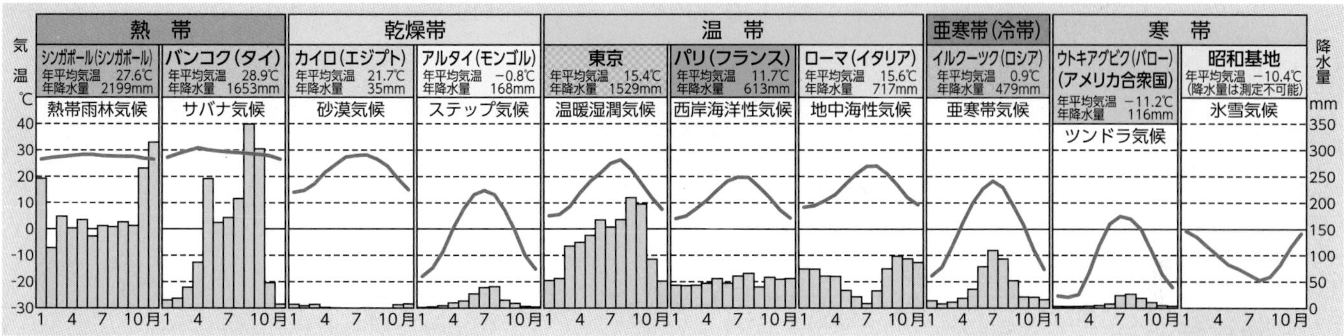

気候帯	地点	年平均気温	年降水量	気候
熱帯	シンガポール(シンガポール)	27.6℃	2199mm	熱帯雨林気候
熱帯	バンコク(タイ)	28.9℃	1653mm	サバナ気候
乾燥帯	カイロ(エジプト)	21.7℃	35mm	砂漠気候
乾燥帯	アルタイ(モンゴル)	−0.8℃	168mm	ステップ気候
温帯	東京	15.4℃	1529mm	温暖湿潤気候
温帯	パリ(フランス)	11.7℃	613mm	西岸海洋性気候
温帯	ローマ(イタリア)	15.6℃	717mm	地中海性気候
亜寒帯(冷帯)	イルクーツク(ロシア)	0.9℃	479mm	亜寒帯気候
寒帯	ウトキアグビク(バロー)(アメリカ合衆国)	−11.2℃	116mm	ツンドラ気候
寒帯	昭和基地	−10.4℃	(降水量は測定不可能)	氷雪気候

(気温 ℃：40〜−30，降水量 mm：0〜350，横軸：1 4 7 10月)

技能をみがく 9　雨温図の読み取り方

ある地点の月別の平均気温と降水量をグラフで表したものを雨温図といいます。雨温図では一般的に，気温を折れ線グラフ，降水量を棒グラフで表していて，左に気温，右に降水量の目盛りがあります。月平均気温が高い時期や低い時期に着目して，季節をとらえましょう。また，月別の降水量が多い月，少ない月についても見てみましょう。月別の平均気温や降水量に違いがある場合は，年間に季節の変化がある気候であり，それがその土地の気候の特徴になります。

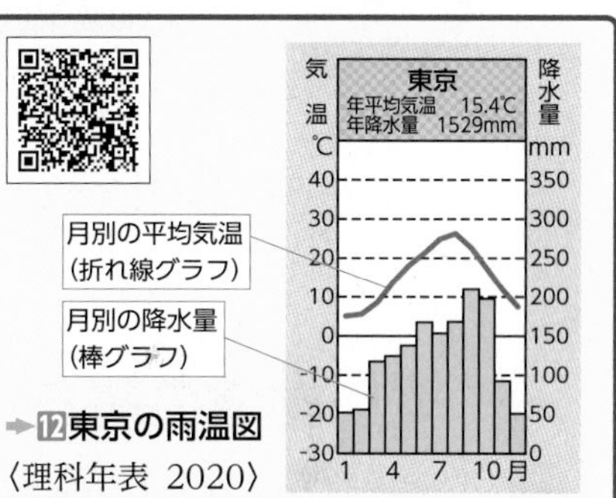

➡12 東京の雨温図〈理科年表 2020〉

温帯は，四季の変化がはっきりしていて，気温と雨の降り方から三つの気候に分けられます。日本は，冬と夏の気温の差が大きく，1年を通して降水量が多い温暖湿潤気候です。ヨーロッパの大西洋岸などは，偏西風(→p.69)や暖流の影響を受けて1年を通して気温と降水量の差が小さい西岸海洋性気候[5]です。また，地中海沿岸などは，冬に雨が多く，夏に雨が極端に少なくて乾燥する地中海性気候[6]です。

亜寒帯(冷帯)は，短い夏と寒さの厳しい冬があり，夏と冬の気温の差が大きい地域で，針葉樹の森が広がります。[8]

寒帯は，一年中寒さが厳しく，樹木が育たない地域で，夏の間だけ地表の氷がとけてわずかに こけ類が生えるツンドラ気候[7]と，一年中氷と雪に覆われる氷雪気候[9]に分かれます。

地理プラス　標高が高い地域の気候

標高が100m上昇するごとに，気温は約0.65℃ずつ下がります。そのため赤道近くの熱帯地域でも，標高が高ければ気温が低くなります。このような気候は高山気候とよばれ，五つの気候帯とは区別されます(→p.38)。

確認しよう　熱帯雨林気候・砂漠気候・温暖湿潤気候の気温と降水量の特徴を，図11で確認しよう。

説明しよう　各気候帯の特徴を，気温や降水量と関連づけて説明しよう。

1 熱帯林に囲まれた村の水田で農作業をする人々（インドネシア，バリ島，6月撮影）

2 熱帯の分布〈W.P. ケッペン原図（1923年発表），ほか〉

2　暑い地域の暮らし ～インドネシアでの生活～

学習課題　雨が多く気温が高いインドネシアでは，人々はどのような生活をしているのだろうか。

インドネシアの位置と自然

赤道付近には，雨が多く，1年を通して気温が高い**熱帯**（→p.28）の地域が広がっています。[2, 3] 東南アジアに位置するインドネシアには，スマトラ島やジャワ島，バリ島など，1万3000余りの島々があり，赤道をまたいで南北に広がっています。1日の天気は変わりやすく，**スコール**という一時的な強い風を伴う大粒の雨が毎日のように降ります。[7] また，動植物の種類が豊富で，オランウータンなどの貴重な野生動物も見られます。

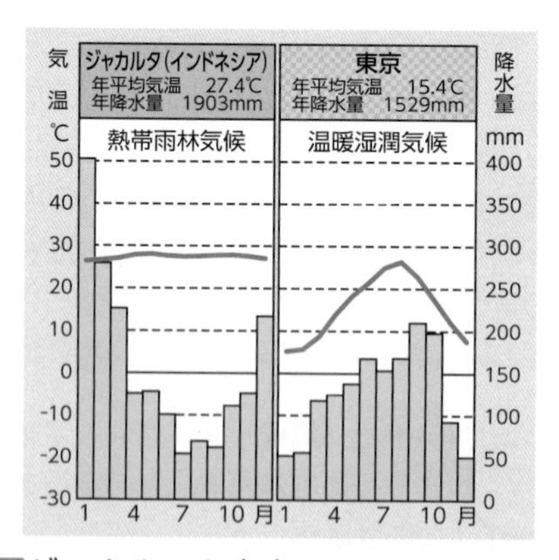

3 ジャカルタと東京の雨温図〈理科年表2020，ほか〉

暑い地域での暮らし

インドネシアには，緑の葉が一年中茂る，**熱帯林**が広がっています。[1] 人々は，熱帯林から家や生活用品の材料を得て暮らしてきました。例えば，伝統的な家は，柱や壁に木材を使い，屋根は草などを重ねて作られます。床は地面から離れた高床になっていて，家の中に熱や湿気がこもらないように工夫

住

4 **高床になっている家**（インドネシア，マカッサル近郊，9月撮影） 高床の下は，洗濯物の干し場や作業場などになっています。

衣

5 **伝統的な衣服を着た人々**（インドネシア，フロレス島，2018年9月撮影） **資料活用** 服のつくりや素材に注目しよう。

食

6 **食事の様子**（インドネシア，スマトラ島，2018年9月撮影） 米は鍋でゆでてから蒸す方法で炊かれ，全員分が大皿に入れて出されます。

7 **スコールの雨の中を行く人々**（インドネシア，ジャカルタ，11月撮影） スコールの雨は，15分程度の短時間でやむのが普通です。

されています。4 熱帯では四季があまりなく，昼間の気温が30℃近くまで上がる日が一年中続くので，人々は汗を吸いやすく風通しのよい衣服で過ごします。5 人々の主食は米→巻末2で，野菜や魚などの炒め物を おかず にして食べており，6 料理の味付けには，いろいろな香辛料を使います。そのほか，熱帯で育ちやすいキャッサバ→巻末2やタロいも→巻末2などの いも類も，よく食べられています。

外国人観光客の増加と生活の変化

観光を目的とした開発が進んだインドネシアの島々では，外国人観光客が増えています。例えば，美しいビーチが人気のバリ島には，飲食店や土産物の店が多く，たくさんの観光客が訪れます。観光客になじみのファストフード店などができると，地元の人々も利用するようになりました。8 一方，観光地の開発や農地の拡大などによって熱帯林が減少しており，熱帯林の広がる地域に暮らす人々が伝統的な生活を続けることは難しくなってきています。

8 **立ち並ぶファストフードのチェーン店**（インドネシア，スマトラ島，2018年撮影）

確認しよう　写真4～6から，インドネシアの人々の住居や衣服，食事の特色を読み取り，書き出そう。

説明しよう　ジャカルタの雨温図や，インドネシアの人々の衣食住の様子から，暑い地域の暮らしを説明しよう。

1 砂漠の中のオアシス（オマーン北部，2018年9月撮影）
砂漠の中の谷が，農地の広がるオアシスになっています。

2 乾燥帯の分布〈W.P.ケッペン原図（1923年発表），ほか〉

3 乾燥した地域の暮らし ～アラビア半島での生活～

学習課題 乾燥した地域が広がるアラビア半島では，人々はどのような生活をしているのだろうか。

アラビア半島の位置と自然

世界には，雨が少なく，草木がほとんど育たない乾燥した地域がみられます。2, 3 例えば，西アジアに位置するアラビア半島もその一つであり，そこには広大な**砂漠**が広がっています。

乾燥した地域での暮らし

乾燥した地域では，水が得られる場所が限られています。自然に水が湧き出てくる所や，地下水路や井戸を掘ることによって水が得られる所など，乾燥した地域の中でも水を得やすい場所は**オアシス** 1, 7 とよばれ，その周辺には人々が暮らしています。

乾燥した地域に暮らす人々は，オアシスの周辺で，水が少なくても育つ小麦（→巻末2）やなつめやし（→巻末3）のような作物を，**かんがい**（→p.52）などにより栽培してきました。また，乾燥に強いらくだ（→巻末1）や羊（→巻末1）を飼う**遊牧**❶も行わ

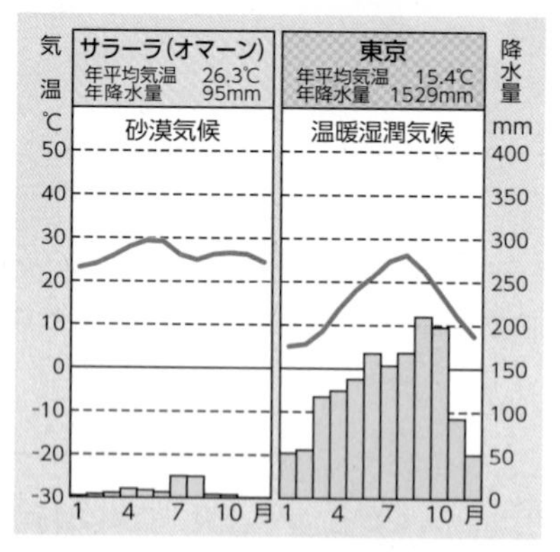

3 サラーラと東京の雨温図〈理科年表2020，ほか〉

❶ 季節的に生える草や水を求めて，移動しながら家畜を飼育する牧畜のことを，遊牧といいます。

住

↑4日干しれんがで造られた家々（オマーン北部，2018年9月撮影）
資料活用 家の屋根の様子に注目しよう。

衣

↑5伝統的な衣服を着た人々（オマーン北部，2018年9月撮影）
資料活用 服のつくりや丈に注目しよう。

食

↑6床に座って食事をする人々（オマーン北部，2018年9月撮影） うす焼きパンに羊の肉の炒め物などを添えて食べます。

↑7オアシスの中の水場（オマーン北部，2018年9月撮影） 木陰にある水場は，洗濯や水浴びなどに使われ，人々の憩いの場となっています。

れてきました。そのため，らくだや羊の肉を焼いた料理や，小麦を使ったうす焼きパンのような料理がよく見られます。[6] 衣服は日中の強い日ざしや砂ぼこりから身を守るために，長袖で，丈の長いものを着ています。[5, →p.27] また，森林が少なく木材を得にくいため，伝統的な家には，土をこねて作った日干しれんがを利用しています。[4, →p.40]

買い物をめぐる生活の変化

アラビア半島の国々では，町の伝統的な市場で，オアシスで育てられた野菜や果物，遊牧民が育てた家畜などが売買され，人々の生活が営まれてきました。近年は都市化が進んだ地域で，大型のショッピングセンターなどが見られるようになっています。ショッピングセンターの中は，屋外が50℃を超えるような厳しい暑さの日でも，冷房によって快適に過ごせるようになっており，買い物や食事のために訪れた人々でにぎわっています。外国のブランドショップや日本の雑貨店なども見られ，さまざまなものが買えるようになってきています。[8]

↑8ショッピングセンターにある日本の雑貨店（アラブ首長国連邦，ドバイ，2018年撮影）

確認しよう 写真4〜6から，アラビア半島の人々の住居や衣服，食事の特色を読み取り，書き出そう。

説明しよう サラーラの雨温図や，アラビア半島の人々の衣食住の様子から，乾燥した地域の暮らしを説明しよう。

1家々の周りに広がるオリーブ畑（スペイン，アンダルシア地方，6月撮影） **資料活用** 家の壁の色や窓の大きさに注目しよう。

白い壁の家が多いのは，なぜだろう？

2温帯の分布〈W.P. ケッペン原図(1923年発表)，ほか〉

4 温暖な地域の暮らし ～スペインでの生活～

学習課題 温暖なスペインでは，人々はどのような生活をしているのだろうか。

スペインの位置と自然

1年を通して温暖な**温帯**の地域では，四季の変化がみられ，冬の寒さは亜寒帯(冷帯)の地域と比べると厳しくありません。→p.29 5 温帯は，日本をはじめ，ユーラシア大陸や南北アメリカ大陸の西岸や東岸などの地域に広がっています。2,3 ヨーロッパの南部に位置する地中海沿岸のスペインもその一つで，夏に乾燥し，冬に雨が多く降る**地中海性気候**となっています。→p.29

地中海性気候の下での暮らし

スペインの多くの家は，夏の強い日ざしをさえぎるために窓が小さく，壁も厚く作られています。強い日ざしをはねかえして家の中を涼しく保つために，壁を石灰で白く塗った家もあります。1,4 また，乾燥に強いオリーブやオレンジなどのかんきつ類，ぶどう→p.28 などが広く栽培されています。なかでもオリーブは，酢漬けにして食べたり，→p.26 オイルにして料理に

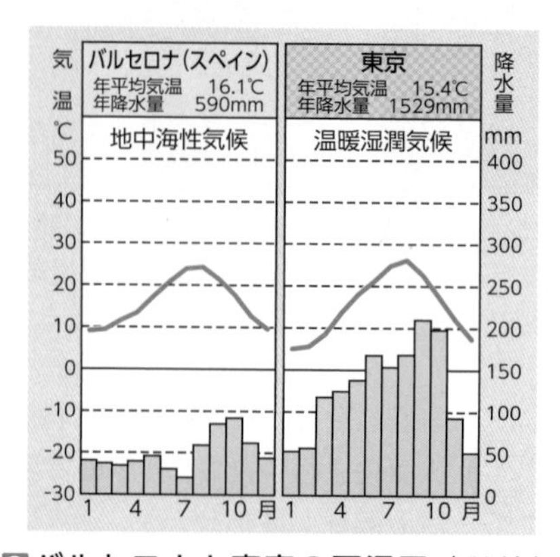

3バルセロナと東京の雨温図〈理科年表 2020〉

↑**4 窓によろい戸がある建物**(スペイン，カタルーニャ地方，8月撮影)　よろい戸で強い日ざしをさえぎり，風通しをよくします。

↑**5 バルセロナの夏と冬**(スペイン)　夏は晴天の日が続き，気温が30℃近くになりますが，冬は曇りや雨が多く，気温もあまり上がりません。

←**6 代表的なスペイン料理，パエリャ**(スペイン，10月撮影)　野菜や鶏肉，魚介類などをオリーブオイルで炒め，それに米を加えて炊いた料理で，専用の鍋はどの家庭にもあります。

1日の時間割

シエスタのある国	日本
就寝	就寝
起床	起床
通勤	通勤
仕事	仕事
シエスタ	昼休み
仕事	仕事
夕食	帰宅
社交	夕食
	家族だんらん

(0時〜24時)

→**7 シエスタがある生活時間帯の例**

↑**8 シエスタの時間帯に半分シャッターを下ろした青果店**(スペイン，マドリード，2016年6月撮影)　昼食後のシエスタの時間帯には，飲食店や商店も店を閉めて休憩します。

使ったりなど，スペインの食卓に欠かせないものとなっています。6

　スペインでは，暑い夏の昼間は，なるべく活動をしないようにするために，シエスタとよばれる休憩を2～3時間ほどとる習慣があります。7,8 シエスタの後は仕事を再び始め，夜は遅くまで会話を楽しみながらゆっくりと食事をとります。

伝統と現代の生活文化の共存

　2006年には，スペインで公務員のシエスタが廃止され，夜までかかっていた仕事を早く終えることができるようになりました。民間の企業でも，シエスタを廃止する動きがあります。このことは，スペインの人々が現代の生活様式に合わせて，少しずつ昔からの生活習慣を変化させてきている一例といえます。また，雨が少なく日ざしが強いスペインは，太陽光発電に最適な環境にあります。そのため，広大な土地にたくさんの太陽光発電のパネルを設置して大規模な発電を行う企業や，9 住宅の屋根を利用して太陽光発電を始める家庭が増えています。

↑**9 駐車場の屋根に設置された太陽光発電のパネル**(スペイン，マラガ，8月撮影)

確認しよう　写真4～6から，スペインの人々の住居や衣服，食事の特色を読み取り，書き出そう。

説明しよう　バルセロナの雨温図や，スペインの人々の衣食住の様子から，地中海性気候の暮らしを説明しよう。

1 雪に覆われた冬の市街地（ロシア，ヤクーツク，2月撮影） 水道管には，水が凍らないように温めた水が流されています。 資料活用 水道管が地上に設置されている理由を考えてみよう。

2 亜寒帯（冷帯）と寒帯の分布〈W.P. ケッペン原図(1923年発表)，ほか〉

5 寒い地域の暮らし ～シベリアでの生活～

学習課題 冬の寒さが厳しいシベリアでは，人々はどのような生活をしているのだろうか。

シベリアの位置と自然

世界には，冬に外で洗濯物を干すと凍ってしまうほど寒い**亜寒帯（冷帯）**や**寒帯**の地域があります。その多くは北半球の高緯度の地域にみられます。[2] ユーラシア大陸の北に広がるシベリアでは，冬には気温が－30℃以下になることも珍しくありません。[3]

寒さが厳しい地域での暮らし

シベリアには，**永久凍土**（解説）という凍った土が広がっていて，この地域の建物の多くは高床になっています。[4] これは，建物から出る熱が永久凍土をとかし，建物が傾いてしまうのを防ぐための工夫です。窓は二重，三重に作られ，壁も30cmほどの厚みがあります。町の暖房センターから送られてくる温水を使った暖房によって，部屋の中は薄着で過ごせるほど暖かく保たれています。[1,6] また，人々は厳しい寒さから身を守るため

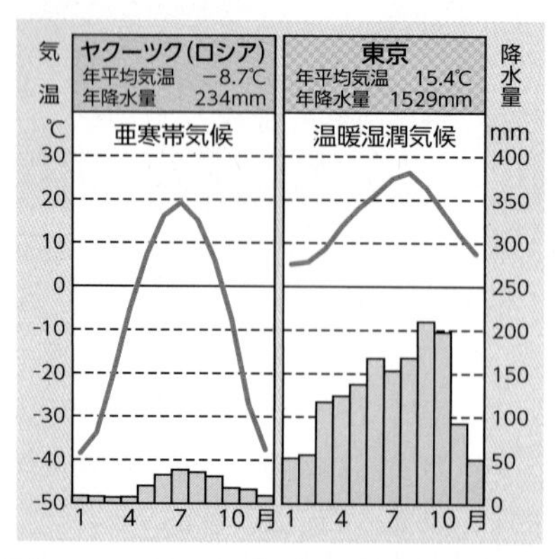

3 ヤクーツクと東京の雨温図〈理科年表 2020，ほか〉

4 高床になっている集合住宅（ロシア，ヤクーツク，2月撮影） 建物の柱は，永久凍土の部分まで打ち込まれています。

5 真冬の屋外で分厚い防寒着を着た人々（ロシア，ヤクーツク，2016年2月撮影） 地面や建物が雪で覆われています。

6 温水を使った暖房によって暖かく保たれた家の中（ロシア，ヤクーツク近郊，2月撮影） 食卓には，パンや酢漬けの野菜，乳製品などが並んでいます。

7 夏の間の野菜作り（ロシア，イルクーツク，8月撮影） ロシアでは，郊外にダーチャとよばれる菜園付きの別荘をもつ家庭が多く，夏の間，野菜や果物などを栽培して家族で食べたり，冬の保存食に加工したりします。

に，外出のときには保温性の高い毛皮のコートや帽子などを身につけます。5，→p.27

このように寒さが厳しい地域では，栽培できる作物は限られています。そのため，冬の食卓には，夏の間に栽培した野菜を酢漬けにした保存食のほか，7市場で買うことができる川や湖の魚，→p.27牛や豚の肉，乳製品などが並びます。6

外国文化の流入と生活の変化

シベリアでは航空機や鉄道を使って多くの外国製品が入ってくるようになり，町のスーパーマーケットでは，冬でも新鮮な野菜や果物などを買うことができるようになりました。アメリカ風のファストフード店や日本料理店など，さまざまな外国の食文化も入ってきています。こうした外国製品や外国文化は，今ではシベリアに暮らす人々の生活に溶け込んでいます。また，日本や韓国からも家電製品や生活用品などが輸入され，生活が便利になってきています。

解説 永久凍土

1年を通して凍ったままになっている土壌です。地下数十mから数百mの厚さがあり，シベリアの広い範囲に分布しています。短い夏の間だけ，表面の凍土はとけます。

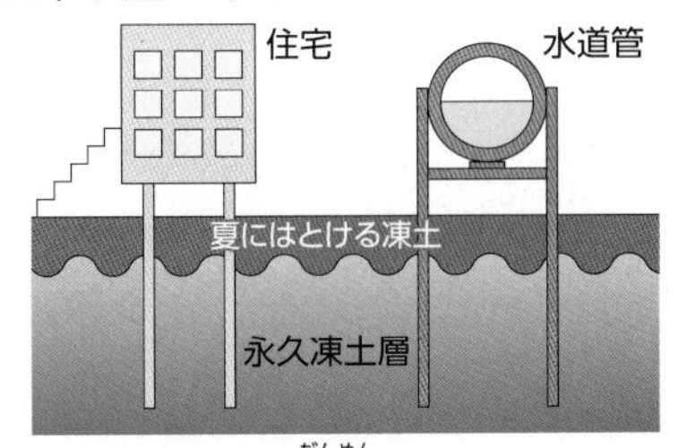

8 永久凍土の断面

写真4～6から，シベリアの人々の住居や衣服，食事の特色を読み取り，書き出そう。

ヤクーツクの雨温図や，シベリアの人々の衣食住の様子から，寒い地域の暮らしを説明しよう。

1 クスコの町並み（ペルー，2017年8月撮影） クスコはアンデス山脈の高地にある，人口約43万の都市です。町がある場所の標高は3000mを超えます。

2 高地の分布

6 高地の暮らし ～アンデス山脈での生活～

学習課題 標高が高いアンデス山脈の高地では，人々はどのような生活をしているのだろうか。

アンデス山脈の位置と自然

世界には，富士山→p.142のように標高が高い土地で暮らしている人々がいます。[1] 赤道の近くにあるアンデス山脈では，標高が4000mを超える高地にも人々が暮らしています。年間の気温の変化はあまりありませんが，[3] 1日の昼と夜の気温差が20～30℃と大きく，夜は0℃くらいまで冷え込みます。

高地での暮らし

アンデス山脈の高地に暮らす人々は，山の急斜面を高い所まで畑にして，寒さに強い作物を作っています。標高が2000～3000mくらいの所では とうもろこし→巻末2 を作り，それよりも高く，より寒い所では じゃがいも→巻末2 を作ります。農業に不向きな4000m以上の所では，リャマ→巻末1やアルパカ→巻末1などの**放牧**をしています。食事は，畑で取れる じゃがいも や とうもろこし が中心ですが，[6, 7] これらを市場→p.26で売って，標高の低い所でとれるバナナ→巻末3などの

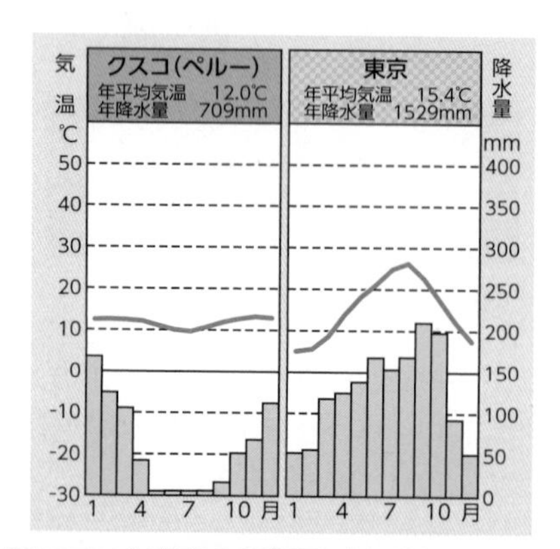

3 クスコと東京の雨温図〈理科年表 2020，ほか〉

4日干しれんが作り(ペルー)　高地は乾燥しているため，家の材料には土から作った日干しれんががよく使われます。

5民族衣装を着た女性とアルパカ(ペルー，クスコ近郊)　衣服や帽子には，アルパカの毛が使われています。

6市場で売られる伝統的なペルー料理(ペルー，クスコ近郊，7月撮影)　とうもろこしを煮ています。

7じゃがいもの保存食チューニョ作り(ペルー)　高地の寒く乾燥した気候を利用して，じゃがいもを数日かけて乾燥し，保存食にします。

果物などを買って食べることもあります。

人々はアルパカの毛で作った衣服を重ね着して帽子をかぶり，高地の寒さと強い紫外線を防いでいます。5 また，伝統的な家の壁には石や日干しれんが，4 屋根には瓦が利用されています。

現代化と観光地化による生活の変化

アンデス山脈の高地で暮らす人々は，山の多い地域に住んでいるため，離れた所に住んでいる家族や知人とは，連絡が取りづらいのが普通でした。しかし現在では，携帯電話を使う人が増え，8 簡単に連絡が取れるようになりました。また，インターネット回線が整備されたことにより，海外の情報も簡単に得ることができるようになりました。

アンデス山脈の高地には，世界遺産のマチュピチュ→p.112などを見学するために世界中から観光客が訪れます。観光地にはアルパカの毛で作った雑貨などの土産物を売る店が並び，ホテルもたくさんあります。そのため観光に関係する仕事に就く人が増えています。

8スマートフォンを使う親子(ペルー，チクラヨ近郊，2017年10月撮影)

写真4～7から，アンデス山脈に暮らす人々の住居や衣服，食事の特色を読み取り，書き出そう。

クスコの雨温図や，アンデス山脈の人々の衣食住の様子から，高地の暮らしを説明しよう。

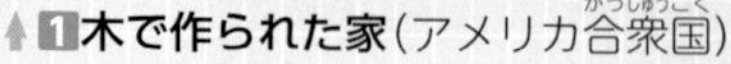

1木で作られた家(アメリカ合衆国)

2石で作られた家(イタリア)

3土(日干しれんが)で作られた家(エジプト)

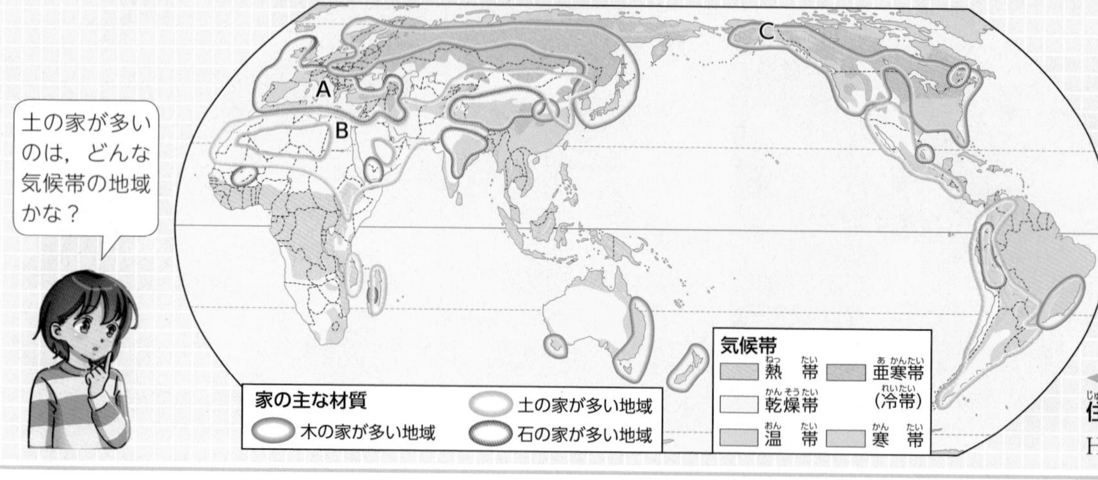

4世界の気候帯の分布と住居の主な材料〈The Human Mosaic，ほか〉

やってみよう

上の写真1～3の空欄に，図4中のA～Cからあてはまる撮影地域を選び，記号を記入しよう。

7 世界各地の衣食住とその変化

学習課題 世界各地の人々の住居や主食，衣服は，自然環境とどのような関係があり，以前と比較すると，どのような変化がみられるのだろうか。

地理プラス 移動式の住居

広大な草原が広がるモンゴルでは，草を求めて家畜とともに移動する遊牧生活が行われてきました。遊牧民の家は，木の骨組みに羊毛フェルトを張って組み立てるため，組み立ても解体も短時間でできます。最近は，ソーラーパネルなどを備える家も出てきました。

5移動ができる家(モンゴル，8月撮影)

世界各地の住居とその変化

住居は，その地域で手に入りやすいものが材料とされ，その土地の気候や生活習慣に合わせた工夫がなされています。4 木が豊富にある所では，木造の住居が多く，1 日ざしが強い地域では，日光をなるべく入れないよう窓を小さくして，家の中を涼しく保つ工夫がみられます。2 また，雨が少なく乾燥した地域では，土をこねて固め，太陽の熱で乾かした日干しれんが →p.39 で家を作り，平たい屋根が多く見られます。3 世界各地にはさまざまな伝統的住居がありますが，現在では都市部を中心に，コンクリート製の家や高層の集合住宅も増えてきています。

世界各地で異なる食文化とその変化

主食となる食べ物は，その地域で作られている農作物と深い関わりがあります。

米は， →巻末2 日本や中国南部，東南アジアなど，主に雨が多い地域で栽培され，炊いた米や， →p.31 米の粉から作った めん類などが食べられて

▲6米の粉から作った めん料理，フォーを食べる人(ベトナム)

▲7とうもろこし の粉を練って焼くタコスを作る人(メキシコ)

▲8タロいも の調理(ミクロネシア連邦)

やってみよう

上の写真6～8の空欄に，図9中のA～Cからあてはまる撮影地域を選び，記号を記入しよう。

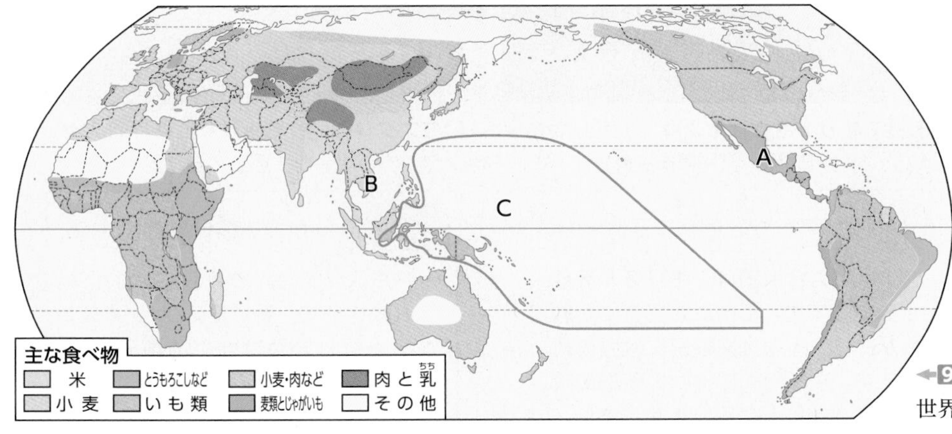

◀9世界の主な食べ物〈朝日百科 世界の食べ物，ほか〉

います。小麦→巻末2は，米に比べて雨が比較的少ない地域で栽培され，すりつぶして小麦粉にし，主にパンやパスタなどに加工して食べられています→p.33。そのほか，乾燥させた とうもろこし→巻末2 を粉状にして調理したものや，いも類が主食となっている地域もあります。

世界各地での人や物の交流が盛んになるにつれて，ほかの地域の食文化が生活に浸透し，定着することが多くなってきています。かつては和食が中心だった日本でも，パンなどの洋食を食べることや，ファストフードを食べることが日常的になっています。

世界のさまざまな衣服とその変化

衣服には，暑さや寒さ，強い日ざしから身を守る役割があります。そのため，地域による気候の違いを反映した，さまざまな素材や形が見られます。暑い地域では，風通しのよい木綿や麻などで作られたゆったりした衣服10，→p.31をまとい，寒い地域では，保温性の高い動物の毛皮で作られた服や帽子，手袋などを身につけます→p.27，37。現在では，気候に関係なく，世界中の人にジーンズやTシャツなどの衣服が定着し，伝統的な衣服は祭りや結婚式などの特別なときにだけ着るようになってきました。

▲10風通しのよい服(ツバル，9月撮影)

木の家が多い地域は，どのような気候帯と重なるのか，図4で確認し，気候帯名を二つ挙げよう。

世界各地の人々の衣食住には，どのような変化が起こっているのか，説明しよう。

1 修行中の僧侶に食べ物をささげる人々（タイ，バンコク近郊，2017年撮影）

2 教会で祈りをささげる人々（アメリカ合衆国，ワシントンD.C.，2017年撮影）

3 モスク（礼拝堂）で祈りをささげる人々（パキスタン，ラホール，2017年撮影）

声 仏教を信仰する人の話

タイは，仏教徒が多い国です。タイの仏教徒の男性は，一生に一度出家して，僧侶としての修行を積むことで，一人前の社会人として認められます。町の人々は，毎朝，修行中の僧侶を出迎え，炊きたての米などをささげます。また，週に1回は寺院を訪れ，祈りをささげます。

声 キリスト教を信仰する人の話

アメリカ合衆国は，キリスト教徒が多い国です。都市にも農村にも教会があり，人々は日曜日に教会に行きます。食事の前に神への感謝の祈りをささげる人々もいます。キリストの誕生を祝うクリスマスと，キリストの復活を祝うイースター（復活祭）は，最大の祝日で，その時期には町じゅうがお祭りムードになります。

声 イスラム教を信仰する人の話

パキスタンの大多数の人々はイスラム教徒です。朝はモスク（礼拝堂）からの祈りを呼びかける声で始まり，1日5回，仕事場や学校でも，聖地メッカに向けて祈ります。休日である金曜日にはモスクに人々が集まり，一斉に祈りをささげます。イスラム暦の9月には約1か月間，日中は飲食をしない断食が行われます。

8 人々の生活と宗教の関わり

学習課題 世界の宗教はどのように分布し，人々の生活にどのような影響を与えているのだろうか。

生活や文化と関わりが深い宗教

世界には数多くの宗教があり，人々の生活や文化と深く関わっています。宗教には，世界に広く分布しているキリスト教，イスラム教，仏教のほか，特定の民族や地域との結び付きが強いヒンドゥー教やユダヤ教，日本の古くからの宗教である神道などがあります。4，5

宗教は，衣食住や生活習慣，季節的な行事や祭り，さらには人間の生き方や考え方にも大きな影響を与えます。しかし，宗教による考え方の違いが，ときに国や民族の争いにつながる場合もあります。

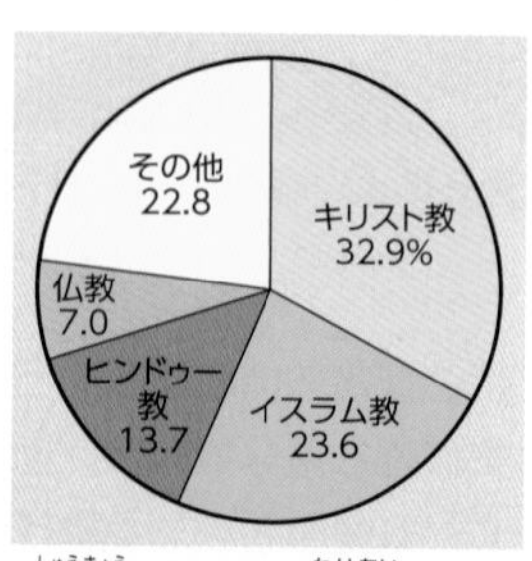

4 世界の宗教別人口の割合（2016年）〈The World Almanac 2019〉

世界に広がる三つの宗教

キリスト教は，ヨーロッパから南北アメリカやオセアニアなどに広まり，世界で信者が最も多い宗教です。信者はふだんから聖書を読んだり，教会の礼拝に参加し

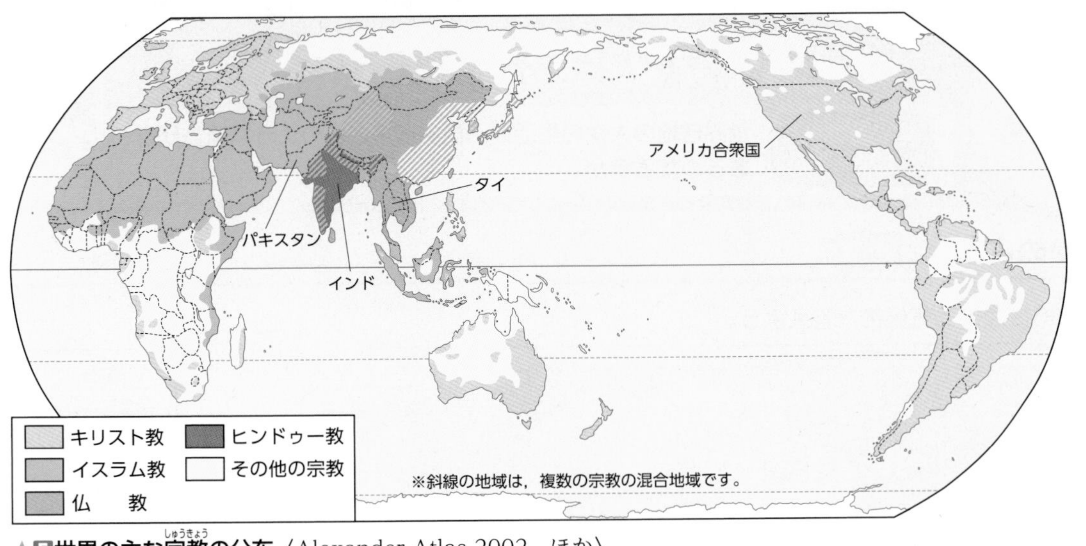

5 世界の主な宗教の分布〈Alexander Atlas 2002，ほか〉

食事に左手を使わない
女性は肌を見せない
豚肉は食べない
アルコールは飲まない

6 イスラム教徒の生活における きまり事

たりします。[2] また，キリスト教に ゆかり のあるクリスマスなどの行事や，キリストの生誕を基準にした西暦などは，宗教を越えて世界各地の生活や文化に大きな影響を与えています。→p.70

イスラム教は，聖地メッカのある西アジアを中心として，アフリカの北部から中央アジア，東南アジアまで広がり，キリスト教に次いで信者が多い宗教です。イスラム教には，祈りの方法[3]から衣服の着かた，食事のしかたなど日常生活に関わる細かい きまり があり，[6] 人々はイスラム教の教えや きまり に従いながら生活しています。

仏教は，主に東南アジアから東アジアにかけて分布しています。日本には中国や朝鮮半島を通して広まり，寺院の建築や仏像などの彫刻，絵画，文学など文化の面にも大きな影響を与えました。

ヒンドゥー教とインドの人々の生活

12億の人口をもつインドでは，8割の人々が**ヒンドゥー教**を信仰しています。(2018年) →p.48, 53 ヒンドゥー教徒は，**カースト**とよばれる身分制度によって，職業や結婚の範囲が限定されてきました。現在では，カーストによる差別は憲法で禁じられていますが，結婚の際にカーストを考えて相手を選ぶことなど，その なごり は今でも根強く残っています。

ヒンドゥー教徒は，生き物を殺さないという考え方を大切にしているため，肉を食べない菜食主義を守っている人が多くいます。インドには豚肉を食べないイスラム教徒も多く，ヒンドゥー教徒は牛を神聖な動物と考えているため，インドの飲食店では豚肉や牛肉を[7]避け，鶏肉と野菜を中心にした料理を提供する店が多く見られます。[8]

7 牛が自由に歩いているインドの街（ジョドプル）　ヒンドゥー教では，牛は神様の乗り物とされているため，人々に大切にされています。

8 菜食主義の人（ベジタリアン）が多いヒンドゥー教徒の食習慣に対応したメニュー（インド）

キリスト教，イスラム教，仏教，ヒンドゥー教が信仰されている主な地域を，図5で確認しよう。

イスラム教徒，ヒンドゥー教徒の人々の生活習慣の例を，それぞれ説明しよう。

第１章 人々の生活と環境

第1章の問い p.26〜43　世界各地の人々の生活は，自然環境とどのような関わりがあるのだろうか。

1 学んだことを確かめよう ≫ 知識

1．図1の凡例のＡ～Ｅにあてはまる気候帯を答えよう。

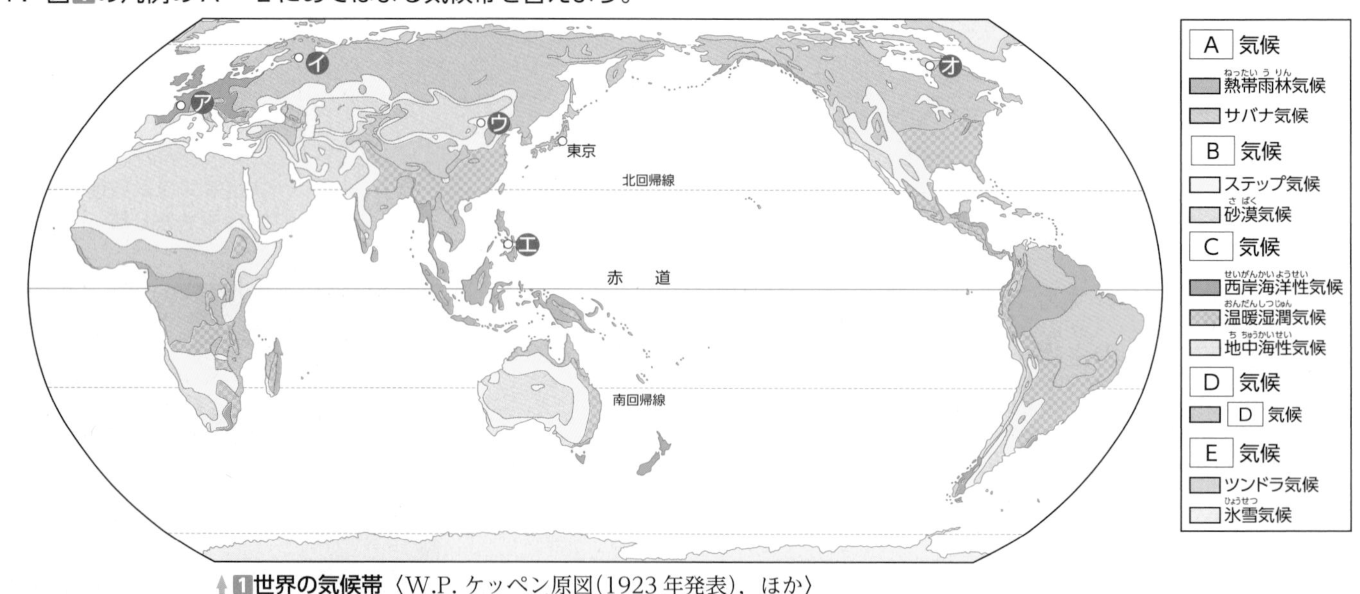

↑1世界の気候帯〈W.P. ケッペン原図(1923年発表)，ほか〉

2 「地理的な見方・考え方」を働かせて説明しよう ≫ 思考力・判断力・表現力

1．自然環境や人々の暮らしに注目して写真2～6を読み取り，その写真の撮影地を図1のア～オの中から選ぼう。また，選んだ理由を説明しよう。

「章の問い」に関連が深い見方・考え方
その場所の特徴，人と自然の関係
(→巻頭 7)

2草原を移動する遊牧民

3ぶどうの収穫

4圧雪ブロックを使った待避所

5高床の家とヤシの木

6針葉樹の森林

技能をみがく 10 グラフの作り方

統計資料の多くは，表などに数値が並べてあるだけなので，一見しただけでは，その内容を把握することが難しい場合があります。そのため，おおまかな傾向や全体の様子を分かりやすくするために，グラフが使われます。

グラフには，**折れ線グラフ**，**棒グラフ**，**円グラフ**，**帯グラフ**などがあります。適切な表現方法を選び，グラフを作ってみましょう。

やってみよう

1. 表7の数値を基に，図8の折れ線グラフを完成させよう。
2. 表7の数値を基に割合を計算し，図9〜12の㋐〜㋒にあてはまる国名（地域名）を答えよう。
3. 図10の円グラフを参考に，図11の帯グラフを完成させよう。

（単位：万人）

国(地域) ＼ 年	1995	2000	2005	2010	2015
韓国	110.4	128.7	200.8	268.7	425.2
（台湾）	61.5	94.4	131.6	131.1	357.6
アメリカ合衆国	55.8	74.9	85.4	75.9	106.3
中国	23.0	38.5	78.1	166.1	449.7
イギリス	13.1	19.9	23.0	19.3	26.5
その他	109.4	170.8	226.1	283.3	603.5
総数	**373.2**	**527.2**	**745.0**	**944.4**	**1968.8**

7日本の外国人入国者数の変化〈法務省資料〉

グラフの種類や目的

●**折れ線グラフ**…変化を示したいときに適しています。複数の折れ線グラフを重ねると，ほかの要素と比較しやすくなります。

●**棒グラフ**…量や大きさの数値を比較したいときに適しています。折れ線グラフのように，変化を示したいときに用いることもあります。

●**円グラフ・帯グラフ**…割合を示したいときに適しています。帯グラフを並べると，割合の変化が読み取りやすくなります。

折れ線グラフ

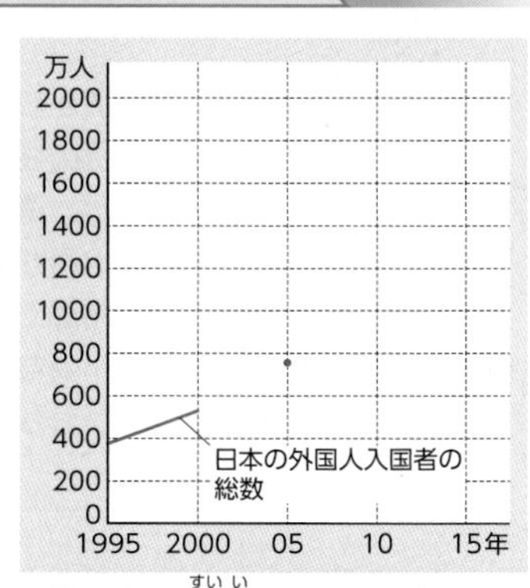

8総数の推移を折れ線グラフに加工してみると…

棒グラフ

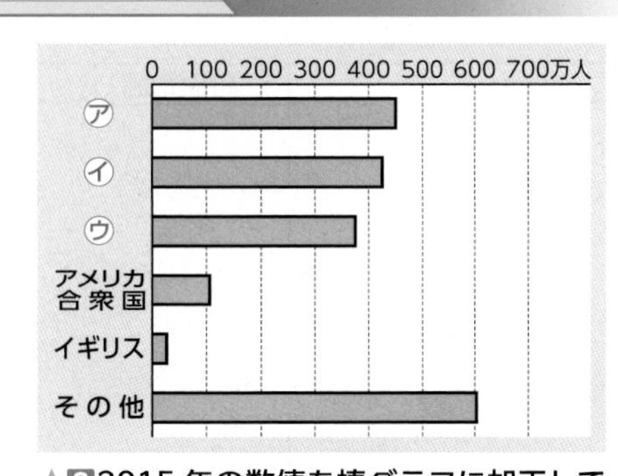

92015年の数値を棒グラフに加工してみると… 数値が大きい順に並べると見やすくなります。

円グラフ

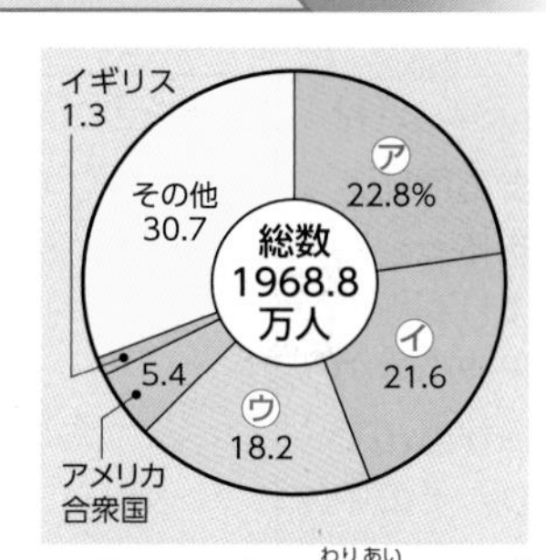

102015年の割合を円グラフに加工してみると… 時計回りに割合が多い順に並べると見やすくなります。

帯グラフ

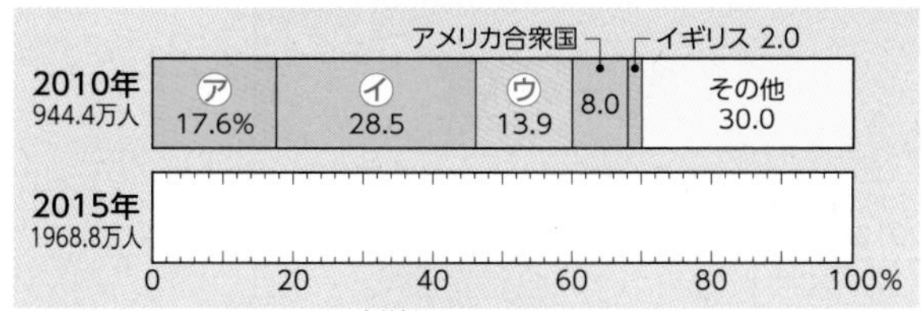

11いくつかの年次の割合を帯グラフに加工して並べてみると…

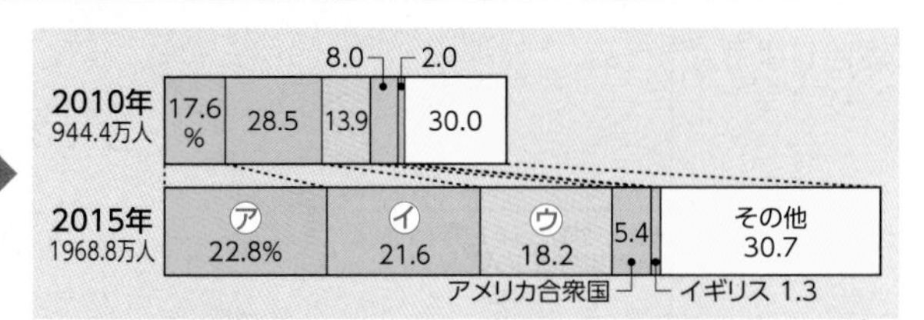

12実数と割合を組み合わせて表現した帯グラフ 横幅の長さを実数に比例させると，総数の変化も読み取れます。

主題図の読み取り方

地図には，地形図(→p.134)や日本全図のように，地形や地名，道路などのさまざまな情報を，特定のテーマに偏ることなく描いた一般図のほかに，特定のテーマを詳しく描いた地図があり，これを**主題図**といいます。なかでも，統計資料を地図に表したものは，**統計地図**ともよばれます。

地理の学習では，統計資料を読み取るだけでなく，その分布の傾向から，地域の特徴をつかむことも大切です。統計地図には，表したい統計資料の種類によって，さまざまな表現方法があります。また，複数のテーマの統計地図を比較すると，1枚の統計地図からは分からなかったことが読み取れることがあります。

やってみよう

1. 図1のⒸの統計地図を見て，日本企業の進出が多い所はどの辺りか，答えよう。
2. 図1のⒹの統計地図を見て，人口密度が高い所はどの辺りか，答えよう。
3. 図1のⒶとⒷの統計地図を比較して，降水量の多さと小麦の栽培には，どのような関係があるのか考えよう。

さまざまな統計地図

Ⓐ**ドットマップ**…分布地点の数量を点(ドット)で表した図です。人口や生産量などの集中の度合いが読み取りやすくなります。

Ⓑ**等値線図**…等しい数値の地点を線で結んだ図です。気温を示した等温線図，降水量を示した等降水量線図などがあります。

Ⓒ**図形表現図**…円や正方形などの図形やイラストの大きさによって，地域ごとの統計数値を比較できるようにした図です。

Ⓓ**階級区分図**…地域ごとの比率や密度を，色彩や模様などで表現した図です。

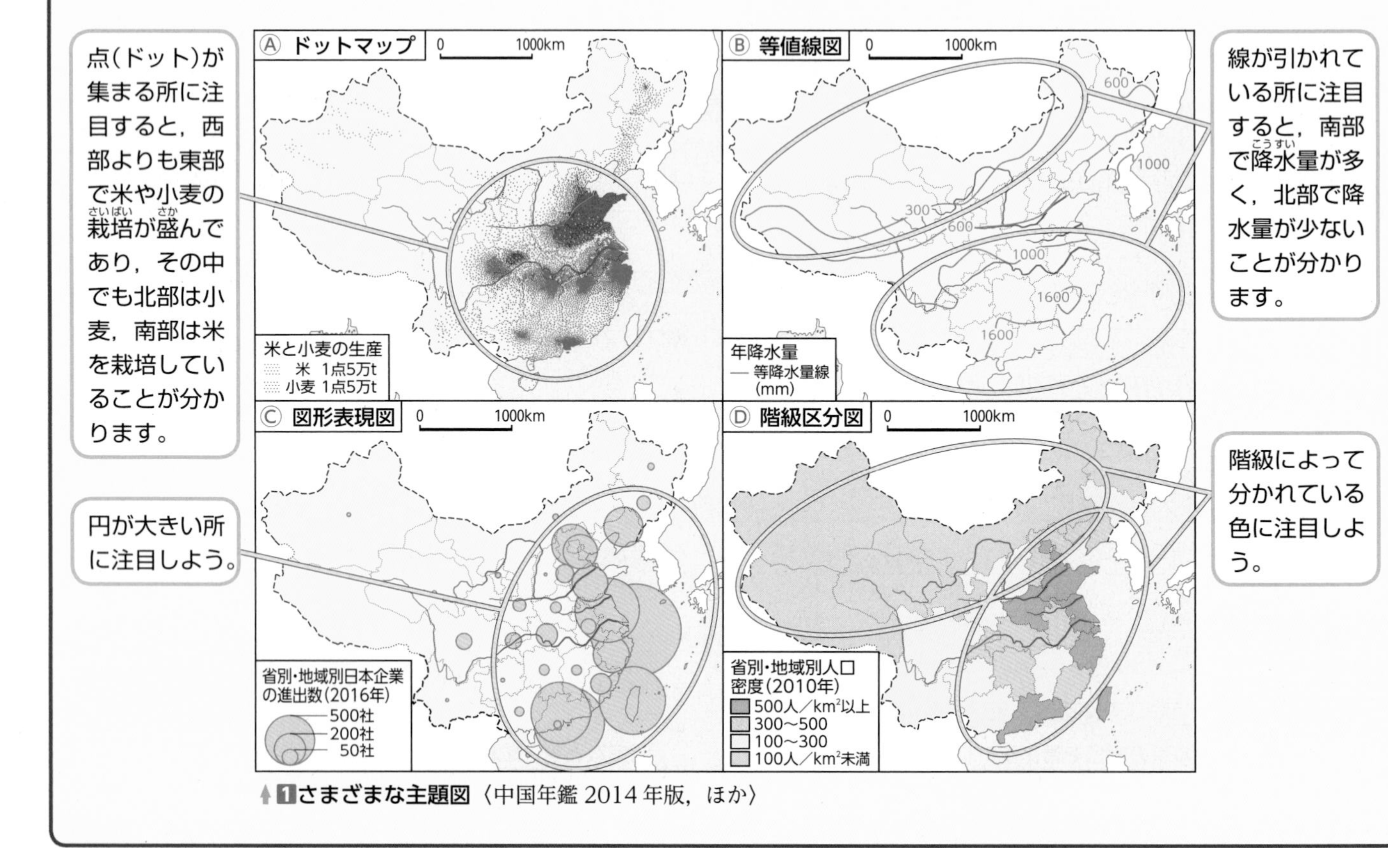

1さまざまな主題図〈中国年鑑 2014 年版，ほか〉

第2章　世界の諸地域

章のねらい　世界の各州における地域の特色や，その特色と地球的課題との関係をとらえよう。

序説　学ぶにあたって

第2部第1章では，異なる自然環境に住む人々の生活の工夫や近年の生活の変化，世界のさまざまな宗教と生活との関わりなどに着目して学習してきました。

第2章では，p.3で学習した世界を六つの州に分ける方法を利用して，世界の諸地域を学びます。各州には，地域を追究する主題が設定してあり，この主題に沿って，地域の特色をとらえていきます（図6）。

各州の特色をとらえる際は，州ごとの自然環境や歴史・文化，産業といった地域の特色を学習します（図5）。そのなかで，経済格差や熱帯林の破壊など，地域にみられる課題にも目を向けてみましょう。これらの課題の中には，地球規模で共通している**地球的課題**もあります。そのため，これらの課題を解決するための方法を追究することが，私たちの住む町をよりよくするためのヒントにもなります。

地域の特色

1 広大な牧場を移動する牛（ブラジル）

合計* 935万t	インド	ブラジル	オーストラリア	アメリカ合衆国	オランダ	その他
%	14.0	12.9	11.2	9.8	5.0	47.1

*水牛などを含みます。

2 牛肉の輸出国（2017年）〈FAOSTAT〉

牛肉の輸出

地球的課題

熱帯林の破壊

3 伐採された熱帯林（ブラジル，パラ州）

万km²　80　60　40　20　0　1978　88 90　95　2000　05　10　15　19年

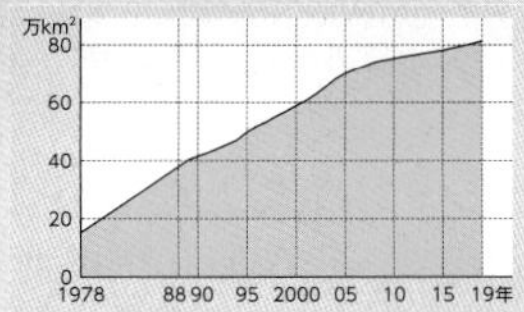

4 アマゾンの森林伐採面積の累計〈INPE資料〉

例えば，ブラジルは世界でも有数の牛肉の輸出国です。牛肉の輸出は，国の経済を支える大きな産業であり，ブラジルの産業における特色の一つになっています（→p.114）。しかしながら，牛を飼育する牧場は熱帯林を伐採してつくられるため，熱帯林の破壊や，地球温暖化という地球的課題を引き起こす原因にもなっています（→p.116）。

このように，地域の特色は地球的課題にも結び付いており，**持続可能な社会**（巻頭1～2，p.286）を実現するためには，これらの地球的課題の解決に取り組んでいくことが大切です。

導入　写真で眺める各州 ➡ 1見開き目　各州の自然環境 ➡ 2見開き目以降～　各州の歴史・文化 ➡ 各州の産業と地球的課題 ➡ 学習を振り返ろう

5 第2部第2章における各州の学習の展開

州	地域を追究する主題	注目する地球的課題
アジア州	急速な経済成長	都市・居住問題
ヨーロッパ州	国どうしの結び付きの強まり	経済格差
アフリカ州	特定の産物に頼る経済	食料問題
北アメリカ州	巨大な産業	生産と消費の問題
南アメリカ州	農地や鉱山の開発	熱帯林の破壊
オセアニア州	他地域との関係	多文化の共生

6 各州における地域を追究する主題と，注目する地球的課題　地域を追究する主題は，各州を貫く「節の問い」にもなっています。

写真で眺めるアジア州

シャンハイの日本人学校に通っていた友達がいるよ。シャンハイは中国のどの辺りにあるのかな？

↑**1シャンハイ(上海)の高層ビル群**(中国，2018年撮影)　シャンハイは，中国の中でも経済が発達した都市で，その新しい市街地には近代的なデザインの高層ビルが立ち並んでいます。 ➔p.53, 55

↓**2ガンジス川で沐浴するヒンドゥー教徒**(インド，バラナシ，2017年撮影)　ガンジス川はヒンドゥー教徒にとって「聖なる川」です。人々は川に身を浸して体を清め，祈りをささげます。 ➔p.43, 53

↓**3景福宮で行われる観光客向けの衛兵の儀式**（韓国，ソウル）　景福宮は，かつての朝鮮王朝の宮殿で，現在は人気の観光地となっています。 ➔ p.56

↑**4イスラム教のモスク（礼拝堂）の前で祈る人々**（イラン，コム，2015年撮影）
イスラム教のモスクには，丸いドーム型の屋根や とがった塔が見られます。
➔ p.53

田	
畑	砂漠
森林	ツンドラ・氷雪地
草地	高山

1　2　3　4　5
北回帰線　赤道
20°　40°　60°　80°　100°　120°　140°　160°

探してみよう！
写真1～5の位置を，地図上で確認しよう。

シガポールには，おもしろい形の建物があるんだね！どんな産業が盛んなのかな？

↓**5観光客で夜もにぎわうマーライオン公園**（シンガポール，2018年撮影）　正面に見える高層ビルは，「マリーナベイ・サンズ」とよばれるリゾート施設で，ホテルやカジノ，ショッピングモールなどが入っています。 ➔ p.53, 58

注目する地球的課題：都市・居住問題

第1節の問い p.48〜63 アジア州における急速な経済成長は，地域にどのような影響を与えているのだろうか。

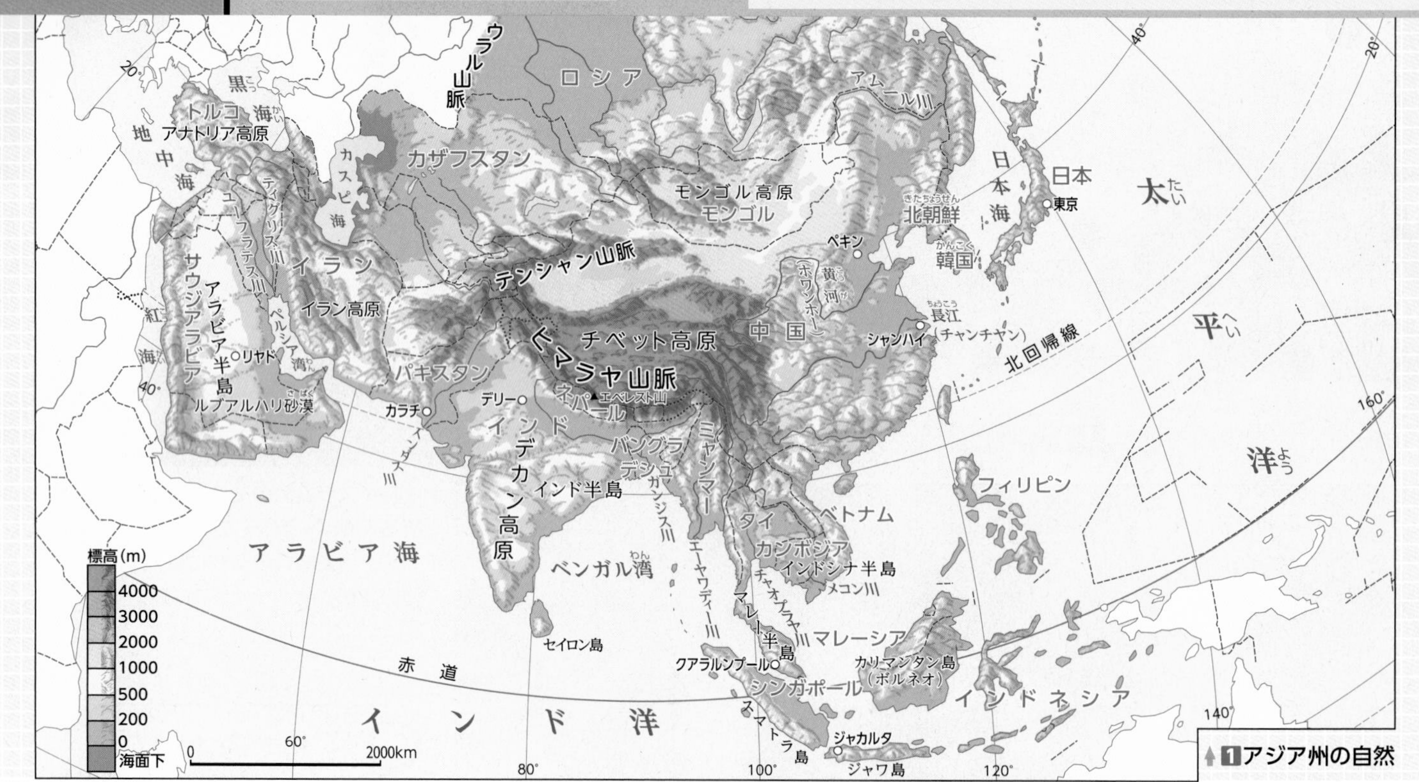

▲**1** アジア州の自然

1 アジア州の自然環境

学習課題 ユーラシア大陸の広い範囲を占めるアジア州では，地形や気候にどのような特色がみられるだろうか。

	アジア	ヨーロッパ	アフリカ	北アメリカ	南アメリカ	オセアニア
面積 1億3009万km²	23.9%	17.0	22.8	16.4	13.4	6.5
人口 76億3109万人	59.8%	9.8	16.7	7.6	5.6	0.5

※ロシアはヨーロッパ州に含んでいます。

▲**2** 世界の面積・人口に占めるアジア州の割合（2018年）〈Demographic Yearbook 2018〉

▲**3** アジア州の地域区分

ユーラシア大陸に広がるアジア

広大なアジアには，トルコから東のユーラシア大陸と，それを囲む太平洋とインド洋に，およそ50ほどの国があります。大陸の中央には，ヒマラヤ山脈とチベット高原からなる高地があり，そこから流れ出す黄河や長江，メコン川，ガンジス川，インダス川などの河川がつくった低地が周辺に分布しています。これらの低地では，古くから農業が行われ，都市が発展してきました。**3**

日本は，ユーラシア大陸の東に沿って連なる島々の一部です。これらの島々には火山が多く，地震もよく発生します。→p.142 図**1**を見ると，トルコからインドネシアまで，山脈や島々が帯のように連なっていることに気付きます。この帯の西側には，イラン高原やアラビア半島などで砂漠が見られる西アジアが，東側にはインドシナ半島と多数の島々からなる東南アジアが広がっています。**3** そして帯の北東側には中国を中心とした東アジアが，南側にはインドを中心とした南

4 雨季と乾季のトンレサップ湖の様子(カンボジア，左，2015年撮影，右，2016年撮影)

資料活用 同じ場所を写した2枚の写真を見比べて，雨季と乾季で異なる点を挙げよう。

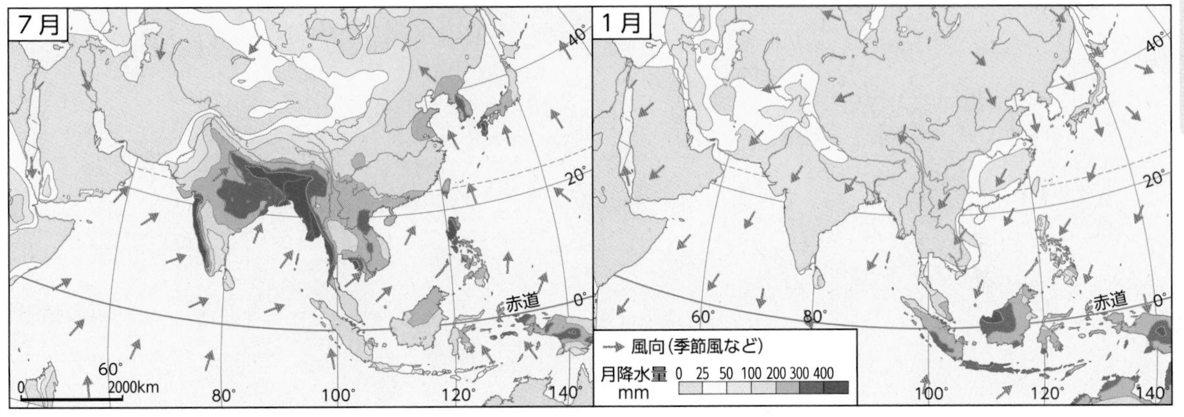

5 **季節風(モンスーン)の風向きと降水量の変化**〈CRU資料，ほか〉

資料活用 写真4のトンレサップ湖の位置を地図帳で確認して図5に書き入れよう。

アジアが，それぞれ独自の文明を育んできました。大陸の内陸には中央アジアが，北部にはシベリアが広がっています。→p.36 3

季節風が育むアジアの気候

アジアには，五つの気候帯すべてがみられます。→p.28～29 赤道の近くには，一年中気温が高く雨が多い熱帯があり，緯度が高くなるにしたがって，四季のはっきりした温帯，冷涼な亜寒帯(冷帯)へと移っていきます。北極海の周辺やチベット高原などの高地には寒帯もあります。また西アジアから中央アジアにかけては，雨があまり降らない乾燥帯が広がっています。

日本などの海に囲まれた国々はおおむね湿潤ですが，大陸に位置する国々では，海からの**季節風(モンスーン)**によって雨がもたらされるかどうかで降水量に違いが生じます。南アジアや東南アジアでは，夏に海から吹いてくる湿った風が雨を降らせ，**雨季**となります。そして冬になると，夏とは反対に内陸から乾いた風が吹き出すために，雨が少なくなり，**乾季**となります。4，5 一方，海からの季節風が届かない内陸の中央アジアなどでは，1年を通して雨があまり降らず，乾燥した気候になっています。

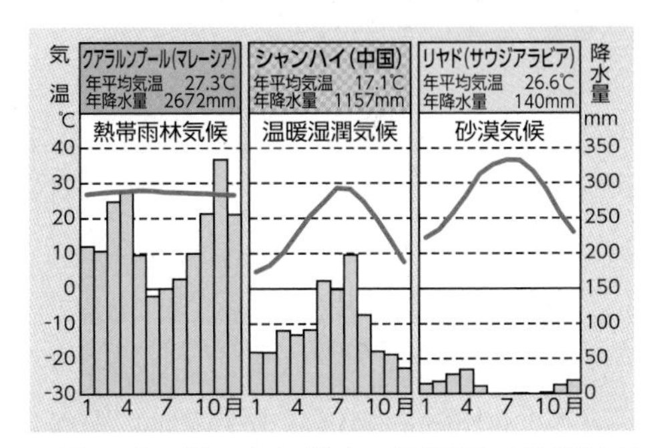

6 アジア州の主な都市の雨温図〈理科年表 2020〉

東南アジア・南アジア・西アジアの順に，アジア州にある主な半島を図1で確認し，名前を挙げよう。

アジアの気候の特色について，写真4や図5を見ながら，「季節風」の語句を使って説明しよう。

中国料理では，小麦で何を作るのかな？

↑**1小麦の収穫**（中国，ホーペイ（河北）省，2015年6月撮影）

↓**2水田での田植え**（インド，コーチ近郊，1月撮影）

インドの人々の主食は，米なのかな？

2 アジア州の農業・文化と経済発展

世界一の人口集中地域であるアジア州では，どのような農業が行われ，どのような文化が育まれてきたのだろうか。

気候と農業・食の結び付き

季節風の影響で湿潤な東アジアから南アジアにかけては，平野部に多くの人が暮らし，農業を盛んに行ってきました。特に降水量の多い，インドのガンジス川流域や中国の南部，東南アジアの平野では，**かんがい** によって**稲作**が広く行われています。これらの地域の主食は米で共通していますが，米の種類や調理方法，食べ方は地域によってさまざまです。

→p.51　解説　2～4　→巻末2　→p.31，40

降水量がやや少ないインドの西部や中国の北部では，小麦や とうもろこし などの**畑作**が行われています。主食の小麦は粉にして，麺や薄く焼いたパンなどにして食べられています。

→巻末2　→巻末2　1，3，4

乾燥した西アジアや中央アジアでは，水を得やすいオアシス以外では農業が難しいので，羊や らくだ などの家畜を飼う**遊牧**が行われています。モンゴル高原やアラビア半島に暮らす人々は，遊牧生活を行いながら，家畜から得られる乳や肉を食べてきました。

→巻末1　→巻末1　→p.32　4　→p.44　→p.41

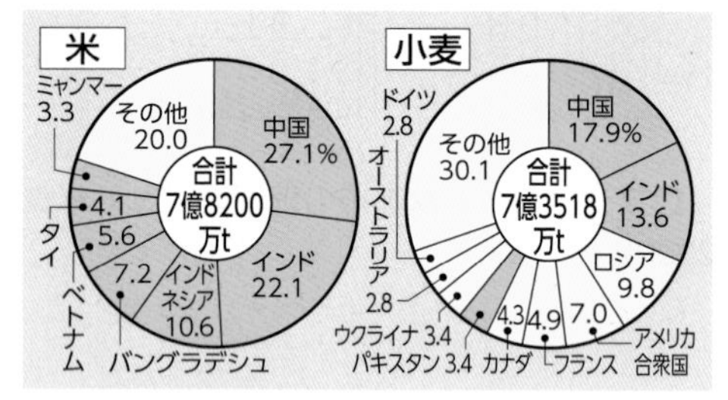

↑**3米と小麦の生産**（2018年）〈FAOSTAT〉

解説 かんがい

農作物を育てるために必要な水を，河川や湖，ため池，地下水などから水路を通して引き，農地を潤すことをいいます。

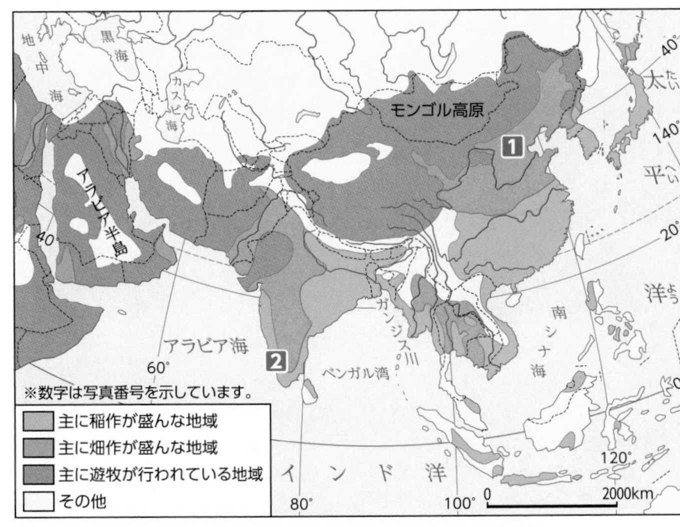

4 アジアの農業地域〈Goode's World Atlas 2005〉

5 アジアの人口密度〈Diercke Weltatlas 2008〉

交流によって広まった宗教

アジアにはさまざまな民族が暮らしています。その多様性は，地域で育まれてきた文化と，地域間の交流でもたらされた文化が混じりあってできたものです。

仏教→p.43は，インドで生まれ，スリランカを通じて東南アジアへ広がったほか，シルクロードを通って中国や朝鮮半島，日本へと伝わりました。西アジアと中央アジアで広く信仰されている**イスラム教**→p.43，49は，アラビア半島で生まれ，インド洋の海上貿易を通して南アジアや東南アジアにも広がりました。6 インドでは，多くの人々が**ヒンドゥー教**→p.43，48を信仰し，フィリピンでは，ヨーロッパの人々の布教活動や植民地支配とともに伝わった**キリスト教**→p.42の信者が多数を占めます。6

人口の集中と経済発展

アジアには世界の総人口の6割が暮らしていますが，その多くが季節風で湿潤となる地域に集中しています。7 5 特に中国→p.54とインドという人口が多い国を抱える東アジアと南アジア→p.60は，古くから農業が盛んで，古代文明が栄えました。この二つの文明が栄えた地域の間に位置する東南アジア→p.58は，近代になって開発が進み，人口が多い地域の一つになりました。

20世紀の後半には，日本に続いて韓国→p.56やシンガポールなどが経済発展を遂げ→p.49，21世紀にかけて東南アジアや中国の経済が発展し，今この動きは南アジアへ広がろうとしています。こうした経済発展は，アジアの豊富な労働力を生かした工業化がもたらしたものです。経済発展を遂げた国々では**都市化**→p.48が進み，シャンハイやデリー，ジャカルタなど多くの巨大都市が，アジアの各地に誕生しています。

国（年）	内訳
タイ（2015年）	仏教 94.6%，イスラム教 4.3，その他 1.1
インドネシア（2010年）	イスラム教 87.2%，キリスト教 9.9，ヒンドゥー教 1.7，その他 1.2
フィリピン（2015年）	キリスト教 91.8%，イスラム教 6.0，その他 2.2
インド（2011年）	ヒンドゥー教 79.8%，イスラム教 14.2，キリスト教 2.3，その他 3.7
イラン（2011年）	イスラム教 99.3%，その他 0.7

6 主な国の宗教別人口の割合〈CIA World Factbook，ほか〉

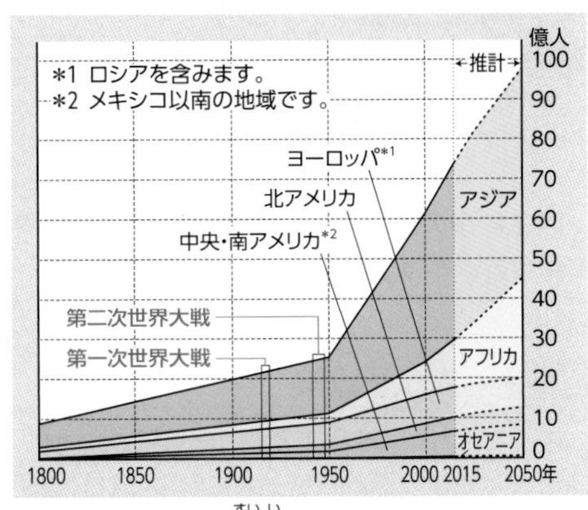

7 世界の人口の推移〈国連統計局資料，ほか〉

確認しよう　稲作や畑作が盛んな地域と，人口密度が高い地域を図4，5で確認しよう。

説明しよう　アジア州の人口分布について，地形や気候との関わりから説明しよう。

1987 年

↑→**1 シェンチェン（深圳）の変化**（中国，コワントン（広東）省）　静かな漁村が広がっていたシェンチェンは，1980 年に中国初の経済特区に指定された後，急速に開発が進み，巨大な都市になりました。

3 経済成長を急速に遂げた中国

巨大な人口を抱える中国では，急速な経済発展によって，社会にどのような課題が生じてきているのだろうか。

巨大な人口とその消費力

14 億人(2018年)が暮らす中国は，インドと並んで人口→p.61が多い国です。経済の改革に着手した 40 年前には人口の 8 割が農村に暮らしていましたが，今では国民の半数以上が都市に暮らしています。経済発展によって消費も大きく伸び，例えば乗用車の販売台数は，アメリカ合衆国を抜いて世界第 1 位(2017年)となりました。2 日本にも，たくさんの中国人観光客が訪れるようになっています。一方，人口の高齢化が進んできたことから，人口抑制のために長く続けられてきた**一人っ子政策**（解説）は見直されました。

工業化が原動力となった経済発展

国の計画に基づいて経済を運営してきた中国は，1980 年代になると，自由な経済活動を取り入れた発展を目指すようになりました。しかし，産業がなかなか成長しないことから，日本や韓国→p.56など東アジアの国々の発展に学んで，世界との結び付きを大切にするようになりました。また，工業化を進めて輸出を伸ばすためには，技術と資金が必要になるため，外国企業を招くことで実現しようとしました。沿海部に**経済特区**（解説）を設けることから始まった経済の改革は，しだいに全国に広がっていきました。特に 1990 年代から急速な経済成長が始まり，中国で製造された衣類や日用品・家電製品 4 などは，世界で広く使われるようになり，3 中国は「**世界の工場**」とよばれるまでになりました。

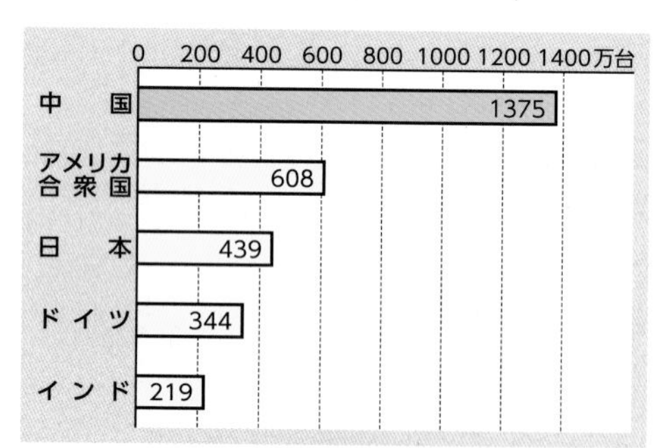

国	乗用車販売台数（万台）
中国	1375
アメリカ合衆国	608
日本	439
ドイツ	344
インド	219

↑**2 主な国の乗用車販売台数**（2017 年）〈世界自動車統計年報 2019〉

解説 一人っ子政策

中国では，1980 年ごろから一組の夫婦がもつことのできる子どもが一人に制限され，違反した人には罰金などが課されてきました。しかし，この政策はその後見直され，三人まで子どもをもつことが認められるようになりました。

解説 経済特区

外国企業を招いて工業化するために，税金などについて特別な制度が設けられた地区のことです。

小学校●歴史●公民との関連　遣唐使（歴），日中戦争（歴），日中平和友好条約（歴）

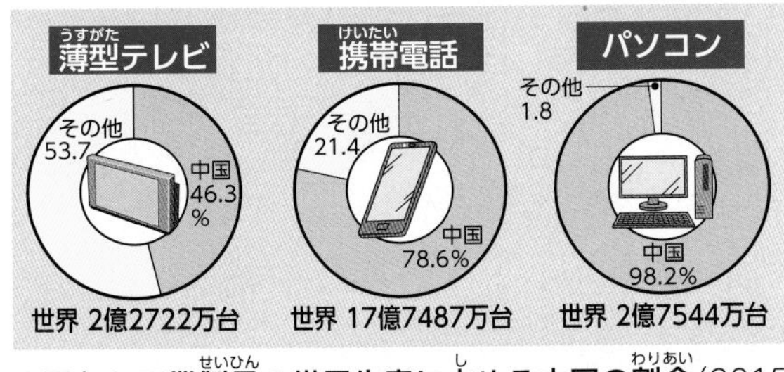

3 主な工業製品の世界生産に占める中国の割合(2015年)〈主要電子機器の世界生産状況 2015年～2017年〉

4 液晶テレビの組み立て工場(中国，フーナン(湖南)省)

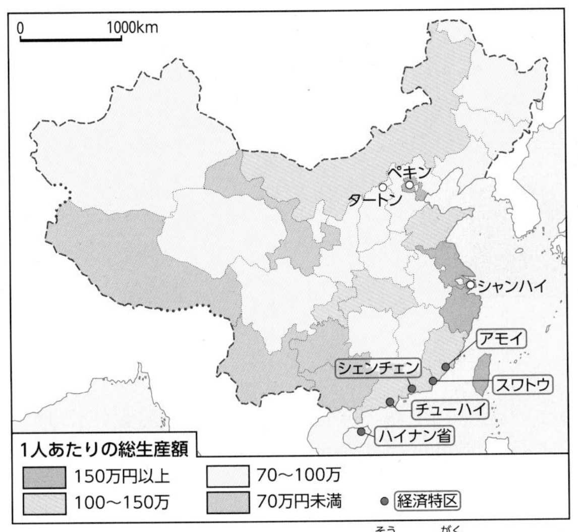

5 中国の省別・地域別1人あたりの総生産額(2017年)〈中国統計年鑑 2018，ほか〉 **資料活用** 1人あたりの総生産額は，主にどのような地域で高いのだろうか。

6 中国各地で建設が進む大規模な太陽光発電施設(中国，タートン(大同)，2017年撮影)

都市の発展と残された課題

中国では経済発展によって都市化が進み，特にシャンハイやペキン，シェンチェンなどは巨大な都市に成長しました[1]。これらの都市間は，高速鉄道や高速道路で結ばれています。都市に暮らす人々は高層アパートに住み，発達した地下鉄網を利用する一方で，自家用車を持つ人も増えました。しかし経済発展は，都市と農村の間や，沿海部と内陸部の間で人々の収入の差(**経済格差**)を生み出しています[5]。経済が十分に発展していない地域の開発は，今も国の重要な課題であり，そうした地域から都市や沿海部へと出稼ぎに行く人々は1億人を超えています。

➡p.48

経済が発展すると，石炭や石油などの化石燃料を大量に消費するようになり，**大気汚染**などの環境問題が深刻化しました[7]。特にペキンなどの中国北部の大都市に暮らす人々にとって，きれいな空気を取り戻すことは切実な願いとなっています。そのため，環境を改善する取り組みが急がれており，太陽光や風力の発電量が世界一に(2018年)なるなど[6]，再生可能エネルギーの導入も進められています。

➡p.157

7 大気汚染がひどい日にマスクをして歩く人々(中国，ペキン(北京)，2016年12月撮影)

中国の工業化のきっかけとなった経済特区の分布を，図5で確認しよう。

中国の経済発展に伴う課題について，「収入の差」と「環境問題」の語句を使って説明しよう。

▲1韓国料理の屋台がひしめく市場(韓国，ソウル，2015年撮影)

▲2韓国の書店に並ぶ日本の漫画(ソウル，2018年撮影)

4 最も近い隣国，韓国

学習課題　最も近い隣国である韓国は，生活・文化や社会と産業の変化において，日本とどのような関わりがあるのだろうか。

日本との関わりが深い韓国の文化

韓国の若者の間では，日本の漫画やアニメに人気があり，[2] 日本の若者には韓国のK-POPの人気が高いように，近年，両国の文化の交流が盛んになり，お互いの国を観光する人が増えてきました。朝鮮半島の寒い冬を過ごすための保存食であったキムチ→p.49も，日本の食卓→p.4でよく食べられています。

隣り合った韓国と日本には，長く交流をしてきた歴史があります。古代には仏教→p.43をはじめ，さまざまな文化が朝鮮半島を通って日本に伝えられました。韓国語は**ハングル**という独自の文字[1]を使いますが，文法や敬語は日本語と似ています。また，食事の際に箸を使うこと[1]や，祖先や年長者を大切にする**儒教**の影響がみられることなど，韓国と日本の文化には似ている点が多くあります。

輸出に力を入れて発展した工業

1950年代の朝鮮戦争によって国土が荒れてしまった韓国が，めざましい経済的な復興を遂げたことは，首都ソウルを流れる川の名にちなんで「漢江の奇跡」とよばれました。稲作を中心とした農業と，衣服などを作る軽工業が主要な産業だった韓国は，日本など外国の資金と技術の援助を受けて，造船や製鉄などの重工業に力を入れました。[4] 国の主導で進められた工業化は，国土や人口の規模が小さく，国内の需要だけ

地理プラス 日本と共通した年中行事

日本では「中秋の名月」として月見を楽しむ旧暦の8月15日(現在の暦の9～10月ごろ)，韓国ではチュソクといって，日本のお盆のように家族が集まって墓参りをします。チュソクの前後は長い連休となるために，交通機関は帰省する人々で大混雑します。韓国では，正月や端午の節句も日本と同じように年中行事として大切にされていますが，旧暦で行われている点が日本と異なります。

▼3お盆にあたるチュソクに墓参りをする家族連れ(韓国，ソウル)

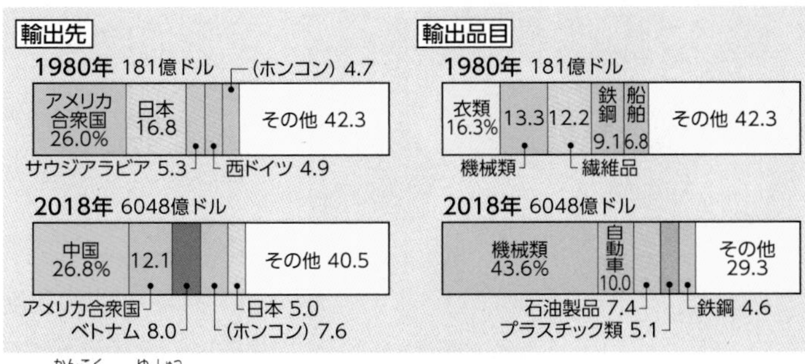

4 韓国の輸出先と輸出品目の変化〈UN Comtrade〉

資料活用 輸出先と輸出品目は，どのように変化したのだろうか。

5 専用のゴーグルを着用してVR(バーチャルリアリティー)を楽しむ人々（韓国，ソウル近郊，2015年撮影）

未来に向けて

共生　平和への道を探る朝鮮半島

朝鮮半島は，かつて日本の植民地でしたが，第二次世界大戦後に北緯38度より北は朝鮮民主主義人民共和国(北朝鮮)，南は大韓民国(韓国)として，それぞれ独立しました。1950年には両国の間で朝鮮戦争が起こり，多くの人命が失われました。そして，1953年に休戦協定が結ばれた後も，南北に分断されたまま，両国が対立する状態が続いてきました。近年，朝鮮半島の平和へ向けた歩み寄りがみられるようになったものの，両国の関係はなかなか改善されていません。

6 南北首脳会談で手をつないで軍事境界線を越える韓国と北朝鮮の代表（パンムンジョム(板門店)，2018年撮影）

では限界があることから，輸出に重点を置くものでした。

1980年代になると家電製品などの生産が伸び始めましたが，1990年代後半にはアジア諸国の経済の混乱の影響を受けて深刻な経済危機に陥り，産業構造の見直しを迫られました。そこで，技術革新に速やかに対応して情報通信技術(ICT)関連産業の育成に取り組んだ結果，➜p.60 韓国の経済は力を取り戻しました。現在の韓国では，人々の生活でも情報通信機器が欠かせないものになっており，これらの機器を通して配信される音楽やゲームなどの輸出も盛んに行われています。5

ソウルへの一極集中とその課題

韓国では，経済の発展に伴って，多くの人が仕事を求めて農村から都市へ移動しました。特にソウルとその周辺には，総人口の半分程が暮らすようになりました。国の機関や主要な企業の本社のほとんどがソウルにあり，7 人口と政治や経済の**一極集中**が進んでいます。そのため，ソウルと地方との間には，就業の機会や収入などにおいてさまざまな格差が生じ，その改善が求められています。また，ソウルとその周辺に暮らす人々の生活においては，土地や住宅の価格が高くなったことや，交通の混雑などが問題になっています。

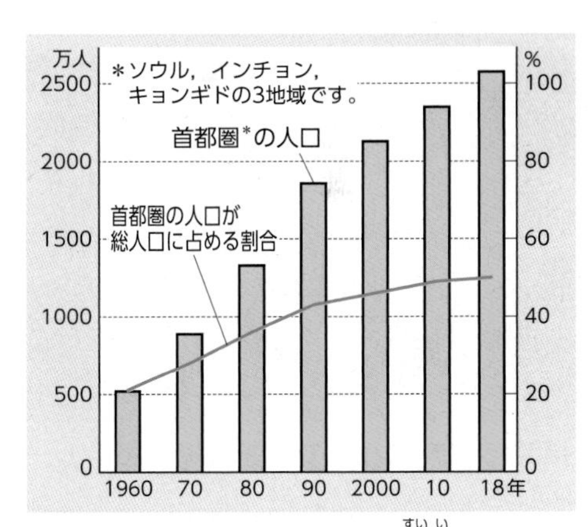

7 ソウルとその周辺の人口の推移〈KOSIS〉

資料活用 地図帳で，韓国の国土の様子とソウルの市街地を確認しよう。

確認しよう　日本と共通している韓国の文化を，写真1〜3にも注目しながら，挙げよう。

説明しよう　政治や経済の一極集中がどのような問題を引き起こしているのか，説明しよう。

1クアラルンプールの街角（マレーシア）

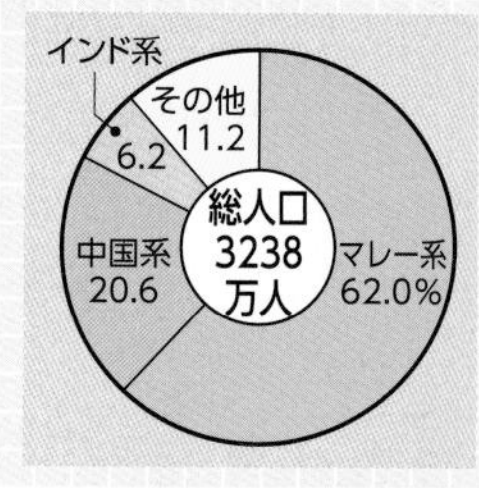

2マレーシアの民族構成（2018年）〈マレーシア統計局資料〉

5 経済発展を目指す東南アジア

学習課題 東南アジアの国々は，外国との関わりのなかで，どのように工業化を進め，経済を発展させてきたのだろうか。

解説 プランテーション

主に熱帯にみられる大規模な農園のことです。輸出向けの作物を，多くの労働者を雇って大量に栽培しています。歴史的には，植民地(→p.86)支配を行ったヨーロッパ諸国やアメリカ合衆国の企業などが運営してきました。

3プランテーションでの油やしの収穫（マレーシア）

4養殖池の水を抜いてえびを収獲する人々（インドネシア，スマトラ島，2018年撮影）

共に暮らす多様な民族

東南アジアには6億人余りが暮らしています。その民族は多様で，世界で4番目(2018年)に人口が多いインドネシアをはじめ，マレーシアやシンガポールも，一つの国の中にさまざまな民族が暮らしています。1, 2 これらの国々では，マレー系の人々のように，長くその地域で暮らしてきた民族のほかに，中国やインドから移り住んできた人も多くいます。特に**華人**とよばれる中国系の人々は，流通業をはじめ，東南アジアの経済のさまざまな分野で活躍しており，シンガポール(→p.49)の経済発展を支えました。

稲作の伝統と輸出用の作物生産

東南アジアでは，季節風(→p.51)による豊富な降水を利用して作られる米(→巻末2)が主食となってきました。インドシナ半島の平野やジャワ島が，その主要な産地となっています。1年を通して気温(→p.52)が高いことから，かんがい(→p.52)が整った地域では，年に2回同じ土地で稲を栽培する**二期作**も行われます。また，タイとベトナムは米の輸出を盛んに行っています。

天然ゴム(→巻末3)のような輸出を目的とした作物も，東南アジアの**プランテーション**(解説)で栽培されてきました。植物油などの原料になる油やし(3, →巻末3)は，マレーシアとインドネシアで栽培地が拡大しています。フィリピンではバナナ(→巻末3)の生産が盛んで，ベトナムではコーヒー(→巻末3)の生産が伸びています。また，インドネシアなどの海岸部では，マングローブを切り開いて造った養殖池での輸出用のえびの生産が盛んです。4

 小学校●歴史●公民との関連 日本町(歴)，太平洋戦争(歴)，ベトナム戦争(歴)

タイ 2522 737
ミャンマー 139
ラオス 19 2
ベトナム 1166 3
カンボジア 100
フィリピン 574 150
マレーシア 965 503
シンガポール 1397 676
インドネシア 1286 296
進出日本企業数
1000社
500社
100社
1991年 2018年
0 1000km
ASEAN加盟国

◀5東南アジアに進出した日本企業の数の変化〈海外進出企業総覧 2020，ほか〉

▲6インドネシアに進出した日本の自動車メーカーの組み立て工場（インドネシア，ジャカルタ近郊，2018年撮影）

解説 東南アジア諸国連合（ASEAN）

戦争や紛争などの問題を抱えていた東南アジア地域の安定を目指して，1967年に結成されました。2020年現在，10か国が加盟しています。

工業化の波とASEAN

東南アジアにおける工業の発展は，まずシンガポールで始まりました。それに続きマレーシアとタイで，それぞれ電気機械工業，自動車工業を中心に工業が発展しました。これらの国々は，製品を輸出することを目的とした**工業団地**を造り，日本をはじめとした外国企業を招くことで工業化を進めました。近年では，より低い賃金で労働者を雇えるインドネシアやベトナムなどに進出する外国企業が増えています。→p.161 5，6

東南アジアのほとんどの国が加盟している**東南アジア諸国連合（ASEAN）**解説では，輸入品にかける税金をお互いに無くすなど，加盟国間の貿易や人の交流をさらに活発にしようとしています。また，日本や中国，韓国などとの関係を深め，インドやオーストラリアとの貿易も盛んにして，一層の経済発展を目指しています。

都市化とその課題

東南アジアの国々では，工業化によって都市部の産業は発展しましたが，農村部の生活はなかなか豊かになりませんでした。そのため，収入のよい仕事を求めて，農村から都市へと，多くの人が移住しました。彼らの中には都市で安定した仕事に就くことができないために，粗末な建物が密集し，上下水道などが整備されていない**スラム**に住むことになった人もたくさんいます。7，→p.115また，人口が集中して過密となった大都市では，交通渋滞8や車の排ガスによる大気汚染などの問題が生じています。

▲7高層ビル群とスラム（フィリピン，マニラ）線路沿いに粗末な建物が密集しています。

▲8バンコクの交通渋滞（タイ，2017年撮影）

図5で，2018年までの27年間で日本企業の進出が急速に増えた国を確認しよう。

東南アジアで工業化が進んだ理由について，説明しよう。

↑ 1 斜面の茶畑での葉摘み（インド，アッサム地方，2017年3月撮影）

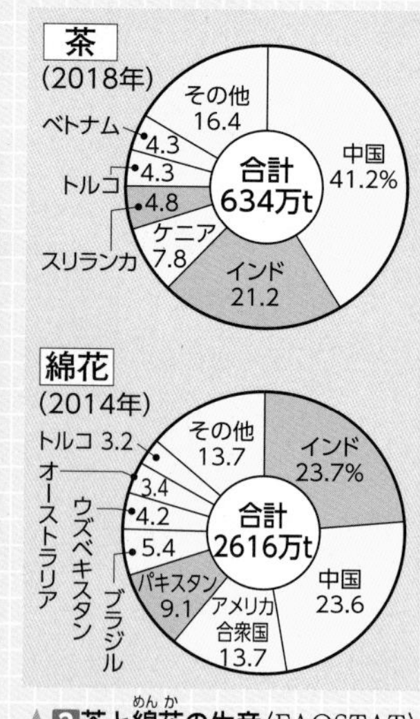

↑ 2 茶と綿花の生産〈FAOSTAT〉

資料活用 南アジアで茶と綿花の生産量が多い国は，どこだろう。

6 産業発展と人口増加が急速に進む南アジア

学習課題 人口増加の続く南アジアの国々は，どのような発展を続けているのだろうか。

気候の違いを生かした農業

南アジアでは，各地方の気候の違いを生かした農業がみられます。降水量の多いガンジス川下流域のヒンドスタン平原では米の栽培が，→巻末2乾燥した北西部では小麦の→巻末2栽培が盛んです。3 また，輸出用の作物の栽培も盛んで，降水量の多いアッサム地方やスリランカの高地では茶，→巻末3 1 乾燥した北西部やデカン高原では綿花→巻末3が生産され，2 世界各地に輸出されています。

南アジアでは，人口増加による食料不足が心配されたので，作物の品種改良や化学肥料の普及などが進められてきました。その結果，インドやパキスタンでは，米や小麦の生産量→p.52が大幅に増えました。

南アジアで成長する産業

インドでは，国内で生産される綿花や鉄鉱石，→巻末1石炭→巻末1などを原料にして，綿工業や製鉄業が早くから発達していました。1990年代に入って，外国企業の進出が活発になると，自動車産業を中心に工業化が進みました。近年は，特に**情報通信技術（ICT）関連産業**（解説）が急速に成長しています。4～6，→p.57

インドでICT関連産業が発展した背景には，数学の教育水準が高いことや，英語を話せる低賃金の技術者が多いことなどが挙げられます。また，新しい産業であるICT関連産業は，カースト→p.43の影響をあまり受けないので，これらの仕事に就く人々が多く出てきた

↑ 3 南アジアの農業〈Alexander Kombiatlas 2003，ほか〉 **資料活用** 写真1の撮影地を図3で確認しよう。

解説 情報通信技術（ICT）関連産業

パソコンやインターネットなど，情報や通信に関連する技術を用いた産業をいいます。ICTとは，情報技術（IT）とインターネットなどの通信技術（CT）を統合した言葉です。

小学校●歴史●公民との関連 ヒンドゥー教（歴），仏教（歴），イギリス領インド帝国（歴）

地理プラス 時差を生かしたICT関連産業の成長

インドは，ICT関連産業が世界で最も発達しているアメリカ合衆国と，標準時が約半日ずれた位置にあります。この利点を生かし，アメリカ合衆国が夜の間にソフトウェアの開発やデータ処理，コールセンター(電話対応)業務などの仕事をアメリカ合衆国の企業から請け負うことで，インドのICT関連産業は大きく成長しました。アメリカ合衆国の消費者が企業のコールセンターに電話をかけると，英語で応対するオペレーターは，実はインドにいるということも珍しくありません。

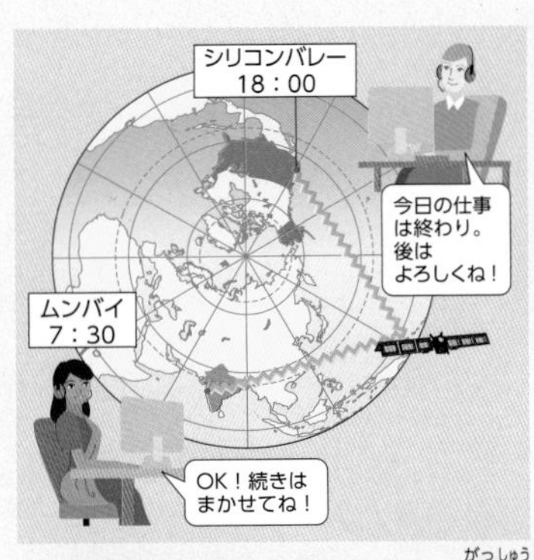

4 時差を利用したアメリカ合衆国とインドとの仕事のやり取り

5 コールセンターで働く人々（インド，ムンバイ）

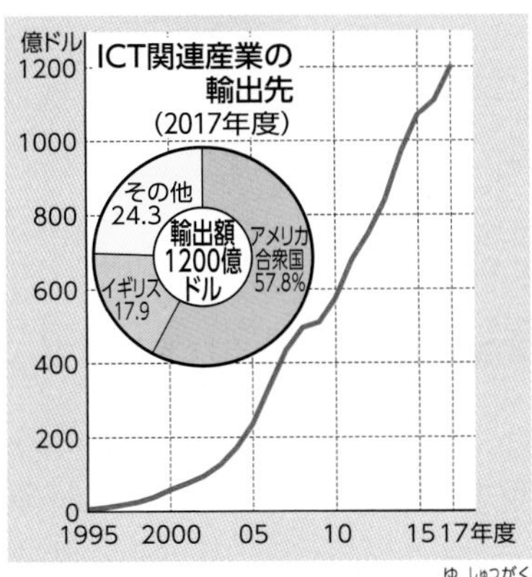

6 インドのICT関連産業の輸出額の推移と輸出先〈ESC資料〉

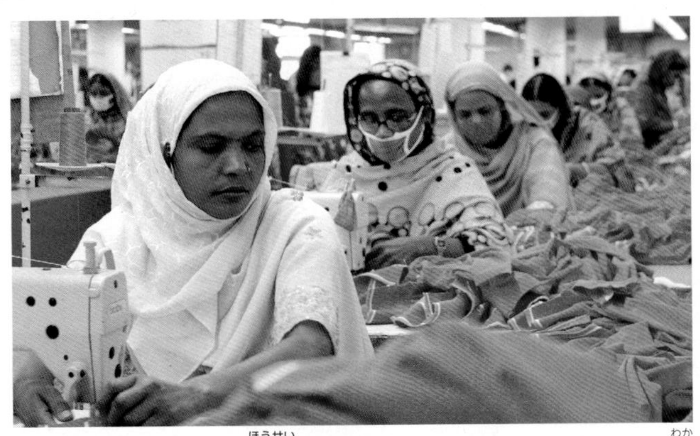

7 バングラデシュの縫製工場（ダッカ）　労働者のほとんどは若い女性で，農村部から働きに来ている人もたくさんいます。

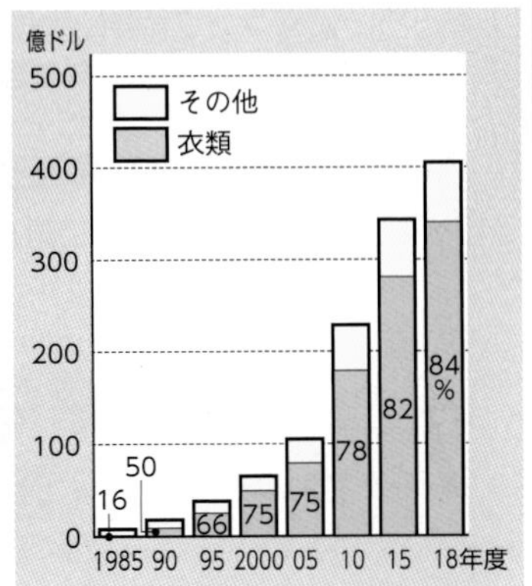

8 バングラデシュの総輸出額に占める衣類の割合〈BGMEA資料〉

ということもあります。国や州が援助して，各地に技術者を育てる教育機関や研究所を作ったことも，発展を促しました。

バングラデシュやパキスタンでは，豊富な労働力を安く得られるので，賃金の上がった中国から外国企業の工場の移転が進んでいます。特にバングラデシュでは，ミシンなどを使って衣料品を縫う縫製業が成長しており，衣類の輸出が急激に増えています。7 8

人口大国が抱える貧困層の問題

インドは，約12億の人々(2018年)が暮らす世界で2番目に人口の多い国です。その豊富な労働力を生かして，都市部では工業化が進んでいますが，発展から取り残された農村部では，今なお多くの貧困層を抱えています。

貧しい人々にとって子どもは重要な労働力であるため，出生率1は現在も高く→p.155，学校に行けないまま大人になる人も少なくありません。インドは，高い教育を受けた人材が多くいる反面，読み書きができない人口の割合が高いという課題をもっているため，すべての国民に教育を受けさせ，貧困層を減らす取り組みが行われています。9，→巻頭1

1 年間に生まれた子どもの数を，その地域の人口で割った比率を出生率といいます。

9 読み書きを習う農村部の女性たち（インド）

確認しよう　南アジアの国々の主な輸出品を，図2～4，6，8を参考に国別に挙げよう。

説明しよう　南アジアの国々で，ICT関連産業や縫製業が発達した背景について，説明しよう。

1 ペルシア湾に造られた人工島パーム・ジュメイラ（アラブ首長国連邦，ドバイ，2015年撮影）

声 ドバイに暮らす人の話

昔のドバイには，砂漠しかなかったけど，今では高層ビルがたくさんある大都市になっているんだ。ドバイは一年中暑いけど，ショッピングセンターやホテルの中は冷房が効いていて，とても快適なんだよ。砂漠の中のリゾート（保養地）としても有名で，パーム・ジュメイラというやしの木の形をした人工島には，高級ホテルや別荘が立ち並んでいるよ。

7 資源が豊富な中央アジア・西アジア

学習課題 西アジアや中央アジアの国々の経済成長は，どのような産業が支えているのだろうか。

人々の生活を豊かにした原油

中央アジアから西アジアにかけては砂漠が多く，ほかのアジアの地域と比べて人口は多くありません。また，栽培できる作物は限られ，工業化も遅れていました→p.53。しかし，アラブ首長国連邦のドバイのように，砂漠の中に高層ビルが立ち並ぶ都市が現れ，豊かな生活を送る人々が増えています1。

このような町並みや人々の生活の変化は，カスピ海沿岸やペルシア湾岸などでとれる原油→巻末1と深く関係しています。サウジアラビアをはじめ，多くの油田をもつ国々は，原油や原油から作られるガソリン・灯油などの石油製品を輸出し，それで得た利益で産業を発展させてきました2,5,6。採掘された原油の大部分は，タンカーや**パイプライン**❶で日本や北アメリカ，ヨーロッパなどへ運ばれています3,6。

石油収入を新しい産業の発展に生かす西アジア

石油製品は，エネルギー源や工業原料として現代の生活に欠かせません。西アジアの主な産油国は，**石油輸出国機構（OPEC）**解説,6 に加盟して原油価格や生産量を決めています。そのため，日本など，原油を輸入に頼っている国々は，原油価格や生産量の変化で大きな影響を受けることになります3→p.156。

西アジアの産油国は，原油の輸出で得られた利益を，新たな油田

2 原油の生産（2018年）〈BP資料〉

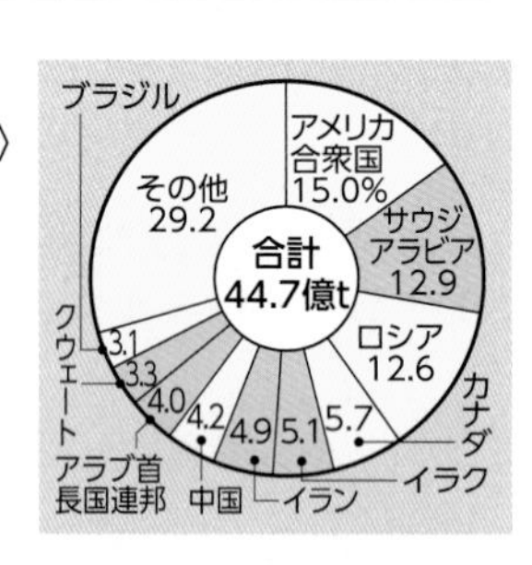

3 日本の原油の輸入先（2019年）〈財務省貿易統計〉

資料活用 西アジアの国々が占める割合は，どのくらいになるだろうか。

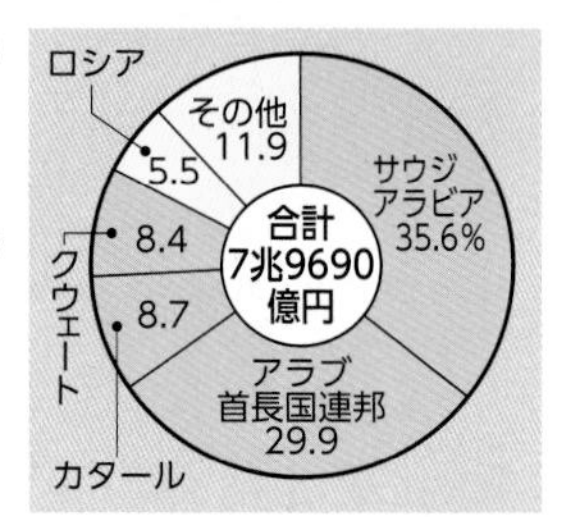

❶ 原油や天然ガスなど，液体や気体を長距離輸送するための管状の施設をいいます。大量輸送が可能で，輸送費用を抑えることができます。

解説 石油輸出国機構（OPEC）

産油国が経済発展を目指して，みずからの利益を守るために1960年に結成されました。2020年7月現在，西アジアやアフリカの産油国など，13か国が加盟しています。

地理プラス 外国人労働者が支える産油国の発展

ペルシア湾岸の産油国では，石油収入を生かした開発が次々に進むと，都市の建設現場などで，労働者が不足するようになりました。そこで雇われるようになったのが，産油国の周辺地域から出稼ぎに来た外国人労働者です。南アジアの国々は，西アジアの産油国ほど経済発展が進んでおらず，地理的に産油国に近い位置にあります。このため，インドやバングラデシュ，パキスタンなどの国から，高層ビルの建設ラッシュが続くペルシア湾岸の国々の都市などに，多くの労働者が働きに来ています。

国（総人口）	外国人	自国民
アラブ首長国連邦 934万人	外国人 83.7%	自国民 16.3
クウェート 336万人	60.1%	39.9
サウジアラビア 2882万人	31.4%	68.6
オマーン 363万人	30.6%	69.4

↑4 ペルシア湾岸の国々の総人口に占める外国人の割合（2013年）〈UNICEF資料〉

↑5 **ペルシア湾岸の大規模な石油精製施設**（サウジアラビア，ダンマン近郊）

↑6 **中央アジア・西アジアの原油・天然ガス**〈World Energy Atlas 7th edition，ほか〉

の開発や石油製品の生産に使うほか，交通・通信網の整備や教育などにも使っています。また，アラブ首長国連邦のように，観光業などの新しい産業に進出しようとする国も増えており，原油だけに依存しない社会づくりが進められています。一方，同じ西アジアでも原油の産出が少ない国々では，経済の発展が遅れています。

政治的に不安定な中央アジア・西アジア

中央アジアと西アジアは，原油のほかにも，天然ガスやレアメタルなどの鉱産資源に恵まれた地域です。→p.157このため，さまざまな国や企業がこの地域の開発に乗り出し，ときには資源をめぐる利害関係の対立から，紛争の火種にもなってきました。中央アジアや西アジアでは，国内の政治が民主的に行われていないという問題を抱えている国も多く，シリアのように内戦による**難民**が発生している地域もあります。7

資源を輸入に頼る日本にとって，この地域の安定は重要な課題であることから，紛争地域の復興に向けた経済的支援や，難民キャンプへの生活支援など，さまざまな取り組みを行っています。

↑7 **内戦から難民キャンプに逃れてきた人々**（シリア，2017年撮影）

日本の原油の主な輸入先を図3で調べ，その国の位置を図6で確認しよう。

中央アジアや西アジアの国々が，産業を発展させてきた背景について，説明しよう。

節の学習を振り返ろう

第1節 アジア州

第1節の問い p.48〜63

アジア州における急速な経済成長は，地域にどのような影響を与えているのだろうか。

1 学んだことを確かめよう ≫ 知識

1．A〜Fにあてはまる国名を答えよう。
2．ⓐ〜ⓔにあてはまる山脈名，河川名，半島名を答えよう。
3．①〜⑪にあてはまる語句を，下のキーワードや教科書を振り返りながら答えよう。

D（→ p.54 〜 55）
・人口の増加を抑えるための ① 政策が見直された
・工業製品は世界中に輸出され，「 ② 」とよばれる
・都市部と農村部との間で経済格差が広がる

韓国（→ p.56 〜 57）
・独自の文字 ③ を使用
・日本と共通点が多い文化，儒教の影響がみられる
・情報通信技術（ICT）関連産業が発達
・ ④ に人口・経済が一極集中

中央アジア・西アジア（→ p.62 〜 63）
・砂漠が多く，人口が少ない
・イスラム教が多くの人々に信仰されている
・原油などの資源が豊富
・産油国が加盟する ⑤ は原油価格や生産量を決める

南アジア（→ p.53, 60 〜 61）
・ C では約 12 億の人口の 8 割がヒンドゥー教徒
・米や小麦のほか，輸出用の作物である茶や ⑥ の産地
・工業化が進んだ C では ⑦ 産業が成長している

降水量が多い地域（→ p.51 〜 52）
・ ⑧ の影響を強く受ける
・水田での ⑨ を中心とした農業
・米が主食

東南アジア（→ p.58 〜 59）
・各地で稲作が盛ん
・大規模な農園である ⑩ で輸出用の作物を生産
・ ⑪ には東南アジアのほとんどの国が加盟

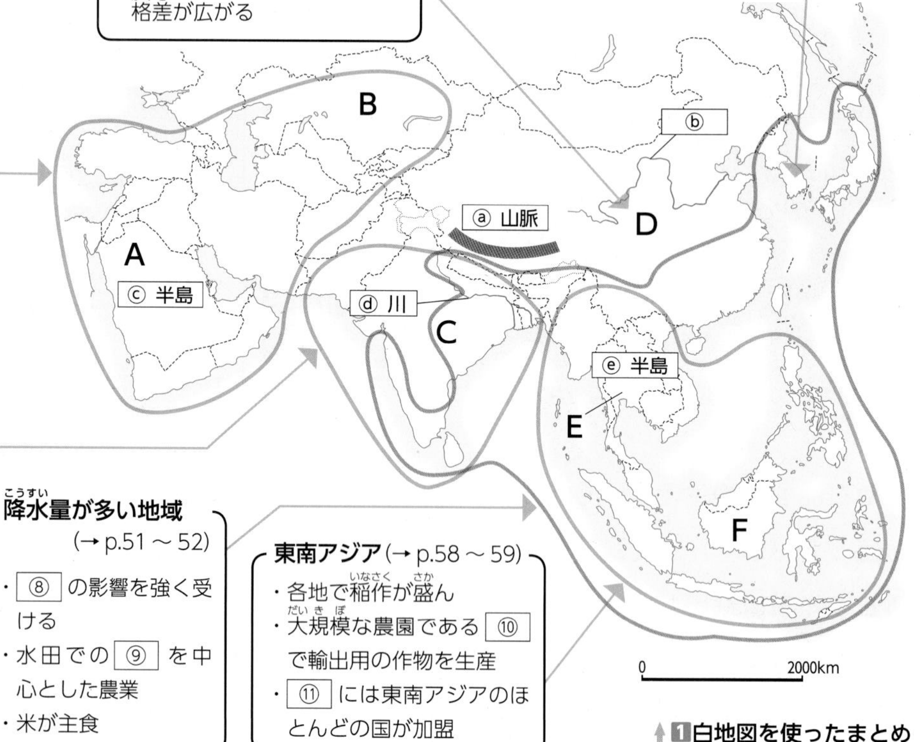

▲1白地図を使ったまとめ

写真を振り返ろう

p.48 〜 49 の写真に関連した以下の文章を読んで，㋐〜㋓にあてはまる語句を，キーワードから答えよう。

写真1や5のように，近代的なデザインの建物やリゾート施設ができるなど，アジア州では経済が成長し， ㋐ が進みました。特に中国では，沿岸部に ㋑ を設けて，外国企業を招くことで工業化を進めました。

また，写真2の ㋒ 徒や写真4の ㋓ 徒などのように，アジア州にはさまざまな民族が暮らしています。

キーワード

意味を説明できた語句にチェックを入れよう。

□季節風（モンスーン）
□雨季
□乾季
□かんがい
□稲作
□畑作
□遊牧
□仏教
□イスラム教
□ヒンドゥー教
□キリスト教
□都市化
□一人っ子政策
□経済特区
□世界の工場
□経済格差
□大気汚染
□ハングル
□儒教
□一極集中
□華人
□二期作
□プランテーション
□工業団地
□東南アジア諸国連合（ASEAN）
□スラム
□情報通信技術（ICT）関連産業
□パイプライン
□石油輸出国機構（OPEC）
□難民

2 「地理的な見方・考え方」を働かせて説明しよう ≫ 思考力，判断力，表現力

国・地域	経済成長の背景	経済成長によって生じた影響 【 ○…よくなった点，▲…課題点 】
中国	❶	❷
韓国	・外国の資金・技術の援助 ・ICT 関連産業の育成	○ ICT 関連産業が発展し，人々の生活でも欠かせないものになった ▲人口と政治や経済がソウルに一極集中し，地方との格差が生じた
東南アジア	・工業団地に外国企業を招く ・ASEAN の結成	○工業化により，都市部の産業が発展し，ASEAN 加盟国間の貿易や交流が活発化 ▲過密となった都市にスラムができたり，交通渋滞や大気汚染などの問題が生じたりした
南アジア	❸	❹
中央アジア・西アジア	・原油や石油製品の輸出 ・恵まれた鉱産資源	○原油や石油製品の輸出で得た利益で，産業を発展させ，交通・通信網の整備や教育などに生かした ▲資源が少ない国々の発展の遅れや，鉱産資源をめぐる利害関係の対立が生じる

↑ 2 アジア州の国・地域における経済成長の背景とその影響をまとめた例

ステップ1 この州の特色と課題を整理しよう

急速な経済成長によって，アジア州の国・地域で生じている影響について，p.64 のキーワードや教科書を振り返りながら，表2の❶～❹の空欄を埋めよう。

ステップ2 「節の問い」への考えを説明しよう

作業1　中国・韓国・東南アジア・南アジアでの急速な経済成長の背景には，どのような共通点があるのだろうか。「人口」と「工業」の語句を使って説明しよう。

作業2　アジア州における急速な経済成長は，地域にどのような影響を与えているのだろうか。地理的な見方・考え方を働かせて，節の問いに対するあなたの考えを，「都市化」と「経済格差」の語句を使って説明しよう。

 「節の問い」に関連が深い 見方・考え方

ほかの場所への影響，地域全体の傾向（→巻頭7）

ステップ3 【発展】持続可能な社会に向けて考えよう

作業1　表2の中から国・地域を一つ選び，その国・地域で生じている課題の原因を考えよう。

作業2　作業1で選んだ課題に対して，どのような取り組みを行うと，よりよい社会になるだろうか。課題の原因を踏まえて考えよう。

作業3　グループになり，どのような取り組みを優先的に行うことが大切か，話し合おう。

私たちとの関わり

日本では，どのような場所に人口が集中しているのだろうか。p.154 の図2や地図帳などで確認しよう。

写真で眺める ヨーロッパ州

1アルプス山脈を走る登山電車(スイス，インターラーケン近郊，2015年8月撮影) ➔p.68

探してみよう！

写真1～7の位置を，地図上で確認しよう。

2歴史ある建造物が残る町並み(イギリス，ロンドン，2015年7月撮影) ➔p.69, 70

3地中海に浮かぶミコノス島(ギリシャ，9月撮影)

美しい海と明るい太陽の光にあふれた島には，バカンスを過ごすために多くの人が訪れます。

➔p.69

↑**4フィヨルドを行く観光船**(ノルウェー，オーレスン近郊)　➔p.68

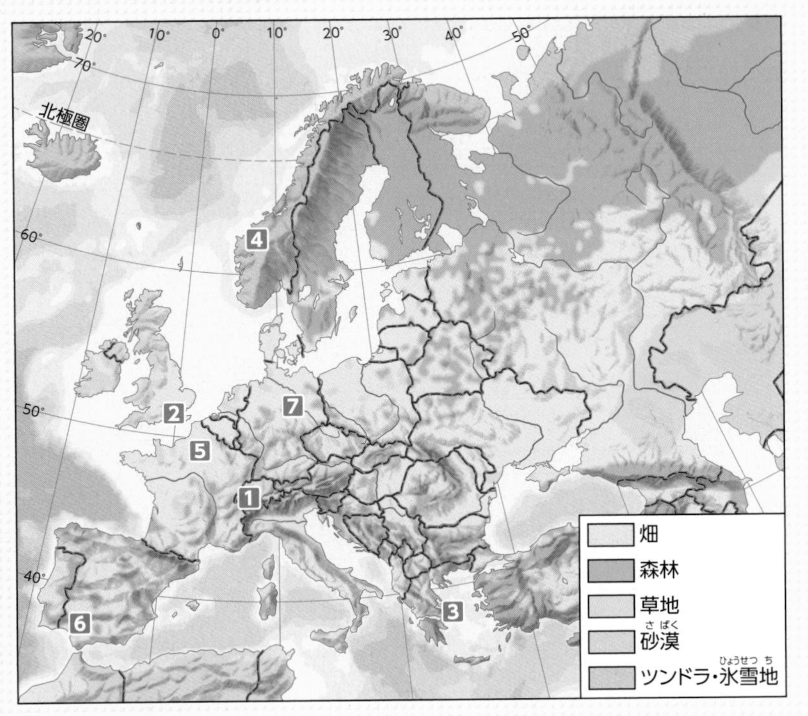

↑**5パリのシンボル，エッフェル塔**(フランス，パリ，4月撮影)　➔p.69, 70, 74

↑**6華やかな衣装を着てフラメンコを踊る女性たち**(スペイン，セビリア，4月撮影)　➔p.70

→**7エルベ川をまたぐ運河**(ドイツ，マクデブルク近郊，10月撮影)　国境を越えて流れる河川と，それらを結ぶ運河は，ヨーロッパの重要な交通路となってきました。　➔p.68, 72

第2節 ヨーロッパ州

注目する地球的課題：経済格差

第2節の問い p.66〜79 ヨーロッパ州では，国どうしの結び付きが強まることによって，地域にどのような影響が生じているのだろうか。

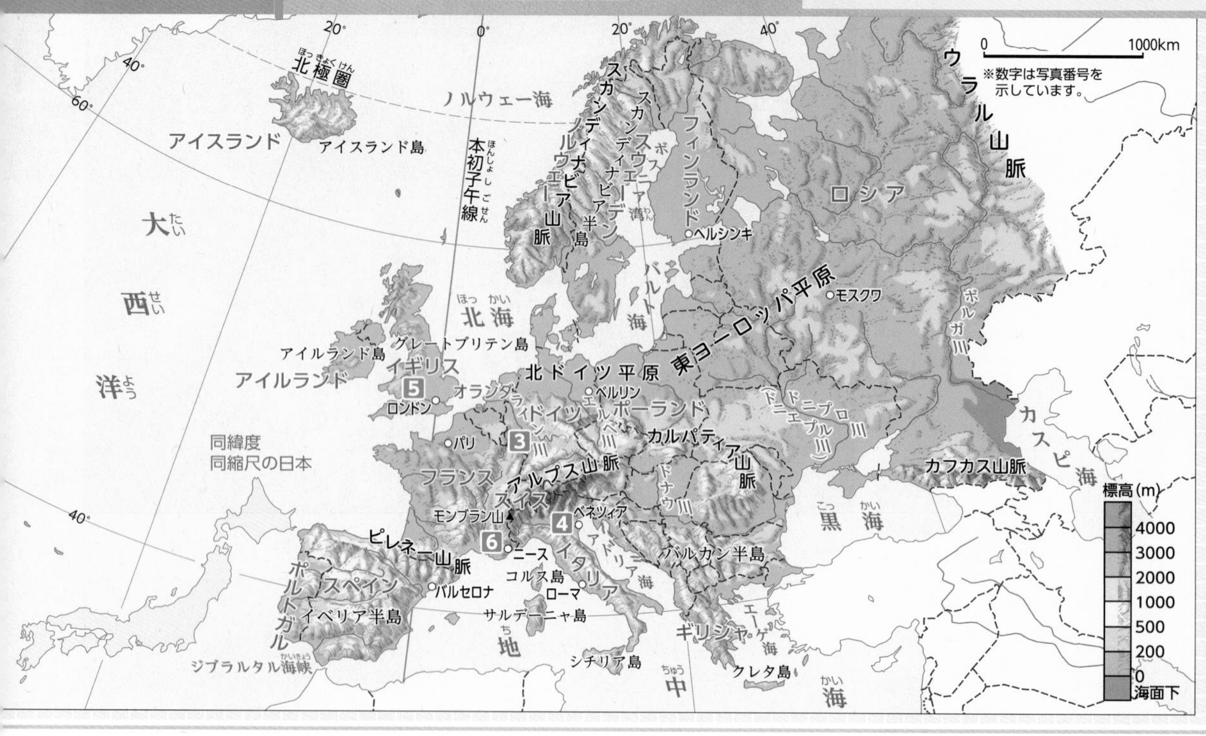

1 ヨーロッパ州の自然 資料活用 北緯40度の緯線をなぞり，日本の緯度と比べよう。

p.5の写真5にあった小説『ハイジ』の舞台のアルプス山脈は，ヨーロッパのどの辺りにあるのかな？

1 ヨーロッパ州の自然環境

	アジア	ヨーロッパ	アフリカ	北アメリカ	南アメリカ	オセアニア
面積 1億3009万km²	23.9%	17.0	22.8	16.4	13.4	6.5
人口 76億3109万人	59.8%	9.8	16.7	7.6	5.6	0.5

※ロシアはヨーロッパ州に含んでいます。

2 世界の面積・人口に占めるヨーロッパ州の割合(2018年)〈Demographic Yearbook 2018〉

解説 国際河川

複数の国の領域や国境を流れ，外国の船が自由に航行できるように沿岸国間で条約を結んだ河川を，国際河川といいます。

3 大型の船舶が航行するライン川(ドイツ，コブレンツ近郊)

学習課題 ユーラシア大陸の西部に位置するヨーロッパ州では，地形や気候にどのような特色がみられるのだろうか。

アルプス山脈が分ける自然環境

ヨーロッパ州は，ユーラシア大陸の西部に位置し，西は大西洋，南は地中海に面しています。1 ヨーロッパの中央部には**アルプス山脈**→p.66が東西に連なっており，4000mを超える高い山々がそびえています。ヨーロッパ州の自然環境は，このアルプス山脈を境として，南北で異なります。

アルプス山脈より北側には，北ドイツ平原や東ヨーロッパ平原などの平原や，なだらかな丘陵が広がり，ライン川などの**国際河川**解説が流れています。これらの河川は，流れが緩やかで水運に適しており，その多くが運河で結ばれています。3，→p.67 そのため，流域の都市を結ぶ交通路として重要な役割を果たしてきました。さらに北部のスカンディナビア半島には，**氷河**によって削られた谷に海水が深く入りこんだ**フィヨルド**→p.67などの氷河地形も見られます。一方，アルプス山脈の南側は，北側よりも山がちで平野が少なく，流れの急な河川も見られます。また，火山も多く，イタリアやギリシャなどでは地震がしばしば発生します。→p.142

小学校●歴史●公民との関連 世界の大陸と海洋(小)，主な国の名称と位置(小)

未来に向けて

環境 「水の都」ベネツィアが沈む？

イタリアの北部に位置するベネツィアは，アドリア海の干潟につくられた都市です。歴史的な建物や運河のある町並みは「水の都」として有名で，世界中から多くの観光客が訪れています。

ベネツィアは，陸地のほとんどが海抜 1m 以下と低地なため，昔から高潮(→ P.149)のたびに，町全体が浸水する被害を受けてきました。近年は，地下水のくみ上げすぎによる地盤沈下や，高潮，低気圧の接近に伴う大雨などによって，浸水の被害が深刻化しています。現在，海水の浸入を防ぐための新たな防潮堤を，町の沖合いに整備する対策などが計画されています。

↑ **4 記録的な高潮の影響で町全体が浸水した際のベネツィア**(イタリア，2018 年 10 月撮影)

↑ **5 イギリスの農村風景**(グロスター近郊，6 月撮影)

↑ **6 人々でにぎわう地中海の海岸**(フランス，ニース，2016年6月撮影)

緯度が高いわりに温暖な気候

ヨーロッパ州の大部分は，日本に比べて高緯度に位置していますが，大西洋を北上する暖流の**北大西洋海流**と，その上空を吹く**偏西風**の影響を受けて，気候は比較的温暖です。特に大西洋や北海に面した地域は西岸海洋性気候に属しており，冬でも寒さはそれほど厳しくありません。この地域では，1 年を通じて安定した降水があるため，さまざまな農作物の栽培や牧畜，酪農などが盛んです。

一方，ギリシャやイタリア，フランスなど地中海沿岸の地域は，夏は晴天が続いて乾燥する地中海性気候なので，曇り空が多いイギリスやドイツなどの人々の夏のリゾート地になっています。

北極圏にかかるスカンディナビア半島の大部分と，内陸に位置する東ヨーロッパやロシアには，冬の寒さが厳しい亜寒帯(冷帯)の気候が広がっています。特に高緯度にある北ヨーロッパの国々では，夏になると太陽が沈んでも暗くならない**白夜**とよばれる現象がみられ，短い夏の期間を森の中の別荘などで楽しむ人々が多くいます。

解説 偏西風

北緯・南緯ともに 30 度から 60 度付近にかけての地域で，西から東に向かって一年中吹く風のことを，偏西風といいます。

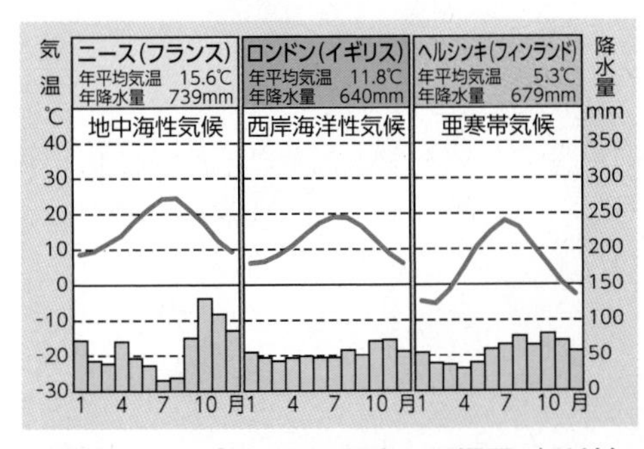

↑ **7 ヨーロッパ州の主な都市の雨温図**〈理科年表 2020，ほか〉

ヨーロッパの主な山脈と河川の位置を図 1 で確認しよう。

ヨーロッパの気候の特色について，「高緯度」，「北大西洋海流」，「偏西風」の語句を使って説明しよう。

⬆1教会前の広場で開かれるクリスマスマーケット(ドイツ，ニュルンベルク，12月撮影)　ヨーロッパの町では，クリスマスが近づくと，教会の前の広場などでクリスマスの飾りや菓子などを売る市場が開かれ，人々でにぎわいます。

2　ヨーロッパ文化の共通性と多様性

学習課題　多くの国々が集まるヨーロッパの文化には，どのような共通性や多様性があるのだろうか。

共通するキリスト教の伝統

ヨーロッパでは，多くの地域で**キリスト教**[4, →p.42]が信仰されています。クリスマス[1]やイースター(復活祭)など，キリスト教の重要な行事の期間は，家族や友人と集まって祝います。ヨーロッパの町や村の中心には，キリスト教の教会があり，日曜日には多くの人々が礼拝に訪れます。結婚式や葬儀など，人生の節目となる儀式の多くが教会で行われ，キリスト教はヨーロッパの人々の生活に深く根づいています。

⬆2土産物屋で売られるイコン(ギリシャ)　正教会では，立体的な像を作ることが禁じられているため，「イコン」とよばれる聖人が描かれた絵が信仰の対象となっています。

三つに分けられる宗教と言語

ヨーロッパの人々が信仰するキリスト教には，**プロテスタント**，**カトリック**，**正教会**という宗派の違いがあります[4]。イギリスやドイツ，スウェーデンなどではプロテスタントを信仰する人々が多いのに対して，イタリアやスペイン，フランスなどではカトリックが一般的です。また，ロシア[→p.79]やギリシャなどに住む人々の多くは，正教会を信仰しています[2]。

ヨーロッパのさまざまな言語も，およそ三つの系統に分けることができます[5]。北西部では，英語やドイツ語などの**ゲルマン系**言語が，

小学校●歴史●公民との関連　キリスト教(歴)，ギリシャとローマの文明(歴)

地理プラス カトリックの祭り，謝肉祭(カーニバル)

キリスト教には，キリストの復活を祝うイースター(復活祭)という祭りがあり，カトリックでは，その46日前から肉食を禁じる伝統があります。この肉食禁止の時期に入る前に，家族や友人と肉を食べて楽しむ風習が生まれ，これが謝肉祭の起源になったといわれています。現在では，仮装をしたり，山車を作って街をパレードしたりする謝肉祭が，カトリック文化圏で広くみられる季節行事になっており，植民地時代にカトリックが広まった南アメリカの国々でもみられます(→p.112)。

3 謝肉祭のパレード(イタリア，2017年3月撮影)

4 ヨーロッパのキリスト教の宗派の分布
〈Bosatlas 2007，ほか〉

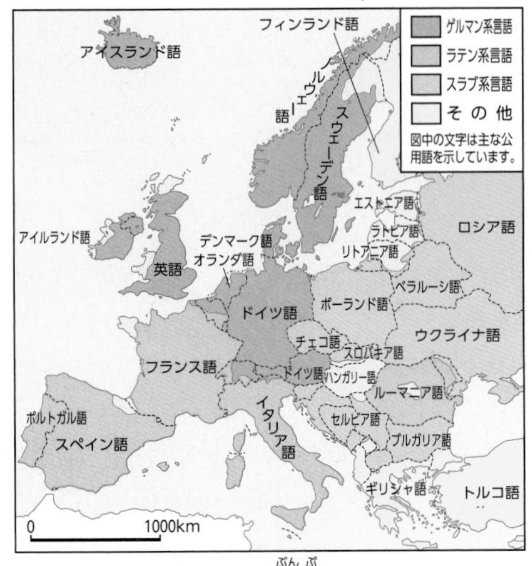

5 ヨーロッパの言語の分布
〈国立民族学博物館資料，ほか〉

ゲルマン系言語	スラブ系言語
英 語 Good morning グッド モーニング	ロシア語 Доброе утро ドーブラエ ウートラ
ドイツ語 Guten Morgen グーテン モルゲン	ポーランド語 Dzién dobry ジェン ドブリ
ラテン系言語	**その他の言語**
フランス語 Bonjour ボンジュール	ギリシャ語 *Καλη μέρα* カリ メラ
イタリア語 Buon giorno ブオン ジョルノ	フィンランド語 Hyvää huomenta フバァー フオメンタ

6 各言語の「おはよう」を表す言葉

南部ではイタリア語やスペイン語などの**ラテン系**言語が多くの人に話されています。また，東部では，ロシア語やポーランド語などの**スラブ系**言語が一般的です。同じ系統の言語は，同系統の**民族**❶の言葉が長い時間をかけて変化してきたものなので，文法や発音が似ているといった共通の特徴がみられます。6

多様な文化が共存する社会

ヨーロッパでは，固有の言語やキリスト教を中心とした文化が育まれてきました。その一方で，長い歴史のなかで，さまざまな地域から異なる文化をもつ人々も移り住んできました。例えば，かつてヨーロッパ諸国の植民地→p.86だったアジアやアフリカの国々から移り住んだ人や，トルコなどの周辺諸国から労働者として迎えられた人が暮らしています。7 そのため，ヨーロッパの町では，さまざまな言語や生活習慣に触れることができます。近年は，イスラム教→p.43など，さまざまな信仰をもつ人も増えてきています。現在のヨーロッパ社会は，これらの多様な文化をもつ人々が，ともに暮らしながら成り立っています。

❶ ヨーロッパの民族は，言語と同様に主にゲルマン系・ラテン系・スラブ系に分けられます。

7 さまざまな民族が暮らすロンドンの町(イギリス) 資料活用 写真の人々は，どのような地域から移り住んだ人々だろうか。

確認しよう 三つに分けられるヨーロッパの主な言語とキリスト教の宗派の関係を，図4と5を比較して確認しよう。

説明しよう ヨーロッパの宗教にみられる共通性と多様性について，説明しよう。

声 国境の近くに住むポーランド人の話

私は，ポーランドとドイツの国境になっている，オーデル川の近くに住んでいるの。自宅はポーランドにあるけど，平日はオーデル川にかかる橋を渡って，ドイツ国内にある会社に働きに行っているのよ。ドイツとの国境は，歩くのはもちろん，車やバスでも自由に行き来できるから，とても便利よ。週末には，ドイツから物価の安いポーランドに，買い物に来る人も多いわ。

↑**1ドイツとポーランドの国境にかかる橋を渡る人々**（ドイツ，アイゼンヒュッテンシュタット近郊）

3 EUの成り立ちとその影響

学習課題 ヨーロッパでは，国境を越えた結び付きが強まることにより，人々の生活にどのような変化が見られたのだろうか。

国境を自由に越えられる暮らし

私たちが日本を出国したり，外国へ入国したりするときには，パスポートの審査が必要です。ところが，ヨーロッパの多くの国々では，パスポートなしで自由に国境を行き来できます。そのため，同じヨーロッパでも言語や宗教➜p.70など文化の異なる人どうしが1一緒に仕事をしたり，大学に通ったりする機会が増えています。しかし，このような暮らしが昔から行われていたわけではありませんでした。

↑**2かつてのドイツとポーランドの国境**（ドイツ，アイゼンヒュッテンシュタット近郊，1996年撮影） 写真1と同じ町の国境の様子です。この写真が撮影された当時，国境を越えるためには，検問を通過する必要がありました。

ヨーロッパ連合の誕生

ヨーロッパでは，過去に2領土や資源をめぐり，たびたび国どうしが争ってきました。特に，20世紀に起きた二度の世界大戦では，ヨーロッパのほぼ全域が戦場となり，大きな被害を受けました。そのため，終戦後は同じヨーロッパの国どうしで争うのをやめ，互いに協力して発展していこうとする動きが高まりました。また，面積や人口規模の小さい国が多いヨーロッパは，大戦後に経済の力を増したアメリカ合衆国などの大国に対抗するために，国の枠組みを越えて団結する必要が生じました。

そうしたなかで，1967年に，フランス，イタリアなどの6か国がヨーロッパ共同体(EC)という組織を作り，3 1993年には**ヨーロッ**

小学校●歴史●公民との関連 第一次世界大戦(歴)，第二次世界大戦(歴)，冷戦(歴)

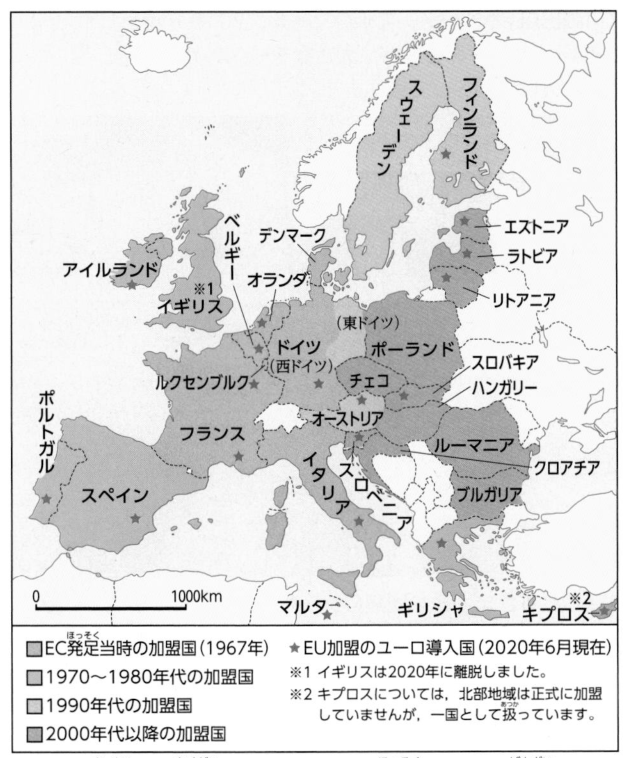

▲3 **EU加盟国の拡大** 資料活用 EU発足当時から現在まで，加盟国が拡大してきた様子を確認しよう。

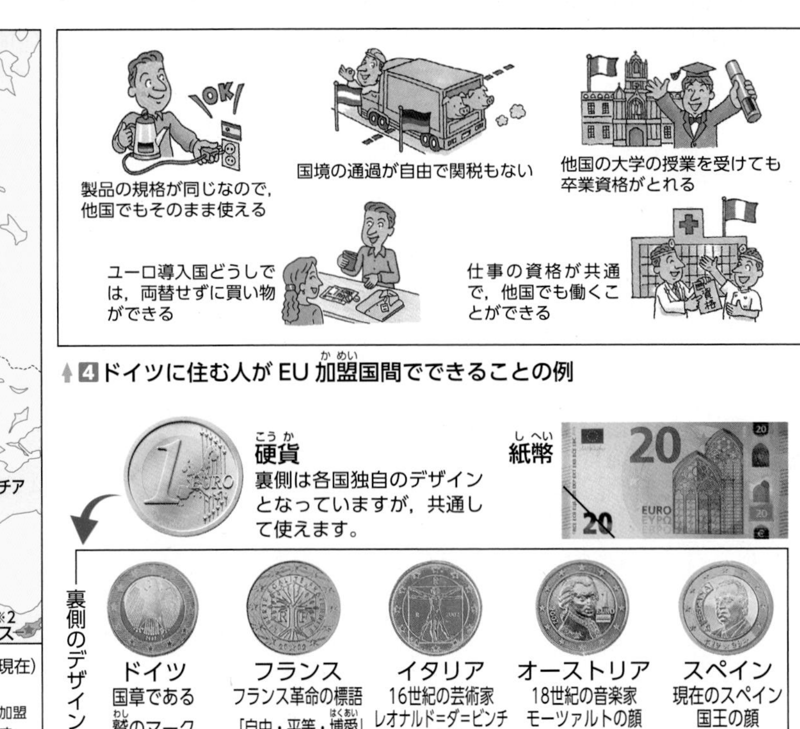

▲4 **ドイツに住む人がEU加盟国間でできることの例**

硬貨
裏側は各国独自のデザインとなっていますが，共通して使えます。

紙幣

裏側のデザイン

ドイツ	フランス	イタリア	オーストリア	スペイン
国章である鷲のマーク	フランス革命の標語「自由・平等・博愛」の文字	16世紀の芸術家レオナルド=ダ=ビンチの作品	18世紀の音楽家モーツァルトの顔	現在のスペイン国王の顔

▲5 **ユーロ紙幣と硬貨** EU加盟国の中には，スウェーデンやデンマークなど，ユーロを導入せず，独自の通貨を使っている国もあります。

パ連合(EU) となりました。1990年代から2000年代にかけては，北ヨーロッパや東ヨーロッパへも加盟国が拡大し，2020年現在の加盟国は27か国になっています。3

こうして現在のEUは，人口規模や国内総生産(GDP)❶の合計でもアメリカ合衆国と肩を並べる6，世界の経済や政治に大きな影響を与える存在となっています。

統合による経済や人々の生活の変化

EUによる統合は，世界の中でのヨーロッパの影響力を強めるだけでなく，EU域内に暮らす人々の生活にも大きな変化をもたらしました。4

多くのEU加盟国間での行き来が自由になったことで，人々は国境を越えて自由に好きな所に住んで，働けるようになりました。また，EU域内の多くの国で共通の通貨**ユーロ**を導入することにより5，両替をする必要がなくなり，国境を越えた買い物や旅行などが活発になりました。さらに，加盟国からの輸入品にかかる税金をなくしたことにより，EU域内の農産物や工業製品の貿易が盛んになりました。

このようにEUは，域内の産業を発展させ，人々の生活を便利で豊かなものにするための努力を続けています。

❶ 1年間に国内で生み出された，国内の人々の収入の合計金額のことで，国の経済力を計る重要な指標の一つです。

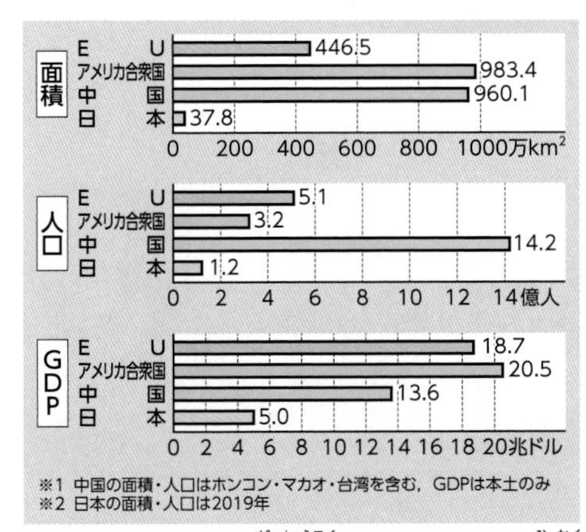

▲6 **EUとアメリカ合衆国・中国・日本の比較**(2018年)〈世界銀行資料，ほか〉

確認しよう　EUが誕生した背景について，確認しよう。

説明しよう　EUの統合によって人々の生活はどのように便利になったのか，説明しよう。

1 チーズ市の出店（オランダ，アルクマール，2018 年撮影）
味見をして好みのチーズを選び，大きなチーズの塊から欲しい量だけ切り分けてもらって買います。

2 売店で売られるさまざまな種類のソーセージ（ドイツ，ベルリン）

3 カフェでピザを食べる人（イタリア）

ヨーロッパの国々では，どのようなものを食べているのかな？

4 ヨーロッパの農業と EU の影響

学習課題 ヨーロッパの農業には，地域によってどのような特色があり，EU による統合によって，どのような変化が生じたのだろうか。

多様な食文化を育んできた農業

ヨーロッパでは，地形や気候など，自然環境に合った農業が古くから行われてきたため，地域によってさまざまな食文化がみられます。

アルプス山脈より北側の地域では，年間を通して安定した降水量があるため，小麦や じゃがいも，ライ麦などの食料のほかに，家畜の餌にする作物の栽培と，豚や牛などの家畜の飼育を組み合わせた**混合農業**が行われてきました。ドイツでは，ライ麦パンや じゃがいも，種類が豊富なソーセージ，ビールなどが食卓に並びます。ドイツより北側のデンマークやオランダなど北海沿岸の地域は，気候が冷涼で，土の栄養分が少ない土地が多いため，牧草を栽培して乳牛を飼い，バターやチーズを生産する**酪農**が盛んです。

アルプス山脈より南側の地域では，降水が多い冬の時期に栽培する小麦とともに，オレンジやオリーブ，ぶどうなど夏の高温と乾燥に強い果樹を栽培する**地中海式農業**が行われてきました。イタリアでは，オリーブオイルをたっぷり使って，小麦から作るパスタやピザ，肉や魚料理が食べられており，ワインもよく飲まれています。

4 屋外のカフェでワインを楽しむ人々（フランス，パリ） ヨーロッパの中でも，フランスやイタリア，スペインはワインの生産が盛んで，3 か国で世界のワインの生産量の約半分を占めています。

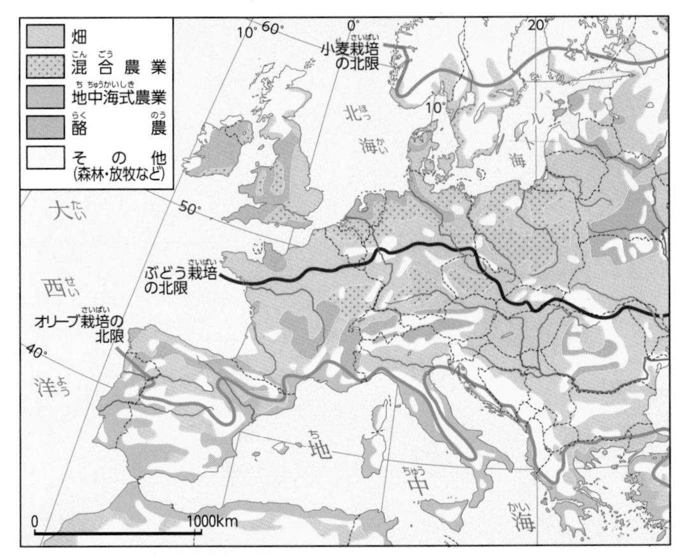

▲5ヨーロッパの農業地域〈Seydlitz Projekt Erde，ほか〉

◀6混合農業が行われている地域の畑（ドイツ，ドルトムント近郊）

地理プラス 伝統や産地を守るEUの農業

EUでは，域内で生産される商品のうち，EUの定める品質基準を満たした商品に認証マークを付けて，域内の農産物・食品のブランド化を進めています。フランスのシャンパン，オランダのゴーダチーズ，スペインのイベリコ豚などには，認証マークが付けられたものがあり，原産地や製造地，伝統的な製法によって作られたことなどが細かく証明されています。こうした認証を得た農産物・食品は，ブランド品として高値で売り買いされるため，生産者にとっては，伝統的な製法を守りながら，品質の向上や産地の経済発展に貢献できるというメリットがあります。

▲→7EUの品質認証マークの一つ，PDOマーク(上)とマークが付けられた商品(右)

EUの目指す農業

フランス料理で知られるフランスは，EU→p.72最大の農業国でもあります。特に，パンの原料となる小麦の場合，フランスの自給率は100％を大きく上回り，8 世界有数の小麦輸出国となっています→p.100。ヨーロッパの農業は，フランスのように広い農地で輸出用の農産物まで大量に生産している国もあれば，小規模な農地で主に自国で消費する農産物を作っている国もあり，農地や生産量などの規模が国によって大きく異なります。

こうしたなかEUは，域内全体としての**食料自給率**(解説)を上げ，EU域外からの輸入農産物にも対抗できるように，個々の農家や地域に補助金を出して保護する政策(共通農業政策)をとってきました。しかし，経済的に不安定な農業国が多い東ヨーロッパの国々がEUに加わったこともあり→p.73，補助金の増加がEUの財政を圧迫するようになってきたので，その見直しが進められています。

一方で，質の高い農産物を積極的に生産する農家や地域を支援し，7 農薬の使用を抑えた環境重視の農業に対して補助金を増やすなど，新しい農業の在り方を目指す取り組みも始まっています。

解説 食料自給率

国内で消費する食料のうち，国内産で賄える割合のことを，食料自給率といいます。

	小麦	いも類	野菜類	果実類	肉類	牛乳乳製品
イギリス	82	75	38	5	69	81
オランダ	27	221	284	22	176	224
ドイツ	152	117	40	25	114	123
フランス	190	116	73	57	98	123
イタリア	66	45	141	106	79	68
スペイン	72	60	183	135	125	76
アメリカ合衆国	170	96	90	74	116	104
日本	12	73	77	38	51	59

自給率(%)　120以上　100〜120　50〜100　50未満

※日本のみ2018年，ほかは2013年の自給率です。

▲8主な国の品目別食料自給率〈平成30年度食料需給表〉

確認しよう　混合農業・酪農・地中海式農業が行われている地域を，図5で確認しよう。

説明しよう　EUはヨーロッパの農業を支援するために，どのような取り組みを行っているのか，説明しよう。

1 航空機の部品を専用貨物機に積み込む様子（ドイツ，ブレーメン） ブレーメンの部品工場で製造された航空機の胴体部品が，最終組み立て工場へと輸送されていきます。

5 ヨーロッパの工業とEUの影響

学習課題 ヨーロッパの工業にはどのような特色があり，EUの統合によって，どのような変化が生じたのだろうか。

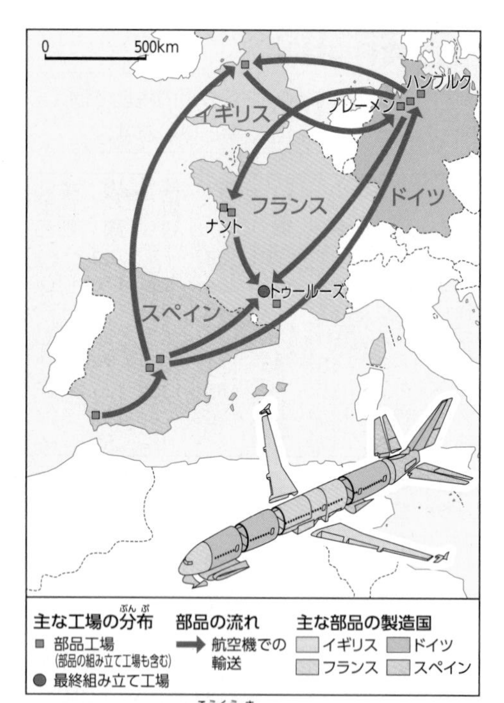

2 エアバス社の航空機（エアバスA350XWB）の製造における国際分業（2015年）〈A350XWB & AIRBUS Family〉

資料活用 国境を越えて部品が行き来していることに注目しよう。

拡大するヨーロッパの工業地域

ヨーロッパでは，18世紀の半ば以降，イギリスやベルギー，フランスを中心に，世界で最初に工業が発達しました。その後，ドイツのルール工業地域に代表されるように，鉄鉱石→巻末1や石炭→巻末1など地域の資源を生かした重工業→p.160が発達し，第二次世界大戦後の西ヨーロッパの経済成長を支えました。しかし，1960年代にエネルギーの主役が石炭から石油へと変化すると，工業の中心はしだいに石油化学工業→p.160へと移り，ロッテルダムやマルセイユ近郊など，原油→巻末1の輸入に便利な臨海部に工場が集中するようになりました。

現在は，自動車工業や医薬品，航空機などを生産する**先端技術産業**→p.103などが成長しており，産業の中心地もロンドンやフランクフルト，ミュンヘンなどの大都市近郊に移動しています。また，パソコンやスマートフォンなどのICT関連産業→p.60がストックホルムやヘルシンキで発達するなど，工業が盛んな地域はヨーロッパ各地に拡大しています。

EU統合により発展した航空機産業

第二次世界大戦後，世界の航空機産業を独占していたアメリカ合衆国→p.102に対抗するため，フランスとドイツの航空機メーカーが共同で出資して，エアバス社という会社を設立しました。その後，スペインやイギリスなど

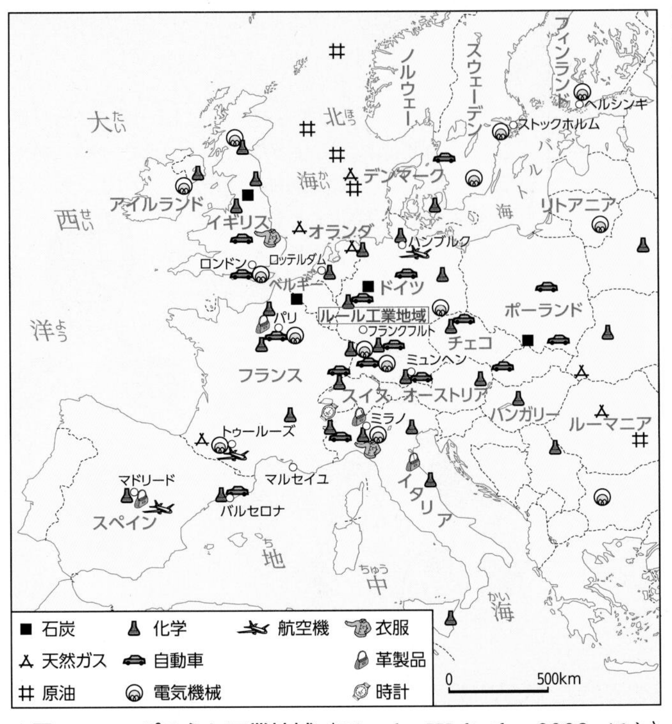

3 ヨーロッパの主な工業地域〈Diercke Weltatlas 2008, ほか〉

地理プラス 職人が支えるヨーロッパブランド

ヨーロッパでは，先進的な工業が発達する一方で，昔ながらの手作業による伝統的な工業も脈々と受け継がれてきました。靴やバッグなどの革製品をはじめ，洋服や時計，陶磁器，ガラス製品，楽器などが，熟練した職人の高度な技術によって，材料から製品に至るまで一つ一つ丁寧に作られています。これらの製品は，大工場のように大量生産はできませんが，品質の高さや優れたデザインから，高級ブランド品として世界中に輸出され，人気を得ています。特にパリやミラノは，ブランド品の生産が盛んな地域として知られ，ファッションの世界的な発信地にもなっています。

4 ブランド品のバッグを作る職人（フランス，パリ）

ほかのEU諸国の企業も参加し，新しい航空機の開発に向けて国を越えた協力体制がとられるようになりました。エアバス社のエンジンはイギリス，胴体はフランスで製造されるなど，各国のメーカーの専門的な技術を生かした国際的な分業がなされています。こうしてEU各国で製造した航空機の部品は，フランスのトゥールーズなどにある最終組み立て工場に輸送されて製品化されます。1, 2 現在では，世界の航空機市場をアメリカ合衆国と二分するほどの存在に成長し，5 その機体は日本をはじめ，世界の航空会社で使われています。

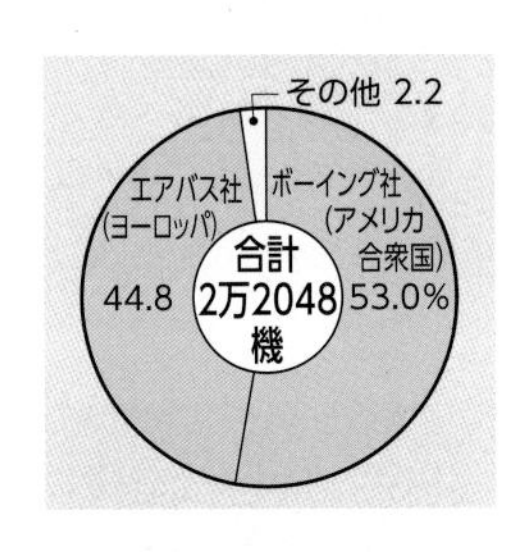

5 世界で使用される主なジェット機※の割合（2018年）〈日本航空機開発協会資料〉

※100席以上のジェット旅客機・貨物機などを指します。

EU統合による東ヨーロッパの工業の変化

2004年以降，EU→p.72に新たに加盟した東ヨーロッパの国々→p.73には，工業化が遅れ，比較的所得が低いという傾向がみられます。そのため，これらの国々から工業の発達したドイツやフランスに働きに出る人々が多くいます。→p.78これとは逆に，賃金が低く，製品を安く生産できる東ヨーロッパの国々に，ドイツやフランスの企業が工場を移転する動きも増えています。また，域内にたくさんの人々が暮らすEUの巨大な市場を求めて，自動車や電気機械などを作る日系企業も，ポーランドやハンガリー，チェコなどの東ヨーロッパ諸国に進出しています。6 東ヨーロッパの国々は，働く場を生み出し，高度な工業技術や知識をもたらしてくれる外国企業の進出に大きな期待をかけています。

6 日系企業の自動車工場で働く人々（ハンガリー，ブダペスト近郊，2016年撮影） 製造した自動車の出荷作業が行われています。

確認しよう ヨーロッパで工業が盛んな地域を，図3で読み取ろう。

説明しよう EUの統合により，ヨーロッパの工業には，どのような変化が生じたのか，説明しよう。

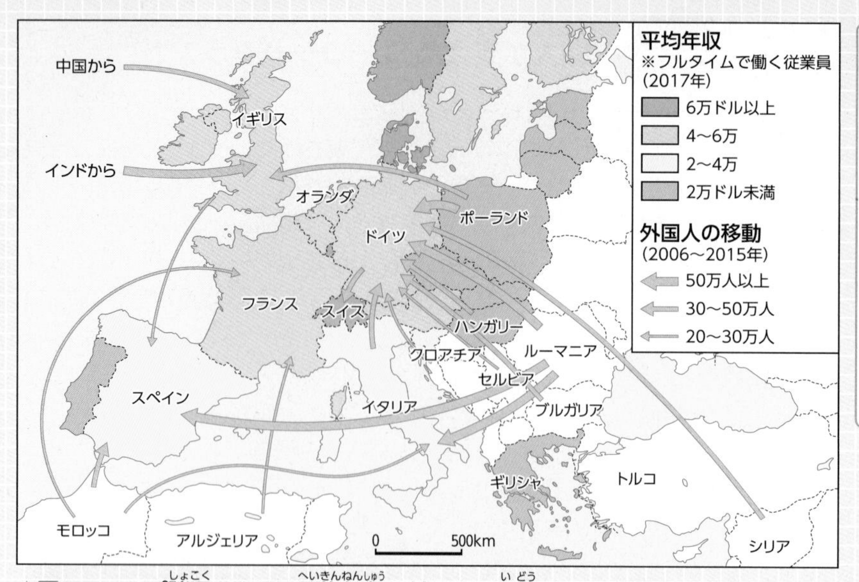

▲1ヨーロッパ諸国における平均年収と外国人の移動〈OECD資料，ほか〉

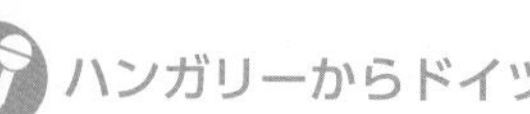

ハンガリーからドイツに移住した人の話

ハンガリーがEUに加盟して，EU域内なら好きな所で働けるようになったから，家族と一緒にドイツに移住して，電気機械の組み立て工場で働いているよ。ハンガリーとドイツでは，同じような仕事でも給料が3～4倍も違うんだ。ドイツは賃金が高いから，若い人を中心に働きに行きたがるハンガリー人は多いよ。

外国に移動する人々は，どんな理由で移動するのかな？

6 EUが抱える課題

学習課題　統合を進めてきたEUでは，どのような課題が生じているのだろうか。

拡大する経済格差　ヨーロッパでは，EU域内での移動が自由になった結果，より多くの収入を求めて，ポーランドやハンガリーなど東ヨーロッパの国々から西ヨーロッパの国々へ働きに行く労働者が増えています。1 そのため，東ヨーロッパでは労働力不足が深刻になっており，特に高い技術や能力をもった優れた人材の流出は，東ヨーロッパの国々の発展を妨げる大きな要因の一つとなっています。このような背景から，EU域内の**経済格差**が拡大しており，EU加盟国間の平均年収には最大で6倍近くの差が生じています。

新たな統合に向けて　EUは，域内の格差を埋めるために補助金を出して支援する対策をとってきました。その補助金の多くは，ドイツやフランスなど財政が豊かな国々が負担しています。近年は，安全な暮らしや安定した収入を求めて，西アジアやアフリカなどから多くの移民や難民が流入しているため，1 これらの人々に対するさまざまな支援も必要とされています。イギリスは，こうした負担の増加に対して不満を抱き，EUからの離脱を決定しました。2

こうしたなかEUは，経済を活性化させて失業率を下げたり，移民や難民の人々が働く機会を増やしたりするなど，域内の人々が豊かに暮らせるよう，さまざまな対策を試みています。加盟国どうしの違いを乗り越えた新たな統合の在り方を，EUは模索しています。

▲2EUからの離脱を決める国民投票の結果に喜ぶ人々（イギリス，ロンドン，2016年撮影）

確認しよう　ヨーロッパでは，どのような国々からどのような国々への人の移動が多いのか，図1で確認しよう。

説明しよう　EUの統合によって，EU域内ではどのような課題が生じているのか，説明しよう。

小学校●歴史●公民との関連　移民(公)，外国人労働者(公)

地理プラス ヨーロッパとアジアにまたがる国，ロシア

※数字は写真番号を示しています。

▲3「赤の広場」でスケートを楽しむ人々（ロシア，モスクワ） 奥に見えるたまねぎ型のドーム屋根をもつ建物は，ロシア正教会の教会です。

▲4ロシアとその周辺の自然〈Diercke Weltatlas 2008〉 国土の大部分にタイガとよばれる針葉樹林が広がっており，北極海沿岸にはツンドラも見られます(→ p.29)。南部のステップ(→ p.28)では，小麦やライ麦などが栽培されています。

▲5石油の精製工場(ロシア，チュメニ，2015 年撮影) ここで精製された石油は，パイプラインで周辺の工業地域やヨーロッパなどへ送られます。

▲6芸術性の高さで知られるロシアのバレエ(ロシア，ソチ)

ロシアは，ウラル山脈を挟んでヨーロッパからアジアにまたがる広大な国です。面積は世界一で日本の約 45 倍もあり，東西の両端で時差は 10 時間にもなります。国土の大部分が亜寒帯(冷帯)に属していて，冬の寒さが厳しいことでも知られています(→ p.29，36)。

ロシアには 100 を超える少数民族が暮らしていますが，全体の 8 割を占めるのはロシア人で，一般的にロシア語が使われています。ロシア人の多くは正教会(→ p.70)を信仰し，バレエやオペラなど，ヨーロッパと共通した文化を継承してきました。このためロシアは，ヨーロッパの国の一つとしてとらえられる場合もあります。

ロシアには，原油や天然ガスなどの鉱産資源が豊富にあり，これらをヨーロッパや日本などの周辺諸国に輸出することは，ロシア経済の大きな支えとなっています。特に，陸続きでつながっている EU 諸国へは，パイプラインを使って原油や天然ガスが大量に輸出されています。

日本海を挟んで隣接する日本との貿易も，近年増加する傾向にあります。日本は，原油や天然ガス(→ p.156)のほか，さけ や いくら などの魚介類，建築用の木材などを，函館港や新潟港などを通じてロシアから輸入しています。また，中国や韓国，日本などの近隣諸国との経済的な協力関係を強めることによって，日本海沿岸地域の開発が進むことが期待されており，人や文化の面でも交流が行われてきました(→ p.20)。

節の学習を振り返ろう

第2節 ヨーロッパ州

第2節の問い p.66〜79 ヨーロッパ州では，国どうしの結び付きが強まることによって，地域にどのような影響が生じているのだろうか。

1 学んだことを確かめよう ≫ 知識

1．A〜Fにあてはまる国名を答えよう。
2．ⓐ〜ⓓにあてはまる山脈名，河川名，半島名，海洋名を答えよう。
3．①〜⑨にあてはまる語句を，下のキーワードや教科書を振り返りながら答えよう。

大西洋や北海沿岸の地域（→ p.69, 74, 76）
- 暖流の［①］海流と［②］風の影響で高緯度のわりに温暖
- 小麦やじゃがいも，家畜の餌にする作物の栽培と家畜の飼育を組み合わせた［③］農業が行われている
- デンマークやオランダでは乳牛を飼う［④］が盛ん
- 先端技術産業が成長

ⓓ 海沿岸の地域（→ p.68〜69, 74）
- 山がちで火山も多く，地震が発生
- 夏は晴天が続いて乾燥する［⑤］気候
- 夏はオレンジなどを作り，冬は小麦などを栽培する［⑥］農業が行われる

東ヨーロッパ（→ p.73, 75, 77〜78）
- 2000年代以降に［⑦］へ加盟する国が増えた
- 比較的所得が低い国が多く，西ヨーロッパの国々との［⑧］の課題を抱えている

ⓒ 半島（→ p.68〜69）
- ［⑨］に削られてできたフィヨルドが見られる
- 冬の寒さが厳しく，夏は短い

A　B　C　D　E　F
ⓐ 山脈　ⓑ 川　ⓒ 半島　ⓓ 海
0　1000km

◀1 白地図を使ったまとめ

写真を振り返ろう

p.66〜67の写真に関連した以下の文章を読んで，㋐〜㋒にあてはまる語句を，キーワードから答えよう。

ヨーロッパ州の北部では，写真4のように［㋐］によって削られた［㋑］を見ることができます。またヨーロッパには，写真7のように，国境を越えて複数の国を流れる［㋒］や運河があり，人々の交通路となってきました。

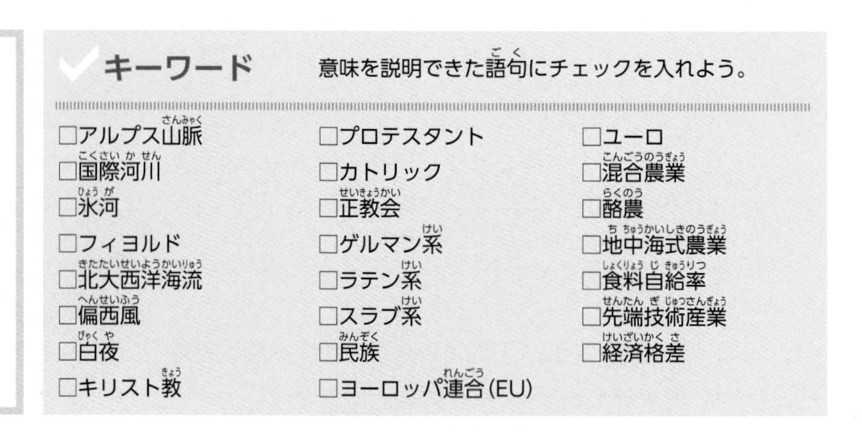

キーワード　意味を説明できた語句にチェックを入れよう。

□アルプス山脈
□国際河川
□氷河
□フィヨルド
□北大西洋海流
□偏西風
□白夜
□キリスト教
□プロテスタント
□カトリック
□正教会
□ゲルマン系
□ラテン系
□スラブ系
□民族
□ヨーロッパ連合(EU)
□ユーロ
□混合農業
□酪農
□地中海式農業
□食料自給率
□先端技術産業
□経済格差

2 「地理的な見方・考え方」を働かせて説明しよう ≫ 思考力，判断力，表現力

	EU の統合による効果	EU の統合によって生じた課題
人の動き	・パスポートなしで自由に国境を行き来できるため，好きな国に住んだり，好きな国で働いたりできるようになった	❶
物の動き	❷	・共通農業政策がとられているため，経済的に不安定な東ヨーロッパの国々の農業に支出する補助金が増加した
通貨	❸	・スウェーデンやデンマークなど，EU に加盟していてもユーロを導入せず，独自の通貨を使っている国もある
産業	・国際的な分業による航空機の製造など，国境を越えた技術協力ができるようになった	❹

結成の背景

・言語が似ており，宗教(キリスト教)が共通している
・面積や人口の小さな国々…アメリカ合衆国などの大国と対等に競い合う
・多様な民族・文化(かつては戦争を繰り返していた)…二度と戦争を起こさないという願い

2 EU の統合による効果と課題をまとめた例

ステップ 1 この州の特色と課題を整理しよう

EU の統合による効果と，それによって生じた課題について，p.80 のキーワードや教科書を振り返りながら，表2の❶～❹の空欄を埋めよう。

ステップ 2 「節の問い」への考えを説明しよう

作業 1　ヨーロッパ州の国々が EU を結成した背景や理由について，表2を参考に説明しよう。

作業 2　ヨーロッパ州では，国どうしの結び付きが強まることによって，地域にどのような影響が生じているのだろうか。地理的な見方・考え方を働かせて，節の問いに対するあなたの考えを，「ヨーロッパ連合(EU)」と「経済格差」の語句を使って説明しよう。

「節の問い」に関連が深い見方・考え方
ほかの場所への影響，地域全体の傾向 (→巻頭 7)

ステップ 3 【発展】持続可能な社会に向けて考えよう

作業 1　EU 加盟国間では，なぜ経済格差が大きくなっているのだろうか。加盟国数の変化に着目して考えよう。

作業 2　EU 加盟国間の経済格差を小さくしていくためには，どのような取り組みを行うとよいだろうか。「西ヨーロッパの人」，または「東ヨーロッパの人」の立場で考えよう。

作業 3　グループになり，どのような取り組みを優先的に行うことが大切か，立場を明らかにして，話し合おう。

私たちとの関わり

国どうしの結びつきが強まることで，日本の自動車生産が変化してきたことを，p.161 の図7で確認しよう。

写真で眺める アフリカ州

⬆1キリマンジャロ山とゾウの群れ(ケニア)　アフリカ最高峰(5895 m)のふもとには広大な草原が広がり，野生動物の楽園となっています。 ➔ p.84, 86

ゾウなどの野生動物がいるのは，どんな環境の所だろう？

➡2マサイの踊り(タンザニア)　アフリカには，民族の独自の文化を守りながら生活している人々がいます。 ➔ p.86

探してみよう！

写真1～6の位置を，地図上で確認しよう。

⬅3コーヒーの実の天日干し(エチオピア，2月撮影)　赤く熟したコーヒーの実を天日(太陽の光)で乾燥させた後，皮や果肉を取り除き，コーヒー豆にします。 ➔ p.88

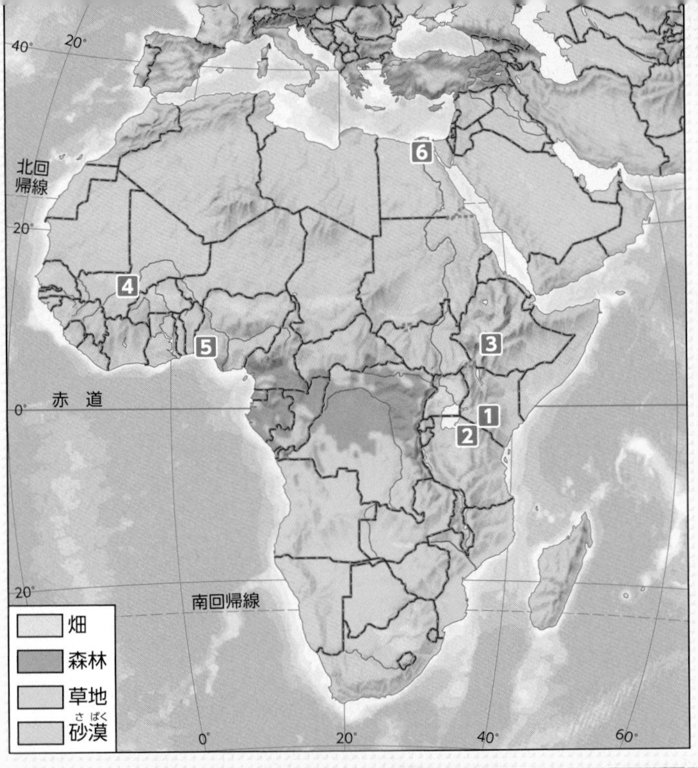

↑4モスクの前で開かれる市場(マリ，ジェンネ，11月撮影) 雨が少ない地域なので，イスラム教のモスク(礼拝堂)が，日干しれんがと粘土で作られています。➡ p.84, 87

←5アフリカ最大級の都市ラゴスの市場(ナイジェリア，2017年11月撮影) ➡ p.88, 90

↓6砂漠の中のピラミッドとスフィンクス(エジプト，ギーザ，5月撮影) ➡ p.84

第3節 アフリカ州

注目する地球的課題：食料問題

第3節の問い p.82〜91

アフリカ州の国々では，特定の産物に頼る経済が，地域にどのような影響を与えているのだろうか。

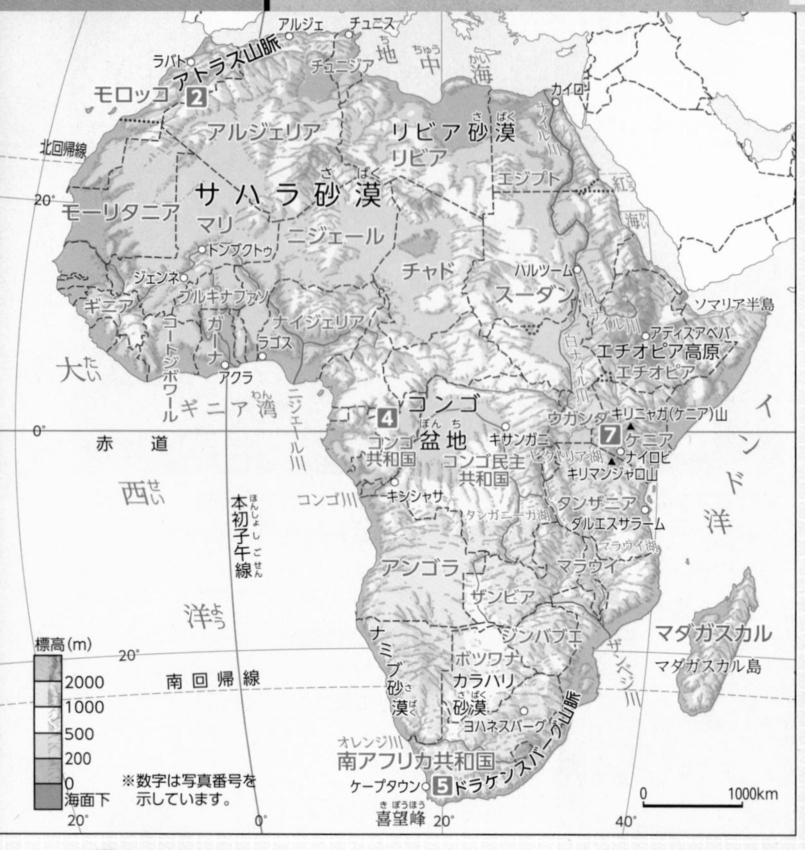

1 アフリカ州の自然

2 サハラ砂漠を行く人々（モロッコ，2017年3月撮影）

1 アフリカ州の自然環境

学習課題　アフリカ州の自然環境には，地形や気候にどのような特色がみられるのだろうか。

	アジア	ヨーロッパ	アフリカ	北アメリカ	南アメリカ	オセアニア
面積 1億3009万km²	23.9%	17.0	22.8	16.4	13.4	6.5
人口 76億3109万人	59.8%	9.8	16.7	7.6	5.6	0.5

※ロシアはヨーロッパ州に含んでいます。

3 世界の面積・人口に占めるアフリカ州の割合(2018年)〈Demographic Yearbook 2018〉

高原や台地が広がる大陸

アフリカは赤道を挟んで，南北約8000kmの範囲に広がる大きな大陸です。大陸の大部分は高原や台地で比較的標高が高く，東部にはエチオピア高原のほか，キリマンジャロ山などの火山も見られます。→p.82 1

アフリカの北側は地中海に面し，古くからヨーロッパとの交易により，町が栄えてきました。その地中海に流れ込む**ナイル川**(6695km)は，世界最長の川です。下流にあるエジプトでは，毎年夏から秋にかけて→p.83川が氾濫することで，上流から栄養豊富な土が運ばれ，それを利用して農業が営まれてきました。アフリカ北部には，世界最大の砂漠❶である**サハラ砂漠**が広がります。2 人々は乾燥に強い らくだ→巻末1 を使って，砂漠の南と北を行き来したため，マリのジェンネ→p.83などのように，交易の拠点となった町が栄えました。

❶ 砂漠には，砂で覆われた所と，砂より粒の大きな礫や岩に覆われた所があります。世界の砂漠を見てみると，礫や岩に覆われた所が大部分を占め，サハラ砂漠も，砂に覆われた所は20%程度です。

小学校●歴史●公民との関連　世界の大陸と海洋(小)，主な国の名称と位置(小)

4 コンゴ盆地の熱帯林（コンゴ共和国）　赤道直下のコンゴ盆地には，うっそうとした熱帯林が広がります。

5 ぶどうの収穫（南アフリカ共和国，ケープタウン近郊，2015年２月撮影）　ぶどうはワインに加工され，輸出されています。

地理プラス　高地で栽培されるケニアのバラ

ケニアの高地では，涼しい気候を生かして，輸出用のバラの生産が盛んです。ここは，赤道近くに位置しているものの，標高が 2000m ほどあるため，１年を通して暑くも寒くもなく，高い暖房費をかけなくてもバラがいつでも栽培できます。このため，1980 年代からビニールハウスでのバラの生産が盛んになりました。現在，ケニア産のバラは，航空機を使って，ヨーロッパをはじめ，日本にもたくさん輸出されています。

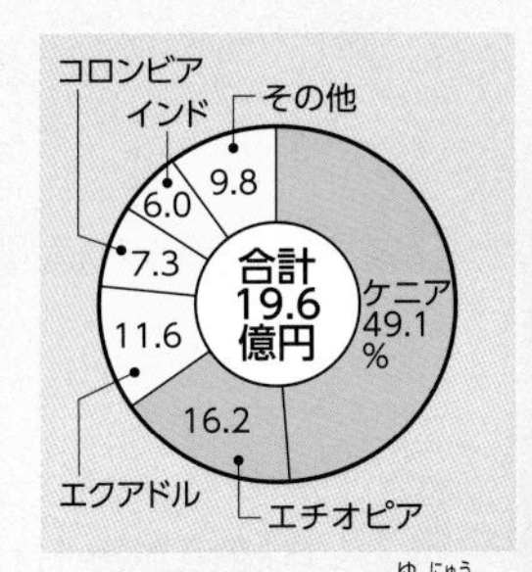

6 日本のバラの輸入先（2019年）〈財務省貿易統計〉

7 輸出用のバラの収穫（ケニア，ナイロビ近郊）

赤道を挟んで南北に対称な気候

アフリカには，赤道付近の熱帯→p.28を中心として，南北に乾燥帯→p.28，温帯→p.29の地域が広がっています。赤道近くのコンゴ盆地やギニア湾岸は，一年中雨が多く，**熱帯林**が広がっています。4 ここでは，いも類やバナナ→巻末3が栽培され，主食となっています。熱帯林が広がる地域の周辺は，雨季と乾季がはっきりと分かれているサバナ気候→p.28の地域で，低い木がまばらに生える**サバナ**とよばれる草原が広がり，ゾウやシマウマ，ライオンなどの野生動物が生息しています。→p.82一方，ケニアやエチオピア高原などの高地は，赤道に近くても年間を通じて涼しい気候です。

赤道から離れるにつれ，熱帯林から草原へ，そして砂漠が現れます。砂漠の周辺の雨が少ない草原では，牛や羊などの放牧が行われています。サハラ砂漠の南の縁に沿った**サヘル**では，干ばつや人口増加による まき の採りすぎ，放牧する家畜の増加などにより，植物が育たない やせた土地になってしまう**砂漠化**が進んでいます。→p.91乾燥帯や温帯の地域では小麦→巻末2や とうもろこし などが主食で，地中海沿岸や大陸南端では，かんきつ類や ぶどう も栽培されています。5

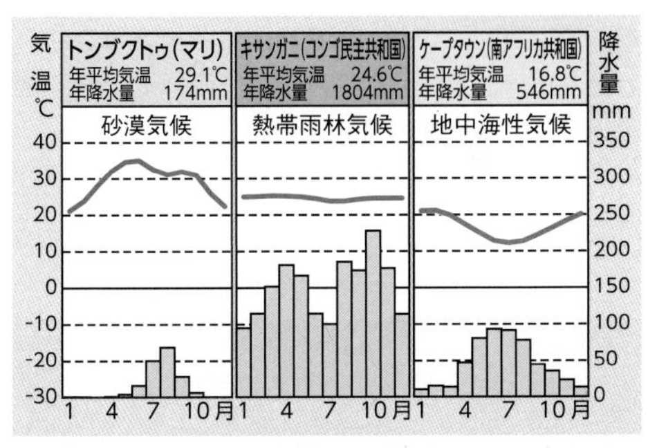

8 アフリカ州の主な都市の雨温図〈理科年表2020，ほか〉　資料活用　図1で，トンブクトゥ，キサンガニ，ケープタウンの位置を確認しよう。

確認しよう　世界最長のナイル川が流れる国，世界最大のサハラ砂漠が広がる国を，図1や地図帳で確認しよう。

説明しよう　アフリカ州の気候の特色を，赤道からの距離に着目して説明しよう。

1 フランスパンが売られるアフリカの市場（マリ，モプティ）

2 アフリカの歴史と文化

学習課題 アフリカ州はどのような歴史をたどり，その文化には，どのような特色がみられるのだろうか。

植民地支配の歴史

アフリカ大陸には，もともと金や象牙など豊かな資源や珍しい産物が多かったので，10世紀ごろから，イスラム教徒の商人が交易にやって来ていました。一方，16世紀からは，ヨーロッパ人によって多くの人々が**奴隷**として南北アメリカ大陸に連れていかれ，アフリカの人口は減少しました。→p.99, 112

19世紀後半から20世紀前半にかけて，アフリカ州はそのほとんどが，ヨーロッパ諸国の**植民地**（解説）として分割されました。そのため，アフリカの多くの国は，今もヨーロッパと強いつながりがあります。例えば，セネガルやギニア，マリなど，かつてフランスの植民地であった国々では，フランス語が話され，3 教育や食文化などにもフランスの影響がみられます。1 また，アフリカからヨーロッパへ働きに行く人や移民も多く，サッカーや陸上競技などのスポーツでは，ヨーロッパで活躍する選手もいます。2 アフリカとヨーロッパを結ぶ航空路線も多く，3 雄大な自然や野生動物を見るために，ヨーロッパからアフリカへ旅行に行く人も珍しくありません。→p.82

解説 植民地

ほかの国（本国）に支配された地域をいいます。植民地となった地域では，さまざまな権利が本国に奪われ，本国の人々によって土地や資源が開発されました。

2 アフリカ系の選手が活躍するサッカーのフランス代表チーム（フランス，2018年撮影）

多様な民族が暮らすアフリカ

アフリカ大陸には，多くの民族が暮らし，地域独自の食習慣や民族音楽などの文化を育んできました。5 アフリカの言語や宗教は，サハラ砂漠の北と南で大きく→p.82

小学校●歴史●公民との関連 奴隷貿易（歴），アフリカの年（歴）

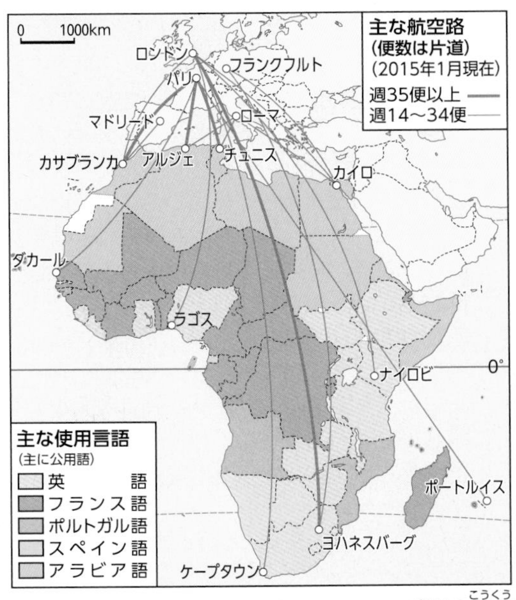

3主な使用言語とアフリカ～ヨーロッパ間の航空路〈OAG Flight Guide 2015, ほか〉 **資料活用** 写真1のマリの主な使用言語は何だろうか。

未来に向けて

共生 和解と協調を進める南アフリカ共和国

南アフリカ共和国は，アフリカ大陸の一番南に位置し，気候が温暖で，経済的に豊かな国です。しかし長期間，アパルトヘイト(人種隔離政策)によって，少数の白人が多数の黒人を支配してきた歴史があります。人種が異なる人との結婚は禁じられ，住む場所も人種によって決められていました。1994年に全人種が参加する選挙が行われ，黒人のネルソン・マンデラ氏が大統領になると，ようやくアパルトヘイトは廃止されました。異なる人種どうしの和解や協調，経済格差の見直しが進められていますが，現在でも人種間の貧富の差は残っています。

4人種差別を疑似体験できるアパルトヘイト博物館(南アフリカ共和国)　チケットで指定された別々の通路を通って見学します。

異なります。北アフリカでは，主にアラビア語が話され，多くの人がイスラム教を信仰しています。一方，サハラ砂漠より南の地域では，民族によってさまざまな言語が使われており，近くに住む民族でも互いに言葉が通じないことがあります。そのため，ヨーロッパ諸国の植民地時代から使われてきた英語やフランス語などが共通の言語となる場合が多く，キリスト教を信仰している人も大勢います。

→p.83 →p.84

ヨーロッパ諸国がアフリカを支配していた時代，植民地の境界線は民族のまとまりを無視して引かれたため，一つの民族がいくつかの植民地に分かれたり，いくつかの民族が一つの植民地にまとめられたりしました。1960年代にアフリカの植民地の多くは独立しましたが，植民地時代の境界がそのまま国境となった所も多く，国内の地域によって民族や言語，宗教，文化が異なる国もあります。

→p.6

政治的・経済的団結を目指して

アフリカの国々は，植民地としての長い歴史をもちますが，現在では，アフリカ連合(AU)をはじめとする国際機関をつくり，政治的・経済的な団結を強めています。例えば国際連合の会議では，全加盟国の4分の1以上を占めるアフリカ連合として，まとまった意見を発信することで，大きな発言力をもつようになっています。また，アフリカの紛争や政治問題などを協力して解決するための話し合いも行われています。

5太鼓の演奏(ガーナ)　アフリカでは民族楽器としてさまざまな太鼓が発達し，昔は遠くに居る人との通信手段としても使われました。

❶ 特に1960年は，アフリカの17か国が植民地からの独立を果たしたため，「アフリカの年」とよばれています。

❷ アフリカ連合(AU)は，アフリカの55の国と地域が加盟する国際機関です。アフリカ諸国や国民間の団結，アフリカの政治・経済・社会的な統合，平和や安全保障を目的に2002年に発足しました。

確認しよう　アフリカの多くの国で使用されている言語を図3で確認し，三つ挙げよう。

説明しよう　植民地時代の影響は，どのようなところにみられるのか，説明しよう。

↑1カカオの実からカカオ豆を取り出す農家の人々（コートジボワール，2017年11月撮影）

カカオ豆の生産農家の話

カカオ豆の生産は，摘み取った実の殻を棒や なた で割って，手作業で種（カカオ豆）を取り出し，発酵・乾燥させるんだ。チョコレートの原料として外国の企業が買いつけていくけれど，私たち生産者の収入は手間がかかるわりに多くはないから，暮らしは厳しいよ。外国で製品化されるチョコレートは，コートジボワールでは手に入れるのが難しい高級品だから，食べたことはないなあ。

チョコレートの原料を育てているカカオ農家の人たちは，なぜチョコレートを食べたことがないのかな？

3 特定の輸出品に頼るアフリカの経済

学習課題　アフリカ州の産業にはどのような特色があり，そこにはどのような課題があるのだろうか。

輸出用に作られる農産物　チョコレートやココアの原料になるカカオ豆は，コートジボワールやガーナなどアフリカのギニア湾岸の国々で，世界の総生産量の半分以上が生産されています。[1, 2] ギニア湾岸の一帯は，一年中雨が多くて気温も高く，熱帯の植物であるカカオ→巻末3の栽培に適した気候です。カカオは，植民地時代に→p.86ヨーロッパ人によって，南アメリカからアフリカに持ち込まれました。植民地から独立した現在も，農家の人々は自分たちが食べるいも類やバナナ→巻末3とともに，輸出用のカカオを栽培しています。[1]

アフリカではほかにも，ケニアの茶→巻末3やエチオピアのコーヒー→p.82，巻末3などが，輸出用の作物として盛んに栽培され，重要な輸出品として国の経済を支えています。

進む鉱産資源の開発　アフリカは**鉱産資源**に恵まれており，南アフリカ共和国の金，ボツワナのダイヤモンド，ザンビアの銅[4]などは，各国の重要な輸出品です。ナイジェリアやアンゴラでは，原油→巻末1や天然ガスが外国企業と共同で開発され，重要な輸出品となっています。[3, 4, 6] さらに近年は，スマートフォンや自動車の部品などにも使われる**レアメタル**→p.157が注目され，南アフリカ共和国を中心に

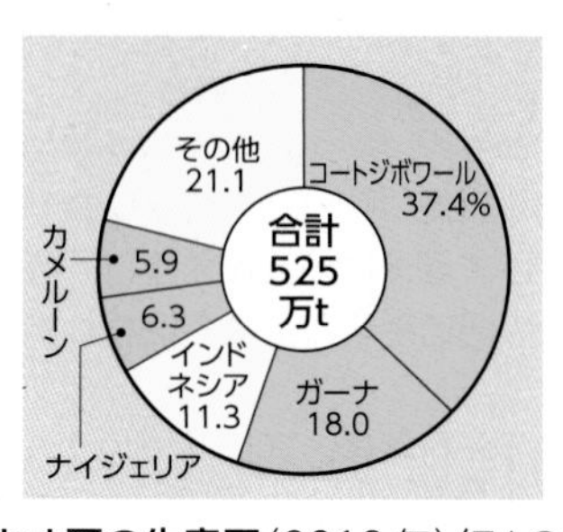

↑2カカオ豆の生産国（2018年）〈FAOSTAT〉

↑3大規模な石油精製施設（ナイジェリア，ニジェール川河口付近）　ナイジェリアの油田は，ギニア湾に面した海岸付近に集中しています。

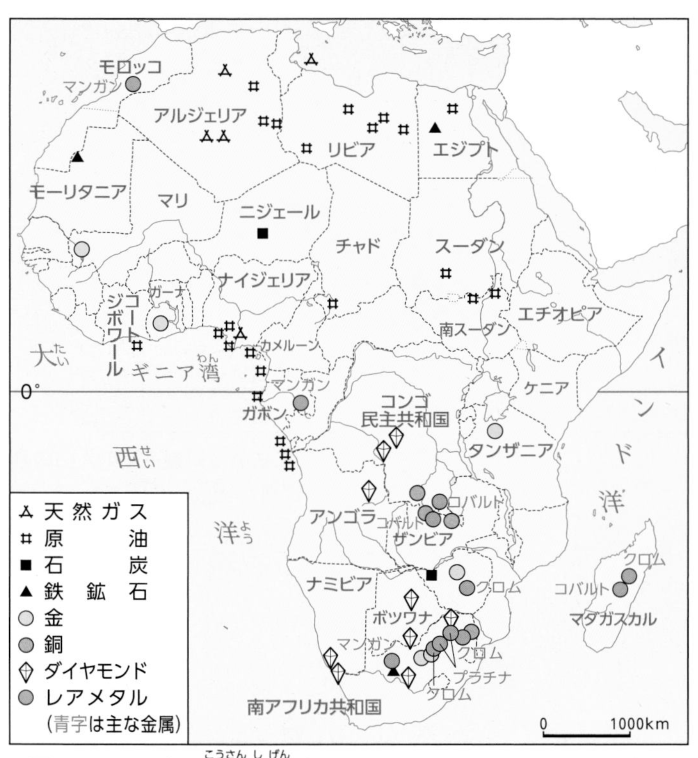

▲4アフリカの主な鉱産資源〈Diercke Weltatlas 2008, ほか〉

採掘が進んでいます。

モノカルチャー経済の課題

アフリカの多くの国は，カカオ豆やダイヤモンド，銅，原油といった特定の農産物や鉱産資源の輸出に頼った**モノカルチャー経済**の国となっています。6 これらの産物の多くは，ヨーロッパやアメリカ合衆国，中国，日本などに輸出されます。モノカルチャー経済の国では，天候の不順や災害などで農作物が不作になったり，特定の産物の国際価格が下がったりすると，7 輸出から得られる国の収入が大きく減ってしまいます。また，他国との関係の影響で輸出量が減ることもあります。このため輸出品の種類が少ないと，年によって国の収入が安定しないという問題が生じます。農産物や鉱産資源は加工されずに安い価格で輸出されるため，現地の人々の利益が少ないという問題もあります。

近年では，豊富な鉱産資源や未開発の土地を求めて進出してきた外国企業に，広大な土地が購入されて開発されることで，もともとその土地に暮らしていた人々の土地が奪われる問題なども起こっています。大規模な開発は国にたくさんの利益をもたらしますが，一方で，どのようにすれば，もともとその土地に暮らしていた人々の生活を守りながら開発ができるかが，大きな課題となっています。

未来に向けて

共生 フェアトレードの取り組み

アフリカなど工業化の進んでいない国々は，貿易相手国から，より安い価格で農産物などを売るように求められることがあります。しかし，それでは農産物を売る国の利益が少なくなり，農家の人々の暮らしもよくなりません。そこで，より適正な価格で取り引きを行うことで生産者の生活と自立を支える**フェアトレード**という取り組みが世界で広がっています(→巻頭2)。フェアトレードは，農産物だけでなく，民芸品などにも広がっています。

▲5日本で販売されている国際フェアトレード認証製品

コートジボワール(2017年) 126億ドル

カカオ豆	カシューナッツ	金	天然ゴム	石油製品	その他
27.9%	9.7	6.6	6.6	5.6	43.6

ザンビア(2018年) 91億ドル

銅	その他
75.2%	24.8

ナイジェリア(2018年) 624億ドル

原油	液化天然ガス	その他
82.3%	9.9	7.8

▲6アフリカ各国の主な輸出品〈UN Comtrade〉

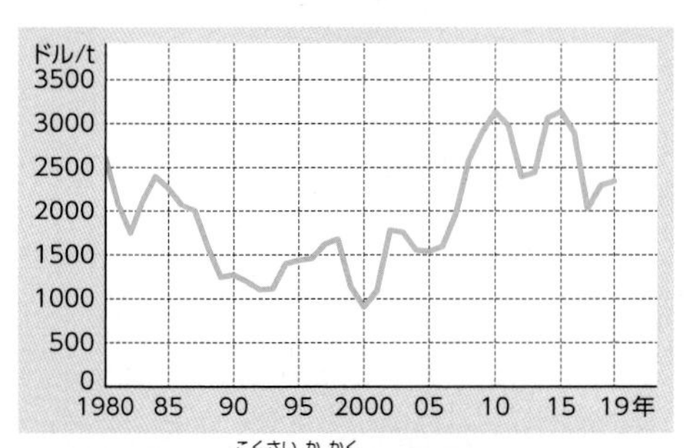

▲7カカオ豆の国際価格の変動〈IMF 資料〉

資料活用 カカオ豆の価格は，高値のときと安値のときとでは，何倍くらい違うだろうか。

ボツワナ，ザンビア，ナイジェリアで，特定の輸出品になっている鉱産資源は何か，図4で確認しよう。

特定の産物の輸出に頼りすぎることで起こる問題を説明しよう。

↑❶深刻な食料不足が起きたジンバブエへの食料支援の様子（2016年撮影）

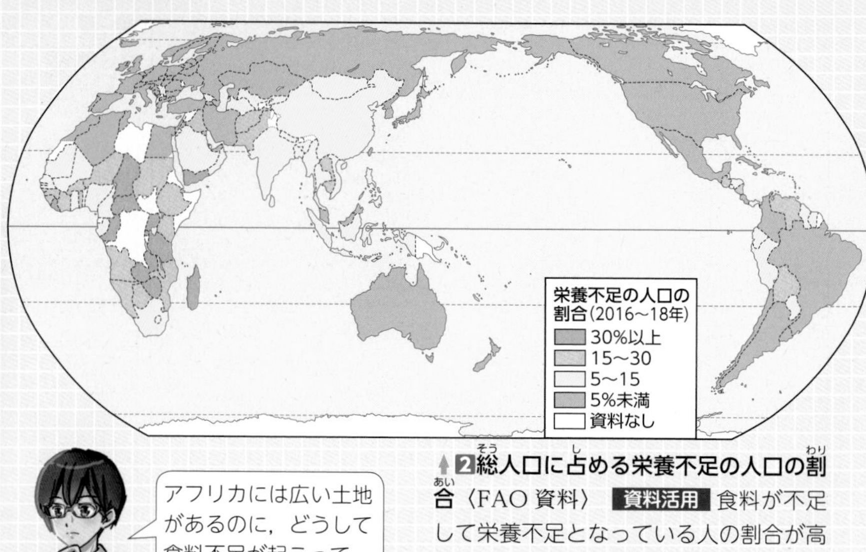

↑❷総人口に占める栄養不足の人口の割合〈FAO資料〉 **資料活用** 食料が不足して栄養不足となっている人の割合が高いのは，世界のどの地域だろうか。

4 アフリカが抱える課題とその取り組み

学習課題 アフリカ州の国々は，どのような課題を抱えており，その解決と発展に向けて，どのように取り組んでいるのだろうか。

人口の増加と食料不足

アフリカでは，国の経済が特定の産物の輸出に頼った状態となっている→p.89一方で，国民の主食となるとうもろこしや米などの生産が人口の増加に追いつかない国が多くみられます。こうした国々では，干ばつや砂漠化などの影響によって食料不足が頻繁に発生し，外国から穀物を輸入したり，国際機関による食料支援❶に頼ったりして，不足した食料を補っています。

しかし，食料が公平に分配されないことも多く，十分な食料が得られずに栄養不足となる人々が多い地域もあります❷。こうした地域では，病気に対する抵抗力が弱いために，マラリアやエイズといった病気によって死亡する人が多いことも問題となっています。

都市への人口集中と人々の生活の変化

アフリカでは，仕事を求めて多くの人々が農村から都市に集中することにより，急激な都市化が進んでいます。過度に人口が集中した都市部では，道路や上下水道・電気などの整備が追いつかず，ごみ→p.83の増加，スラムの形成→p.59などの環境問題や衛生問題が起きています。

一方で，固定電話が普及することなく，携帯電話やスマートフォンの利用者が急増するなど，人々の生活にも大きな変化が現れています。例えばケニアでは，銀行口座をもたなくとも，携帯電話番号

↑❸街角の代理店で携帯電話を使って送金する人（ケニア，ナイロビ） 携帯電話会社の代理店で送金先の電話番号を指定してお金を預けると，受け取る側は，代理店となっている村の売店などで，携帯電話のメッセージを提示して現金を受け取ることができます。

環境 持続可能な発展への支援～サヘルの緑化への挑戦

国土の大部分がサヘル(→ p.85)に位置するニジェールでは，生ごみを利用して緑化を進める日本人研究者の取り組みが注目されています。

ニジェールでは人口増加による都市の ごみ問題が深刻で，首都ニアメでは毎日 1000t 以上の ごみ が出ます。家庭から出された生ごみ には，野菜くず など，植物の生育に必要な栄養が含まれています。そこで，都市部の ごみ を農村部の砂漠化が進行している地域にまくと，ごみ が強風で飛ばされてくる砂を受け止め，ごみ の養分や生物の働きなどによって植物が育ち，荒れた土地の緑化が進められます。さらに，ごみ からできた草地を牧畜民に放牧地として利用してもらい，家畜の糞を落とすことで土地を豊かにし，樹木や農作物を育てる取り組みも行われています。

このような，現地の人々が持続的に続けられる緑化の取り組みは，都市における ごみ問題の改善や農村における食料増産だけでなく，農民と牧畜民の間の土地をめぐる紛争を防止することにもつながっています。

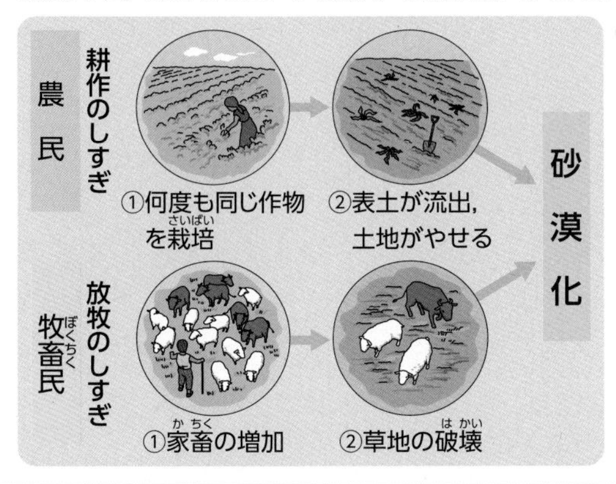

◀4 人間の活動が砂漠化を引き起こす例　人口増加によって過度な耕作や放牧などが行われると，植物が育たない やせた土地になり，砂漠化が進みます。

①砂漠化が進む土地に都市部のごみをまく

②ごみをまいた 2 年後に草地ができた様子

③ごみからできた草地に放牧された家畜

➡5 ごみを利用したサヘルの緑化の取り組み(ニジェール)

があれば送金や現金の受け取りができるモバイル送金サービスが急速に普及し，都市に出稼ぎに来た人が遠くの農村に暮らす家族に簡単に送金できるようになりました。3

発展に向けた取り組み

アフリカは現在でも，経済的に不安定な国が大半を占めます。そのため各国は，農産物の種類を増やす努力や工業化を進めるとともに，観光業などの新たな産業にも取り組むことで，貧困から抜け出そうとしています。

アフリカの抱える課題の解決に向けて，日本をはじめとする先進国の技術支援や開発援助が続けられています。例えばウガンダでは，病気や乾燥に強いアフリカ稲と収穫量の多いアジア稲をかけ合わせた新品種ネリカ米の栽培指導に，日本政府から派遣された技術者が活躍しています。6 このほかにも，**非政府組織(NGO)**による保健・医療活動や，道路・水道・電気の整備，人材の育成など，人々の生活を向上させていくためのさまざまな支援が行われています。5

→巻頭1

©佐藤浩治/JICA

▲6 ネリカ米の栽培指導をする日本の JICA 海外協力隊の技術者(ウガンダ)

アフリカで問題となっていることを，本文から二つ挙げよう。

アフリカ州の国々の発展のためには，どのような支援の在り方が大切なのか，説明しよう。

節の学習を振り返ろう

第3節 アフリカ州

第3節の問い p.82〜91 アフリカ州の国々では，特定の産物に頼る経済が，地域にどのような影響を与えているのだろうか。

1 学んだことを確かめよう ≫ 知識

1．A〜F にあてはまる国名を答えよう。
2．ⓐ〜ⓓにあてはまる砂漠名，河川名，高原名，盆地名を答えよう。
3．①〜⑩にあてはまる語句を，下のキーワードや教科書を振り返りながら答えよう。

北アフリカ（→ p.85, 87）
- 地中海沿岸は温帯で，かんきつ類やぶどうを栽培
- 小麦が主食
- 主に［⑨］語が話され，［⑩］教徒が多い

サヘル（→ p.85，91）
- 干ばつ や まき の採りすぎ，家畜の増加などにより，砂漠化が進む

ギニア湾岸地域（→ p.88）
- ［B］や［C］では，［①］の栽培が盛ん

［ⓓ］盆地やギニア湾岸（→ p.85, 88）
- 一年中雨が多く，［②］が広がる
- ［③］やバナナが主食

植民地支配の影響（→ p.86 〜 89）
- ヨーロッパの影響がみられる言語や食文化，宗教
- 植民地時代の境界線がそのまま［④］になっている国がある
- ［①］や茶，コーヒーなど，［⑤］用の作物の栽培
- 特定の農産物や鉱産資源の輸出に頼った［⑥］経済の国が多い

［F］（→ p.85, 87 〜 89）
- 南端では かんきつ類や ぶどう を栽培
- ［⑦］が行われていたが，今は廃止された
- 現在でも残る黒人と白人との貧富の差
- 金や，スマートフォンの液晶などにも使われる［⑧］の採掘

A　B　C　D　E　F
［ⓐ 砂漠］　［ⓑ 川］　［ⓒ 高原］　［ⓓ 盆地］
0　1000km

▲1白地図を使ったまとめ

写真を振り返ろう

p.82 〜 83 の写真に関連した以下の文章を読んで，㋐〜㋓にあてはまる語句を，キーワードから答えよう。

アフリカ州には，写真3のように，特定の農産物や［㋐］の輸出に頼った［㋑］の国が多くあります。写真5のように，人口が増加している国がある一方で，干ばつや［㋒］などの影響によって，食料不足が頻繁に発生しており，［㋓］などによる支援活動が行われています。

キーワード 意味を説明できた語句にチェックを入れよう。

- □ナイル川
- □サハラ砂漠
- □熱帯林
- □サバナ
- □サヘル
- □砂漠化
- □奴隷
- □植民地
- □鉱産資源
- □レアメタル
- □モノカルチャー経済
- □非政府組織（NGO）

2 「地理的な見方・考え方」を働かせて説明しよう ≫ 思考力，判断力，表現力

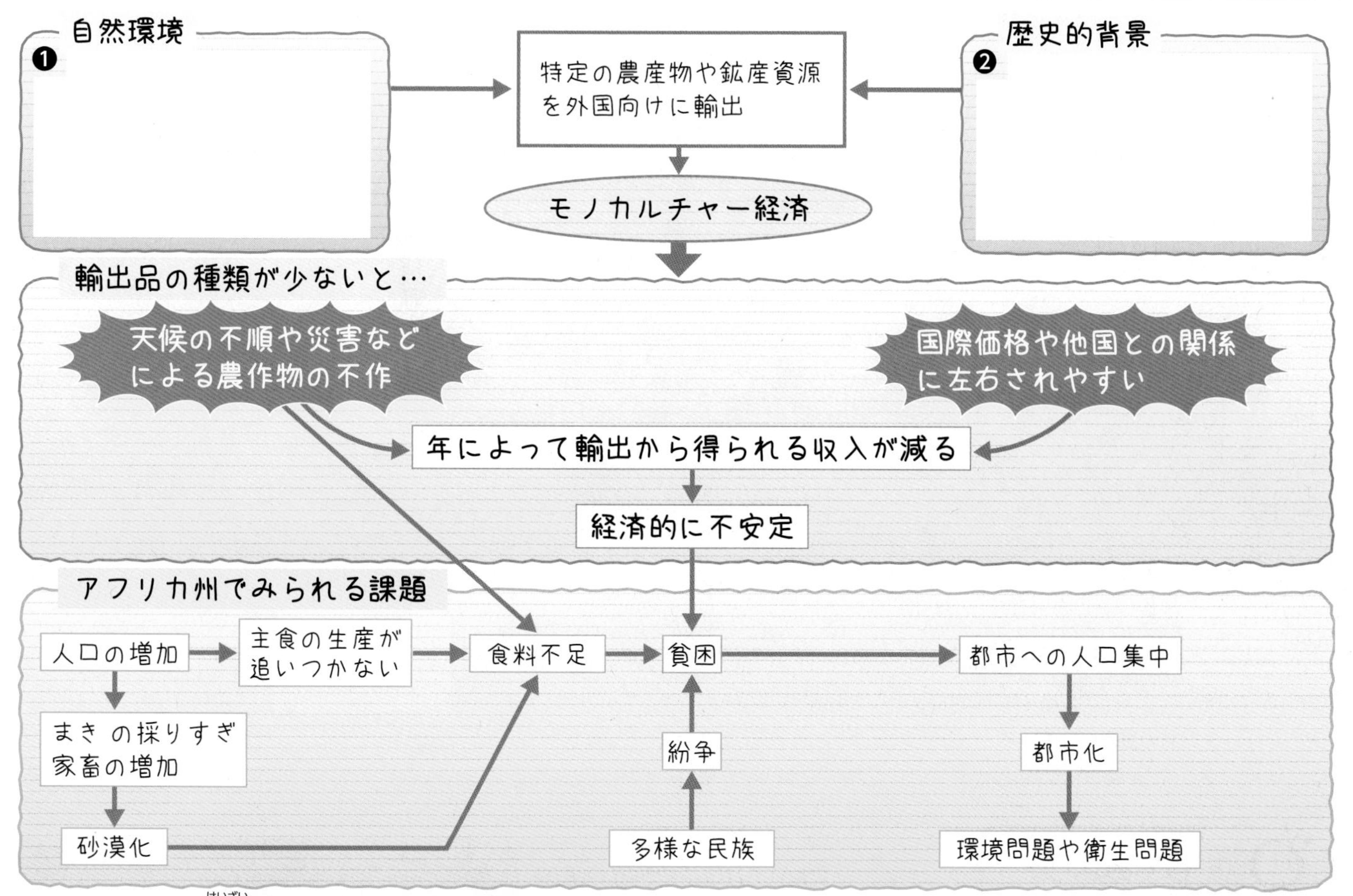

▲2 モノカルチャー経済に着目してアフリカ州の課題をまとめた例

ステップ1 この州の特色と課題を整理しよう

特定の産物に頼る経済（モノカルチャー経済）に至った背景について，p.92のキーワードや教科書を振り返りながら，図2の❶と❷の空欄を埋めよう。

ステップ2 「節の問い」への考えを説明しよう

作業1　特定の産物に頼る経済になった理由について，図2を参考に，自然環境や歴史的な背景の面から説明しよう。

▼

作業2　アフリカ州の国々では，特定の産物に頼る経済が，地域にどのような影響を与えているのだろうか。地理的な見方・考え方を働かせて，節の問いに対するあなたの考えを，「国際価格」と「食料不足」の語句を使って説明しよう。

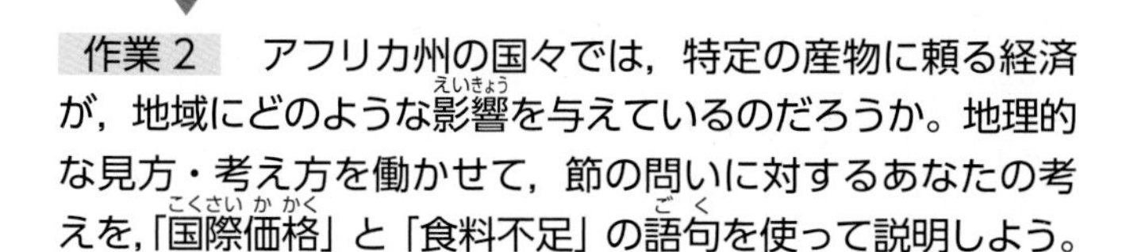
「節の問い」に関連が深い 見方・考え方
ほかの場所への影響，地域全体の傾向（→巻頭7）

ステップ3 【発展】持続可能な社会に向けて考えよう

作業1　モノカルチャー経済から脱却するにあたって，どのようなことが妨げになっているのか，考えよう。

作業2　モノカルチャー経済に依存しすぎないようにするためには，どのような取り組みを行うとよいか，課題の背景を踏まえて考えよう。

作業3　グループになり，どのような取り組みを優先的に行うことが大切か，話し合おう。また，私たちにできる取り組みはないか，話し合おう。

私たちとの関わり

スーパーマーケットなどのお店に行って，フェアトレードの商品を探そう。そして，その商品を作っている国（原産国）を確認しよう。

写真で眺める 北アメリカ州

1マンハッタン島の高層ビル群(アメリカ合衆国，ニューヨーク，2016 年撮影)
ニューヨークは，世界の経済や文化に影響を与える大都市です。 ➡ p.98

テレビでよく見る
ニューヨークは，
アメリカ合衆国の
どの辺りにあるの
かな？

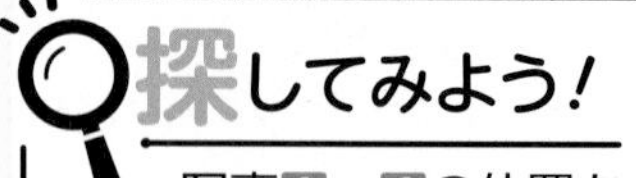

探してみよう！

写真1～6の位置を，
地図上で確認しよう。

2祭りのパレードで民族衣装を着て練り歩く人々（メキシコ，グアダラハラ，2016 年 8 月撮影）
➡ p.98

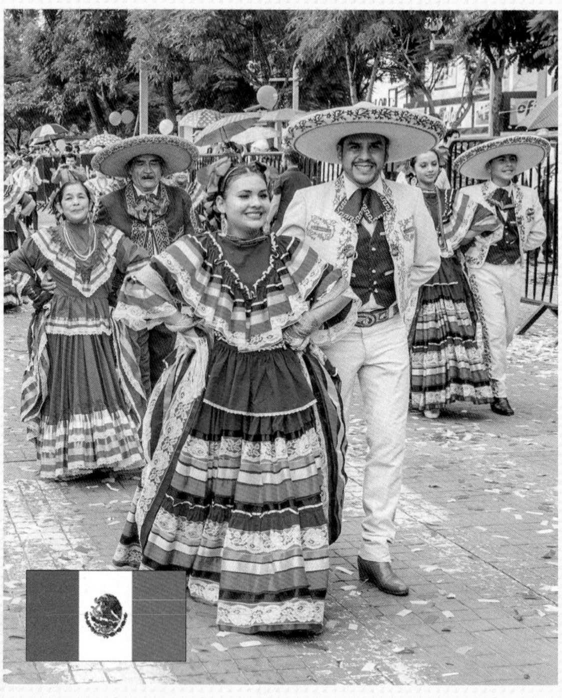

3ロッキー山脈(カナダ，バンフ，2018 年 6 月撮影） ロッキー山脈の山々と湖などの美しい景色を見に，多くの観光客が訪れます。 ➡ p.96

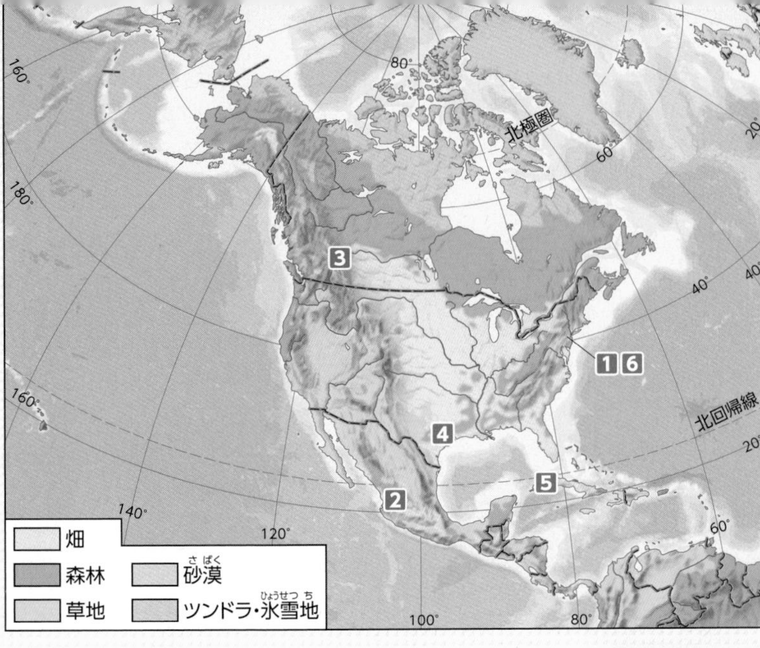

↑**4 宇宙飛行士の訓練**(アメリカ合衆国，ヒューストン) 無重力状態に似た環境を作り出せる水中で宇宙服を着用し，宇宙で行う作業の練習をしています。 ➔p.102

カリブ海って，どの辺りにあるのかな？「カリブの海賊」なら聞いたことがあるよ！

→**5 植民地時代の なごり が見られる町並みと観光名物の古いアメリカ車**(キューバ，ハバナ，2015年撮影) キューバをはじめとするカリブ海諸国には，世界中から多くの観光客が訪れます。 ➔p.96, 98

↓**6 ミュージカルの劇場などが集まっているブロードウェイ**(アメリカ合衆国，ニューヨーク，2018年撮影) ➔p.99

第4節 北アメリカ州

注目する地球的課題：生産と消費の問題

第4節の問い p.94〜105

北アメリカ州では，アメリカ合衆国を中心に巨大な産業が発達した結果，地域にどのような影響が生じているのだろうか。

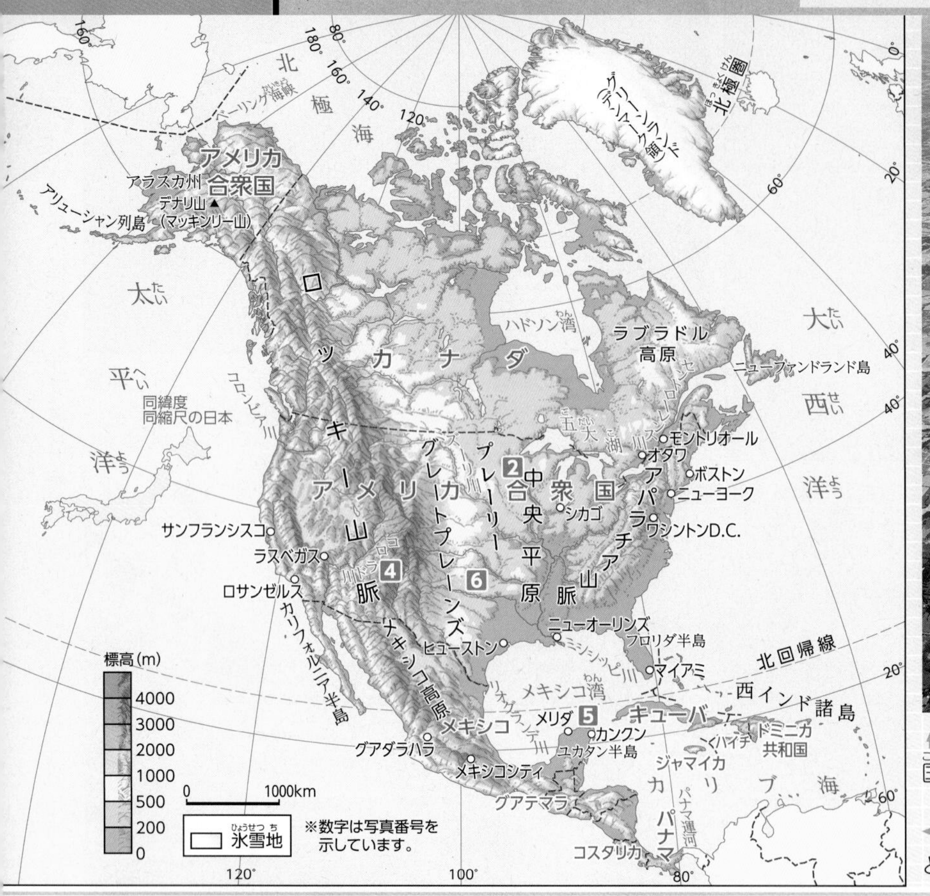

1 北アメリカ州の自然 資料活用 ニューヨークと緯度が同じくらいの日本の県はどこだろうか。

2 中央平原を流れるミシシッピ川（アメリカ合衆国，ミズーリ州・イリノイ州）

1 北アメリカ州の自然環境

学習課題 北アメリカ州の自然環境には，地形や気候にどのような特色がみられるのだろうか。

面積 1億3009万km²	アジア 23.9%	ヨーロッパ 17.0	アフリカ 22.8	北アメリカ 16.4	南アメリカ 13.4	オセアニア 6.5
人口 76億3109万人	アジア 59.8%	ヨーロッパ 9.8	アフリカ 16.7	北アメリカ 7.6	南アメリカ 5.6	オセアニア 0.5

※ロシアはヨーロッパ州に含んでいます。

3 世界の面積・人口に占める北アメリカ州の割合（2018年）〈Demographic Yearbook 2018〉

解説 グレートプレーンズとプレーリー

グレートプレーンズは，ロッキー山脈の東に広がる高原状の大平原で，東に向かって緩やかに低くなっています。プレーリーは，ミシシッピ川の西に広がる草原で，自然の植生では丈の長い草が生えています。

北アメリカ大陸とカリブ海の島々

北アメリカ州には，カナダ，アメリカ合衆国，メキシコからパナマに至る北アメリカ大陸の国々と，カリブ海に浮かぶキューバ，ジャマイカなどの西インド諸島の国々があります。→p.95 アメリカ合衆国の西側には，標高4000mを超える高山が連なるロッキー山脈が，カナダにかけて南北に長く延びています。→p.94 東側には，標高1000m程のなだらかなアパラチア山脈があります。二つの山脈の間には，高原状の大平原である**グレートプレーンズ**や，北アメリカ大陸で最長のミシシッピ川が流れる中央平原が広がります。ミシシッピ川の西側には，メキシコ湾岸からカナダにかけて**プレーリー**とよばれる大草原が広がり，世界的な農業地帯となっています。メキシコは，中央にメキシコ高原があり，国土の大部分が高原と山地になっています。

▲4 **乾燥した大地が広がるモニュメントバレー**（アメリカ合衆国，アリゾナ州・ユタ州） 岩や石の砂漠が広がっています。

▲5 **カリブ海に面したビーチリゾート**（メキシコ，カンクン） サンゴ礁が美しい青い海を求めて，世界中から観光客が訪れます。

未来に向けて

防災 大平原で発生する竜巻（トルネード）に備えて

ファンタジー小説『オズの魔法使い』では，カンザス州の農園に住む娘ドロシーが竜巻に襲われ，家ごと吹き上げられて魔法の国オズへと連れて行かれます。この小説の舞台となっているアメリカ合衆国の大平原では，毎年のように大きな竜巻が発生し，住宅などに甚大な被害を出しています。竜巻は，どこで発生するのか予測が困難なため，網の目のように観測網を敷いて，竜巻の発生確率の気象情報をテレビやラジオ，インターネットなどで知らせる取り組みが行われています。また，竜巻が発生した際に避難するためのシェルターを，住宅の地下に設置している家庭も多くあります。

◀▲6 **住宅を襲う竜巻**（上）**と地下シェルターに避難して竜巻から身を守った人々**（左）（ともにオクラホマ州）

寒帯から熱帯までの多様な気候

北アメリカ州には，寒帯→p.29から熱帯→p.28までのさまざまな気候がみられます。北極海に臨むアラスカ州とカナダには寒帯がみられ，その南から**五大湖**周辺にかけては亜寒帯（冷帯）→p.29が広がります。一方，フロリダ半島の南部や，ユカタン半島からパナマにかけての中央アメリカ，西インド諸島は熱帯で，アメリカ合衆国のマイアミやメキシコのカンクン5など，世界的に知られるビーチリゾートもあります。

アメリカ合衆国の気候は，西経100度付近を境にして，東側の大西洋沿岸からメキシコ湾沿岸にかけては温暖で湿潤です。西へ行くほど降水が少なくなり，南西部には砂漠気候4，→p.28もみられます。太平洋沿岸のカリフォルニア州は温暖で夏に降水が少ない地中海性気候→p.29となり，オレンジやグレープフルーツなどの かんきつ類や乾燥に強い ぶどう が栽培されています。熱帯や温帯が広がるメキシコ湾に面した地域は，夏から秋にかけてハリケーン❶にたびたび襲われ，風雨や洪水による大きな災害に見舞われることがあります。

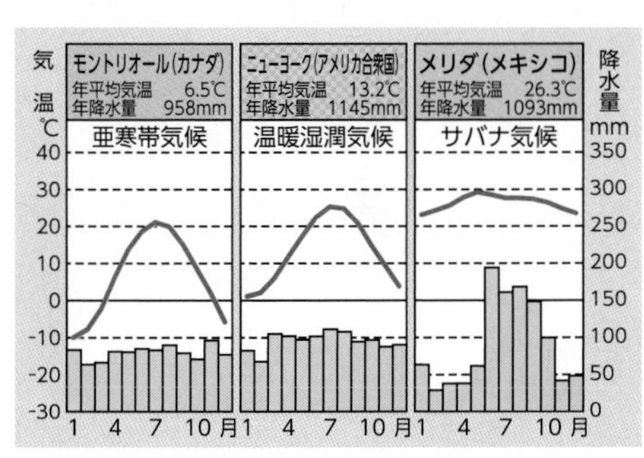

▲7 **北アメリカ州の主な都市の雨温図**〈理科年表 2020，ほか〉

❶ 主に8月から10月にかけて，カリブ海やメキシコ湾で空気が温められることで発生する，台風に似た熱帯低気圧のことをいいます。

日本列島の長さとロッキー山脈，アパラチア山脈の長さを図1で比べよう。

アメリカ合衆国の気候の特色を，「西経100度」の語句を使って説明しよう。

1 ニューヨークの中国人街（チャイナタウン）（アメリカ合衆国）

2 移民の歴史と多様な民族構成

学習課題 北アメリカ州に多様な民族が集まったことは，地域にどのような特色をもたらしたのだろうか。

集まる多様な文化

ニューヨークの街を歩くと，英語ではなく漢字や→p.94イタリア語の看板が目立つ地区があり，それぞれの国の料理や文化を楽しむことができます。[1,2] なかでも中華料理やイタリア料理は地元の人々だけでなく，ニューヨークを訪れる外国人にも親しまれています。またアフリカ系の人が多いハーレム地区では，有名な歌手を多く出してきた劇場が人気を集めています。

2 イタリア人街（リトルイタリー）（アメリカ合衆国，ニューヨーク）

先住民とヨーロッパからの移民

北アメリカにはもともと**ネイティブアメリカン**[❶]とよばれる先住民が住んでいました。しかし16世紀に入るとスペイン人が，現在のメキシコやキューバ，中央アメリカの国々などに植民地をつくりました。さらに17世紀以降になると，イギリスやフランスの人々が，北アメリカ大陸の大西洋沿岸に植民地をつくりました。それらの植民地には，ヨーロッパから大勢の**移民**→p.86がやってきました。[3]

移民としてやってきた人々は，出身国の言語や文化などをもち込んだので，アメリカ合衆国では英語を話す人が多く，メキシコや中央アメリカなどではスペイン語を話す人が多くなりました。また，カナダにはフランス語を話す人々が多い地域もあります。[5] 北アメリ

❶ アメリカインディアンのほか，エスキモー（カナダではイヌイット）などの人々を指します。

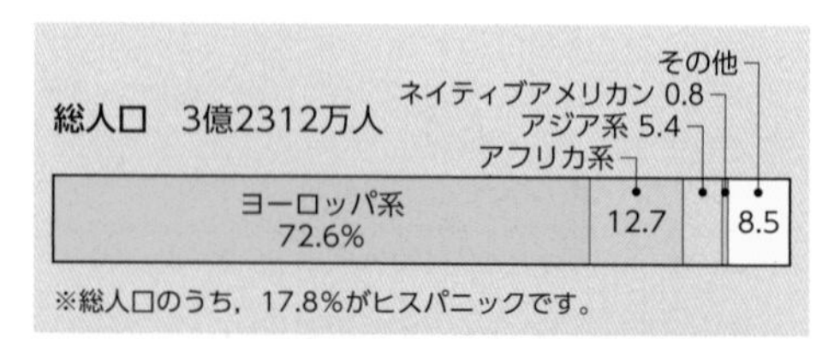

3 アメリカ合衆国の人種・民族構成（2016年）〈U.S. Census Bureau，ほか〉

小学校●歴史●公民との関連 大航海時代（歴），黒人奴隷（歴），アメリカ独立宣言（歴）

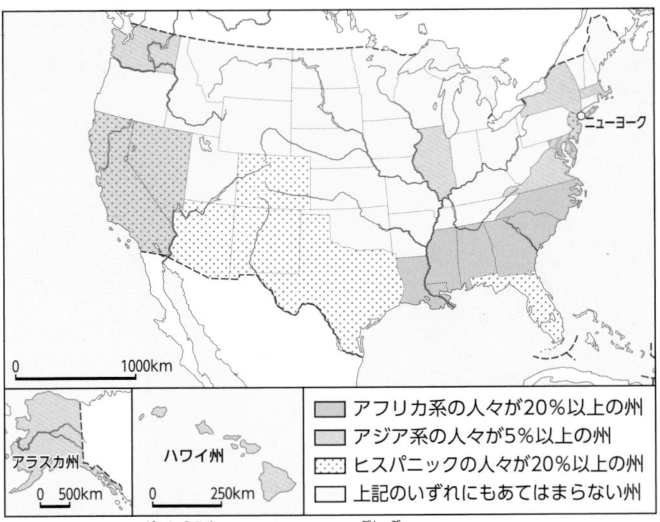

4 アメリカ合衆国の人種・民族分布(2016年)〈U.S. Census Bureau〉 **資料活用** 写真6のフロリダ州と，写真7のニューオーリンズの位置を地図帳で確認し，上の地図に記入しよう。

未来に向けて

共生　二つの公用語があるカナダ

カナダはかつてイギリスの植民地であったことから，長い間，英語が公用語とされてきました。しかし，フランスによって開拓が進められたケベック州のように，フランス語を話す人の割合が高い地域もあります。そこでカナダ政府は，1969年にフランス語も公用語と定めて，二つの言語は対等であるとしました。空港や街なかで見られる標識や看板などには，英語とフランス語が併記されています。

➡5 **フランス語と英語を併記した標識**(カナダ，ケベック州)

カ州の国々にキリスト教を信仰する人が多いのも，ヨーロッパから→p.42の移民がもち込んだ文化的特色の一つです。移民によって人口が増えてくると，海から離れた内陸部の開拓が進み，ヨーロッパ系の人々が移り住むようになりました。その一方，それまで各地で生活していた先住民は，住んでいた場所を追われ，人口が減少しました。

世界中から移民が集まるアメリカ合衆国

アメリカ合衆国には，その後もさまざまな民族が移り住みました。アフリカから連れてこられた**奴隷**→p.86は，西インド諸島の さとうきび農園の労働力とされたほか，アメリカ合衆国南部の綿花畑→巻末3でも，農作業に従事させられました。19世紀に奴隷制が廃止されると，中国や日本などのアジア諸国からも仕事を求める人々が移住してきました。近年では，メキシコや中央アメリカ，カリブ海諸国などから移住してくる**ヒスパニック**とよばれるスペイン語を話す人々が増えています。4 ヒスパニックの多くは比較的安い賃金で工場や農場，工事現場などで働いていますが，6 それでも国境を越えて移住してくるのは，経済的にあまり豊かでない母国よりも高い収入が得られるからです。

アメリカ合衆国では，言葉も出身国も違う人々が世界中から集まっているため，それぞれの言語や文化が尊重されています。異なる文化が触れ合うことで，ジャズ7やミュージカル→p.95などの新しい文化も生まれています。そして，世界中から人が集まることは，現在のアメリカ合衆国の産業にも大きな影響を及ぼしています。

6 **道路工事現場で働くヒスパニック**(アメリカ合衆国，フロリダ州，2017年撮影)

7 **路上でのジャズの演奏**(アメリカ合衆国，ニューオーリンズ) ジャズはアフリカとヨーロッパの音楽が合わさって生まれました。

アメリカ合衆国の人種・民族構成の特色を，図3や4で確認しよう。

北アメリカ州に多様な民族が集まったことによって生じた変化を一つ挙げ，説明しよう。

1 広大な小麦畑での収穫作業（アメリカ合衆国，コロラド州）

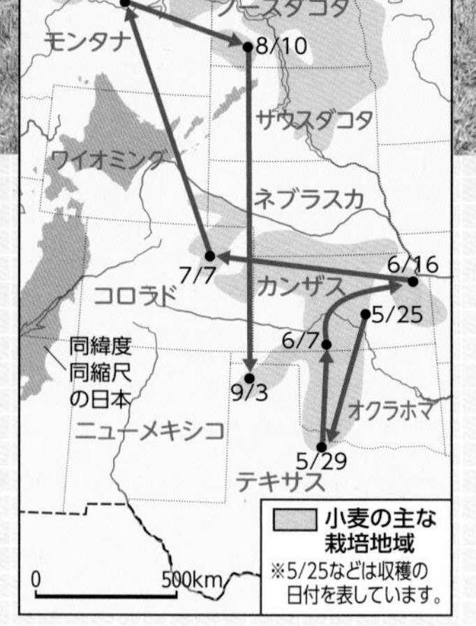

2 コンバインクルーの移動ルートの例〈Goode's World Atlas 2010，ほか〉

声 大型コンバインを使って収穫を請け負うコンバインクルーの話

5～9月までの間，収穫時期に合わせて契約した農家の畑の小麦を次々と収穫していくんだ。どの農地も自分の現在地が分からなくなるほど広大だから，人工衛星を使ったシステムで位置を確認しているよ。収穫が終わったらコンバインをトラックに積んで，次の畑まで何百 km も移動するんだ。3か月の移動距離は，日本の北海道から沖縄よりも長いんだよ。

3 大規模な農業と多様な農産物

学習課題 北アメリカ州で，農産物を大量に生産したり，輸出したりできるのは，なぜだろうか。

大規模な農業

アメリカ合衆国の農業は，収穫の様子を見ても，とても大規模であることが分かります[1,3]。アメリカ合衆国の農産物の生産量は世界でも有数で，小麦（→巻末2），とうもろこし（→巻末2），大豆（→巻末2）などが広大な土地を利用して作られています。農家は大型機械を使い，少ない人手で，高い生産性を上げています[3]。以前は，多くの場合，農作業は家族数人で行われていました。しかし現在では，労働者を雇うなどして，利益を上げることを目的とした企業的な農業経営が多くなっています[1,2]。このように多くの農産物を生産するアメリカ合衆国は，世界最大の農産物輸出国になっています[4]。

自然環境に合わせた農業

アメリカ合衆国では，地域の気候や土壌などの自然環境に合わせた**適地適作**の農業が行われています[6]。とうもろこしや大豆などは，西経100度付近から東側の，降水量が比較的多い地域を中心に栽培されています。一方，西経100度から西側は，降水量が少なく牧草地として利用され，肉牛（→巻末1）の**放牧**が盛んです[5,7]。また，グレートプレーンズ（→p.96）などの内陸部には豊富な地下水があり，これを利用した大規模なかんがい農業（→p.52）がみられ，

	アメリカ合衆国	日本
1人あたり*の耕地面積(ha)	71.3ha	1.7ha
1人あたり*の穀物収量(t)	195.7t	4.8t

＊農林水産業従事者

3 アメリカ合衆国と日本の農業の比較（2017年）〈FAOSTAT，ほか〉 **資料活用** アメリカ合衆国と日本の農業の規模を比べよう。

品目（合計）	内訳（%）
小麦（合計1億9679万t）	ロシア 16.8%，アメリカ合衆国 13.9，カナダ 11.2，オーストラリア 11.2，ウクライナ 8.8，フランス 7.7，アルゼンチン 6.7，その他 23.7
大豆（合計1億5184万t）	ブラジル 44.9%，アメリカ合衆国 36.5，アルゼンチン 4.9，その他 13.7
とうもろこし（合計1億6125万t）	アメリカ合衆国 32.9%，ブラジル 18.1，アルゼンチン 14.7，ウクライナ 12.0，その他 22.3
綿花（合計776万t）	アメリカ合衆国 41.9%，インド 12.1，オーストラリア 11.2，ブラジル 10.7，その他 24.1

4 世界の主な農産物の輸出量に占めるアメリカ合衆国とカナダの割合（2017年）〈FAOSTAT〉

5 円形農地に囲まれた肥育場（フィードロット）（右）とスプリンクラー（下）（ともにアメリカ合衆国，テキサス州） 地下水をくみ上げ，回転するスプリンクラーで散水するので，農地は円形になり，ここで栽培された穀物が肥育場の肉牛の えさ になっています。

非農業地
年降水量500mm以上
年降水量500mm以上
60°
40°
120°
100°
80°
0 500km

- 小麦
- とうもろこし・大豆
- 酪農
- 綿花
- 地中海式農業
- 大規模肥育場
- 放牧
- その他の農業

6 アメリカ合衆国とカナダの主な農業地域
〈Goode's World Atlas 2010，ほか〉

7 大規模な肥育場（フィードロット）（アメリカ合衆国，テキサス州） 放牧地で1～2年程，放牧された肉牛が，出荷前に集められる施設です。フィードロットでは，栄養が多い えさ が与えられ，肉質をよくしてから出荷されます。

小麦や とうもろこし などが栽培されています。カリフォルニア州などの温暖な地域では果樹や野菜が栽培されており，収穫など農作業の多くはヒスパニックの人々によって支えられています。大西洋岸や五大湖周辺では酪農→p.99が盛んで，ニューヨークやシカゴなどの大都市に乳製品を供給しています。温暖な南部では，早くから広大な畑で綿花→巻末3が栽培されていましたが，現在はその規模が縮小し，燃料用・飼料用の大豆や とうもろこし→p.99 の栽培が増えてきています。

世界の食料庫とそれを維持する巨大企業

アメリカ合衆国は，日本をはじめ世界の多くの国々が農産物をこの国から輸入しているので，「世界の食料庫」とよばれています。そのため，アメリカ合衆国で干ばつが起きて農作物が不作となり，価格が値上がりすると，農産物を輸入に頼っている国々は大きな影響を受けます。

アメリカ合衆国には，気象や作付けの情報提供，農作物の種子の開発，農産物の流通から販売など，農業に関連することを専門に扱う**アグリビジネス**→p.114を行っている企業があります。その中でも，**穀物メジャー**（解説）は主に穀物を扱う巨大企業で，これらの企業の動きは，世界の穀物の流通に大きな影響を与えています。

解説 穀物メジャー

アグリビジネスを行う企業の中でも特に規模が大きく，世界の農産物の流通をコントロールする程の力をもっている巨大な穀物商社のことを，穀物メジャーといいます。

確認しよう アメリカ合衆国の農業は，西経100度を境に東西でどのような違いがあるのか，図6を見て確認しよう。

説明しよう アメリカ合衆国が農産物を大量に輸出できる理由について，「広大な土地」と「適地適作」の語句を使って説明しよう。

▲1シリコンバレーのICT関連企業による新製品の発表会（アメリカ合衆国，サンフランシスコ，2016年撮影）

私たちが便利に使っているスマートフォンやタブレットは，どこで開発されているのかな。

その他 1.7
アップル社 25.9
グーグル社 72.4%
アメリカ合衆国の企業

▲2世界で使われている携帯端末*のソフトウェアの企業別割合（2019年）〈Stat Counter〉
＊スマートフォンとタブレット

4 世界をリードする工業

学習課題 アメリカ合衆国の工業は，どのように変化しながら，世界をリードするまでに発展したのだろうか。

▲3航空機の組み立て工場（アメリカ合衆国，シアトル近郊，2015年撮影）

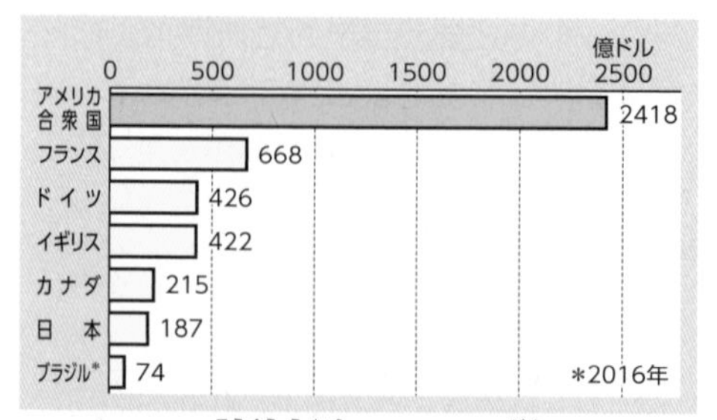

▲4主な国の航空宇宙産業の生産額（2017年）
〈日本航空宇宙工業会資料〉

身の回りにあるアメリカ合衆国の製品

スマートフォンやタブレット，パソコンのソフトウェアなど，私たちの身の回りには，アメリカ合衆国で開発された技術を用いた製品や機能があふれています。1,2 また，それらの技術を使ったインターネットやカーナビゲーションなども，私たちの生活に浸透しています。

重工業から先端技術産業への変化

北アメリカ大陸の北東部にある五大湖周辺は，石炭や鉄鉱石→巻末1などの鉱産資源に恵まれ，重工業が発展しました。19世紀以降のピッツバーグでは，これらの鉱産資源を利用して大量の鉄鋼が作られるようになり，五大湖の水運を生かして世界各国へ輸出されました。20世紀には，鉄鋼を材料とする自動車の生産がデトロイトで始まり，流れ作業を用いた**大量生産方式**による自動車工業が成長し，その後，この自動車生産のしくみ→p.224は世界中に普及しました。

20世紀後半に，日本をはじめとするアジア諸国で生産された鉄鋼や自動車がアメリカ合衆国へ輸出されるようになると，激しい生産競争のなかで，アメリカ合衆国は遅れをとるようになりました。そのため，航空機→p.77や人工衛星などを生産する航空宇宙産業3,4→p.95やコン

地理プラス 世界の人材が集まるシリコンバレー

サンフランシスコ郊外にあるシリコンバレーには，インドや中国，日本などから来たアジア系の技術者をはじめ，ヨーロッパ系の人々など，さまざまな国籍をもつ優秀な人材が集まっています。彼らは自由な雰囲気の仕事場で，今までになかった技術や製品を開発し，高い報酬を得ています。そして，開発された製品は世界の人々の生活に大きな影響を与えています。

➡5シリコンバレーのICT関連企業の食堂(アメリカ合衆国，サンノゼ)

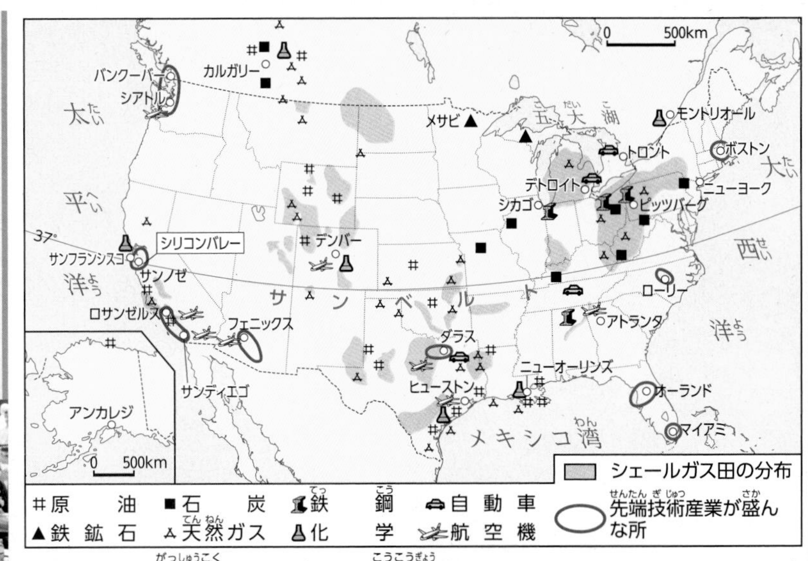

⬆6アメリカ合衆国とカナダの主な鉱工業〈Goode's World Atlas 2010，ほか〉

資料活用 自動車と航空機の生産が盛んな地域を確認しよう。

ピュータ関連産業，IC(集積回路)などを生産するエレクトロニクス産業，バイオテクノロジーなど，高い収益をもたらす**先端技術産業**に力を注ぐようになり，そのための研究機関もつくられました。

➡p.181

先端技術産業は，主に北緯37度より南のダラスやヒューストン，サンフランシスコなどの都市がある**サンベルト**とよばれる地域で発達しました。この地域は気候が温暖であるだけでなく，土地が安く手に入り，石油資源や労働力が豊富であるという長所がありました。なかでもカリフォルニア州の**シリコンバレー**には，先端技術産業の研究拠点となっている名門大学を中心として，多くの情報通信技術(ICT)関連企業が集中し，高度な技術の開発が進められています。そして，パソコンやスマートフォンなどで使うソフトウェアの開発やバイオテクノロジーなどで，世界をリードしています。

➡p.60

他国との結び付き

カナダとメキシコには，アメリカ合衆国から自動車や機械などの工場が進出しています。これら3国は，貿易を活発にさせるための取り組みを行い，互いの結び付きを一層強めてきました。また，日本の自動車メーカーも，アメリカ合衆国やメキシコに工場を建設して，現地で自動車を生産しています。

8，➡p.161

最近では，アメリカ合衆国に豊富に埋蔵されている天然ガスの一種である**シェールガス**の開発が進み，新しい資源として注目されています。このような新しい資源の生産も，これからの世界のエネルギー供給に大きな影響を与えると考えられます。

❶ 生物がもつすばらしい働きを上手に利用して，人間の生活に役立たせる技術のことです。

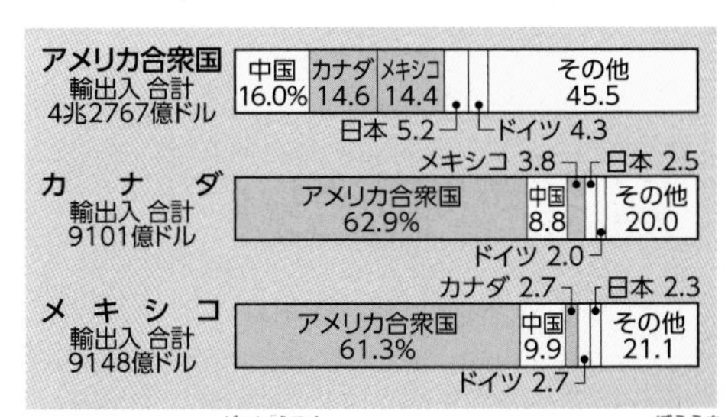

⬆7アメリカ合衆国・カナダ・メキシコの貿易相手国(2018年)〈UN Comtrade〉

⬆8メキシコに進出した日本の自動車メーカーの工場(ケレタロ近郊，2018年撮影)

確認しよう 携帯端末のソフトウェアに占めるアメリカ合衆国の企業の割合を図2で確認しよう。

説明しよう アメリカ合衆国で先端技術産業が盛んになった背景について，「サンベルト」の語句を使って説明しよう。

↑1 **駐車場に囲まれた大リーグのスタジアム（野球場）**（アメリカ合衆国，ロサンゼルス）

5 アメリカ合衆国にみる生産と消費の問題

学習課題 アメリカ合衆国の人々の生活には，どのような特色があるのだろうか。

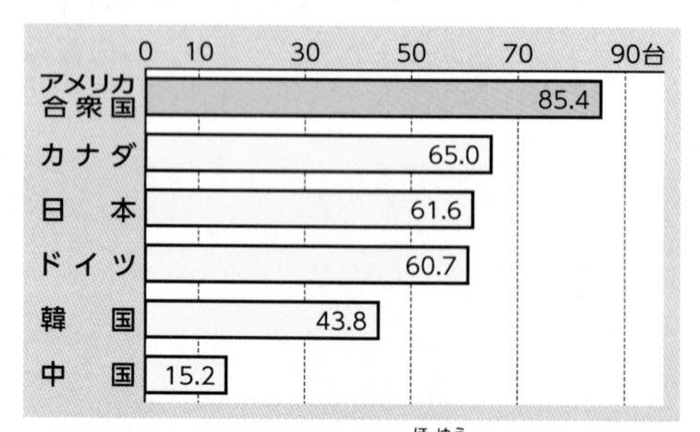

↑2 **100人あたりの自動車保有台数**（2017年）
〈世界自動車統計年報 2019，ほか〉

車社会や大量消費の生活様式

　アメリカ合衆国のスタジアムには，大規模な駐車場を備えている所が多くあります。これは，日常的に車を使う生活が人々に浸透しており，観戦にも車で来る人が多いからです。1,2 アメリカ合衆国では，自動車の大量生産→p.102によって世界で最初に**車社会化**が始まり，それと同時に都市をつなぐ高速道路網の整備も進みました。都市の郊外には，広い駐車場をもつ巨大な**ショッピングセンター**がつくられ，週末には大勢の買い物客がやって来て，食料品などを大量にまとめ買いします。

　アメリカ合衆国では物を大量に生産し，大量に消費する**大量生産・大量消費**の生活様式が人々に浸透し，この国の産業や経済を発展させる原動力にもなってきました。日本でも身近になったコンビニエンスストア→p.163や，ハンバーガーなどの**ファストフード**店→p.95，コーヒーのチェーン店3，テーマパーク→p.244などはアメリカ合衆国で生まれ，通信販売やインターネットによる買い物のしかた→p.163も，この国で発達しました。今日，これらの生活様式は，多くの国に販売や生産の拠点をもつ**多国籍企業**の進出とともに，世界中の国々に広まっています。3

↑3 **中国に進出したアメリカ合衆国のコーヒーチェーン店**（ペキン（北京），2018年撮影）

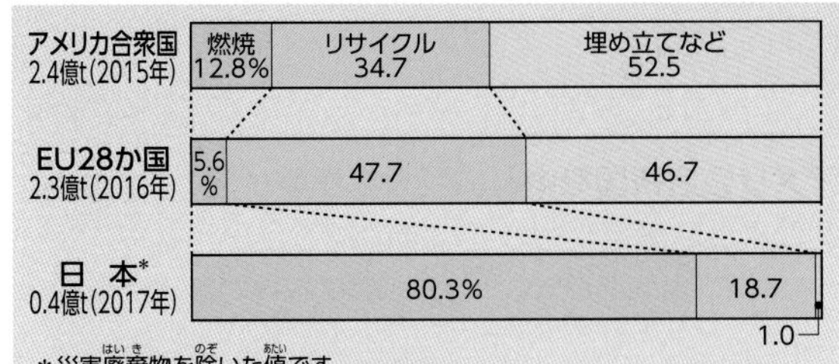

4 主な国の廃棄物の処分方法〈リサイクルデータブック 2019，ほか〉 **資料活用** 日本とアメリカ合衆国，EU28か国の処分方法の違いに注目しよう。

5 収集を待つ ごみ の山（アメリカ合衆国，ニューヨーク，2016年撮影）

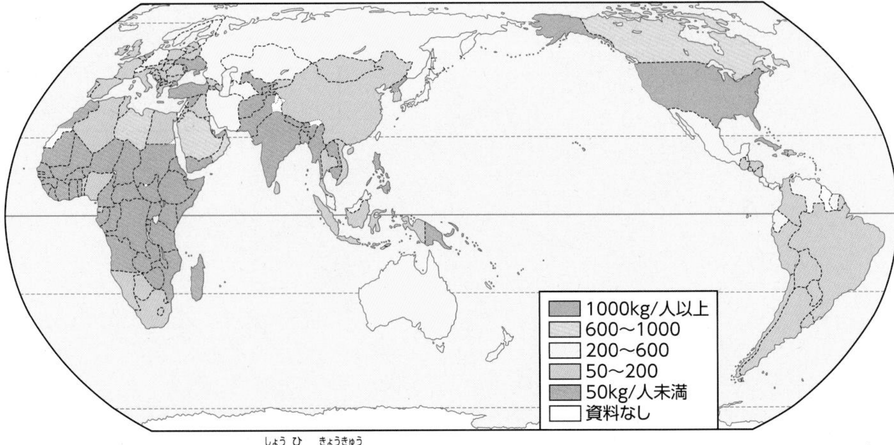

6 1人あたりのガソリン消費(供給)量（2017年）〈2017 Energy Statistics Yearbook〉
資料活用 1人あたりのガソリン消費量が多いのは，どのような国・地域だろうか。

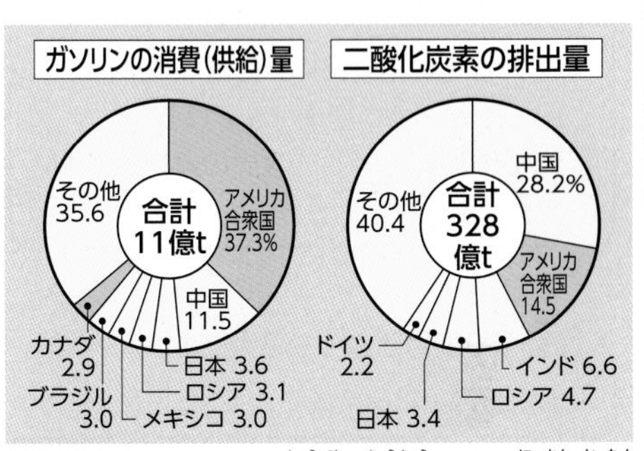

7 世界のガソリン消費(供給)量と二酸化炭素排出量の国別割合（2017年）〈2017 Energy Statistics Yearbook，ほか〉

持続可能な社会を実現するための課題

アメリカ合衆国の生活様式は，資源を大量に消費することで成り立っています。このため，排出される廃棄物の量も世界で最も多く，その半分以上が内陸の土地などに埋め立て処分されています。4,5 国土が広いとはいえ，埋め立て処分場には限界があり，ほとんど分別されずに捨てられたプラスチックなどの廃棄物からは，有害物質が出る心配もあります。こうしたなか，ごみ の分別とリサイクルを進めたり，食べられる食品を廃棄しないようにする しくみ 8 をつくったりして，資源を大切にする動きがみられるようになってきています。

車社会についても，原油→巻末1から作られるガソリンなしには成り立たず，アメリカ合衆国は世界で最もガソリン消費量が多い国になっています。6,7 石油や石炭の消費→巻末1が増えると，二酸化炭素などの温室効果ガスの排出量が増加し，**地球温暖化**→巻頭2，p.123が進むと考えられています。このため，二酸化炭素の排出量が少ない天然ガスの利用を増やしたり，大規模な太陽光発電施設を建設して再生可能エネルギー→p.157の利用を進めたりする取り組みが，州や企業によって行われています。

8 食品を廃棄しない取り組み（アメリカ合衆国，テキサス州） まだ食べられるにも関わらず廃棄予定となった食品を引き取り，食べ物を必要としている人々に届ける取り組みは「フードバンク」とよばれています。

私たちの生活にみられるアメリカ合衆国から入ってきた生活様式を，三つ挙げよう。

持続可能な社会を目指す上で，アメリカ合衆国の生活様式にはどのような課題があるのか，説明しよう。

節の学習を振り返ろう

第4節 北アメリカ州

第4節の問い p.94〜105　北アメリカ州では，アメリカ合衆国を中心に巨大な産業が発達した結果，地域にどのような影響が生じているのだろうか。

1 学んだことを確かめよう ≫ 知識

1．A〜Eにあてはまる国名を答えよう。
2．ⓐ〜ⓓにあてはまる山脈名，河川名，湖名を答えよう。
3．①〜⑧にあてはまる語句を，下のキーワードや教科書を振り返りながら答えよう。

大規模な農業（→ p.96, 100〜101）
- ［①］などの内陸部は，豊富な地下水を利用したかんがい農業がみられる
- 穀物を扱う［②］は，世界の穀物の流通に大きな影響を与える

西経100度付近よりも西側の地域（→p.97, 100）
- 降水量の少ない地域で［③］が盛ん

［④］（→ p.103）
- 北緯37度より南の先端技術産業が盛んな地域
- サンフランシスコ郊外の［⑤］にはICT関連企業が集中

［C］（→ p.96, 98〜99, 103）
- ［⑥］とよばれるスペイン語を話す人々がアメリカ合衆国へ移住
- アメリカ合衆国から自動車や機械などの工場が進出

［ⓓ］湖周辺の都市（→ p.97, 102〜103）
- デトロイトでは鉄鋼を主な材料とする［⑦］の生産が盛ん
- カナダにはアメリカ合衆国の自動車や機械などの工場が進出

ニューヨーク（→ p.98）
- 大都市の一つ
- 中国人街（［⑧］）やイタリア人街などの移民の街がある

↑1白地図を使ったまとめ

写真を振り返ろう

p.94〜95の写真に関連した以下の文章を読んで，㋐〜㋒にあてはまる語句を，キーワードから答えよう。

アメリカ合衆国を代表する写真1の街には，かつてヨーロッパから多くの［㋐］がやってきました。写真6のように，たくさんの人と物であふれ，［㋑］の生活様式が浸透したアメリカ合衆国には，豊かな生活を求めて，写真2の国などから移住してくる［㋒］が増えています。

✓キーワード

意味を説明できた語句にチェックを入れよう。

- □グレートプレーンズ
- □プレーリー
- □五大湖
- □ネイティブアメリカン
- □移民
- □奴隷
- □ヒスパニック
- □適地適作
- □放牧
- □アグリビジネス
- □穀物メジャー
- □大量生産方式
- □先端技術産業
- □サンベルト
- □シリコンバレー
- □シェールガス
- □車社会化
- □ショッピングセンター
- □大量生産・大量消費
- □ファストフード
- □多国籍企業
- □地球温暖化

2 「地理的な見方・考え方」を働かせて説明しよう ≫ 思考力，判断力，表現力

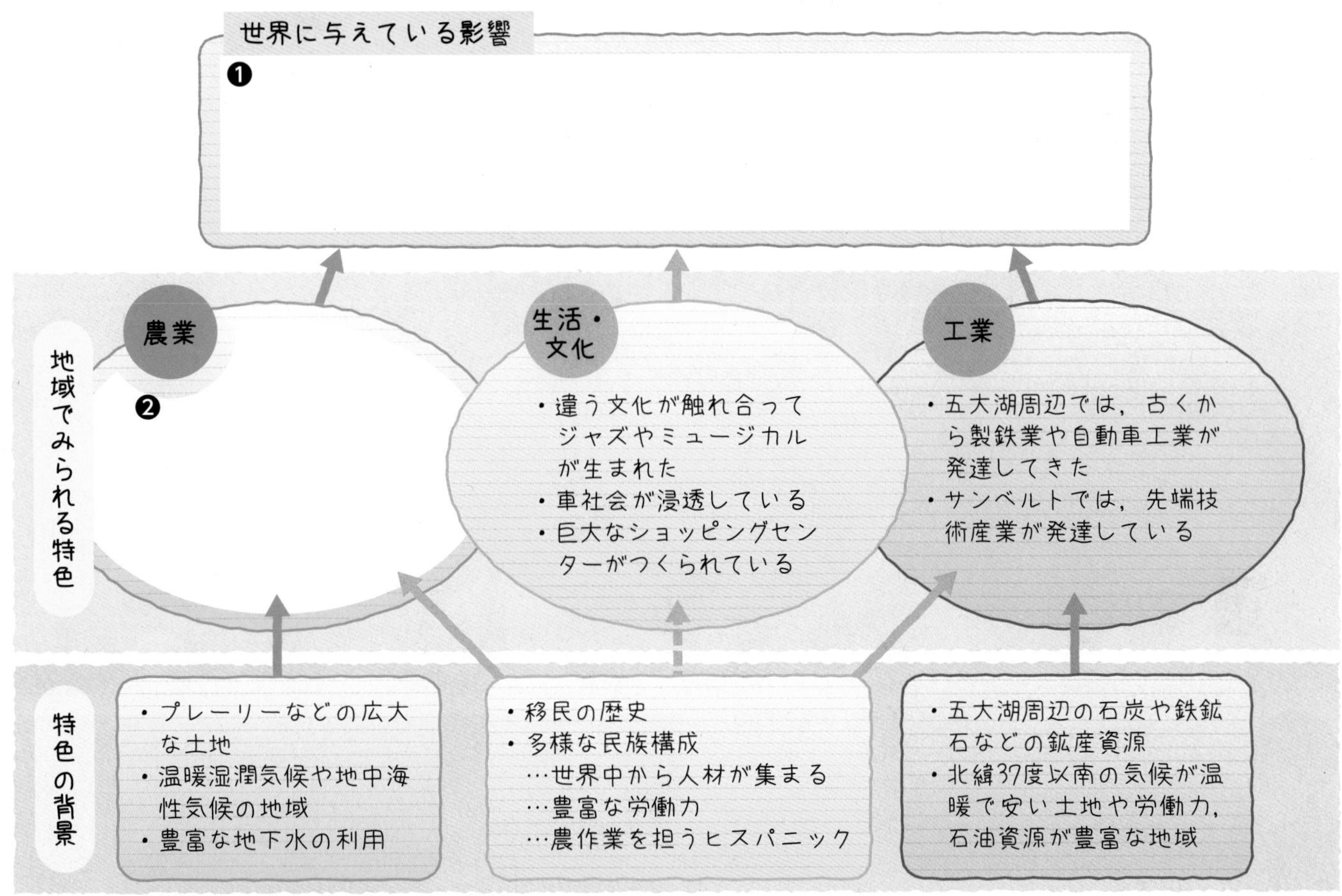

↑2アメリカ合衆国の特色と世界に与えている影響をまとめた例

ステップ1 この州の特色と課題を整理しよう

アメリカ合衆国の生活・文化の特色や，世界に与えている影響について，p.106のキーワードや教科書を振り返りながら，図2の❶，❷の空欄を埋めよう。

ステップ2 「節の問い」への考えを説明しよう

作業1　アメリカ合衆国の産業がどのように発達してきたのか，図2を参考に説明しよう。

▼

作業2　アメリカ合衆国を中心に巨大な産業が発達した結果，地域にどのような影響が生じているのだろうか。地理的な見方・考え方を働かせて，節の問いに対するあなたの考えを，「適地適作」と「大量生産方式」の語句を使って説明しよう。

「節の問い」に関連が深い 見方・考え方
ほかの場所への影響，地域全体の傾向（→巻頭7）

ステップ3 【発展】持続可能な社会に向けて考えよう

作業1　大量消費の生活様式には，どのような課題があるのか，図2を参考に考えよう。

▼

作業2　持続可能な社会を実現するためには，どのようなことに注意するとよいか，大量消費の生活様式の課題を踏まえて考えよう。

▼

作業3　グループになり，どのような取り組みを優先的に行うことが大切か，話し合おう。また，私たちにできる取り組みはないか，話し合おう。

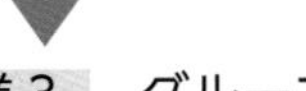

私たちとの関わり
日本の資源自給率を，p.156の図2で確認しよう。また，私たちの生活のなかで，大量消費しているものはないか，考えよう。

写真で眺める 南アメリカ州

↑1 **リオデジャネイロのカーニバル**(ブラジル，2018年2月撮影)
➡ p.112

探してみよう！

写真1～7の位置を，地図上で確認しよう。

→2 **インティ・ライミ(太陽神の祭り)で民族衣装を着た子どもたち**(ペルー，クスコ，2017年6月撮影) インカ帝国時代に起源をもつ祭りで，パレードなどが行われます。 ➡ p.112

←3 **世界最大規模のスタジアムでサッカー観戦を楽しむ人々**(ブラジル，リオデジャネイロ) このスタジアムは，ワールドカップやオリンピックの会場にもなりました。
➡ p.115

第5節 南アメリカ州

注目する地球的課題：熱帯林の破壊

第5節の問い p.108～117　南アメリカ州では，農地や鉱山の開発が進むことによって，地域にどのような影響が生じているのだろうか。

1 南アメリカ州の自然

2 アマゾン川とその流域に広がる熱帯林（ブラジル）

3 アマゾン川の流域面積と日本列島の比較　雨が川に流れ込む範囲を流域といい，その面積を流域面積とよびます。 **資料活用** アマゾン川の流域面積と日本列島の面積を比べよう。

1 南アメリカ州の自然環境

学習課題　南アメリカ州の自然環境には，地形や気候にどのような特色がみられるのだろうか。

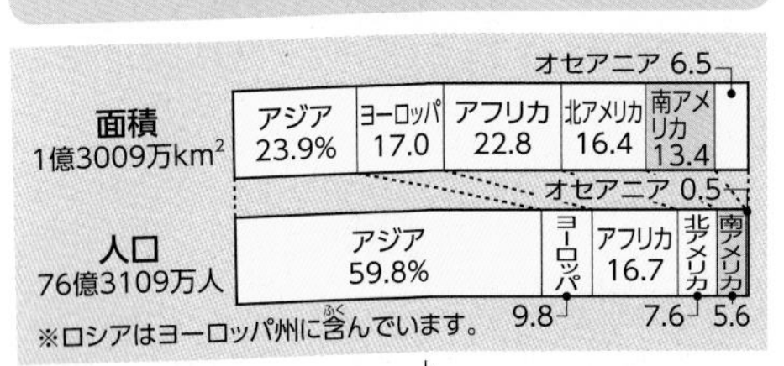

	アジア	ヨーロッパ	アフリカ	北アメリカ	南アメリカ	オセアニア
面積 1億3009万km²	23.9%	17.0	22.8	16.4	13.4	6.5
人口 76億3109万人	59.8%	9.8	16.7	7.6	5.6	0.5

※ロシアはヨーロッパ州に含んでいます。

4 世界の面積・人口に占める南アメリカ州の割合（2018年）〈Demographic Yearbook 2018〉

5 マナオス港に寄港した大型船（ブラジル，マナオス） **資料活用** マナオスの位置を図1で確認しよう。

高地と低地が織りなす地形

南アメリカ州は，日本からみて地球の反対側にあたります。大陸の太平洋側には，6000mを超える山々がそびえる**アンデス山脈**が南北に続いています。アンデス山脈は世界最長の山脈で，北のベネズエラから南のチリまでおよそ7500kmもあります。大陸の北部にはギアナ高地があり，その南には平坦なアマゾン盆地が広がります。また東部には，なだらかなブラジル高原が広がっています。1

→p.109

アマゾン川は，ナイル川に次ぐ世界で2番目に長い河川で，赤道の近くを西から東へ流れています。川幅は広く，流域面積は世界最大です。また，川の流れは緩やかで，河口から1500kmさかのぼったマナオスでも，標高は約70mにすぎません。そのため，海を航行する大きな船でも川をさかのぼることができ，外国からの船も数多くやってきます。5

2 (6516km) →p.84　3

小学校●歴史●公民との関連　世界の大陸と海洋（小），主な国の名称と位置（小）

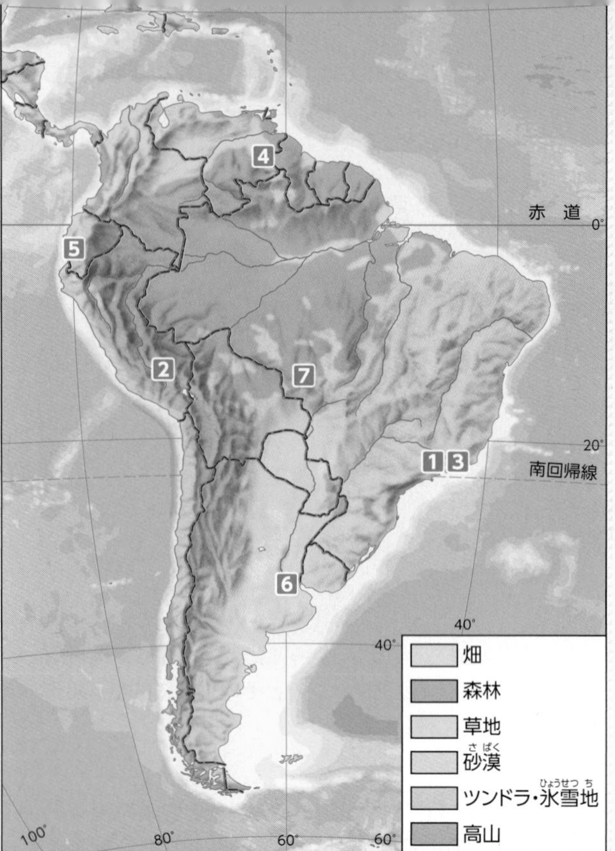

▲4 **ギアナ高地のアンヘル滝**（ベネズエラ，10月撮影） ギアナ高地には，山頂がテーブル状に平らな山がたくさんあります。アンヘル滝は，世界最大の979mの落差があることで知られています。 ➔p.110

▲5 **バナナの選別工場**（エクアドル） 多国籍企業がプランテーションでバナナを大規模に栽培し，世界に輸出しています。 ➔p.114

▲6 **休日に草原でバーベキューを楽しむ人々**（アルゼンチン，ブエノスアイレス近郊，2016年6月撮影） アルゼンチンの人々は，肉の消費量が多いことで知られています。 ➔p.111, 114

▼7 **大規模な大豆畑での収穫作業**（ブラジル，マットグロッソ州，3月撮影） かつては未開の地だった地域が，大規模な農地に開発されています。 ➔p.114

⬆**6ラパスの町並み**（ボリビア） 首都としては世界で最も標高が高い都市で，4000m 以上の高地まで市街地が広がっています。

⬆**7パンパでの牛の放牧**（アルゼンチン，11 月撮影） 広大な平原で肉牛を放牧しています。牛肉はこの国の主な輸出品の一つです。

地理プラス

観光地となっている氷河地帯

アルゼンチンとチリにまたがるパタゴニアの山岳地域には，南極，グリーンランドに次ぐ規模の氷河があります。この氷河は，太平洋からの湿った風が山脈にぶつかって降る雪によってつくられました。氷河地帯は国立公園に指定されていて，アルゼンチンの主要な観光地の一つとなっています。なかでもペリト・モレノ氷河は，とけたり凍ったりを繰り返しながら，1 日に 2m も移動することがあり，これを見に多くの観光客が訪れます。気温が上がる夏には，氷河の端の崩落が起こり，展望台や観光船から迫力ある氷河の姿を間近で見ることができます。

⬆**8氷河を見学する観光客**（アルゼンチン，ロスグラシアレス国立公園，ペリト・モレノ氷河，2016 年 9 月撮影）

緯度と標高で異なる気候

南アメリカには，熱帯から寒帯までのさまざまな気候がみられます。特に広いのが熱帯の地域で，南アメリカの面積の半分以上を占めています。アマゾン川流域には世界最大の**熱帯林**が広がり，数多くの動植物が生息しています。その豊かな自然に触れる観光ツアーは人気があります。

アンデス山脈では，多くの人々が，山あいにある高原や盆地で暮らしています。赤道に近い地域でも，標高が高い地域では過ごしやすい気候になるため，標高 2000m 以上の高地にラパスやクスコなどの大都市が発達しています。6 ➡p.38

アルゼンチンの中部やチリ南部には温帯の気候がみられ，ラプラタ川の河口付近には**パンパ**とよばれる大草原が広がります。7 ペルーからチリの北部にかけての太平洋岸や，アルゼンチンの南部には乾燥帯が分布します。例えば，ペルーのリマでは年降水量が 10mm 以下しかありません。9 南アメリカの南端は寒帯で，アルゼンチンとチリにまたがる山岳地帯には，氷河が見られる地域もあります。8

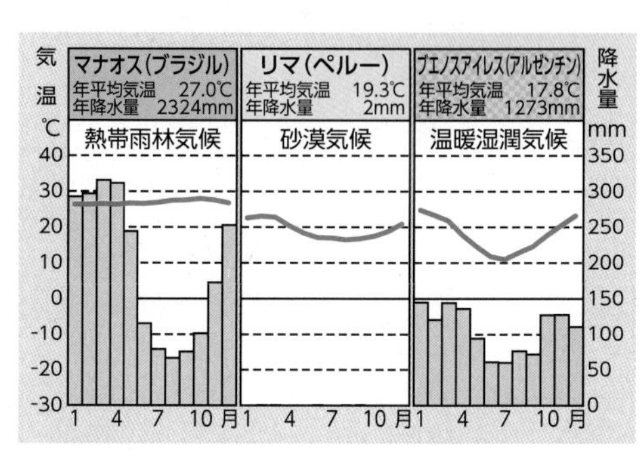

⬆**9南アメリカ州の主な都市の雨温図**〈理科年表 2020〉

確認しよう　地図帳でアマゾン川を河口からさかのぼり，川がどのような所から始まっているか確認しよう。

説明しよう　南アメリカ州の主な気候を二つ取り上げ，その分布と特色を説明しよう。

1 マチュピチュ（ペルー，2017年5月撮影） インカ帝国の遺跡で，山すそからは全く見えないため，「空中都市」ともいわれています。

2 多様な民族・文化と人々の生活

学習課題 南アメリカ州の国々の文化や民族には，どのような特色がみられるのだろうか。

南アメリカの成り立ち

もともと南アメリカには，アンデス山脈のインカ帝国に代表されるように，**先住民**がつくった高度な文明が栄えていました。しかし16世紀になると，スペインやポルトガルなどのヨーロッパの人々が進出しました。彼らは先住民の文明を滅ぼして**植民地**をつくり，ヨーロッパの文化を南アメリカにもち込みました。そのため，現在でも多くの国々でスペイン語やポルトガル語が話され，キリスト教のカトリックが信仰されています。❶

→p.108 →p.86

植民地時代には大きな農場や鉱山で，先住民やアフリカから連れてこられた**奴隷**が厳しい環境で働かされました。先住民と白人との間には子どもが生まれ，メスチーソとよばれる混血の住民も増えました。19世紀の終わりにはイタリアやドイツをはじめとするヨーロッパから，20世紀になると日本からも，多くの移民がやって来るようになりました。その結果，現在の南アメリカには，先住民のほか，ヨーロッパやアフリカ，アジアなどからやって来た，さまざまな人種や民族が共存して暮らしています。

融合から生まれたさまざまな文化

華やかさで世界中に知られるリオデジャネイロのカーニバルは，ヨーロッパとアフリカの文化が南アメリカで融合して生まれた祭りです。カーニバルはも

→p.108

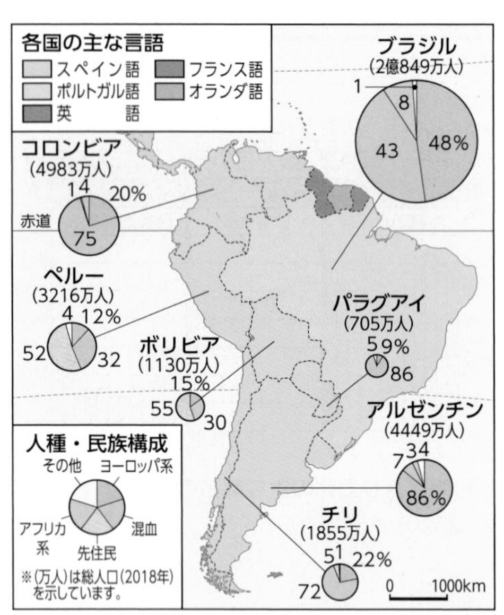

2 南アメリカの主な言語と人種・民族構成〈Demographic Yearbook 2018，ほか〉

資料活用 ヨーロッパ系，先住民の割合が高い国はどこだろうか。

❶ メキシコから南の地域は，ラテンアメリカとよばれています。言語や宗教などに，スペインやポルトガルなどのラテン系民族としての共通性があるからです。

共生　ブラジルに渡った日本人

現在，ブラジルには約 200 万人の日系人が暮らしているといわれます。日本からブラジルへの移住は 1908 年に始まりました。移住者は当初，コーヒー農園に住み込んで働きましたが，労働環境が厳しく，逃げ出してしまう人もいました。その後，自分の土地を所有して，野菜・果樹の栽培や鶏の飼育を始める人，都市へ移り住んで飲食店などを始める人が出てきました。日本人移民は子どもの教育を大切にしたので，その子孫の日系人は大学への進学率が高く，高度な技術職で働いたり，医者や弁護士になったりするなど，さまざまな分野で活躍しています。

1990 年以降は，日本で法律が改正されたことにより，ブラジルなど南アメリカの国々から日本に来て働く日系人が多くみられます。

3 サンパウロの日本人街（ブラジル，2016 年撮影） 和食の飲食店などが集まっています。

4 タンゴを踊る人（アルゼンチン，ブエノスアイレス）

5 アマゾン川流域の先住民と畑でとれたキャッサバ（ブラジル北部）

ともと，ヨーロッパのカトリック→p.71を信仰する人々の行事ですが，アフリカ系の人々がもち込んだ文化が加わったことで，サンバのリズムで踊るにぎやかな祭りに変化しました。アルゼンチンの舞踏音楽として知られるタンゴ4は，移民が集まる港町で，ヨーロッパやアフリカなどの音楽が混ざり合って生まれました。

先住民の暮らしと変化

ペルーなどアンデス山脈の周辺では，先住民の人々が，とうもろこし→巻末2やじゃがいも→巻末2を栽培したり，アルパカを放牧したりする伝統的な生活をしています。一方，熱帯林→巻末1が広がるアマゾン川流域→p.110では，先住民が，木の実などの採集や**焼畑農業**解説，川魚をとる漁業などで自給的な生活を送ってきました。

先住民の人々は，自然を崇拝する考え方など，固有の文化を守ってきました。しかし，開発や観光地化が進んだことによって，昔ながらの先住民の暮らしに変化が起こっている所もあります。ブラジルでは，先住民の保護地区がつくられ，その中で多くの先住民が暮らしています。現在では，織物などの工芸品を観光客に売ることで得た現金の収入が，先住民の生活の支えになっています。

解説　焼畑農業

森林や草原を焼き払い，その灰を肥料として作物を栽培する農業です。数年たつと土地がやせて，作物が育たなくなるため，別の場所に移動して，これを繰り返します。

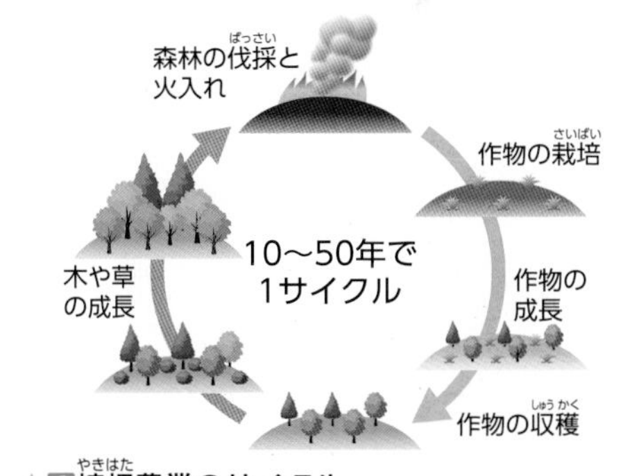

6 焼畑農業のサイクル

南アメリカ州の国々で使用されている主な言語を図2で確認し，二つ挙げよう。

南アメリカ州で独自の文化や多様な民族がみられる背景を，「植民地」の語句を使って説明しよう。

➡1 大型機械を使ったコーヒーの実の収穫（ブラジル，サンパウロ州，2010年6月撮影）

➡2 手作業でのコーヒーの実の収穫（ブラジル，ベレン郊外，1998年撮影） **資料活用** 写真1と2で働く人の人数を比べよう。

3 大規模化する農業と成長する工業

学習課題 南アメリカ州の国々で，産業に変化がみられるようになったのはなぜだろうか。

大農園での農業

南アメリカ州では，平野や高原を中心に大規模な農業がみられます。[5] スペインやポルトガルの植民地時代（→p.112）に，各地に大農園がひらかれ❶，ブラジルでは さとうきび やコーヒーの栽培が[1, 2]，アルゼンチンのパンパでは小麦の栽培（→巻末2）や肉牛の放牧（→巻末1 →p.111）が盛んに行われてきました。また，エクアドルやコロンビアなどの熱帯の海岸地域では，多国籍企業が経営する**プランテーション**（→p.58）で，輸出用のバナナ（→巻末3）の栽培が大規模に行われています（→p.109）。

ブラジルは長い間，コーヒー豆（→巻末3）の輸出に依存した**モノカルチャー経済**（→p.89）の国でしたが，近年では，コーヒー豆のほか，大豆（→巻末2）や さとうきび，鶏肉・牛肉などの生産も増えています。[3] 特に大豆は，土壌や品種の改良が進んだ結果，かつては農業に不向きとされていた土地でも大規模に栽培できるようになりました（→p.109）。ブラジルとアルゼンチンの主要な輸出品となった大豆は[4, 7]，アメリカ合衆国などの**アグリビジネス**（→p.101）を行う企業に大量に買い付けられ，大豆油や飼料にするために，主に中国などへ輸出されています。さとうきび は，砂糖だけでなく，ブラジルで普及しているバイオ燃料（→p.117）の原料としても使われます。

❶ 大農園では，主にヨーロッパ系の地主が土地をもち，現地の人々が労働者として家族とともに住み込みで働いてきました。現在では企業が経営する大農園もあります。

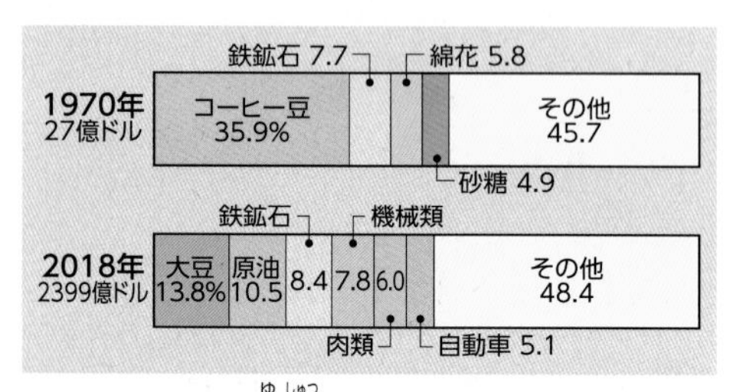

⬆3 ブラジルの輸出品の変化〈UN Comtrade，ほか〉

コーヒー豆 合計1030万t	ブラジル 34.5%	ベトナム 15.7	コロンビア 7.0	インドネシア 7.0	エチオピア 4.6	ホンジュラス 4.7	その他 26.5

さとうきび 合計19億702万t	ブラジル 39.2%	インド 19.8	中国 5.7	タイ 5.5	その他 29.8

大豆 合計3億4871万t	アメリカ合衆国 35.5%	ブラジル 33.8	アルゼンチン 10.8	中国 4.1	インド 4.0	その他 11.8

⬆4 主な農産物の生産国（2018年）〈FAOSTAT〉

▲5南アメリカの植生と農業〈Diercke Weltatlas 2008〉

▲6銅山での大規模な露天掘り（チリ） チリは世界最大の銅の産出国です。

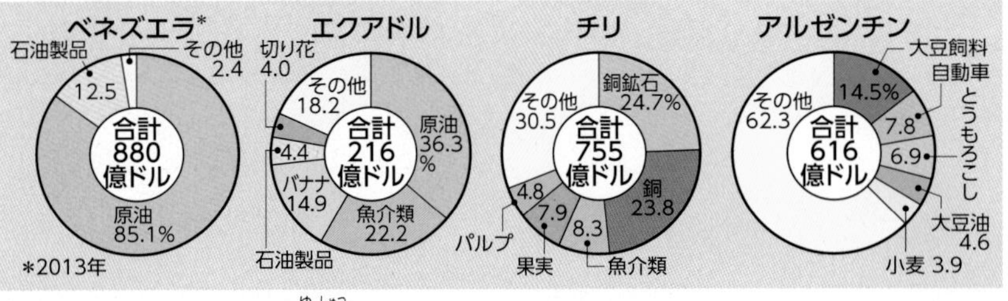

▲7南アメリカの国々の輸出品（2018年）〈UN Comtrade〉

豊かな資源と工業化

南アメリカは**鉱産資源**に恵まれており，ブラジルの鉄鉱石，チリの銅，6 ベネズエラやエクアドルの原油などは，輸出品として各国の経済を支えてきました。7 鉱産資源の輸送のために，鉄道，電力，通信などの施設が整備され，後に工業にも利用されるようになりました。

ブラジルやアルゼンチンは，1960年代後半からアメリカ合衆国や日本などの外国企業を受け入れることで，鉄鋼や自動車などの重化学工業を成長させました。➔p.160 特にブラジルでは，航空機 8 の輸出や，大規模な海底油田の採掘も行われるようになり，急速に経済が発展しました。一方，アンデス山脈周辺の国々では工業化はあまり進んでおらず，鉱産資源や農産物の輸出に頼った経済が続いています。

産業の発展に伴う課題

ブラジルでは，産業の発展によって都市化が進み，人々の生活水準も高くなりました。その一方で，内陸部の農村との経済格差も広がりました。例えば農村では，農業の機械化が進み，農作業の手間が省けるようになった結果，1, 2 職を失って都市へ移動せざるをえない人もいました。都市では，働く機会を求めて多くの人が集まり，急激に人口が増えたことにより，丘陵や河川敷などに**スラム**➔p.59が形成されました。9 スラムでは，犯罪の発生やごみの増加など，劣悪な居住環境が問題となっているため，経済格差を無くすための取り組みが求められています。

▲8航空機の組み立て工場（ブラジル，サンパウロ近郊）

▲9山の斜面に広がるスラム（ブラジル，リオデジャネイロ，2015年撮影）

確認しよう ブラジルの主な大豆生産地域を，図5で確認しよう。

説明しよう ブラジルの輸出農産物の種類が増えたり，工業化が進んだりした背景について，説明しよう。

↑1熱帯林を切り開いてつくられた牛の放牧地(ブラジル，パラ州，4月撮影)

声 牧場で働く人の話

ブラジルでは，北アメリカで肉牛の病気がはやってブラジル産牛肉の需要が急速に増えたときに，牧場の開発が進んだんだ。熱帯林を伐採して牧場をつくると，1～2年の間は牧草がよく育つのだけど，しだいに牧草の育ちが悪くなるんだよ。そうすると，その土地は放棄して，また森を切り開いて新しい放牧地をつくるんだ。

ブラジルの熱帯林は，どのようにして開発されているのかな？

4 ブラジルにみる開発と環境保全

学習課題 アマゾンをはじめとするブラジルにおける開発は，地域の環境や人々の生活にどのような影響を与えているのだろうか。

熱帯林の開発

ブラジルのアマゾン川流域は，長い間手つかずの自然が残る土地でした。しかし19世紀になると，中流域のマナオスを中心にゴムの大農園がつくられました。さらに20世紀後半には，経済を発展させる目的で大規模な開発が始まりました。→巻末3

例えば，鉱山を開発するために**熱帯林**が切り開かれ，鉄鉱石を運ぶための鉄道がつくられました。→巻末1 アマゾン盆地を横断する大きな道路が開通すると，道路沿いの熱帯林が広い範囲で切り出され，木材として世界各地へ輸出されました。伐採の跡地は牧場や農地に変えられ，肉牛が飼育されたり，大豆が栽培されたりしています。→巻末1 →巻末2 最近では，増えてきた電力需要に対応するため，アマゾン川の支流でダムの建設が進んでおり，熱帯林が水没するという問題もあります。→p.109

熱帯林の伐採による影響と保全の取り組み

熱帯の土壌はもともとやせており，ひとたび熱帯林が伐採されると，熱帯特有の強い雨によって養分が洗い流されてしまうので，その土地を元に戻すのは大変難しくなります。また，熱帯林の伐採によって，植物の光合成による二酸化炭素の吸収量が少なくなり，**地球温暖化**が進むと考えられています。→p.105 さらに，貴重な動植物が絶滅したり，先住

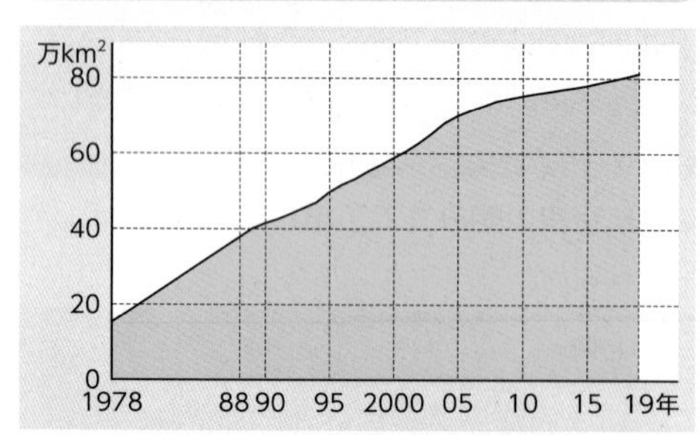

↑2アマゾンの森林伐採面積の累計〈INPE資料〉 **資料活用** 累計伐採面積は，日本の面積38万km²の約何倍にあたるのだろうか。

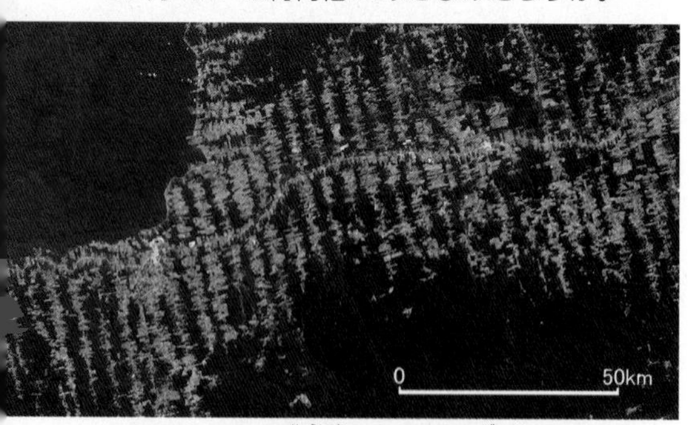

↑3アマゾン川流域の熱帯林の伐採(ブラジル，パラ州，2018年撮影) 整備された道路から外側に向かって延びる伐採の跡は，魚の骨のように見えるため，フィッシュボーンとよばれます。

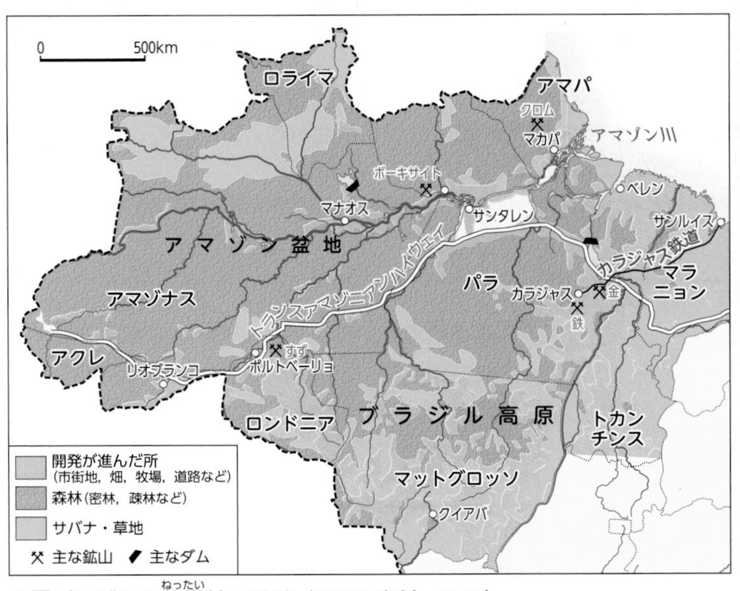

▲4 **ブラジルの熱帯林の開発**〈IBGE 資料，ほか〉

▲5 **さとうきび畑に囲まれた製糖・バイオ燃料精製工場**（ブラジル，サンパウロ州，リベイロンプレート，5月撮影） 土壌の流出を防ぐために，等高線に沿って帯状に さとうきび が作付けされています。

民の生活が脅かされたりすることも心配されます。→p.113

そこで，アマゾン川流域の熱帯林を将来にわたり保存するため，さまざまな取り組みが行われています。熱帯林の一部は，国立公園や世界遺産などの保護地域に指定され，開発が規制されるようになりました。また，違法な伐採を人工衛星から監視するしくみも導入され，それには日本の技術も生かされています。これらの取り組みの結果，違法な伐採は減ってきてはいますが，監視の目をすり抜けて木材を伐採する例は無くなってはいません。

環境保全をめぐる新たな課題

ブラジルでは，さとうきび を原料とする**バイオ燃料**（解説）で走る自動車が普及しており（6），二酸化炭素の排出量を抑える取り組みとして注目されています。燃料用の さとうきび の生産は，バイオ燃料を精製する工場が集中するサンパウロ州などの南東部で急増しています。→p.115しかし，さとうきび の生産を増やすために，草や木で覆われていた土地が開発されて農地になると，雨で土が削られてしまうなどの環境問題が起こります。そのため，等高線に沿うように畑を耕して，雨水がゆっくり流れるようにするなどの対策を行っていますが（5），土壌の流出はなかなか防げていません。

バイオ燃料の普及のように，環境に配慮した取り組み自体が，その土地のもともとの環境を崩してしまうこともあり，開発と保全のバランスをとることが課題となっています。

解説 バイオ燃料

さとうきび や とうもろこし など，主に植物を原料としてつくられる燃料です。大気中の二酸化炭素を吸収して光合成する植物を原料とするため，燃やしても計算上は大気中の二酸化炭素が増加せず，環境に優しいエネルギーとして注目されています。

▲6 **バイオ燃料が売られるガソリンスタンド**（ブラジル，リオデジャネイロ）

熱帯林がどのような目的で伐採されてきたのか，本文で確認しよう。

環境保全をめぐる新たな課題にはどのようなものがあるのか，説明しよう。

節の学習を振り返ろう

第5節 南アメリカ州

第5節の問い p.108～117

南アメリカ州では，農地や鉱山の開発が進むことによって，地域にどのような影響が生じているのだろうか。

1 学んだことを確かめよう ≫ 知識

1．A～Fにあてはまる国名を答えよう。
2．ⓐ～ⓔにあてはまる山脈名，河川名，高地・高原名を答えよう。
3．①～⑦にあてはまる語句を，下のキーワードや教科書を振り返りながら答えよう。

南アメリカの国々（→ p.112）
・言語や宗教などに残る ① の文化

豊富な鉱産資源（→ p.115）
・ブラジルの鉄鉱石，チリの ② ，ベネズエラやエクアドルの原油などは重要な輸出品

B の大平原（→ p.111, 114）
・ ⓔ 川の河口付近に広がる ③ とよばれる草原では，小麦の栽培や肉牛の放牧が盛ん

広大な熱帯林（→ p.110～111, 113, 115～117）
・先住民による ④ 農業
・開発が進み，伐採の跡地は牧場や農地などに変化
・ ⑤ を運ぶための鉄道やアマゾン盆地を横断する道路の建設

A（→ p.112～117）
・リオデジャネイロのカーニバルが有名
・ ⓓ 高原などではコーヒーの栽培だけでなく，油や飼料となる ⑥ の生産が増加
・工業では，鉄鋼や自動車，航空機などの重化学工業が発達
・経済成長の一方で，都市では ⑦ とよばれる居住環境の悪い地域も形成

ⓑ 川
F
ⓒ 高地
E
D
ⓓ 高原
A
ⓐ 山脈
B
C
ⓔ 川
0 1000km

▲1白地図を使ったまとめ

写真を振り返ろう

p.108～109の写真に関連した以下の文章を読んで，㋐～㋔にあてはまる語句を，キーワードから答えよう。

写真1の祭りは，ヨーロッパの文化が基になっています。背景には，ヨーロッパの人々が，もともと住んでいた ㋐ の文明を滅ぼして， ㋑ とした歴史があります。世界で最も流域面積の広い ㋒ が流れているブラジルは，長年，コーヒー豆の輸出に依存した ㋓ の国でした。近年は，写真7のように大豆を大規模に栽培しており，アメリカ合衆国などの ㋔ を行う企業が大量に買い付けています。

✓キーワード 意味を説明できた語句にチェックを入れよう。

- □アンデス山脈
- □アマゾン川
- □熱帯林
- □パンパ
- □先住民
- □植民地
- □奴隷
- □焼畑農業
- □プランテーション
- □モノカルチャー経済
- □アグリビジネス
- □鉱産資源
- □スラム
- □地球温暖化
- □バイオ燃料

2 「地理的な見方・考え方」を働かせて説明しよう ≫ 思考力，判断力，表現力

プラスの面

・コーヒー豆以外の多種類の農産物を輸出できるようになった

…伐採された熱帯林は，木材として輸出され，伐採の跡地では，肉牛が飼育されたり，大豆が栽培されたりしている

・鉱産資源の輸送のために，鉄道，電力，通信などの施設が整備され，工業でも利用できるようになった

・さとうきびの生産が急増し，環境に優しいバイオ燃料が普及した

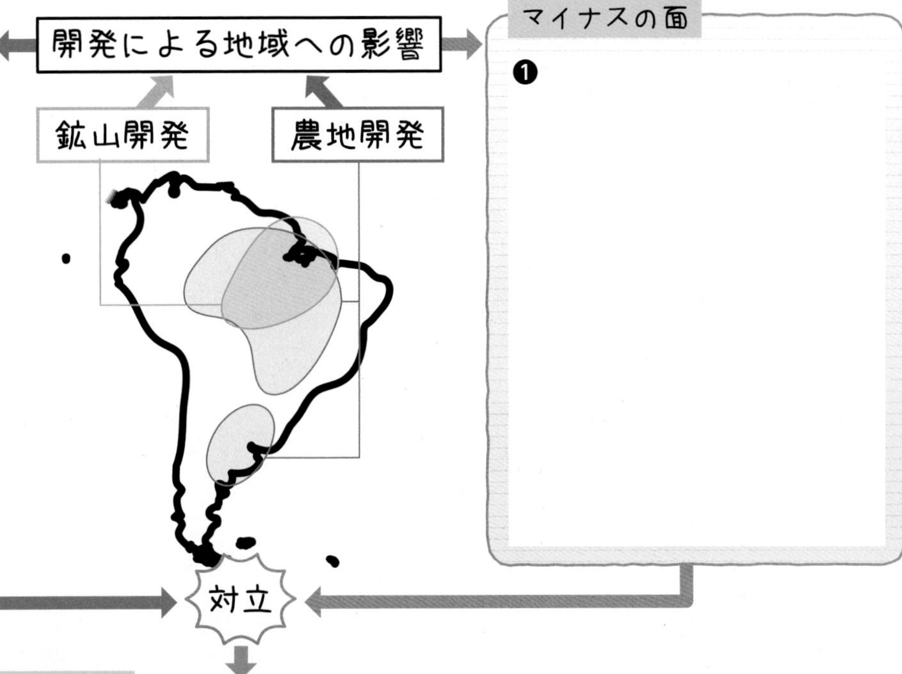

対立

自然環境の保全に向けた取り組み

・熱帯林の一部が国立公園や世界遺産などの保護地域に指定され，開発が規制された
・熱帯林の違法伐採を防ぐため，人工衛星から監視するしくみが導入された
・等高線に沿うように畑を耕して，雨による土壌の流出を防ぐ対策が行われている
・先住民の保護地区がつくられ，先住民の人々の暮らしを守る取り組みが行われている

▲2南アメリカ州における開発の影響(えいきょう)をブラジルを中心としてまとめた例

ステップ1 この州の特色と課題を整理しよう

南アメリカ州における，農地や鉱山(こうざん)の開発のマイナスの面について，p.118 のキーワードや教科書を振(ふ)り返りながら，図2の❶の空欄(くうらん)を埋(う)めよう。

ステップ2 「節の問い」への考えを説明しよう

作業1 鉱山の開発と工業化・都市化には，どのような関係があるのか，図2を参考に説明しよう。

作業2 南アメリカ州では，農地や鉱山の開発が進むことによって，地域にどのような影響(えいきょう)が生じているのだろうか。地理的な見方・考え方を働かせて，節の問いに対するあなたの考えを，「熱帯林(ねったいりん)」と「スラム」の語句(ごく)を使って説明しよう。

「節の問い」に関連が深い 見方・考え方
ほかの場所への影響，地域全体の傾向(けいこう)（→巻頭 7）

ステップ3 【発展】持続可能な社会に向けて考えよう

作業1 熱帯林の開発が進められている理由を，図2を参考に考えよう。

作業2 熱帯林の保全(ほぜん)と経済(けいざい)の発展(はってん)を両立するためには，どのような取り組みを行うとよいだろうか。「開発業者」，「先住民(せんじゅうみん)」，「ブラジル政府(せいふ)」のいずれかの立場で考えよう。

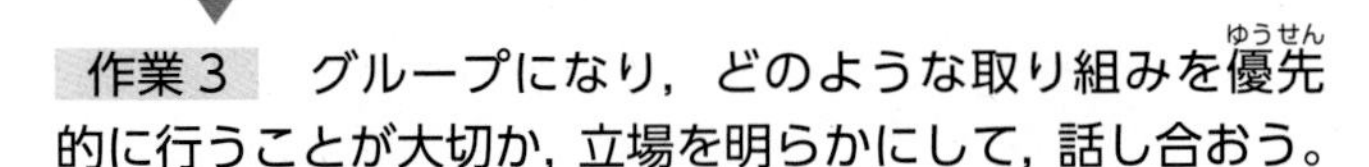

作業3 グループになり，どのような取り組みを優先(ゆうせん)的に行うことが大切か，立場を明らかにして，話し合おう。

私たちとの関わり

アマゾン川流域(りゅういき)の熱帯林の開発は，日本に住む私たちと，どのような関わりがあるのだろうか。農産物の輸入(ゆにゅう)や地球温暖化(ちきゅうおんだんか)という側面から考えよう。

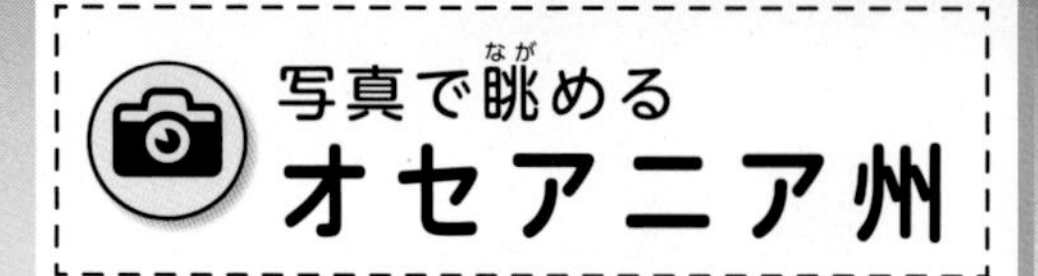

↑1ウルル(エアーズロック)(オーストラリア)　地上からの高さ約 350m, 周囲約 10km にもなる巨大な一枚岩で，先住民アボリジニの聖地です。 ➡ p.122, 125

探してみよう！

写真1～7の位置を，地図上で確認しよう。

↑2**コアラと触れ合う人々**（オーストラリア，アデレード）　オーストラリア大陸は，ほかの大陸から離れていたため，コアラやカンガルーなど，独自の進化を遂げた動物がいます。 ➡ p.122

←3**夏に氷河のトレッキングを楽しむ人々**（ニュージーランド，南島西部，1月撮影）　ニュージーランドでは，高い山や氷河など，豊かな自然が見られます。 ➡ p.122

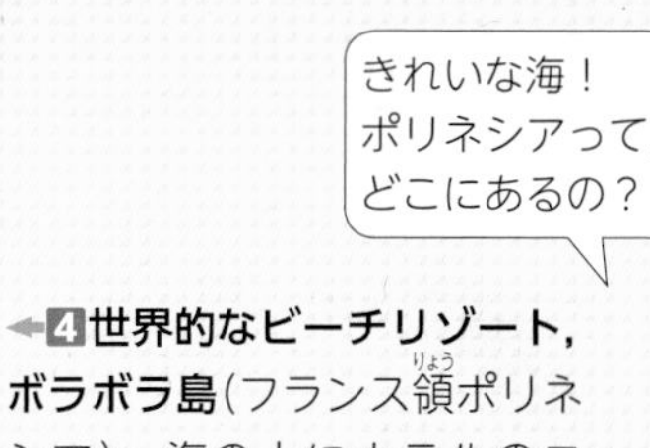

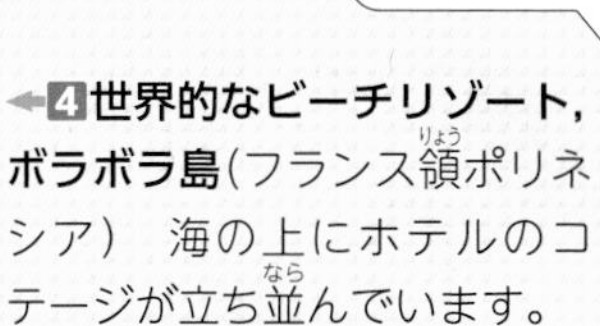

4世界的なビーチリゾート，ボラボラ島(フランス領ポリネシア)　海の上にホテルのコテージが立ち並んでいます。 ➔p.123

5ポリネシアンダンスを踊る人々(クック諸島) ➔p.123, 125

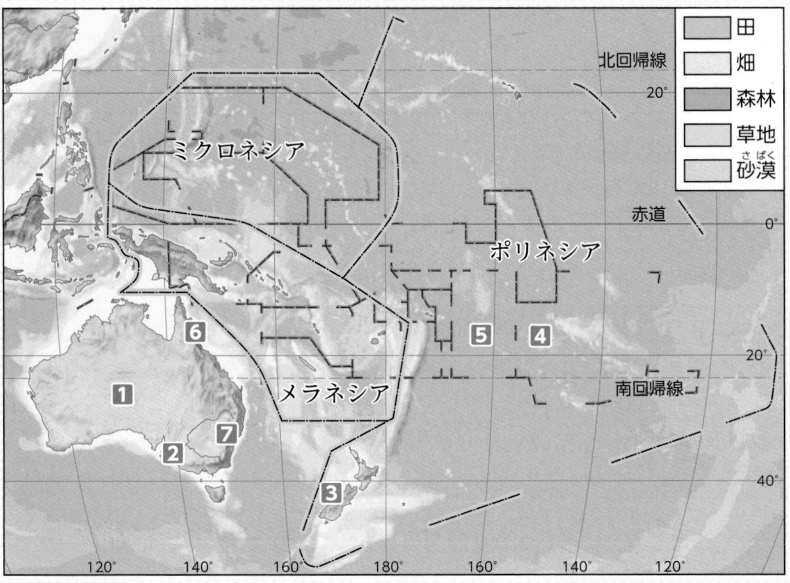

6伝統的な楽器を演奏するオーストラリアの先住民アボリジニ(オーストラリア，ケアンズ近郊) ➔p.125

7オセアニア州最大の都市，シドニー(オーストラリア，2017年撮影)
イギリス人がオーストラリアに初めて上陸した地です。 ➔p.124

第6節 オセアニア州

注目する地球的課題：多文化の共生

第6節の問い p.120〜127　オセアニア州では，他地域との関係が変化してきたことによって，地域にどのような影響が生じているのだろうか。

←1 太平洋に浮かぶサンゴ礁の島々(パラオ)
写真はロックアイランドとよばれるダイビングスポットで，世界遺産にも登録されています。

↑2 オーストラリア大陸周辺の自然

1 オセアニア州の自然環境

学習課題　オーストラリア大陸と太平洋の島々からなるオセアニア州では，地形や気候にどのような特色がみられるのだろうか。

オーストラリア大陸と太平洋の島々

オセアニア州はオーストラリア大陸をはじめ，ニュージーランド，パプアニューギニア，そして太平洋に位置する多くの島々を表す地域名です。さらに，ニュージーランドと太平洋の島々は，ミクロネシア，メラネシア，ポリネシアの三つの地域に分けられます。❶, →p.121

オーストラリア大陸は，大規模な地震や火山がない安定した地域で，その大部分は標高500m以下のなだらかな平原となっています。4 一方，ニュージーランドやパプアニューギニアは，日本と同じように地震や火山が多いので，たびたび大きな災害に見舞われます。→p.142 ニュージーランドでは，地熱発電や温泉を生かした観光が早くから行われてきました。また，ニュージーランドの南島には標高3000mを超える山々がいくつも連なっており，山々にある氷河がつくり出した雄大な自然景観は，観光資源にもなっています。→p.120

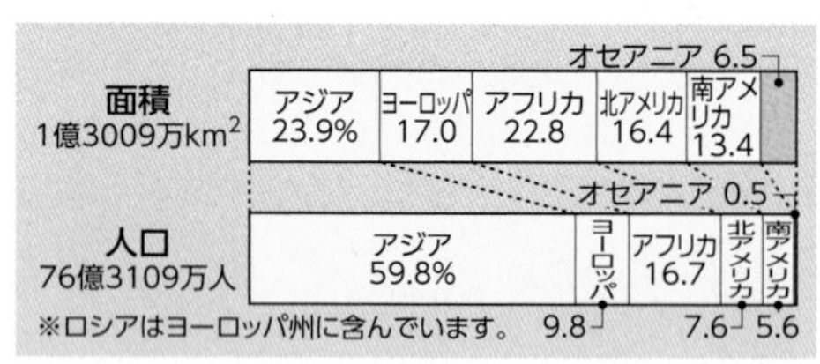

↑3 世界の面積・人口に占めるオセアニア州の割合(2018年)〈Demographic Yearbook 2018〉

❶ ミクロネシアは「小さい島々」，メラネシアは「黒い島々」，ポリネシアは「多くの島々」という意味です。

小学校●歴史●公民との関連　世界の大陸と海洋(小)，主な国の名称と位置(小)

▲**4オーストラリア内陸部の乾燥した大地**（アリススプリングス近郊，9月撮影） 内陸の荒野は，アウトバックとよばれています。

▲**5羊の放牧**（ニュージーランド，クインズタウン近郊，12月撮影）
資料活用 p.69の写真5と見比べよう。

未来に向けて

環境 地球温暖化による影響と危機

世界の海面はこの100年間で20cmほど上昇し，今世紀末までにさらに数十cm上昇すると予測されています。このことは太平洋にある標高の低いサンゴ礁でできた島々に暮らす人々にとって，深刻な危機として受け止められています。平均標高が1m余りしかないツバルでは，波による海岸侵食が激しさを増し，大潮のときには冠水の被害が広がるようになりました。そのためツバルでは，国際社会に対して，地球温暖化（→巻頭2，p.105）の原因となる温室効果ガス削減への取り組みを呼びかけています。

▲**6海面上昇によって冠水する集落**（ツバル，フナフティ）

太平洋には，火山活動によってできた火山島や発達した**サンゴ礁**に取り囲まれた島々があります。こうした島々には，美しい風景を求めて世界中から多くの観光客が訪れています。1 →p.120

オセアニアの気候

オーストラリア大陸は，年降水量500mm未満の地域が全体の3分の2を占めています。特に，内陸では降水量が極めて少なく，乾燥した草原や砂漠→p.126が広がっている→p.120ため，人口が非常に少ない地域となっています。その一方で，大陸の南東部や南西部は，比較的降水量が多い温暖湿潤気候や地中海性気候→p.29の地域となっており，農業も盛んに行われています。そのため，人口の大部分はこうした緑豊かな地域に集まっています。

ニュージーランドは，ヨーロッパの西部と同じ西岸海洋性気候→p.29, 69となっており，一年中適度な雨が降ります。このため，牧草がよく育ち，羊や牛などの牧畜→巻末1が盛んな国となっています。5

太平洋の島々の気候は，雨の多い熱帯の気候ですが，海からの風が湿気を和らげるため，一年中過ごしやすい気候となっています。

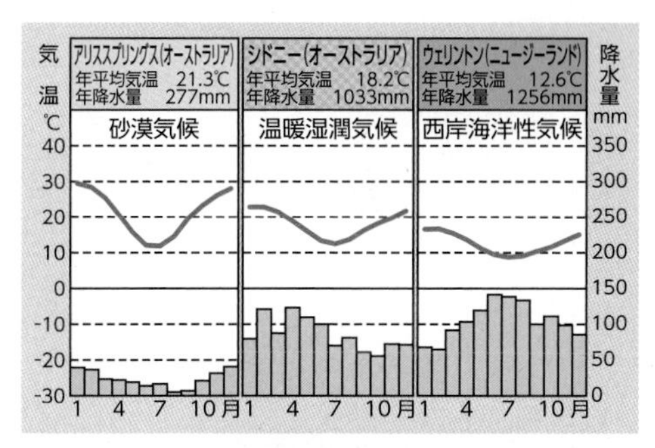

▲**7オセアニア州の主な都市の雨温図**〈理科年表 2020，ほか〉 資料活用 気温のグラフに注目して，南半球の夏の時期を確認しよう。

確認しよう オセアニア州の範囲を，p.121の地図で確認しよう。

説明しよう オセアニア州の地形と気候の特色について，オーストラリア大陸，ニュージーランド，太平洋の島々に分けて説明しよう。

↑1 植民地時代の なごり を残すヨーロッパ風の駅舎（オーストラリア，メルボルン，2017年撮影）

↑2 日曜礼拝のために教会に集まった人々（フィジー，ナンディ近郊）フィジーには，キリスト教を信仰している人々が多くいます。

国旗に共通しているデザインは，どこの国の国旗だろう？

オーストラリア

ニュージーランド

ツバル

フィジー

→3 オセアニアの国々の国旗

2 移民の歴史と多文化社会への歩み

学習課題 オーストラリアやニュージーランドをはじめとするオセアニアの社会は，どのような人々によって成り立っているのだろうか。

移民の歴史

オセアニア州には，国旗の中にイギリスの国旗が描かれている国や3，現在でもフランス領になっている地域があります。→p.121，122 また，ヨーロッパ風の建物や1，キリスト教の教会などが見られる都市が各地にあります2。これらは，オセアニアの国々が，20世紀初めまでイギリスやフランスなどの**植民地**→p.86だったことの なごり です。

オーストラリアは，18世紀後半にイギリスの植民地となった後，主にイギリスからの**移民**によって開拓が進められたので，第二次世界大戦の直後までは，国民の大多数がイギリス系でした。第二次世界大戦後には，労働力不足を解消するために，イタリアやギリシャなどイギリス以外のヨーロッパからの移民も多く受け入れることになりましたが，1970年代初めまではヨーロッパ以外からの移民は制限されていました❶。その後，ヨーロッパ諸国の少子化→p.155などにより，1970年代以降は移民政策が変更されたので，アジアやオセアニアの国々からの移民が増加してきています4。このように，ヨーロッパ諸国だけではなく，アジアも含めたさまざまな地域からの移民とその子孫が，オーストラリアの社会をつくりあげてきました。

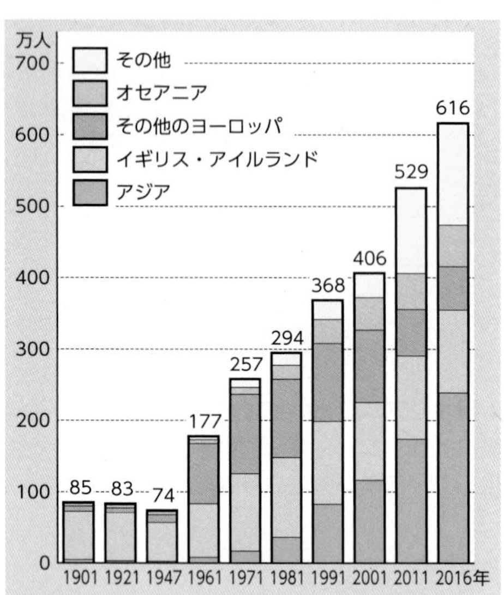

↑4 **オーストラリアに暮らす移民の出身地の変化**〈Australian Bureau of Statistics〉

資料活用 アジアからの移民の数が増えてきたのは何年ごろからだろうか。

❶ 1901年にオーストラリア連邦が成立した際に制定された，白人以外の移民を厳しく制限する政策は**白豪主義**とよばれましたが，1970年代に撤廃されました。

未来に向けて

共生　注目されるアボリジナルアート

オーストラリアの先住民アボリジニは，自然と人間の関係について独自の世界観をもっていますが，文字をもたなかったので，木の皮や岩に描いた絵，音楽(→p.121)などを通して，その文化を伝えてきました。特に絵は，信仰の対象である自然や生き物などを，点や線を使って抽象的に描いているものが多く，アボリジナルアートとよばれます。アボリジナルアートは，その芸術性の高さからさまざまな製品のデザインに利用されるなど，注目を集めています。

◀5 **アボリジナルアートが描かれたオーストラリアの航空会社の航空機**(オーストラリア，メルボルン)

▲▼6 **マオリの出陣の踊り「ハカ」**(上)**と試合前に「ハカ」を踊るラグビーニュージーランド代表**(下)　イギリス生まれのスポーツに，先住民の文化が融合した例です。

多文化社会への歩み

もともとイギリスの影響が強かったオーストラリアの社会は，イギリス以外のヨーロッパやアジア各地からの移民が増加したことによって，さまざまな文化を互いに尊重し合う**多文化社会**へと大きく変化しました。オーストラリアの公用語は英語だけですが，英語によって社会のまとまりを保つのと同時に，多文化に配慮したさまざまな取り組みが進められています。例えば，テレビ放送やラジオ放送においては英語以外の多言語放送が行われており，なかでもラジオは70近い言語で放送されています。また，学校教育においても，小学校の低学年からイタリア語やインドネシア語，日本語などの外国語の教育に力が入れられています。7 **アボリジニ**を中心とする先住民の人々も，多文化社会の大切な一員として，彼らの社会的・経済的地位の向上や，独自の伝統文化を尊重するための努力が続けられています。5, →p.121

ニュージーランドも，主にイギリスからの移民によって国づくりが進められましたが，英語と共に先住民**マオリ**の言語が公用語とされ，国会でマオリの議席が確保されるなど，多文化社会の一員としてのマオリの文化や社会的地位を守る取り組みが進められています。6 また，オークランドなどの大きな都市では，マオリと共通の文化をもつポリネシアの島々からの移民も増えてきています。

▲7 **小学校で日本語を学ぶ子どもたち**(オーストラリア，ブリズベン，2018年撮影)　写真は小学2年生の教室です。

オーストラリアへ移住する人の出身地はどのように変化してきたのか，図4や本文で確認しよう。

オーストラリアやニュージーランドにおける，多文化に配慮した取り組みを説明しよう。

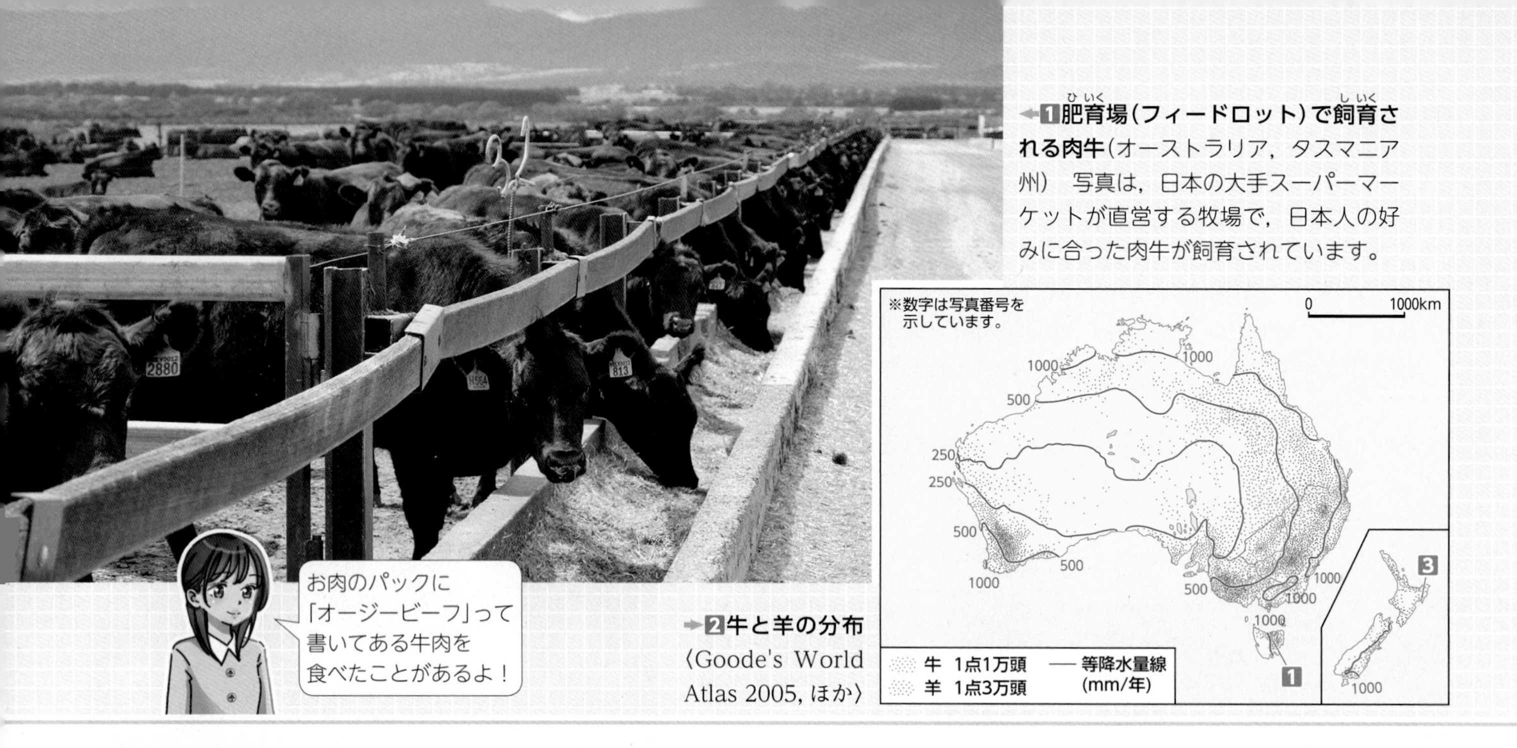

1 肥育場（フィードロット）で飼育される肉牛（オーストラリア，タスマニア州） 写真は，日本の大手スーパーマーケットが直営する牧場で，日本人の好みに合った肉牛が飼育されています。

2 牛と羊の分布〈Goode's World Atlas 2005, ほか〉

3 他地域と結び付いて発展する産業

学習課題 オーストラリアをはじめとするオセアニアの国々は，他地域と結び付いて，どのように産業を発展させてきたのだろうか。

自然環境を生かした農業

オーストラリアでは，肉牛の飼育が盛んです。→巻末1 肉牛は，降水量に恵まれる南東部では肥育場（フィードロット）→p.101で飼育され[1]，乾燥の厳しい内陸部→p.123では放牧で飼育されています[2]。オーストラリアで育てられた牛の肉は「オージービーフ」という名前で日本などに輸出され，現在，小麦→巻末2とともにオーストラリアを代表する輸出品になっています。また，南東部や南西部では羊毛用の羊→巻末1が飼育されていますが[2]，化学繊維が発達した今日では，羊毛の生産は減ってきています。

ニュージーランドは，一年中適度な雨が降るため，乳牛や肉用の羊の飼育が盛んで→p.123，乳製品や羊肉が重要な輸出品となっています。

南半球にあるオセアニアでは，北半球と季節が逆であることを生かした農業も盛んです。北半球の国々の端境期❶に合わせて，オーストラリアの南東部ではアスパラガスや ぶどう などが，ニュージーランドでは かぼちゃ などが栽培され[3]，日本などに輸出されています[4]。

3 収穫された輸出用の かぼちゃ（ニュージーランド，ギスボーン，1月撮影）

❶ その年の作物が出始める直前の時期で，市場の流通量が最も少なくなる時期のことです。

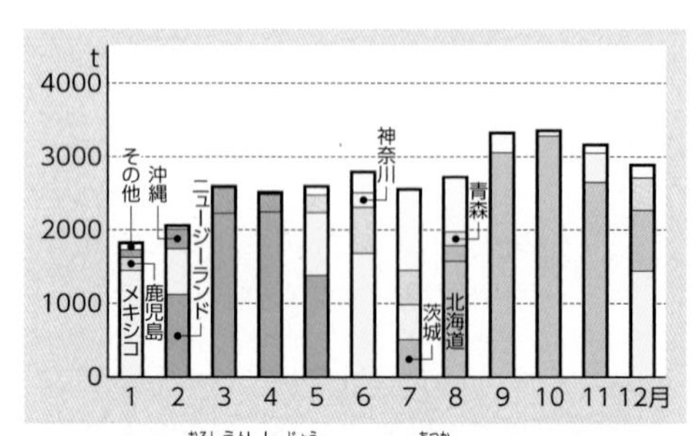

4 東京の卸売市場で取り扱われる かぼちゃ の産地（2019年）〈東京都中央卸売市場資料〉

鉱産資源の輸出が盛んなオーストラリア

オーストラリアには，鉄鉱石→巻末1や石炭→巻末1，アルミニウムの原料となるボーキサイトなどの**鉱産資源**が豊富にあります。鉄鉱石は主に北西部，石炭は主に北東部・南東部で採掘され[5,6]，鉄道で港に運ばれた後，日本や中国，

 小学校●歴史●公民との関連 グローバル化（公），アジアの経済成長（歴）

オーストラリアの鉱山で働く人の話

私は，マウントホエールバックという鉱山で働いているんだ。鉱山がある場所は人が暮らすには厳しい砂漠気候だから，家族は 1000km 以上離れた都市パースに住んでいるよ。パースから飛行機に乗って鉱山に来て，1 週間働いて，次の週はパースに戻って家族と 1 週間過ごすサイクルで生活しているよ。

5 鉄鉱石の露天掘り（オーストラリア，マウントホエールバック） 地表を削って掘り下げていく露天掘りは，効率のよい採掘方法です。

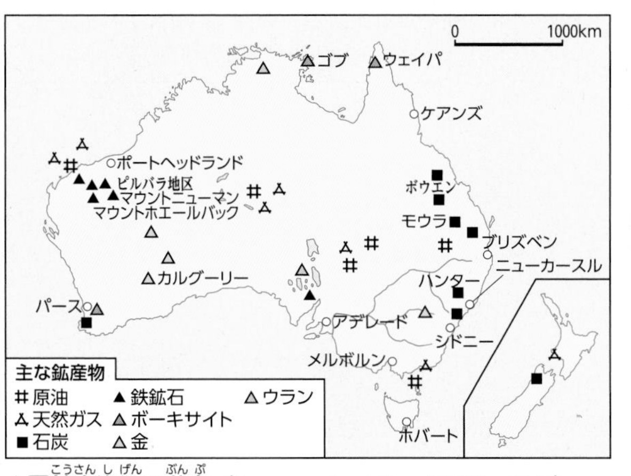

6 鉱産資源の分布〈Jacaranda Atlas 2007，ほか〉

7 増加するアジア人観光客（オーストラリア，ブリズベン，2015 年撮影）

韓国などに向けて輸出されています。

オーストラリアは，輸出相手国の企業と協力することによって，早くから鉱産資源の開発を進めてきました。北西部のピルバラ地区における鉄鉱石の開発や，現在，生産が伸びている天然ガスの開発でも，日本などの外国企業が重要な役割を担っています。

アジアとの結び付きを強めるオセアニア

近年，観光だけでなく，修学旅行や留学，仕事などで，オーストラリアやニュージーランドとアジアの国々との人の交流が活発になっています。7,8 また，太平洋の島々では，観光業が重要な産業となっており，毎年，日本や韓国などからも多くの観光客が訪れます。

現在，オーストラリアをはじめとするオセアニアの国々にとって，ヨーロッパよりも距離が近く人口も多い中国や日本などのアジア諸国は，重要な貿易相手国です。9 そのため，例えばオーストラリアと日本との間では，輸出や輸入にかかる税金を下げる協定を結び，より活発な貿易が行えるようにしています。また，アジア太平洋経済協力（APEC）などのつながりによって，幅広い経済活動を通して，アジアとの結び付きを強めようとしています。

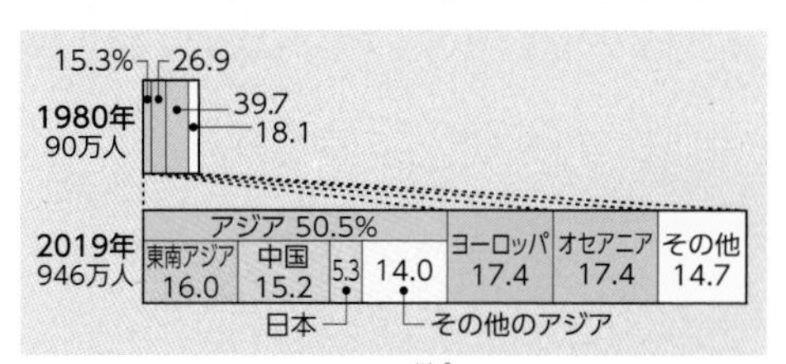

8 オーストラリアを訪れる観光客の変化
〈Australian Bureau of Statistics，ほか〉

年	合計	貿易相手国（%）
1965年	63億ドル	イギリス 22.1，アメリカ合衆国 17.3，日本 12.9，西ドイツ 4.4，ニュージーランド 3.8，その他 39.5
1985年	459億ドル	日本 24.5，アメリカ合衆国 14.9，イギリス 5.1，西ドイツ 4.5，ニュージーランド 4.1，その他 46.9
2018年	4883億ドル	中国 29.8，日本 12.0，アメリカ合衆国 7.0，韓国 5.7，インド 3.4，その他 42.1

9 オーストラリアの貿易相手国の変化〈UN Comtrade〉 **資料活用** 主な貿易相手国はどのように変化してきたのだろうか。

確認しよう：オーストラリアやニュージーランドで，輸出用に生産されている農産物や鉱産物を挙げよう。

説明しよう：オセアニアとアジアの結び付きが強まってきた理由について説明しよう。

節の学習を振り返ろう

第6節 オセアニア州

第6節の問い p.120〜127　オセアニア州では，他地域との関係が変化してきたことによって，地域にどのような影響が生じているのだろうか。

1 学んだことを確かめよう ≫ 知識

1．AとBにあてはまる国名を答えよう。
2．ⓐ〜ⓒにあてはまる地域名を答えよう。
3．①〜⑧にあてはまる語句を，下のキーワードや教科書を振り返りながら答えよう。

太平洋の島々（→ p.122 〜 123, 127）
- 三つの地域に分けられる
- 火山島やサンゴ礁に取り囲まれた島々
- 観光業が重要な産業

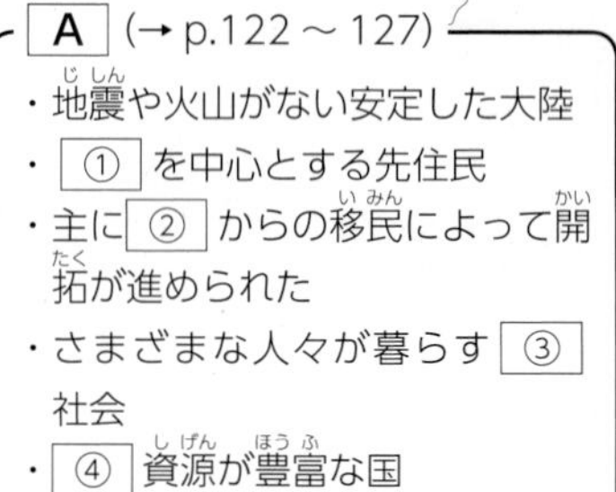

A（→ p.122 〜 127）
- 地震や火山がない安定した大陸
- ① を中心とする先住民
- 主に ② からの移民によって開拓が進められた
- さまざまな人々が暮らす ③ 社会
- ④ 資源が豊富な国
- 近年，アジアとの結び付きを強めている

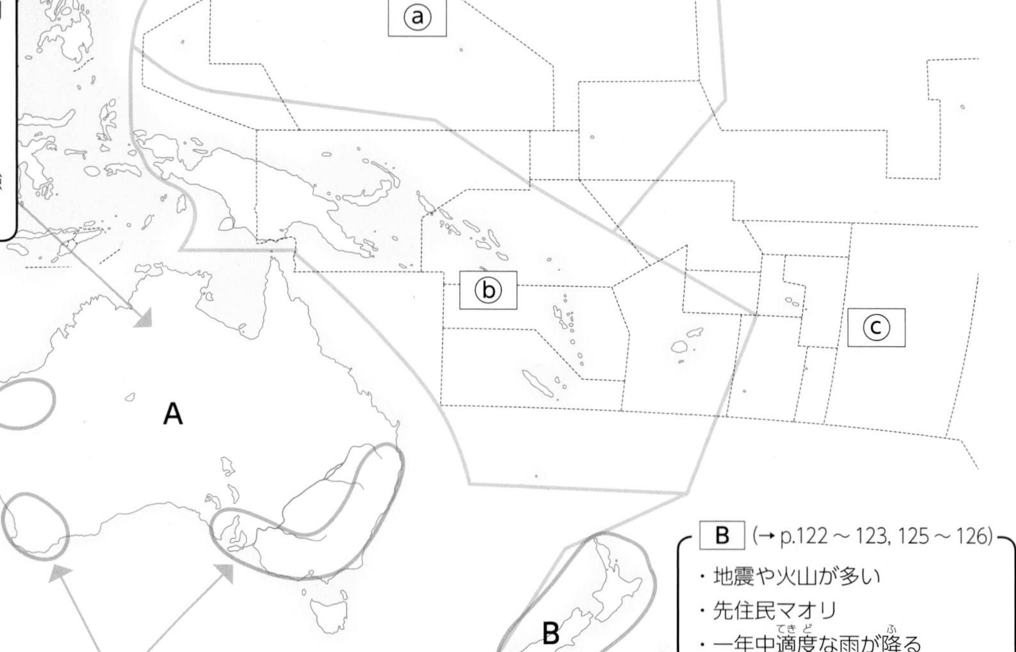

B（→ p.122 〜 123, 125 〜 126）
- 地震や火山が多い
- 先住民マオリ
- 一年中適度な雨が降る
- ⑧ と肉用の羊の飼育が盛ん

北西部（→ p.126 〜 127）
- ⑤ の鉱山が集中
- 大規模な ⑥ という効率のよい採掘方法
- 日本や中国，韓国などに向けて輸出

人口が集中している地域（→ p.123, 126）
- 降水量が多く農業が盛ん
- ⑦ の飼育が盛ん

↑1白地図を使ったまとめ

写真を振り返ろう

p.120 〜 121 の写真に関連した以下の文章を読んで，㋐〜㋓にあてはまる語句を，キーワードから答えよう。

オセアニア州は，写真1のように，乾燥した草原や砂漠が広がるオーストラリア大陸と，写真4のように，太平洋に浮かぶ火山島や ㋐ に囲まれた島々からなります。かつてヨーロッパの国々の ㋑ だったので，さまざまな地域からの ㋒ が暮らし，互いの文化を尊重し合う ㋓ となっています。

✓キーワード　意味を説明できた語句にチェックを入れよう。

- □サンゴ礁
- □植民地
- □移民
- □白豪主義
- □多文化社会
- □アボリジニ
- □マオリ
- □鉱産資源
- □APEC

2 「地理的な見方・考え方」を働かせて説明しよう ≫ 思考力，判断力，表現力

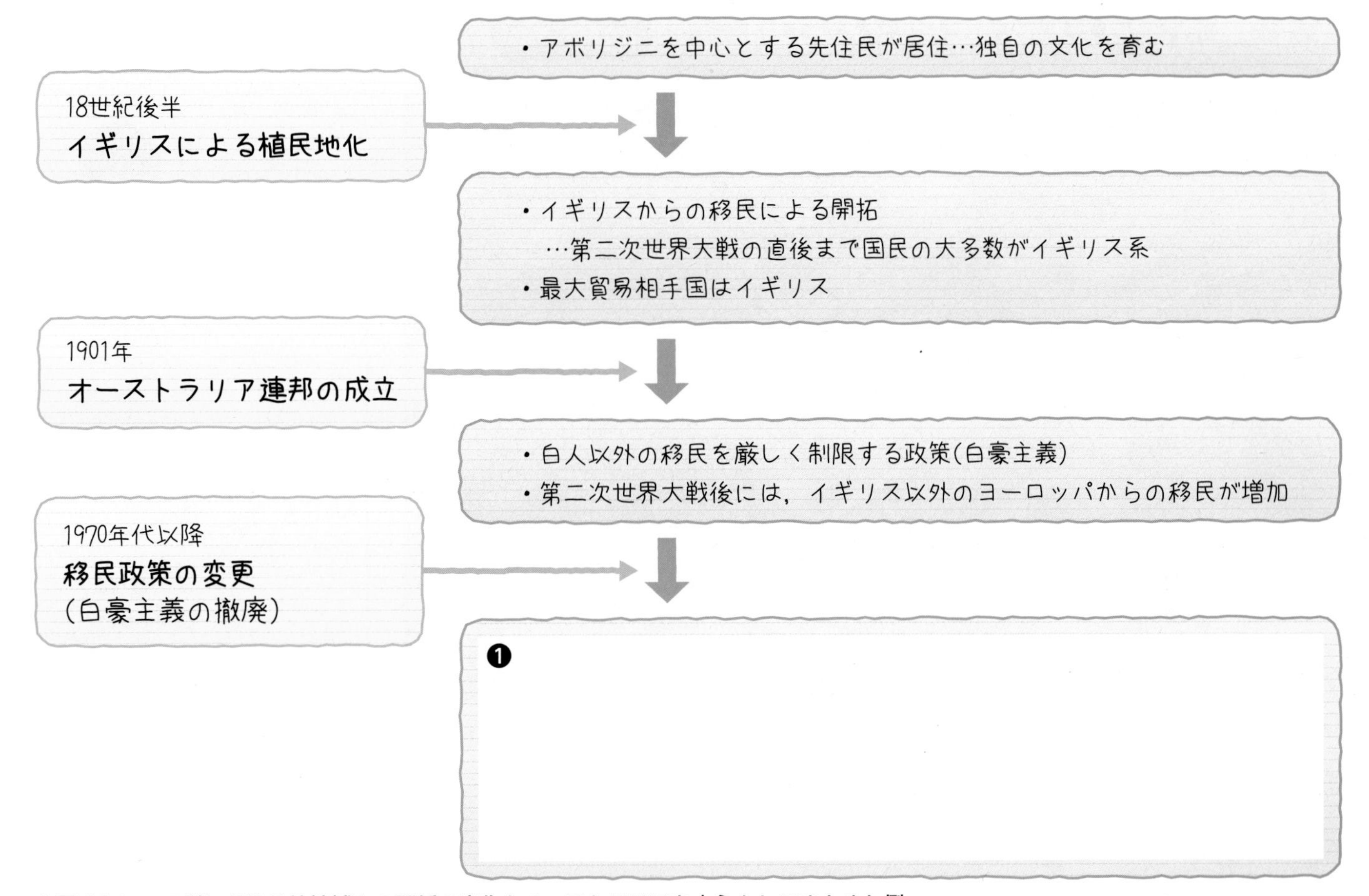

2オセアニア州における他地域との関係の変化をオーストラリアを中心としてまとめた例

ステップ1 この州の特色と課題を整理しよう

オーストラリアにおける，移民政策の変更後の他地域との関係について，p.128のキーワードや教科書を振り返りながら，図2の❶の空欄を埋めよう。

ステップ2 「節の問い」への考えを説明しよう

作業1　現在のオーストラリアには，どのような人々が暮らしているのか，図2を参考に説明しよう。

作業2　オセアニア州では，他地域との関係が変化してきたことによって，地域にどのような影響が生じているのだろうか。地理的な見方・考え方を働かせて，節の問いに対するあなたの考えを，「多文化社会」と「アジア」の語句を使って説明しよう。

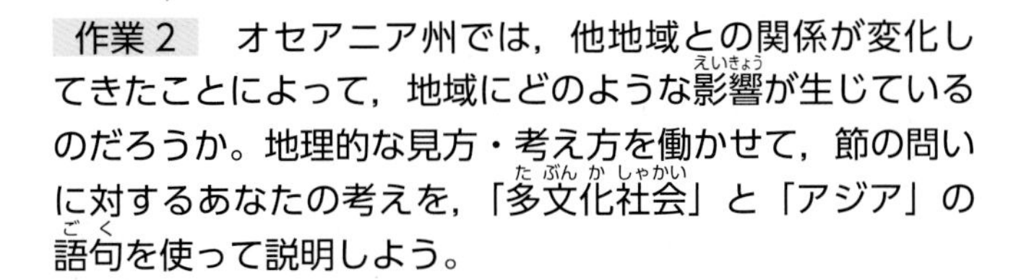

ステップ3 【発展】持続可能な社会に向けて考えよう

作業1　多文化社会となっているオーストラリアでは，かつて，どのような課題を抱えていたのだろうか。図2を参考に考えよう。

作業2　多文化社会を維持・発展させるためには，どのような取り組みを行うとよいだろうか。「先住民」，「移住してきた人々の子孫」，「近年に移住してきた人」のいずれかの立場で考えよう。

作業3　グループになり，どのような取り組みを優先的に行うことが大切か，立場を明らかにして，話し合おう。

私たちとの関わり

日本には，外国からどのくらいの人数の人々がやって来ているのだろうか。p.45の表7で確認しよう。

第3部 日本のさまざまな地域

第1章 身近な地域の調査

第1章の問い p.130〜141　身近な地域の様子を調べるには，どのような方法があるのだろうか。

1空から見た学校の周りの様子（東京都，練馬区）

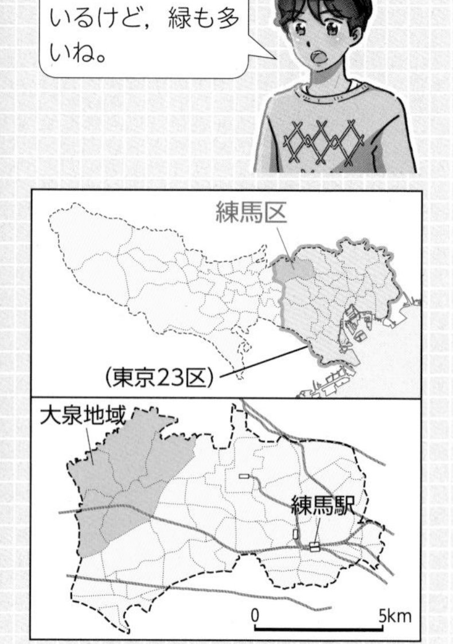

2東京都練馬区大泉地域の位置

1 調査テーマを決めよう

学習課題　調査テーマは，どのように決めるとよいのだろうか。

地域を眺めよう　小学校では，位置や土地利用，交通の広がりなどに着目して，身近な市区町村の様子について学習しました。

中学校では，それらの学習を生かしながら，私たちの学校周辺の地域を歩いて地図を作成したり，地域の統計資料を集めて分析したり，統計資料からグラフを作成したりして，学校周辺の地域にはどのような特色があるのかを明らかにしていきます。

例えば，写真1を見ると，高速道路などの広い道路が交差していることや，住宅地の中に多くの緑地があることに気付きます。また，地形図や「地理院地図」→p.137などの地図を使うと，台地や低地の広がりや，ほかの都市との結び付きなどに気付くことができます。

調査テーマを決めよう　気付いたことをいくつか挙げられたら，図4で示した六つの視点を活用しながら分類し，疑問に思ったことを書き出しましょう。そして，疑問を組み合わせたり，まとめたりしながら，身近な地域を調査するためのテーマを決めて

【町を歩いて気付いたこと，疑問点】
・新しい住宅地が多いのはなぜだろうか。
・住宅地の周りの畑では，何が栽培されているのだろうか。
・新しい住宅地ができる前の土地は，何に利用されていたのだろうか。
↓
【調査テーマ】
学校周辺の地域の町並みは，どのように変化してきたのだろうか。

3疑問を整理して調査テーマを決めた例

視点1：自然環境…位置や分布，人と自然の関係などに注目しよう

地形…平野，盆地，山地／川や山の位置／土地の高さ・低さ／海岸線／自然災害など
気候…気温／降水量，積雪／季節による違い／自然災害など

練馬区大泉地域の例
川沿いの公園の下は調節池になっていたよ。

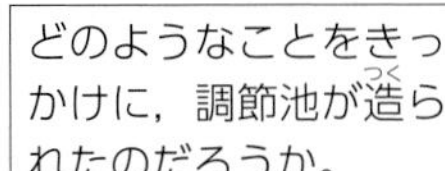

どのようなことをきっかけに，調節池が造られたのだろうか。

視点2：人口や都市・村落…分布，その場所の特徴などに注目しよう

人口…人口分布／人口の変化／年齢別人口の割合／過疎・過密の問題など
都市・村落…市街地の広がりや変化／ニュータウン／通学・通勤先など

練馬区大泉地域の例
新しい家が立ち並んでいたよ。

なぜ，新しい家やマンションが増えているのだろうか。

視点3：産業…分布，人と自然の関係などに注目しよう

農業…主な農産物／田や畑の分布／主な出荷先／農業産出額の変化など
工業…主な工業製品／工場や工業団地の分布／工業出荷額の変化など
その他…観光業／林業／漁業／商業など

練馬区大泉地域の例
住宅地の一角に，畑が広がっていたよ。

なぜ，住宅地の中で野菜作りが行われているのだろうか。

視点4：交通や通信…位置，ほかの場所への影響などに注目しよう

交通…主な道路，鉄道・バス路線，高速道路の位置や変化／人や物の動きなど
通信…インターネットなどの通信を使った取り組み など

練馬区大泉地域の例
新しい道路を造っていたよ。

高速道路によって，どのような地域と結び付いているのだろうか。

視点5：環境保全…分布，人と自然の関係などに注目しよう

環境問題…水質汚濁／大気汚染／ごみ問題／産業廃棄物の問題など
環境保全…公園・緑地の分布／市町村や住民ボランティアの取り組みなど

練馬区大泉地域の例
公園に湧き水があったよ。

自然豊かな公園や緑地は，どのように保全されてきたのだろうか。

視点6：生活・文化…位置，その場所の特徴などに注目しよう

生活・文化…生活の様子／商店街・市場の様子／祭り・伝統行事の継承／伝統料理／伝統的な家屋／伝統的工芸品／都市化や近代化による変化／町並み保存の取り組み など

練馬区大泉地域の例
駅に「アニメのまち」って書いてあったよ。

なぜ，「アニメのまち」とよばれるようになったのだろうか。

▲4 身近な地域を調査する際の視点と気付き・疑問の例

いきましょう。その際，なぜその**調査テーマ**を決めたのか，調査では何を明らかにしたいのか，理由や目的を明確にしておくことが大切です。

調査テーマの仮説を立てよう

調査テーマを決められたら，調査の見通しをもつために，調査テーマに対する予想を立てましょう。予想を立てることは，調査の**仮説**を立てる，ともいいます。日常生活での経験を基にしたり，小学校や中学校で学んだことを生かしたりして，仮説を立てましょう。また，地図帳や図書室の本，ウェブサイトなどを参考にすることも有効な方法です。

- 「これを調べてみたい」という意欲や興味・関心がある調査テーマになっているか。
- 図4の視点の例を基に，「どのように」や「なぜ」を追究できる調査テーマになっているか。
- 調査テーマは具体的で，時間内に調べられるものになっているか。
- 調査テーマを追究する資料は，集められる見込みがあるか。
- 調査した結果をまとめるときに，地図に表現することは可能か。

▲5 調査を始める前に見直すとよい注意点

ひろとさんのグループの調査例

調査テーマ 練馬区の人口の変化と農業との関わり
～学校周辺の地域の町並みは，どのように変化してきたのだろうか～

調査テーマに対する仮説

1. 多くの鉄道路線やバス路線があり，通勤や通学に便利なので，引っ越してくる人が多いのではないか。
2. 昔，広がっていた畑が住宅地に変わったのではないか。

調査項目と調査方法

調査計画書
2年 ○組 Aグループ
調査テーマ 練馬区の人口の変化と農業との関わり
～学校周辺の地域の町並みは，どのように変化してきたのだろうか～
調査で確かめたいこと
1. 昔は学校の周りに畑が広がっていたのか。
2. 練馬区の人口はいつごろから増えたのか。
3. 練馬区全体で畑が減っているのか。

調査方法
1. 野外観察…学校の周りの道路の様子や新しい住宅地の場所を調べる。
2. 聞き取り調査…農家の人に農業が盛んな理由や土地利用の変化について尋ねたり，引っ越してきた人にその理由を尋ねたりする。
3. 地形図や地図，写真の活用…昔と今の地域の姿を比べる。
4. 文献資料・統計資料の活用…人口の変化などの統計を調べる。地域の歴史が書かれた本を調べる。

1 調査計画書の例

1. 野外調査の前に決めておくこと
・調査方法を考え，野外観察と聞き取り調査のどちらがよいか，または両方が必要かを決める。
【野外観察】
・調査テーマに対する仮説を確かめられそうな観察場所を決め，ルートマップを作る（→p.133）。
【聞き取り調査】（→p.139）
・訪ねる相手と質問したい内容を決め，質問事項をまとめる。
・学校名や名前，調査の目的を伝え，伺う日時を相談する。

2. 持ち物を準備する
・ルートマップ，筆記用具，調査ノート，カメラやビデオカメラなど。

3. 野外調査をする
【野外観察】（→p.138）
・観察したことを調査ノートに書き込む。
・見つけたものをスケッチや写真で記録する。
・観察した地点をルートマップに記録する。
【聞き取り調査】（→p.139）
・マナーに気を付け，質問事項に沿ってインタビューをする。
・予想と違った答えが返ってきたら，その理由を聞く。

4. 学校に戻り，調べた結果をまとめる

2 野外調査の手順

2 調査方法を考えよう

学習課題 調査テーマを追究するためには，どのようなことを，どのように調べればよいのだろうか。

調査項目と調査方法を考えよう

調査テーマに対して，さまざまな仮説を立てられたら，確かめたいこと（**調査項目**）を決めましょう。例えば，東京都練馬区の人口の変化と農業との関わりについて調査する場合には，立てた予想を基に，人口と耕地面積の変化について調べたり，農業が盛んになった理由や農業を営む人の生活について調べたりするなどの調査項目が考えられます。

調査項目が設定できたら，**調査方法**を考えましょう。調査方法には，野外調査や文献調査などがあります。→p.140 身近な地域を調査する場合は，実際に野外に出て観察したり，地域の人々から聞き取ったりするなどの野外調査を行います。また，身近な地域についての情報は，市区町村の役所・役場や図書館などにある文献でも調査することができます。それぞれの調査方法のよい点，悪い点を踏まえて，5

3 ルートマップを作成している様子

技能をみがく 12 ルートマップの作り方

野外調査を手順よく進めるために，事前に歩く道順を考えて，地図にその道順などを書き入れたルートマップを作成しておきましょう。野外調査では，ルートマップを見ながら歩き，観察した場所をルートマップに記録していくため，できるだけ縮尺の大きな地図を用いてルートマップを作成すると便利です。

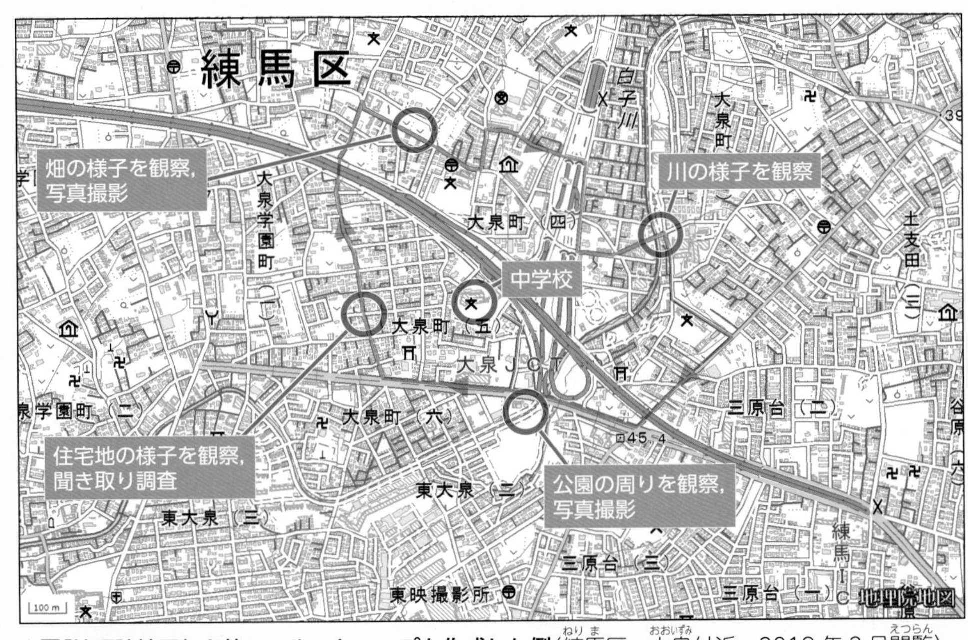

1. 地図は，目印となる建物や土地利用の様子が分かりやすい２万５千分の１地形図や「地理院地図」（→p.137），道路地図，都市計画図などを利用する。
2. 出かける前に歩く道順を考えて，地図にかき入れる。
3. 観察した場所，写真を撮影した場所などをルートマップに記録する。

▲4「地理院地図」を使ってルートマップを作成した例（練馬区，大泉付近，2019年２月閲覧）
〈国土地理院 地理院地図〉

効果的な調査方法を考えましょう。

調査項目と調査方法が決まったら，調査テーマなどの情報と共に，**調査計画書**の形に整理しましょう。[1] これがあると，調査項目や調査方法が一目で分かるため，調査の途中で振り返るときに役立ちます。

野外調査の準備をしよう

身近な地域の調査で最も大切な調査は**野外調査**（**フィールドワーク**）です。[2] 野外での実際の調査活動は，身近な地域についての疑問を解決するために欠かせない調査です。野外調査には，野外観察や聞き取り調査があり，いずれも事前の準備が大切です。→p.139 野外観察をする際には，いつ，どこへ，どのような道順で，何を目的として調査に向かうのか，などを一枚の地図の中にかき込んだ**ルートマップ**[3,4]などを事前に作成しておくと，実際の調査の際に役立ちます。また，聞き取り調査を行う場合には，いつ，誰に，何を聞き取るのか，などを調査ノートにまとめて，訪ねる相手の方と連絡を取り合っておきましょう。→p.139

○…よい点，▲…悪い点

野外調査

【野外観察】
○現地の今の様子を直接確認し，仮説を実証できる。
▲時間帯や天候によって，得られる情報に違いが生じることがある。

【聞き取り調査】
○現地の人の声を直接伺い，仮説を実証できる。
▲個人的な意見の蓄積になる可能性がある。

文献調査
○統計資料など，一般化された情報を得ることができる。
▲調査項目によっては文献資料がないことがある。
▲最新の情報ではないことがある。

▲5各調査方法の主なよい点と悪い点

地形図の使い方① 〜縮尺と地図記号〜

地形図は，土地の高低や土地の使われ方，道路や建物，市町村の境など，さまざまな地表面の情報を，規則に従って表現した地図です。地形図は，国の機関である**国土地理院**から発行されています。

実際の距離を縮小した割合のことを**縮尺**といいます。地形図には，５万分の１や２万５千分の１などの縮尺があります。縮尺が異なると，同じ範囲を示す地形図でも大きさが異なり(図3, 5)，掲載する要素も変わってきます。また，地形図上で同じ1cmの長さでも，実際の距離は異なります(表2)。

地形図の要素には，土地の使われ方や建物などのように，実際に目に見えるものと，土地の高さや市町村の境などのように，実際には目に見えないものがあります。いずれの要素も地形図上では，**地図記号**で示されています(図1)。地図記号は，地形図の種類や発行時期によって違いがあるため，凡例を確認するようにしましょう。

やってみよう

1. 表2と図3の空欄にあてはまる数値を求めよう。
2. 図5の一辺は，図3の一辺と比べて何倍になっているか求めよう。また，面積は何倍になっているか求めよう。

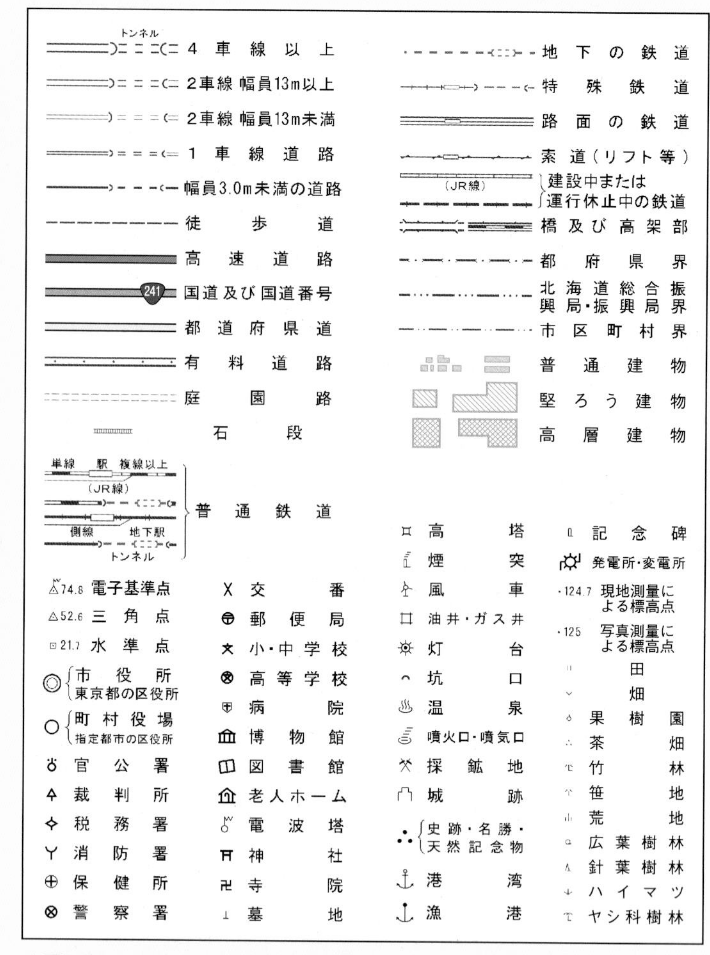

1 2万5千分の1地形図の記号 －平成25年図式－

縮尺	5万分の1	2万5千分の1
地図上の長さ	0 500m 1cm	0 250m 1cm
地図上の1cmは，実際の距離では何mか	1cm×50000 =50000cm =500m	1cm×25000 =25000cm =250m
1kmは，地図上では何cmか	1km=1000m =1000m÷500m 答：[ ]cm	1km=1000m =1000m÷250m 答：[ ]cm

2 縮尺と実際の距離との関係

3 5万分の1地形図〈「丸亀」平成11年修正〉

地形図の入手方法

紙の地形図は，日本地図センターや大きな書店などで購入できます。また，最新の２万５千分の１地形図は「電子地形図25000」としてデジタル化されており，指定した範囲を国土地理院のウェブサイトから購入できます。

やってみよう

1. 右の文章は，丸亀駅から高等学校までの道を説明しています。図5でルートをたどり，地図記号を読み取りながら，右の文章の①～④にあてはまる施設名を答えよう。
2. 図5のA－B間の長さを測り，A－B間の実際の距離は何mになるか，計算しよう。
3. 写真4のあ～うは，図5中のa～cの地点のうち，どの地点の風景だろうか。写真に写っている建物や，図5中の地図記号をヒントに考えよう。

JR線の丸亀駅の西側には，交番や ① があります。交番や ① を右側に見ながら，大きな通りをまっすぐ進むと，左側に郵便局が，左側と右側に ② が見えてきます。さらに進むと，左側に別の郵便局が見えてきます。その角を左に曲がると，左側に ③ や官公署が見えてきます。左奥に見える税務署や ④ を越えると，高等学校にたどり着きます。

◀4 地形図中のいくつかの地点の風景

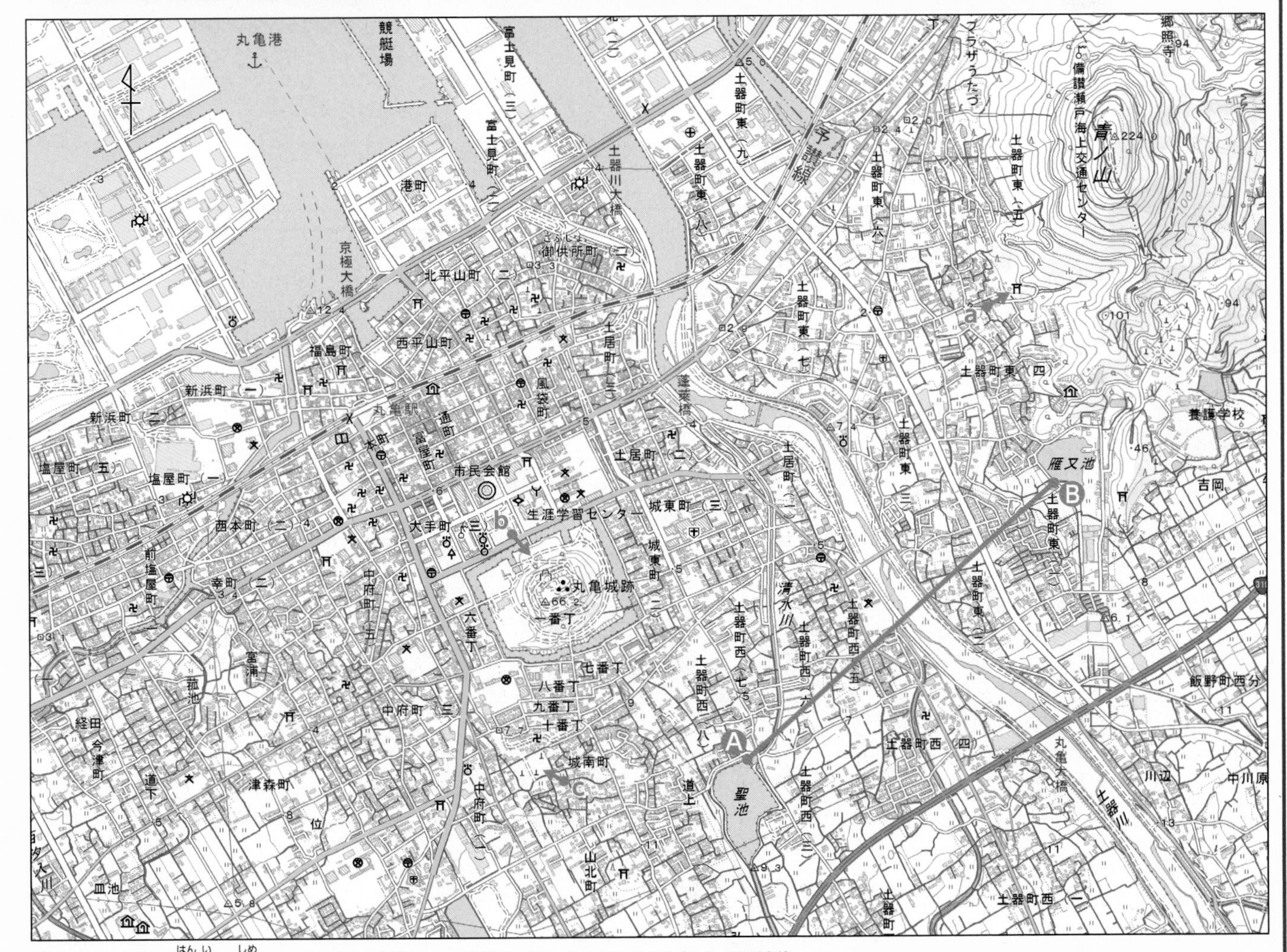

▲5 図3と同じ範囲を示した2万5千分の1地形図〈「丸亀」平成31年1月調製〉

技能をみがく 14 地形図の使い方② ～等高線と断面図～

地形図には，土地の起伏を表すために，地表の同じ高さの所を線で結んだ**等高線**が描かれています。等高線には，表**1**のように種類があり，その種類によって間隔が異なります。等高線の間隔が広いほど地表の傾斜は緩やかで，等高線の間隔が狭いと傾斜が急になります。山頂や等高線の途中にある数字は，その場所の標高を示しています。

種類＼縮尺	5万分の1	2万5千分の1	記号
計曲線	100mごと	50mごと	――――
主曲線	20mごと	10mごと	――――
補助曲線※	10mごと	5mか2.5mごと	- - - - -
	5mごと		- - - - -

2万5千分の1地形図の例：計曲線／主曲線／計曲線／主曲線／補助曲線

※ 主曲線だけでは分かりにくい地形の場合，必要に応じて用いられます。

1等高線の種類

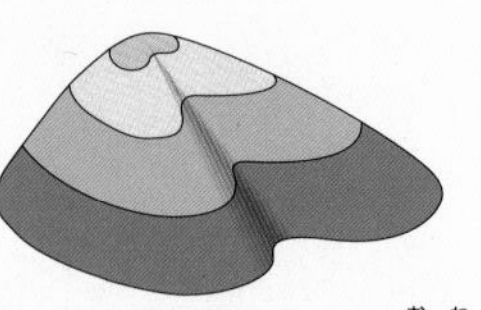

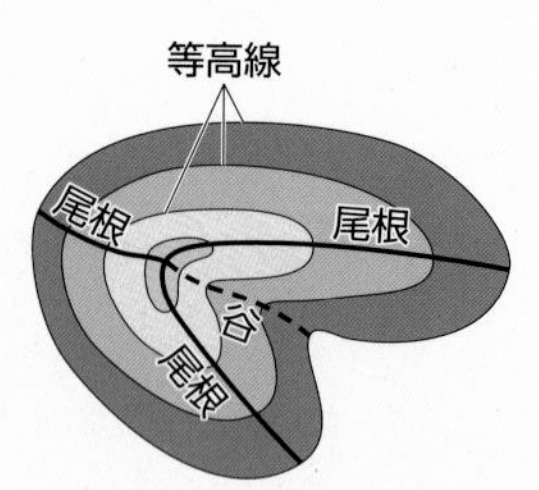

2等高線から読み取る谷と尾根　標高が高い側から見て，等高線がＶの字に曲がっている所が谷で，逆の方向に曲がっている所が尾根になります。

※尾根とは，山地の一番高い所の連なりのことです。

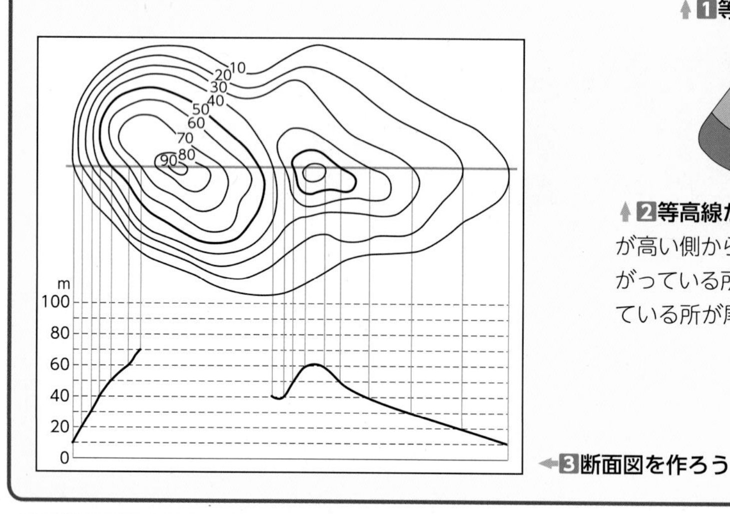

3断面図を作ろう

やってみよう

図**3**の断面図を完成させ，等高線の間隔と地表の傾斜の関係を確認しよう。

技能をみがく 15 地形図の使い方③ ～新旧の地形図の比較～

地形図は，明治時代から何年かおきに作られています。そのため，地域の現在と昔の様子を比較する際には有効な資料で，地形や土地利用，道路などが，どのように変化してきたのかを確認することができます。

やってみよう

1. 2019年の地形図中に赤色で示した道路を，1955年の地形図中で探そう。
2. 2019年の地形図中のＡで示した範囲において，土地利用が畑となっている部分に緑色で着色しよう。
3. 1955年と2019年の地形図を比較して，似ている点や異なる点を挙げよう。

1955(昭和30)年
(約　　年前)

現在の地形図と異なる凡例
水田　(無地)畑・空き地　桑畑

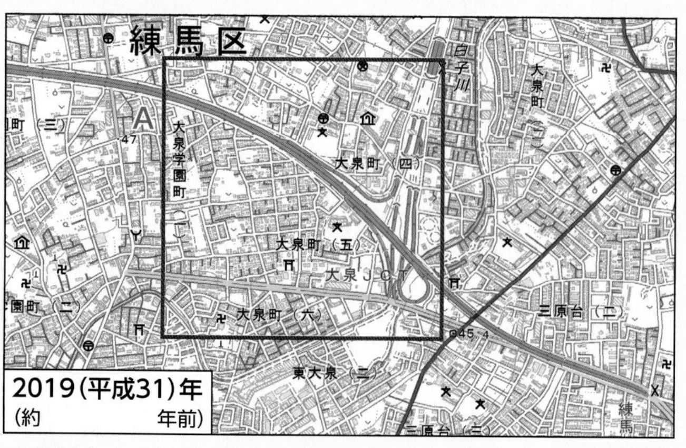

2019(平成31)年
(約　　年前)

4練馬区大泉地域の変化〈2万5千分の1地形図「志木」昭和30年発行(左)，2万5千分の1地形図「志木」平成31年1月調製(右)〉

※ 1955年当時の地形図には畑の地図記号がなく，この地形図のＡで示した範囲では，空き地を含む記号がない部分を畑として着色しています。

技能をみがく 16 地形図の使い方④ ～「地理院地図」～

国土地理院では，これまで作成してきた紙の地図に加えて，インターネット上にデジタルの地図である電子国土基本図を公開しています。この地図は，「**地理院地図**(電子国土 Web)」というウェブサイトで閲覧することができ，これまでの2万5千分の1地形図に代わる地図として位置づけられています。

デジタルの地図の大きな特徴は，日本全体を見渡すような縮尺から，建物の形を判別できる縮尺まで，表示する範囲を自在に設定することができる点です。また，地図上のデータは随時更新されるため，常に最新に近い情報を得ることができます。

このほかにも，災害時の避難場所などの情報を重ね合わせて表示したり，**空中写真**や白地図などに切り替えて表示したりすることができます。上空から地表を撮影した空中写真は，**航空写真**ともよばれ，住宅や道路，森林などが，見たままに写されています。空中写真から読み取れる情報は，地形図の作成をはじめとして，都市開発や災害調査などにも利用されています。

やってみよう

1. 「地理院地図」を使って，私たちが通う学校の周りの様子を眺めよう。
2. 地形図では読み取れて，空中写真では読み取れない要素は何か，「地理院地図」を眺めながら考えよう。

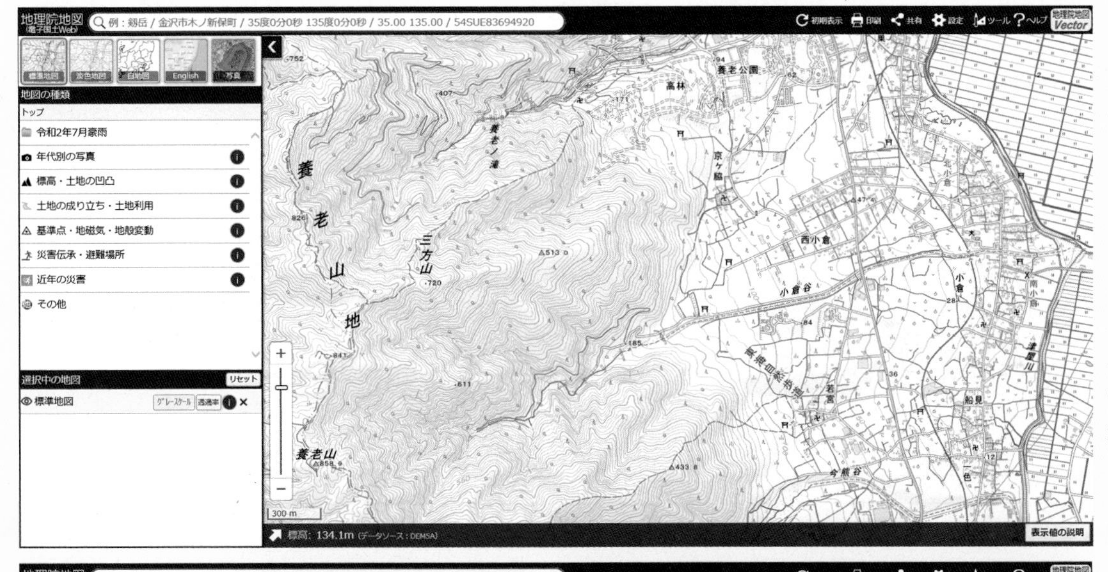

5「地理院地図」で閲覧した養老山地付近の地形図
(2020年7月閲覧)
〈国土地理院 地理院地図〉

6 図**5**と同じ範囲の空中写真
(2020年7月閲覧)
〈国土地理院 地理院地図〉

1章 身近な地域の調査

ひろとさんのグループの調査例

調査テーマ 練馬区の人口の変化と農業との関わり　～学校周辺の地域の町並みは，どのように変化してきたのだろうか～

●野外観察で撮影した写真

▲**1**畑に隣接する新しい住宅地（練馬区，2018年撮影）

いつごろから，住宅が増えたのかな？

●野外調査を基に作成した地図

▲**2**野外調査で土地利用を調査した例

学校の周りには，意外と畑も残っていることが分かったよ。

●聞き取り調査で伺った話

引っ越してきた住民の話

私は1年前に練馬区に引っ越してきました。自宅の最寄り駅から勤務先の新宿まで，乗り換えなしで行けるので，通勤が便利になりました。週末はよく自動車で出かけるので，高速道路のインターチェンジが近いのも魅力的です。練馬区は交通の便がよいだけでなく，文化施設も充実しているので，練馬区に引っ越してくる人が増えているみたいですね。

農業を営む人の話

練馬区では1960年代まで，だいこんやキャベツの畑があちこちにあったの。特に，漬け物として出荷していた「練馬大根」は全国的に有名だったんですよ。でも，食生活の変化や農作業の大変さなどから，だいこんの生産が減っていったの。都市化の影響で，畑を手放す農家が増えて，多くの畑が住宅地に変わっていったんですよ。

▲**3**野外調査で分かったことの例

3 野外調査を実行しよう

学習課題 野外観察や聞き取り調査は，どのように行うとよいのだろうか。

野外観察をしよう

野外調査の準備ができたら，実際に野外調査に行きましょう。まず，**野外観察**では，調査テーマに関係のありそうなものを見つけたら，メモやスケッチの形で調査ノートなどに記録します。また，調査後に観察した場所を確認できるようにするため，ルートマップ**4**,**5**にその場所を記録しましょう。→p.133また，カメラやビデオカメラを持参して，画像や映像を記録しておくと，調査結果をまとめたり，考察したりするときに役立ちます。その際，天気や時刻，カメラを向けた撮影の方向なども記録しましょう。

▲**4**野外観察の様子

技能をみがく 17 調査ノートの取り方

野外調査では，次のようにノートを取ると，後で整理するのに便利です。

1. 聞き取った内容を忘れないうちにノートに記録する。
2. 観察した場所をルートマップにかき込む。
3. スケッチや写真で記録する。

日時を書く。

「どこに」「何が」「どれくらい」あるかを具体的に記録する。

スケッチも入れる。

3月7日(金)午前11時

○観察したこと

高速道路の北側では，新しい住宅地が多く見られた。マンションのそばにある畑の中には，四つのビニールハウスが並んでいた。

新しいマンション　ビニールハウス　古い住宅地　畑

○聞き取りで分かったこと

質問事項1の答え)1960年ごろまでは，住宅が少なく，ほとんどが畑だった。

質問事項3の答え)昔はだいこんの生産が盛んだったが，今ではだいこんの生産は少なく，野菜ではキャベツの生産が中心となっている。

○疑問に思ったこと

なぜだいこんの生産が減ったのだろうか。

質問事項の答えや，教えてもらったことの要点を書く。

分からなかったことも書いておく。

5 調査ノートの例

技能をみがく 18 聞き取り調査の手法

聞き取り調査では，事前に質問事項をまとめ，想定される相手の答えを考えておくと，仮説が正しかったのかどうか，判断しやすくなります。

実際に聞き取り調査をするときには，調査の目的と質問したいことを相手に分かりやすく伝えましょう。予想と違った答えが返ってきたり，新たに疑問に思ったりしたことがあれば，さらに質問してみましょう。質問を終えたら相手にお礼を述べ，後日，調査結果を報告するとよいでしょう。

○質問事項

1. 昔，この辺りでは，どのように土地が利用されていたのですか。
(想定される答え：今のように住宅は少なく，畑が多かった)

2. この辺りでは，いつごろから住宅地が増えてきたのですか。
(想定される答え：今から50年くらい前)

3. この辺りの畑では，どのような作物が作られてきたのですか。
(想定される答え：だいこんやキャベツ)

4. この辺りで，畑が減っているのはなぜですか。
(想定される答え：高齢の農家が増えて，畑を手放したから)

質問事項は短く具体的にまとめる。

質問の優先順位をつける。

想定される答えを書いておく。

6 質問事項をノートにまとめた例

1. 聞き取り調査をする前に

- 私たちの仮説が正しかったのかどうかを確かめるために，野外観察や統計資料などでは分からないことはどのようなことかを整理する。
- 聞き取り調査で訪ねる相手の方に連絡を取り，学校名や名前，調査の目的を伝え，調査の日時を相談する。
- 事前に質問事項をまとめ，想定される答えを考える。

2. 実際に聞き取り調査をする

- 調査の目的と聞き取り調査の利用方法を説明する。
- カメラやビデオカメラで撮影するときには，相手の許可を得る。
- 質問を一つずつ分かりやすく伝える。
- 質問を終えたら，お礼を述べる。

3. 聞き取り調査を終えたら

- 調査結果の発表会に招待したり，報告に伺ったりする。

7 聞き取り調査の手順

聞き取り調査をしよう

聞き取り調査 6~8 では，事前に伝えておいた目的や質問内容などについての話を伺いながら，聞き取った内容を調査ノートなどに記録しましょう。許可を得て，相手の話を録音したり，撮影したりしておくと，調査後に役立ちます。

野外観察や聞き取り調査では，仮説が正しかったのかどうかを確かめるために情報を集めるという点を忘れずに行うことが大切です。

8 聞き取り調査の様子

ひろとさんのグループの調査例

調査テーマ　練馬区の人口の変化と農業との関わり　～学校周辺の地域の町並みは，どのように変化してきたのだろうか～

表8　町丁別世帯数および人口（住民基本台帳）【1/4】

町丁名	世帯数	人口			人口密度
		計	男	女	人／㎢
総数	**360,286**	**723,145**	**353,368**	**369,777**	**15,040**
旭丘	**4,670**	**7,242**	**3,645**	**3,597**	**17,620**
1丁目	3,209	4,818	2,480	2,338	22,101
2丁目	1,461	2,424	1,165	1,259	12,560
小竹町	**5,369**	**9,227**	**4,445**	**4,782**	**17,847**
1丁目	2,954	5,063	2,483	2,580	20,415
2丁目	2,415	4,164	1,962	2,202	15,480

1 ウェブサイトからダウンロードした統計資料〈練馬区資料〉

練馬区のウェブサイトからダウンロードした統計資料と練馬区の地図を基にして，地図を作ってみたよ。

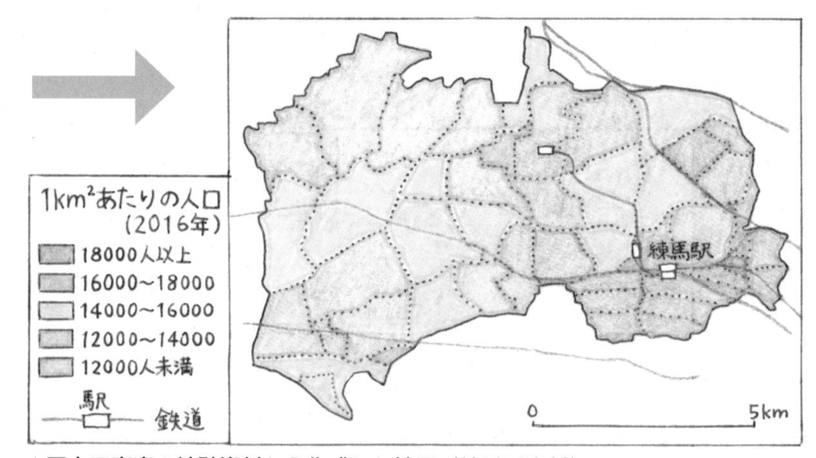

2 人口密度の統計資料から作成した地図〈練馬区資料〉

4　調査を深めて結果を発表しよう

学習課題　調査を深め，分析するには，どのような方法があるのだろうか。また，調査結果はどのようにまとめ，発表すればよいのだろうか。

さまざまな資料や情報を集めよう

野外調査で分からなかったことを確かめたり，分かったことをさらに詳しく調べたりするときには，地図や統計資料，景観写真，市区町村要覧や市区町村史などを使って調査します。これらの調査を**文献調査**といいます。特に，市区町村から得られる統計資料や文献からは，より詳しい地域の情報を入手することができます。3 市区町村の役所・役場のウェブサイトなどでも，最新の統計資料や情報などを公開している場合があるので，インターネットを活用して探してみましょう。また，1 現在と昔の自然環境や土地利用の変化を調べるときには，新旧の地形図→p.136や空中写真→p.137を比較するとよいでしょう。

文献調査の際には，入手した資料の名称や情報の作成者名などの出典を記録しておきましょう。また，その資料や情報が偏った内容ではないか，誤りのない確かな情報であるかなどについて，確認することが大切です。

調査結果をグラフや地図にまとめよう

野外調査や文献資料で集めたさまざまな資料や情報を整理して，**分析**しましょう。統計資料は，グラフや地図に加工すると，変化や分布などが読み取りやすくなります。2 また，周辺の地域と比較すると，似ている点や

具体的な数値を知りたいとき
【入手する資料の例】 市区町村要覧などの統計書，役所内の関連する課の統計など
【資料から分かること】 年ごとや地区ごとの人口，農産物の生産量，工業の種類別出荷額，鉄道やバスの輸送量，観光客数など
【資料の入手先】 市区町村の役所・役場や各省庁のウェブサイト，観光協会など

産業について知りたいとき
【入手する資料の例】 農業協同組合・商工会議所などが作っているパンフレットや統計書など
【資料から分かること】 農家や工場の生産・出荷などについての詳しい資料，工場・商店の名称や売上額，労働者数など
【資料の入手先】 農業協同組合，商工会議所など

歴史や変化について知りたいとき
【入手する資料の例】 市区町村史をはじめとした郷土の資料，新聞の縮刷版など
【資料から分かること】 地名の変化や由来，昔の産業や生活・文化など
【資料の入手先】 図書館や郷土資料館，博物館など

そのほかの詳しい情報を知りたいとき
企業や団体のウェブサイトなど

3 統計資料や文献資料の入手先

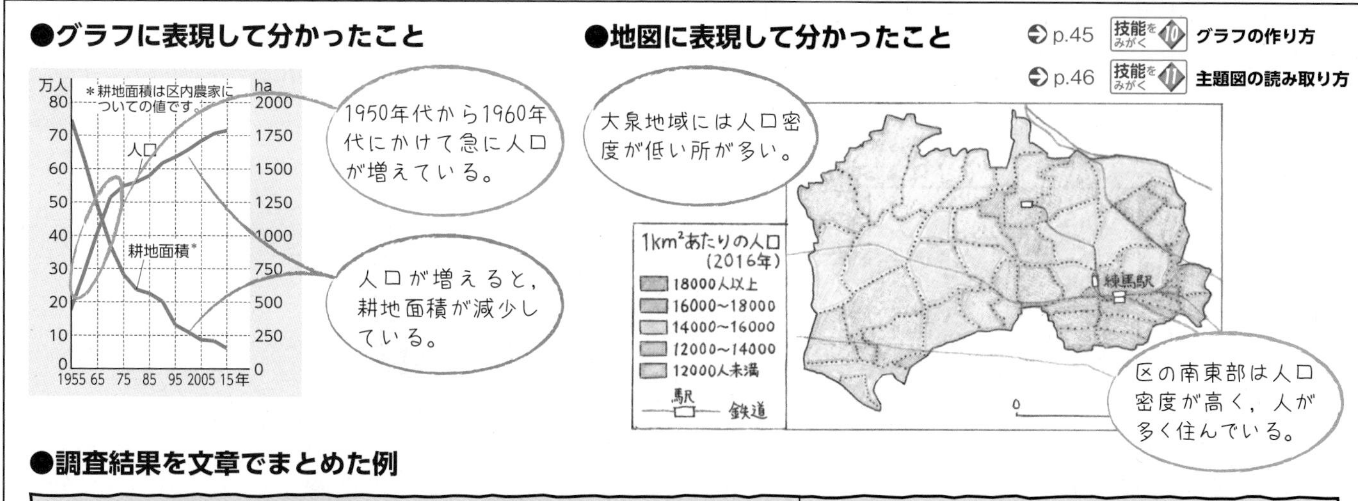

●調査結果を文章でまとめた例

調査結果の分析・考察	気付いたこと・感想
・昔は，台地を中心に畑が広がっていました。しかし，1950年代から1960年代にかけて人口が急増すると，耕地面積が減少しました。これは，畑だった場所に住宅を建設したためだと思います。 ・区の南東部で人口密度が高いのは，都心に近く，交通の便がよいためだと思います。一方で，大泉地域には畑が多く残っていることが分かりました。	・練馬区にとって，農業は重要な産業です。大泉地域には，畑などの農地が比較的多く残っているので，これからも農地を残し，新鮮でおいしい野菜を提供すると，地域をよりよくできるのではないかと思いました。

4 さまざまなまとめ方とそこから分析・考察した例

異なる点に気付くことがあるほか，複数の図を関連付けて考えると，疑問が解決することもあります。

調査結果をまとめることができたら，身近な地域の特色を明らかにしましょう。例えば，練馬区の人口の変化と農業との関わりについて調査した場合，どのような自然条件を生かして農業が盛んになったのか，なぜ農地が住宅地へ変化していったのかなどについて，地理的な見方・考え方を働かせて**考察**してみましょう。そして，仮説が正しかったのか，振り返ってみましょう。

➡巻頭7

調査結果を発表して意見交換しよう

調査結果やそれを基に分析・考察したことを発表し，意見交換をしましょう。5 発表する際には，調査結果を文章で表現したり，グラフや地図などを用いて説明したりすることが大切です。4 また，調査によって分かった事実と，その事実を基に考えたことを分けて説明すると，聞き手に分かりやすく伝えることができます。

➡p.294～295

ほかの人の発表を聞く際には，気付いたことや感想などをメモすることが大切です。6 調査の成果を発表し合うことで，新たな地域の特色がみえてくることがあります。

5 クラスでの発表会の様子

➡p.294 技能をみがく22 展示発表のしかた
➡p.295 技能をみがく23 ポスターの作り方

○ほかのグループの発表から
・地震や火災，都市型水害などへの備えが大切。
・防災の面からも畑などの農地が大切。
・昔の農道のなごりで道幅が狭いため，見直しが必要。そのため，緊急車両がすぐに到着できないこともあり，火災に備えて消火器が設置されている。
・練馬区の中でも大泉地域は高齢化率が高い。

6 ほかのグループの発表を聞いてノートにメモした例

第2章 日本の地域的特色

第2章の問い p.142～167 日本の自然環境や人口，産業には，どのような特色があるのだろうか。

1 日本の最高峰，富士山（山梨県，2018年撮影） 富士山は現在も活動を続ける火山です。

2 活発な火山活動の様子が見られる箱根の大涌谷（神奈川県，箱根町）

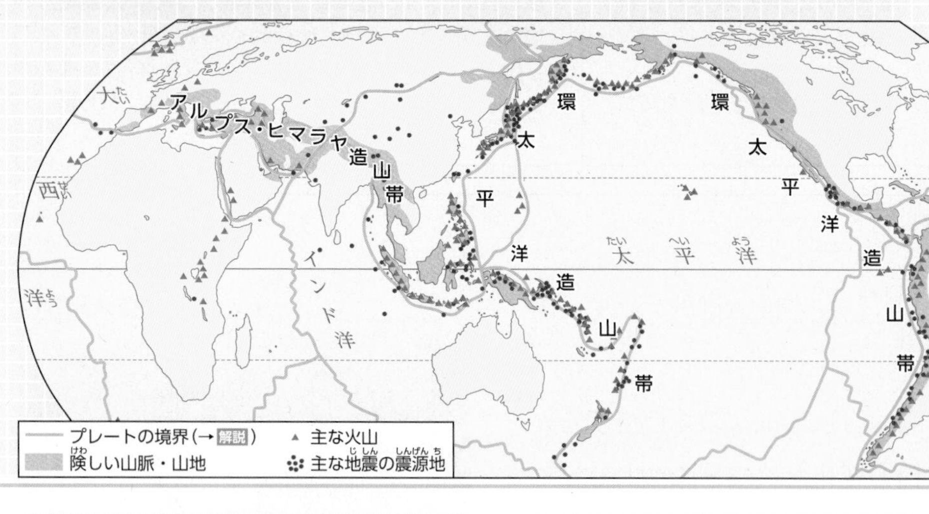

3 世界の主な火山と地震の分布
〈Diercke Weltatlas 2008, ほか〉

1 山がちな日本の地形

学習課題 日本の国土には，どのような地形的な特色があるのだろうか。

地震や火山が多い日本列島

地球の表面において，土地が盛り上がったり，沈んだりすることが活発に起こり，**山地**や**山脈**（解説）が連なっている所は**造山帯**とよばれます。造山帯では，高くて険しい山々が見られたり，地震などが多く起こったりします。また，ここでは地下深くでマグマ❶がつくられることもあることから，火山活動も活発な地域となっています。

世界の造山帯には，アルプス山脈，ヒマラヤ山脈，インドネシアの島々へと続く**アルプス・ヒマラヤ造山帯**と，ロッキー山脈，アンデス山脈，ニュージーランドなど，太平洋を取り囲むように連なる**環太平洋造山帯**の二つがあります。3 日本列島は環太平洋造山帯に属していて，活発な地震活動や火山活動がみられます。1～3

解説 プレート

地球の表面は，十数枚に分かれた，厚さ100kmほどの硬い岩石でできたプレートに覆われています。プレートは1年間に数cmくらいの早さで動いていて，プレートどうしがぶつかったり，ずれ動いたりしています。

❶ 高温の液体となった岩石のことです。プレートの境界付近の地下深くでつくられたマグマは，地上へ移動して火山をつくります。

解説 山地・山脈

いくつかの山がまとまっている所を山地といい，その中で山が特に細長く連なっている地域を山脈とよんでいます。

④**飛騨山脈と水田が広がる松本盆地**（長野県，安曇野市，5月撮影）

⑤**登山客でにぎわう木曽山脈の山**
（長野県，駒ヶ根市，2016年8月撮影）

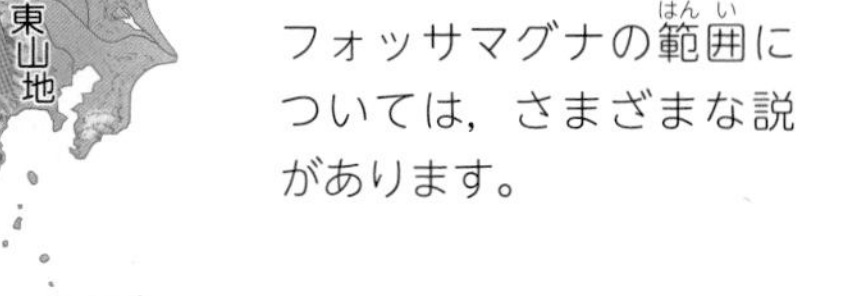

⑥**日本の主な山地・山脈**
フォッサマグナの範囲については，さまざまな説があります。

日本列島の背骨をなす山地

日本列島は，太平洋側に突き出すように弓のような形をしていて，その形に沿って背骨のように山地や山脈が連なっています。→p.15⑥ 世界の陸地に占める山地の割合は25%であるのに対して，日本ではその割合が75%もあり，国土の大部分は山がちです。山々は，古くから狩猟などの場となってきただけでなく，人々が暮らす住居の材料となる木材を供給する役割も果たしてきました。→p.154 また，そこで降った雨や雪は，川となって下流に住む人々の飲み水や農業用水として使われてきました。→p.41④

日本列島の中央部には，3000m級の険しい山々からなる**日本アルプス**（飛騨山脈，木曽山脈，赤石山脈）があり，多くの人々が山々の美しい景観を楽しむために登山や観光に訪れています。→p.222⑤ これらの山脈の東側には**フォッサマグナ**があり，解説，⑦ 山地や山脈は，そこを境にして，東側ではほぼ南北方向に並び，西側ではほぼ東西方向に並んでいます。⑥

解説 フォッサマグナ

フォッサマグナはラテン語で「大きな溝」という意味で，地盤の割れ目がずれ動いた状態である断層が集まっています。このフォッサマグナを境にして，本州の東と西では地形や岩石の特徴が大きく異なっています。

⑦**フォッサマグナの断面**（新潟県，糸魚川市，2018年撮影）〈新潟日報社〉 **資料活用** 岩石の色の違いに注目しよう。

日本列島が属している造山帯を図③から読み取ろう。

日本の地形の特色を「造山帯」と「フォッサマグナ」の語句を使って説明しよう。

↑1扇状地(山梨県，甲州市・笛吹市，6月撮影)

↑2台地(静岡県，磐田原，5月撮影)

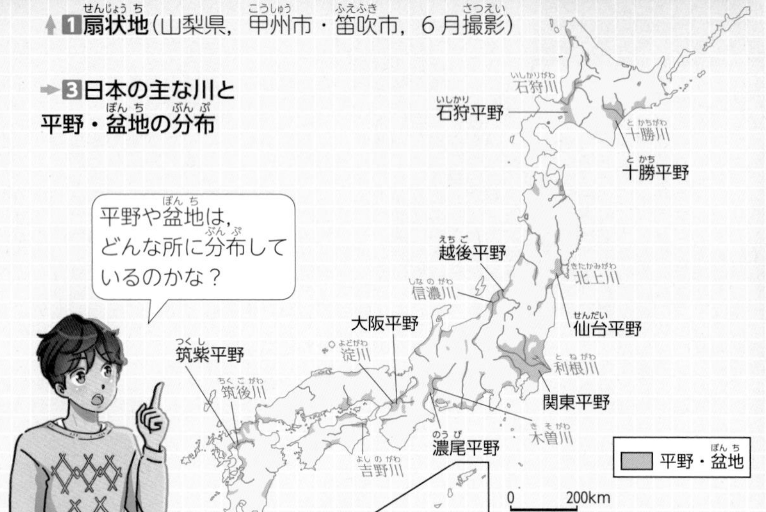

➡3日本の主な川と平野・盆地の分布

↑4三角州(三重県，雲出川河口，2017年11月撮影)

2 川がつくる地形と海岸や海洋の特色

学習課題　日本の平野や海岸，日本を取り巻く海には，どのような特色があるのだろうか。

解説 扇状地

山地から流れ出す川によって運ばれた土砂が，山のふもとにたまってできた扇形の地形のこと。

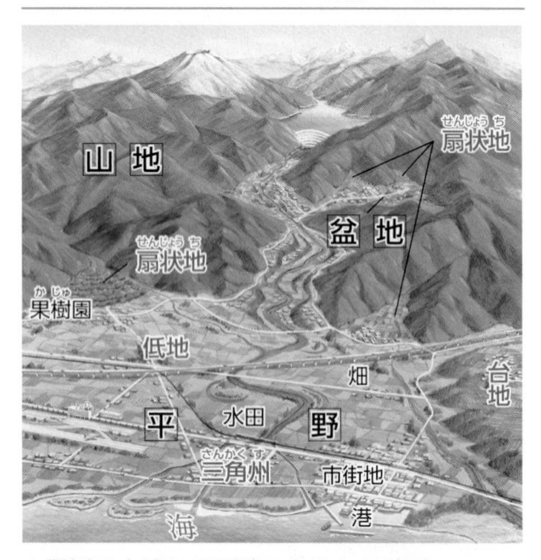

↑5川の上流から下流にみられる地形

川がつくる地形と生活との関わり

日本には，たくさんの**平野**や**盆地**があります。これらは，日本列島に連なる山々から流れ出す川が，上流で山を削り，その際に出た土砂を川の流れに乗せて下流まで運ぶことによってつくられました。3

川が山間部から平野や盆地に流れ出た所には**扇状地**(解説)が見られます。1 その中央部は，粒の大きい砂や石からできていて水が地下にしみこみやすいため，桃や ぶどう などの果樹園に利用されています。➔p.228, 262 川の河口部にみられる**三角州**4は，粒の小さい砂や泥からできていて水が地下にしみこみにくいため，昔から主に水田として利用されてきました。近年では，住宅地として開発される所も多くなっています。

川や海沿いの平地よりも一段高くなっている土地は**台地**といいます。2 台地の上は水が得づらく，水田がつくりにくいので，畑や茶畑などに利用されたり，➔p.226 住宅地に開発されたりしています。

⑥海岸線が入り組んだリアス海岸(三重県，的矢湾，８月撮影)

⑦滑らかな海岸線が続く砂浜海岸(千葉県，九十九里浜，８月撮影)

変化に富んだ日本の海岸

日本にはさまざまな海岸があり，その多くは，山地が海に迫った海岸になっています。なかでも，小さな岬と湾が入り組んだ海岸は**リアス海岸**(⑥，→p.174, 206, 257)とよばれます。リアス海岸は，波が穏やかで水深が深いことから天然の良港として使われ，貝や わかめ などの養殖も盛んです。一方，長い砂浜が続く**砂浜海岸**(⑦)や**サンゴ礁**(→p.123，182)に囲まれた海岸なども見られます。景色が美しいこれらの海岸は，観光資源にもなっています。

また，埋め立てをして港や工業地帯(→p.161)がつくられた所や，干拓によって農地が拡大された所などでは，コンクリートの護岸で直線状の海岸線となっている人工海岸も広く見られます。

日本を取り巻く海

多くの島々から成り立つ日本は，海に囲まれた島国(→p.4)です。日本列島の近海の海底には，浅くて平らな**大陸棚**(解説)が広がっており，太平洋側の大陸棚の先には，水深が8000m を超える**海溝**があります。

日本の近海は，**暖流**(解説)の黒潮(日本海流)と対馬海流，**寒流**(解説)の親潮(千島海流)などが流れているため(⑨)，優れた漁場にもなっています。特に黒潮と親潮がぶつかる太平洋の日本近海は，異なる性質の海水がぶつかる**潮目**(潮境)(→p.263)となっており，海底の栄養分が巻き上げられてプランクトンが集まるので，世界有数の漁場となっています。

解説 大陸棚

大陸の周辺にみられる，海岸から緩やかに傾斜しながら続く海底を，大陸棚といいます。近年では，国際的な取り決めにより，その範囲が定められつつあります。

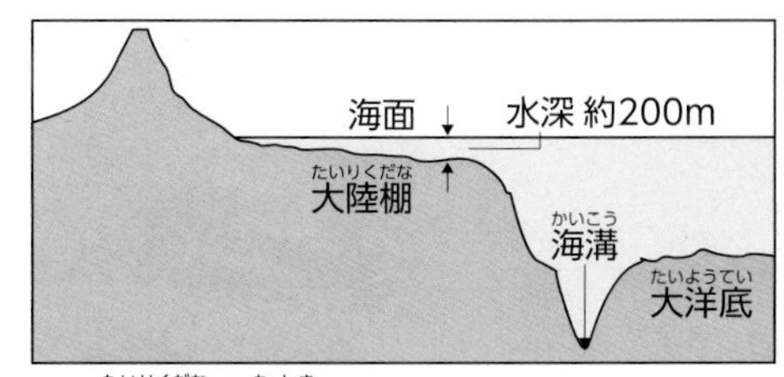

⑧大陸棚の模式図

解説 暖流と寒流

決まった方向に向かって移動する，一定の温度を保った海水の流れを**海流**といいます。低緯度から高緯度方向へ流れる，周辺の海水よりも高温な海流を暖流とよび，高緯度から低緯度方向へ流れる，周辺の海水よりも低温な海流を寒流とよびます。

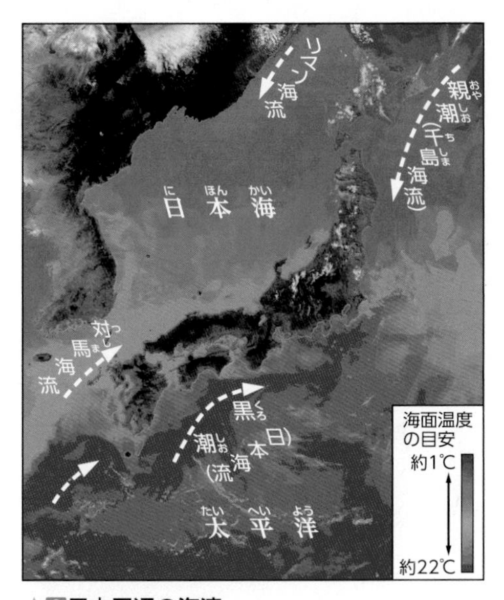

⑨日本周辺の海流

確認しよう　川がつくるさまざまな地形の特色を，図⑤から読み取ろう。

説明しよう　日本近海の様子を，「大陸棚」，「黒潮」，「親潮」の語句を使って説明しよう。

1「さっぽろ雪まつり」の会場でカーリングをする子どもたち（北海道，札幌市）

2花見を楽しむ人々（沖縄県，那覇市）

資料活用 札幌と那覇は，緯度でいうと何度くらい離れているのか，図4で調べよう。

3 日本の気候

学習課題 日本各地の気候を比較すると，地域によってどのような違いがあるのだろうか。

日本の気候の特色

日本の気候は，世界の五つの気候帯にあてはめると，本州・九州・四国が主に**温帯**（→p.28），北海道が**亜寒帯（冷帯）**に属し，**四季**の変化がはっきりしていることが特色です。これは，**季節風**（→p.51）によって，夏には太平洋上から暖かく湿った大気が運ばれ，冬にはユーラシア大陸から冷たい大気が運ばれることによります。日本列島は南北に長いことから，北と南では気温が大きく異なります（4，5）。また，日本列島の中央部には山地や山脈が連なっているため（1，2），太平洋側と日本海側では，気温や降水量の分布に違いがみられることも特色です（→p.143）。さらに，**梅雨**（3）による長雨，**台風**，冬の雪などの影響で降水量が多いため，国土の3分の2を森林が占めるほど緑豊かな国となっています。

3梅雨の時期に咲くあじさい（神奈川県，鎌倉市，6月撮影）

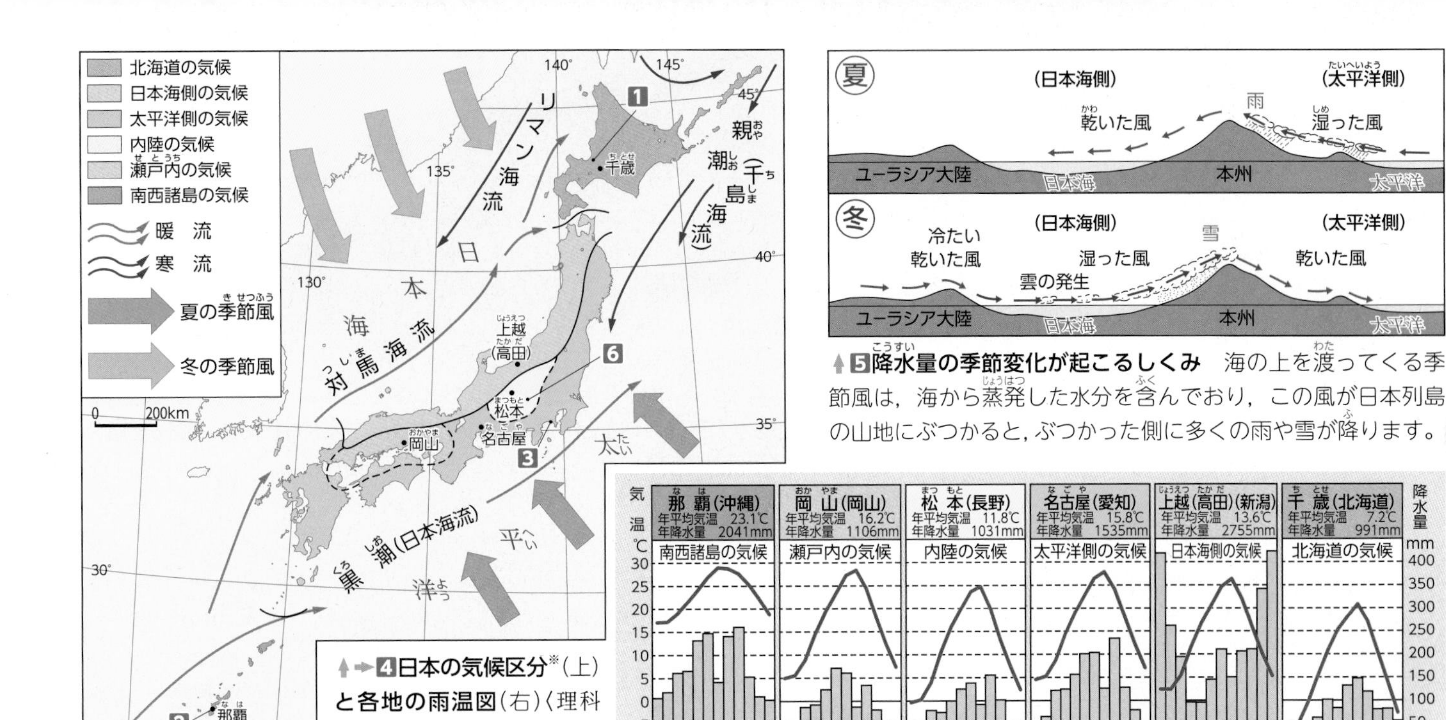

5 降水量の季節変化が起こるしくみ　海の上を渡ってくる季節風は，海から蒸発した水分を含んでおり，この風が日本列島の山地にぶつかると，ぶつかった側に多くの雨や雪が降ります。

4 日本の気候区分※（上）と各地の雨温図（右）〈理科年表 2020，ほか〉
※区分は日下博幸・佐藤亮吾による

日本の気候区分

日本の気候は，気温・降水量などとその月別の変化を基にして，六つの気候区に分けることができます。4

北海道の気候は，全般的に冷涼で，特に冬の寒さが厳しい気候です。北海道にははっきりした梅雨がなく，1年を通して降水量が少ないという特色もあります。
1, →p.273

日本海側の気候は，冬に雪が多いという特色があります。これは，大陸から吹いてくる北西の季節風が，日本海を渡るときに水分を含んで雲をつくり，日本の山地にぶつかって雪を降らせるためで，夏には南東の季節風の風下となり，雨が少なくなります。5
→p.223

太平洋側の気候は，冬は季節風の風下になるため晴天の日が多く，夏は太平洋から吹く湿った季節風によって雨が多い気候です。

内陸の気候は，海から離れているため季節風によって運ばれる水分が少なく，1年を通して降水量が少ない気候です。加えて，夏と冬の気温の差，昼と夜の気温の差が大きいことが特徴です。
6, →p.228

瀬戸内の気候は，冬の季節風が中国山地に，夏の季節風が四国山地にさえぎられるため，一年中温暖で降水量が少ないのが特徴です。
→p.191

南西諸島の気候は，1年を通して雨が多く，台風の通り道にあるため秋の降水量も多いのが特徴です。夏の気温は本州とそれほど変わりませんが，沿岸に黒潮が流れていて冬でも温暖です。
2, →p.182
→p.145

6 内陸の気候を生かした寒天作り（長野県，茅野市，2月撮影）　雨が少なく，昼と夜の気温差が大きい気候を利用して，屋外に干された寒天は凍結と解凍を繰り返し，徐々に乾燥していきます。

日本の六つの気候区の分布を，図4から読み取ろう。

太平洋側と日本海側とで降水量の多い季節が異なる理由を，山地と季節風の向きに着目して説明しよう。

1 熊本地震で被害を受けた熊本城の石垣(熊本県，熊本市，2016年撮影)

2 東北地方太平洋沖地震(東日本大震災)によって発生した津波が堤防を越える様子(岩手県，宮古市，2011年撮影)

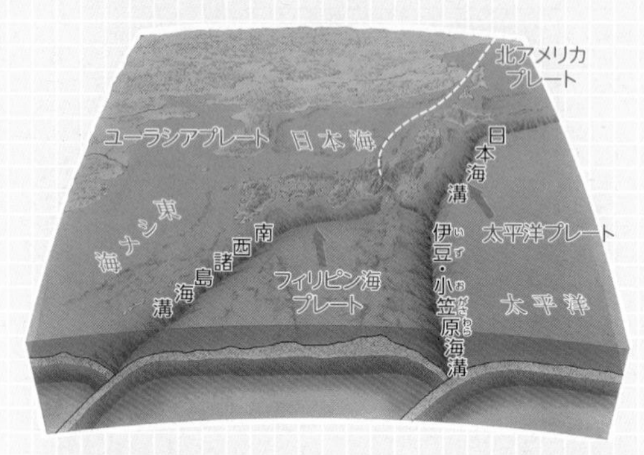

3 日本列島周辺のプレート　日本列島の周辺には四つのプレートの境界が集中しているため，プレートどうしがぶつかり合う力によって地震が発生しやすくなっています(→p.142)。

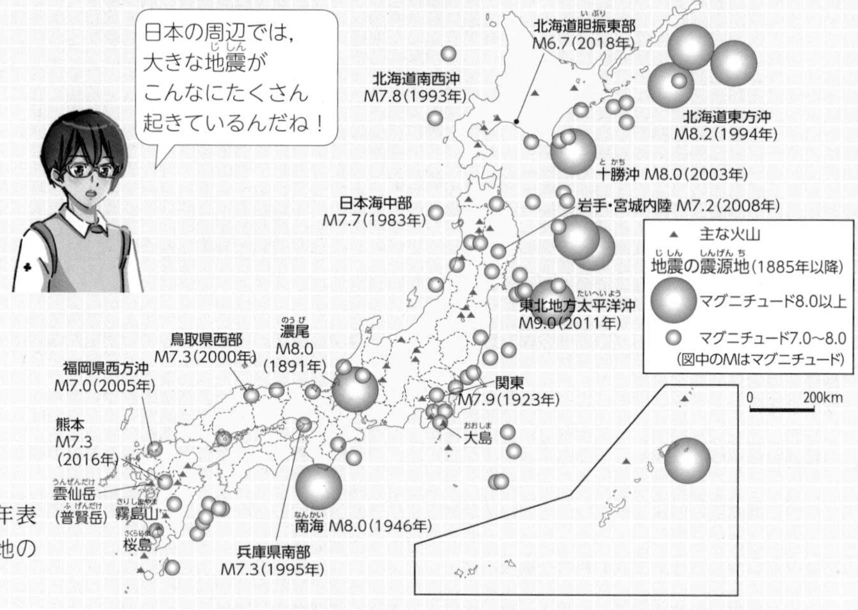

4 主な火山と地震の震源地〈理科年表2020，ほか〉 **資料活用** 火山と震源地の位置に注目しよう。

4 日本のさまざまな自然災害

学習課題 日本で発生する自然災害は，地形や気候とどのような関係があるのだろうか。

地震と火山災害が多い日本

日本は，環太平洋造山帯→p.142に位置しているため**地震**が多く，各地に分布する**火山**の活動も活発です[4]。大地震が発生すると，地震の揺れによって建物が壊れたり[1]，山崩れや**液状化**[5]の現象などが発生したりして大きな被害が生じることがあります。地震によって海底の地形が変形した場合には，**津波**が発生することもあり，2011年に起きた東北地方太平洋沖地震(東日本大震災)では，沿岸部に大きな被害がもたらされました[2]。

日本は，世界的にみても火山が多い国です。火山の周辺では，噴火により火山灰や溶岩が噴出したり，火砕流[❶]が発生したりして，人々の生命が危険にさらされることもあります[6,7]。しかし一方で，国立公園の半分以上が火山と関係していることからも分かるように，

5 東北地方太平洋沖地震で生じた液状化(千葉県，浦安市，2011年撮影)　液状化は，地震の震動により水と砂を多く含む地面が一時的に液体のようになる現象です。

 小学校●歴史●公民との関連　自然災害：地震・津波・風水害・火山災害・雪害(小)

6 噴火する霧島山（鹿児島・宮崎県，2017年撮影）

7 **火山の恵みと火山災害** 火山は，温泉や，発電に利用できる地熱などの恵みももたらします。

8 さまざまな気象災害

9 豪雨による浸水被害（岡山県，倉敷市，2018年7月撮影）

火山は日本の美しい景観も生み出しています。→p.142

さまざまな気象災害

日本は，毎年のように梅雨や台風などによる大雨に見舞われることから，気象災害も多い国です。8 川や海の周りの低い土地にたくさんの人が住んでいることも，多くの気象災害が起こる原因となっています。台風の通り道になりやすい地域では，強風や**高潮**による被害，大雨による**洪水**9や**土石流**などが起こることも珍しくありません。

一方，雨が十分に降らなかった年には，水不足に悩まされること→p.175, 191があります。また，東北地方では，やませ→p.260の影響で夏の気温が上がらず，稲などの農作物に被害が出て冷害となることもあります。雪の降る地域では，大雪で交通網や建物への被害が起こることもあります。10 特に，雪に慣れない地域で大雪が降ると，交通機関などが使えなくなり，まれに町全体の孤立を招きます。

❶ 火山が大規模な噴火を起こしたとき，火口から噴出した高温のガスが，火山灰などと共に高速で流れる現象のことを火砕流といいます。

10 大雪で動けなくなった自動車（福井県，坂井市，2018年2月撮影）

日本で発生することの多い自然災害を挙げよう。

身近な地域で発生する可能性がある自然災害について，地形や気候の特徴を踏まえて説明しよう。

1 防災訓練で津波避難タワーに避難する人々（静岡県，富士市）

2 南海トラフの巨大地震が起きた際に発生すると想定されている津波の高さ〈内閣府資料，ほか〉

どうしてこんなに高いタワーが作られたのかな？

解説 南海トラフ

海底の深い部分にある幅をもった溝で，海溝ほどの深さのない所はトラフとよばれています。日本の太平洋側にはいくつかのトラフがあり，南海トラフは，静岡県から高知県にかけての太平洋沖に位置しています。

5 自然災害に対する備え

学習課題 国や地域は，自然災害を防いだり，被害を少なくしたりするために，どのような工夫をしているのだろうか。

❶ 南海トラフでは，過去に東海地震・東南海地震・南海地震という三つの地震が繰り返し発生してきました。南海トラフで地震が発生すると，広い範囲が地震の揺れや津波の被害に見舞われることが予測されています。

3 津波避難訓練で高台へと向かう小学生たち（高知県，須崎市）

防災への工夫

災害を引き起こす地震や豪雨，台風などの自然現象そのものを止めることはできません。日本では，これらの現象によって被害が及ぶのを防ぐ**防災**や，被害をできるだけ少なくする**減災**のために，さまざまな取り組みが行われています。

例えば，近い将来に発生が予測されている**南海トラフ**の巨大地震（解説 ❶,2）に備えて，建物や橋を地震の揺れに強くしたり，津波を防ぐ堤防を造ったりする対策が行われてきました。さらに，2011 年に東北地方太平洋沖地震（東日本大震災）が起こったことで，津波の避難場所となるタワーの設置（1）や，日頃の防災教育，地震情報の伝え方の見直し（3, →巻頭1）などが進められています。

また，地震だけでなく気象災害に対する備えとして，ダムや河川の堤防などの設備を造ったり，災害の危険地域を指定して避難場所を決めたりする取り組みが行われています。近年では，災害の危険性が高まったときに「高齢者等避難」，「避難指示」，「緊急安全確保」といった段階に分けて，避難をよびかける情報が出されるようになっています。

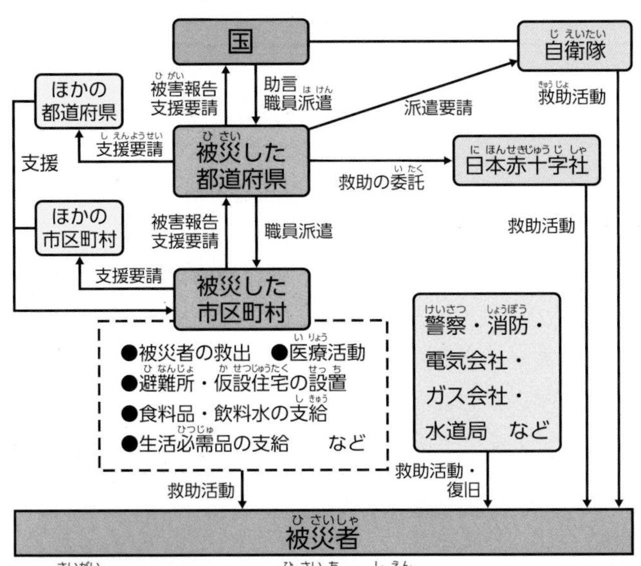

4 災害が発生したときに被災地を支援するしくみ〈内閣府資料，ほか〉

5 土砂崩れの災害が発生した場所で協力して救助活動を行う消防隊・警察・自衛隊の人々（愛媛県，松山市，2018年撮影）

災害への対応

もし災害が発生したときには，国や市区町村などの協力の下で，被災者の救助や避難所・仮設住宅の設置，食料品・飲料水や生活必需品の支給，医療活動といった支援が行われます。4 被災した地域の人々だけでは，救助や復旧が難しいため，ほかの地方からも消防隊や警察，自衛隊，海上保安庁など多くの人々が被災地に派遣されます。例えば，2018年に発生した平成30年7月豪雨（西日本豪雨）→p.149では，自衛隊や消防隊，ボランティアの人たちがたくさん駆けつけ，救助や がれき の撤去を行いました。5 このように大きな災害が発生した場合は，地域や地方の枠を超えた協力体制が組まれています。

国や都道府県，市区町村などが災害時に被災者の救助や支援を行うことを**公助**といいます。しかし，災害時には公助に頼るだけでなく，自分自身や家族を守る**自助**や，住民どうしが協力して助け合う**共助**とよばれる行動をとることが求められています。そのためには，自分の住んでいる地域の避難訓練に参加して，災害が起こったときに，ほかの住民と協力してどのような行動をとるべきかを身に付けておくことが大切です。

多くの都道府県や市区町村では，地震や川の氾濫などによる被害を予測した**ハザードマップ**→p.152が作られています。自助や共助のために，ハザードマップなどを通して，ふだんから身近な地域の自然環境の特徴や起こりやすい災害を知っておくことが重要です。→p.153

未来に向けて

防災 災害時の帰宅困難者対策

災害時には，交通機関などが まひ して自宅に帰ることができない帰宅困難者が多く出ることが予想されます。日本の都市部ではその対策も進められていて，東京都の企業は，従業員のための水や食料などを備蓄することが定められています。災害時に徒歩で帰宅する人たちに対して，コンビニエンスストアの協力の下，水やトイレなどを提供する災害時帰宅支援ステーションの整備なども進められています。

6 帰宅困難者を想定した訓練（東京都，板橋区）

確認しよう　防災や減災のために行われている取り組みを挙げよう。

説明しよう　自助，共助，公助の取り組みについて説明しよう。

技能をみがく 19 ハザードマップの読み取り方

ハザードマップとは，火山の噴火や津波，洪水など，さまざまな自然災害による被害の可能性や，災害発生時の避難場所などを示した地図のことです。自然災害の多い日本では，都道府県や市区町村など，多くの地域でハザードマップが作成されています。また，「国土交通省ハザードマップポータルサイト」では，全国のハザードマップに関する情報を得ることができます。

津波に関するハザードマップでは，浸水範囲や避難場所などの災害に関するさまざまな情報が，特別な記号や表現で示されています。ここでは，神奈川県鎌倉市の「津波ハザードマップ」を例に，ハザードマップの活用法を学びましょう。

やってみよう

1. 県が想定する地震で津波が発生した場合，長谷駅は何m浸水すると予測されているのか，図2を見て考えよう。
2. あなたが図2の★の地点の海岸にいる時に，津波が発生する危険性を感じたら，ア，イ，ウのどちらに避難すればよいのか，図2を見て考えよう。

1 空から見た鎌倉の市街地（神奈川県，鎌倉市）

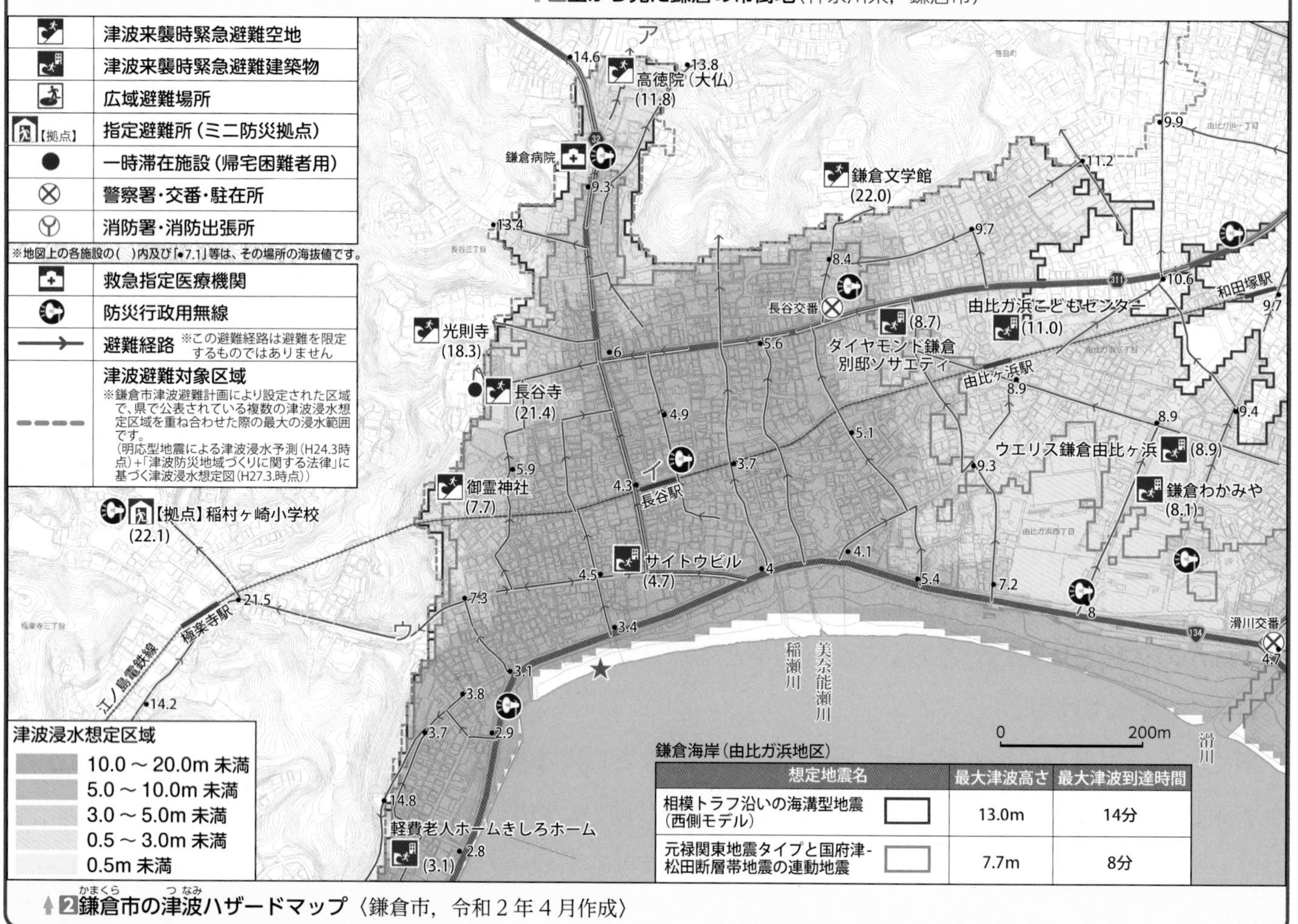

想定地震名	最大津波高さ	最大津波到達時間
相模トラフ沿いの海溝型地震（西側モデル）	13.0m	14分
元禄関東地震タイプと国府津-松田断層帯地震の連動地震	7.7m	8分

2 鎌倉市の津波ハザードマップ〈鎌倉市，令和2年4月作成〉

技能をみがく 20 防災情報の入手のしかた

災害から自分の命を守るためには，まず，身近な地域で，どのような自然災害が発生する可能性があるのかを知ることが大切です。都道府県や市区町村では，ハザードマップをはじめ，防災に関するさまざまな情報を提供している地域が増えています。都道府県・市区町村のウェブサイトや，ふだんの通学路のなかで，災害による被害の可能性や避難場所，事前の対策など，防災に関する情報を調べましょう。

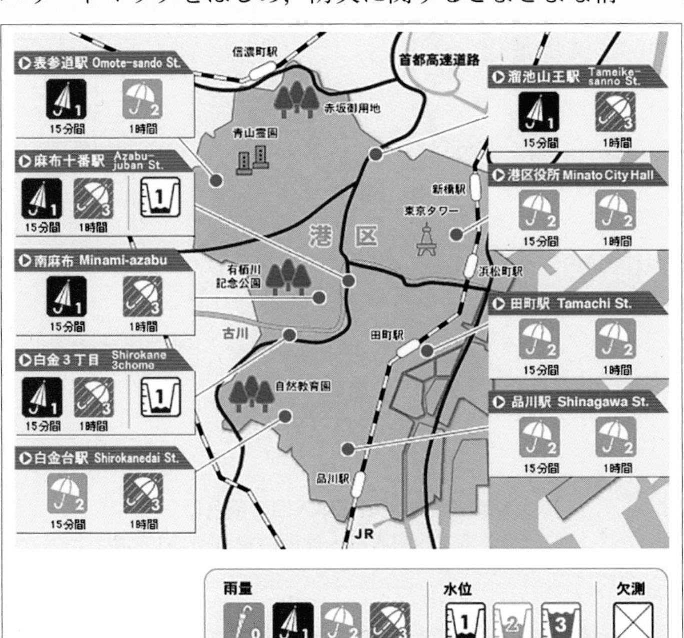

▲3 東京都港区が提供している水位・雨量情報（2015年5月12日23時18分閲覧）〈港区ウェブサイト〉 情報が3分ごとに更新され，川の水位や局地的な豪雨の情報を知ることができます。

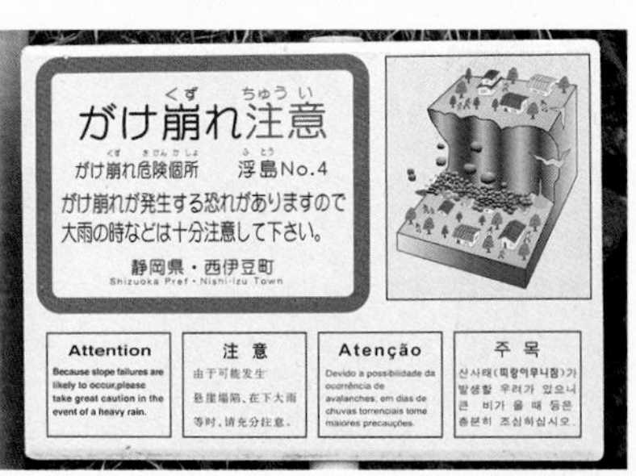

◀4 崖崩れへの注意を促す看板（静岡県，西伊豆町，2017年撮影） 外国人の増加に伴い，多言語で書かれる看板も増えています。

▶5 川の氾濫により想定される浸水の深さを示す看板（埼玉県，川口市，2019年撮影） このような看板を設置することで，ふだんから水害についての防災意識を高め，減災に役立てられるようにしています。

▲6 災害が発生した際の避難所生活を体験する防災訓練（愛知県，豊田市） 段ボールを使って仕切りを設け，生活するスペースを作っています。

やってみよう

1. 下の囲みのような自然災害が起こった場合に発生する被害と避難のポイントを，それぞれ線で結ぼう。
2. 身近な地域のハザードマップを入手して，どのような自然災害の危険性があるのか調べよう。
3. 2で分かった自然災害の危険性に対して，日頃からどのような備えができるのか考えよう。

自然災害	災害時の被害	避難のポイント
洪水	建物への浸水	海から離れた場所や高台へ避難
地震	建物への浸水，建物の倒壊	高い建物や高台へ避難
津波	火砕流や土石流	建物が近くにない広場へ避難
火山の噴火	建物の倒壊や崖崩れ	窓から離れた部屋の中へ避難
台風や竜巻	建物の倒壊，落雷や飛来物	火山から離れた場所へ避難

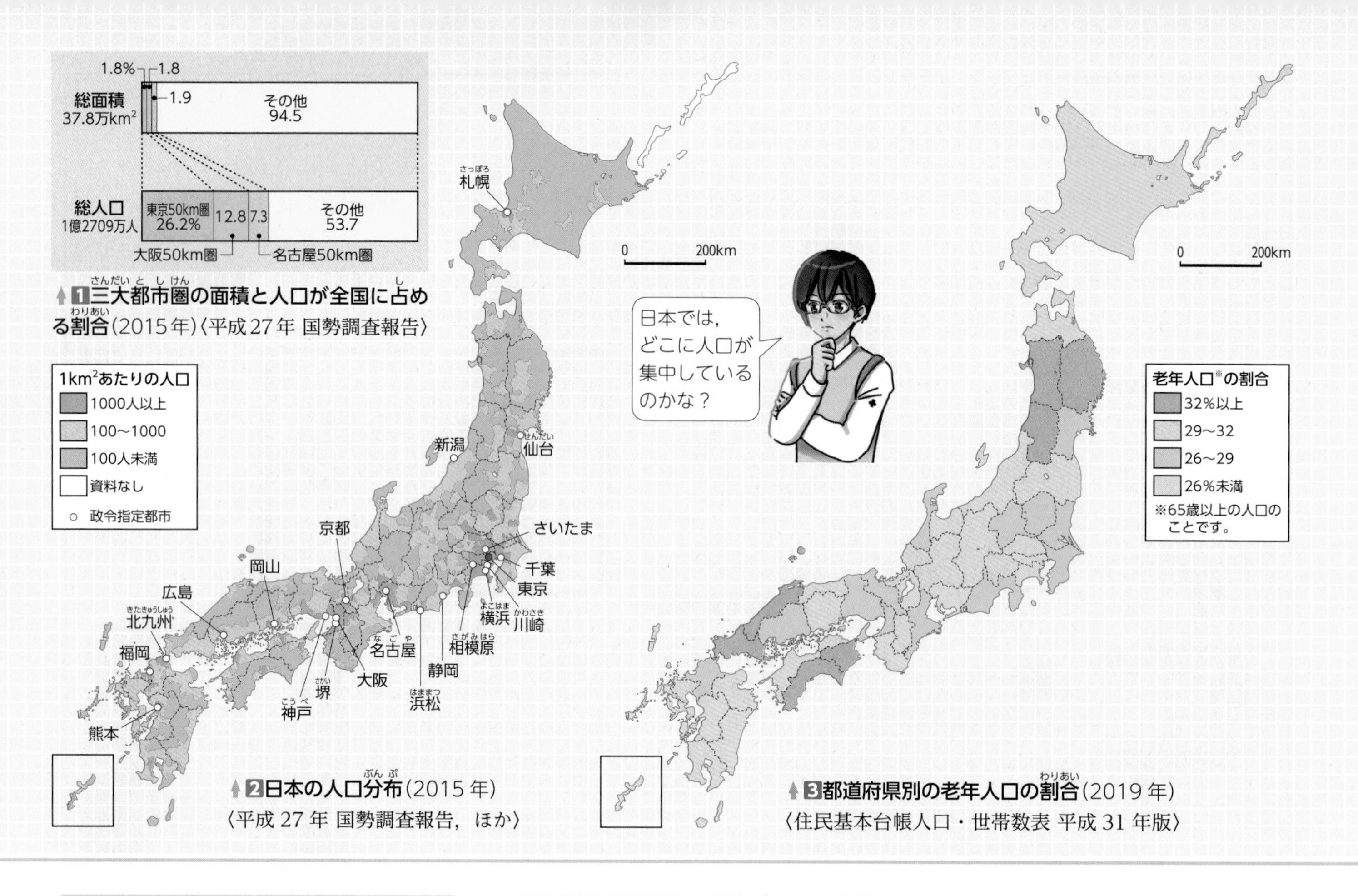

1 三大都市圏の面積と人口が全国に占める割合（2015年）〈平成27年 国勢調査報告〉

2 日本の人口分布（2015年）〈平成27年 国勢調査報告，ほか〉

3 都道府県別の老年人口の割合（2019年）〈住民基本台帳人口・世帯数表 平成31年版〉

6 日本の人口

学習課題 日本の人口分布や人口構成は，どのように変化してきたのだろうか。

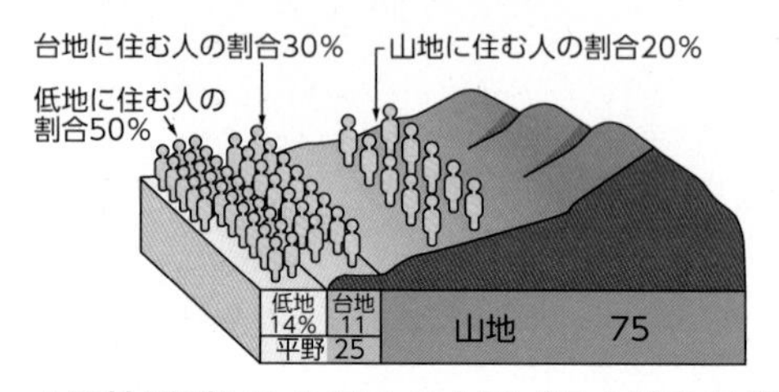

4 地形別にみた日本の人口〈日本統計年鑑 平成28年，ほか〉

解説 都市圏

中心都市が，周辺の地域にさまざまな影響を及ぼす範囲のこと。中心都市に通勤してくる人が住んでいる範囲など，市区町村を越えた範囲であることが一般的です。

大都市に集中する人口

日本は，人口が約1億2744万(2019年)で，世界でも有数の人口の多い国です。日本の人口の大部分は，国土の3割に満たない平野や盆地に分布し[4]，特に東京・大阪・名古屋を中心とする**三大都市圏**(解説)や，札幌・仙台・広島・福岡・北九州などの地方の大都市に集中しています[1,2]。これらの大都市には，大学や企業が多いことから，高度経済成長期[❶]には多くの人々が農村などから移り住みました。人口が集中して**過密**→p.242となった都市部では，住宅の不足や交通渋滞，ごみ処理などの問題が深刻となり，土地の価格も上昇しました。そのため，住みよい環境を求めて郊外にニュータウンなどの住宅地が開発され，都市の周辺部で人口が増えるようになりました。→p.208，243

一方，若者を中心に都市部へ人口が流出し，**過疎**→p.198，249となった農村や山間部，離島では，学校や商店，病院，公共交通機関がなくなるなど，地域社会の維持が困難になっている地域も増えています。これ

❶ 1950年代後半から1970年代前半にかけて，さまざまな産業が著しく発展し，日本が急速に経済的に豊かになった時期をいいます。

人口ピラミッドの読み取り方

人口ピラミッドは，縦軸に年齢，横軸に各年齢層の男女の割合を取り，国や地域の人口構成を示したグラフです。年少人口(15 歳未満)，生産年齢人口(15 ～ 64 歳)，老年人口(65 歳以上)に区分して作成すると，人口構成の特徴が読み取りやすくなります。

➡**5人口ピラミッドの型と特徴**

富士山型	つりがね型	つぼ型
老年人口 65歳 生産年齢人口 15歳 年少人口 (数字は年齢)	65 15	65 15
出生率，死亡率ともに高い型。アジアやアフリカの国に多く，平均寿命が比較的短いため，ピラミッドの高さは低めになります。	出生率，死亡率ともに低い人口停滞型。西ヨーロッパの国々などにみられ，生産年齢人口が多いため，経済発展に有利です。	出生率，死亡率ともに低下している人口減少型。つりがね型と比べて年少人口が少ないため，高齢化が進行します。

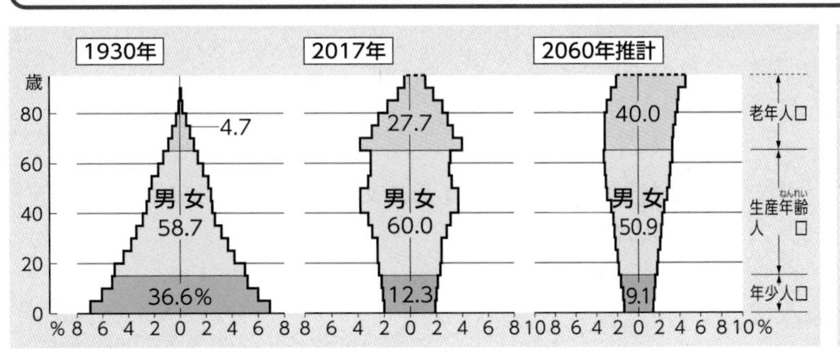

6日本の人口ピラミッドの変化〈2019 人口の動向，ほか〉

資料活用 人口ピラミッドの型の変化を読み取ろう。

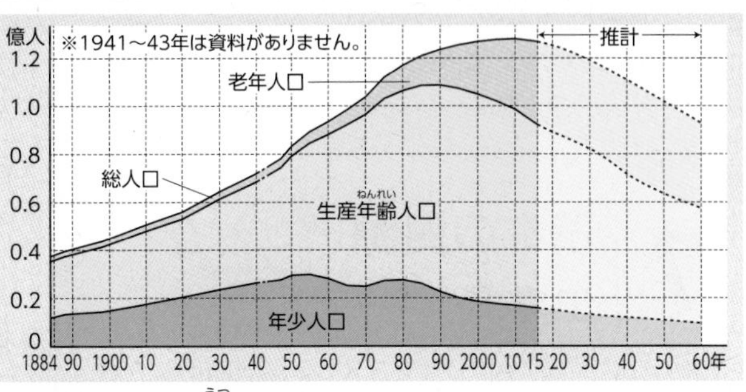

7日本の人口の移り変わり〈2018 人口の動向，ほか〉

に対して，都市部から移住しようとする人々に，住宅や仕事などの情報を提供して，農村部などに移住する人口を増やし，地域を活性化させようとする取り組みが全国各地で進められています。➡p.249，252

急速に進む少子高齢化

日本では明治時代以降，人口が増え続けてきました。7 一方で，子育てと仕事の両立が難しいことなどを背景に，出生率はしだいに低下しており，少子化が進んでいます。8 同時に，食生活の改善や医療技術の進歩により高齢化も急速に進みました。7 2017 年には総人口に対する老年人口❷の割合が 27%を超え，6 世界でも高齢化が最も進んだ国の一つとなっています。

このように，少子化と高齢化が進んだ社会(**少子高齢社会**)を迎えた日本では，2010 年ごろから人口が減少する時代に入りました。少子高齢化が進むと，労働力が不足したり，年金などの社会保障のしくみが維持できなくなったりすることが心配されます。そのため，若い世代が働きながらでも子育てがしやすく，高齢者も健康に生活できるような環境を整えたり，外国からの労働力を受け入れるしくみ➡p.247をつくったりするなどの取り組みが行われています。

❷ 15 歳未満の人口を**年少人口**，15 ～ 64 歳の人口を**生産年齢人口**，65 歳以上の人口を**老年人口**といいます。

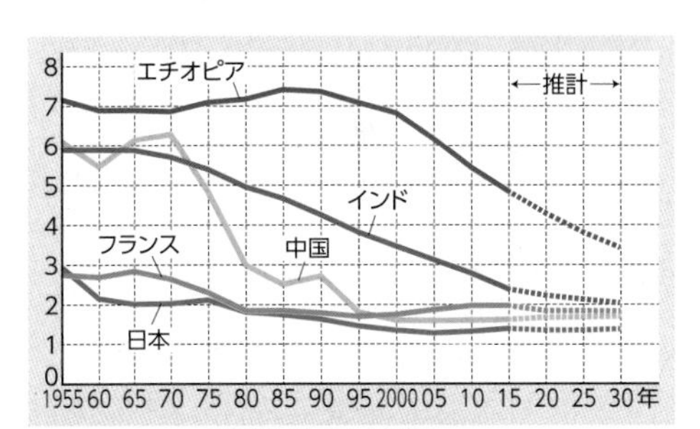

8主な国の合計特殊出生率の変化〈国連統計局資料〉 合計特殊出生率とは，1 人の女性が一生の間に産む子どもの数の平均の値で，15 ～ 49 歳までの女性の年齢別出生率を合計したものです。

日本で人口が集中している地域を，図2から読み取ろう。

老年人口の割合が高く，高齢化が進んでいるのはどのような地域なのか，図2と3を比較しながら説明しよう。

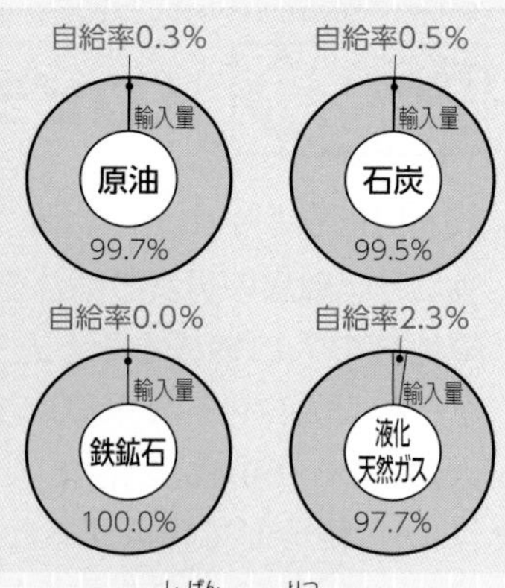

▲2 **日本の資源自給率**（2018年）〈財務省貿易統計，ほか〉

どうして原油を貯蔵する必要があるのかな？

▲1 **原油の備蓄基地**（鹿児島県，鹿児島市，2015年撮影）　北海道や東北地方，九州地方などの各地に，写真のような原油の貯蔵施設があります。

7 日本の資源・エネルギーと電力

学習課題　日本では，資源を有効に活用するために，どのような取り組みが行われているのだろうか。

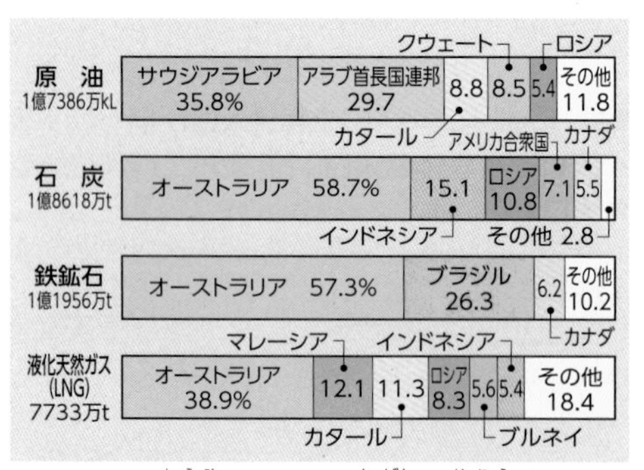

▲3 **日本で消費している資源の輸入先**（2019年）〈財務省貿易統計〉

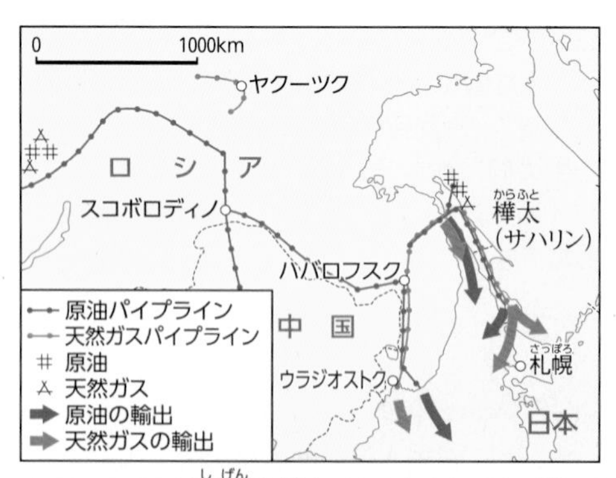

▲4 **ロシアの資源開発**（2016年）〈石油天然ガス・金属鉱物資源機構資料〉　ロシアでは日本などの外国企業と共同で資源開発が進められており，資源の一部は日本にも輸出されています。

資源を輸入に頼る日本

鉄鉱石→巻末1や原油→巻末1など，工業の原料やエネルギー資源として利用される鉱物を**鉱産資源**といいます。鉱産資源は世界の偏った地域に分布していることが多く，また，中国やアメリカ合衆国，日本などの工業が盛んな国で大量に消費される傾向があります。→p.105

日本では，1960年代まで石炭や銅などの採掘が行われていましたが，埋蔵量が少なく採掘に費用がかかるようになったため，価格が安くて品質のよい外国産の資源に頼るようになりました。2 現在，エネルギー資源として利用される原油は主に西アジアの国々→p.62から，鉄鋼の生産に用いられる鉄鉱石や石炭はオーストラリアなどから，輸入しています。3，→p.127 また，資源の調達をめぐる国際競争が激しくなっているため，ロシアと協力してシベリアやサハリンの原油や天然ガスの開発を進めるなど，輸入先を増やす努力が進められています。4

生活を支える電力

身近なエネルギーである電力にはさまざまな発電方式があり，国によっても特色があります。6 水資源に恵まれた日本では，かつては山地に建設されたダムの水を用いた**水力発電**が多かったのですが，電力消費量の増加に伴って，原油や石炭・天然ガスを燃料にした**火力発電**や，ウランを燃料にした**原子力発電**が大きな割合を占めるようになりました。6 火力発電所は，

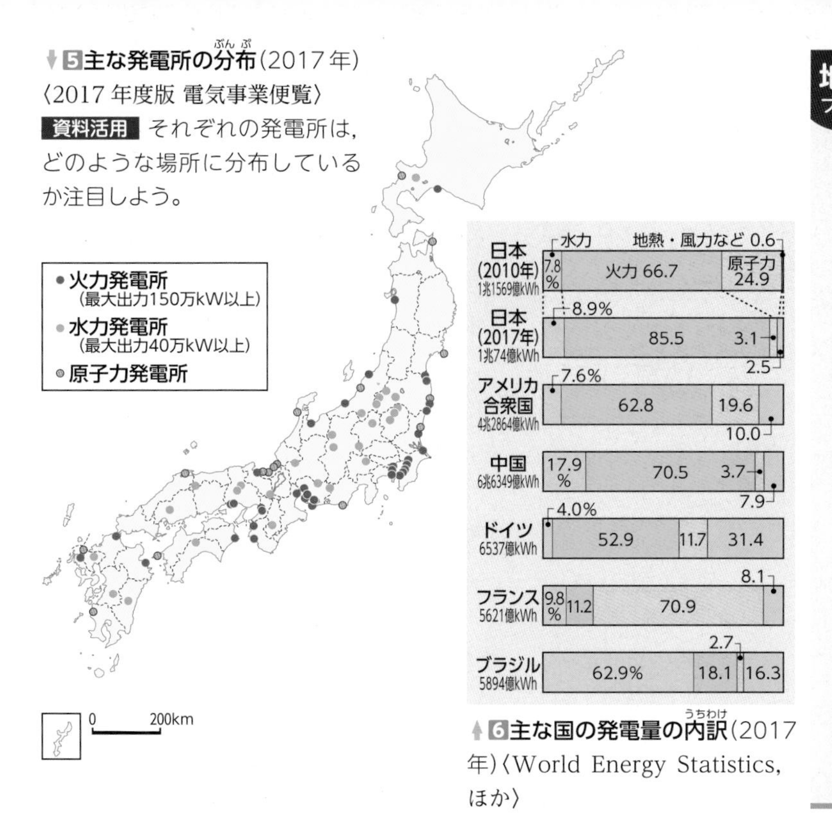

⬇5主な発電所の分布(2017年)〈2017年度版 電気事業便覧〉

資料活用 それぞれの発電所は，どのような場所に分布しているか注目しよう。

⬆6主な国の発電量の内訳(2017年)〈World Energy Statistics，ほか〉

地理プラス 再利用可能な資源が眠る都市鉱山

パソコンや携帯電話などの電子機器には，金やレアメタルなど，再利用可能な資源が含まれています。資源を含んだこれらの電子機器の廃棄物は，人口が集中する都市に多く存在するため，「都市鉱山」とよばれています。

都市鉱山に眠る金属を回収して活用できれば，輸入に頼っている貴重な金属資源を国内で循環できる可能性もあります。2021年に行われた東京オリンピック・パラリンピックでは，都市鉱山から作られたメダルが授与されました。

➡7オリンピックのメダルを作るために集められた不要な携帯電話(東京都，2017年撮影)

電力需要の多い工業地域や大都市に近いところに，原子力発電は冷却水の得やすい沿岸部に分布しています。5

火力発電は**地球温暖化**(➜p.105)を引き起こす問題などがあるとして，原子力発電が推進されてきました。しかし，2011年に起きた福島第一原子力発電所の事故(➜p.265)をきっかけに，原子力発電の利用が見直されるようになりました。また，日本はエネルギー資源の自給率が低いため，太陽光，風力，地熱，バイオ燃料など**再生可能エネルギー**を利用した発電の拡大に期待が高まっています。8

持続可能な社会に向けて

資源が少ない日本では，再生可能エネルギーの活用とともに，資源の消費の見直しや，**省エネルギー**の技術を生かした環境対策などの取り組みが行われています。私たちの身の回りでは，消費電力の少ない家電製品や，走行時に排ガスを出さない電気自動車などの普及が進むとともに，**リサイクル**が積極的に行われています。例えば，不要になったパソコンや携帯電話から希少な金属(**レアメタル**❶)を回収して再利用する取り組みなど，日本は環境に配慮した技術で世界に貢献しています。7 **持続可能な社会**を実現するには，限りある資源を将来にわたって有効に活用し，世界の国々と協力して環境に配慮していくことが大切です。

⬆8住宅用の太陽光発電システム(宮城県，2017年撮影) 災害時も停電の心配がない自宅での太陽光発電が注目されています。

❶ 埋蔵量が非常に少ない金属や，純粋なものを取り出すことが技術的・経済的に難しい金属の総称です。パソコンや携帯電話，自動車などの生産に欠かせない金属で，例えばプラチナは自動車の排ガスの浄化装置などに，リチウムは携帯電話の電池などに使われています。

日本が鉱産資源を多く輸入している国を，図3から読み取ろう。

資源の少ない日本の取り組みについて，「リサイクル」と「省エネルギー」の語句を使って説明しよう。

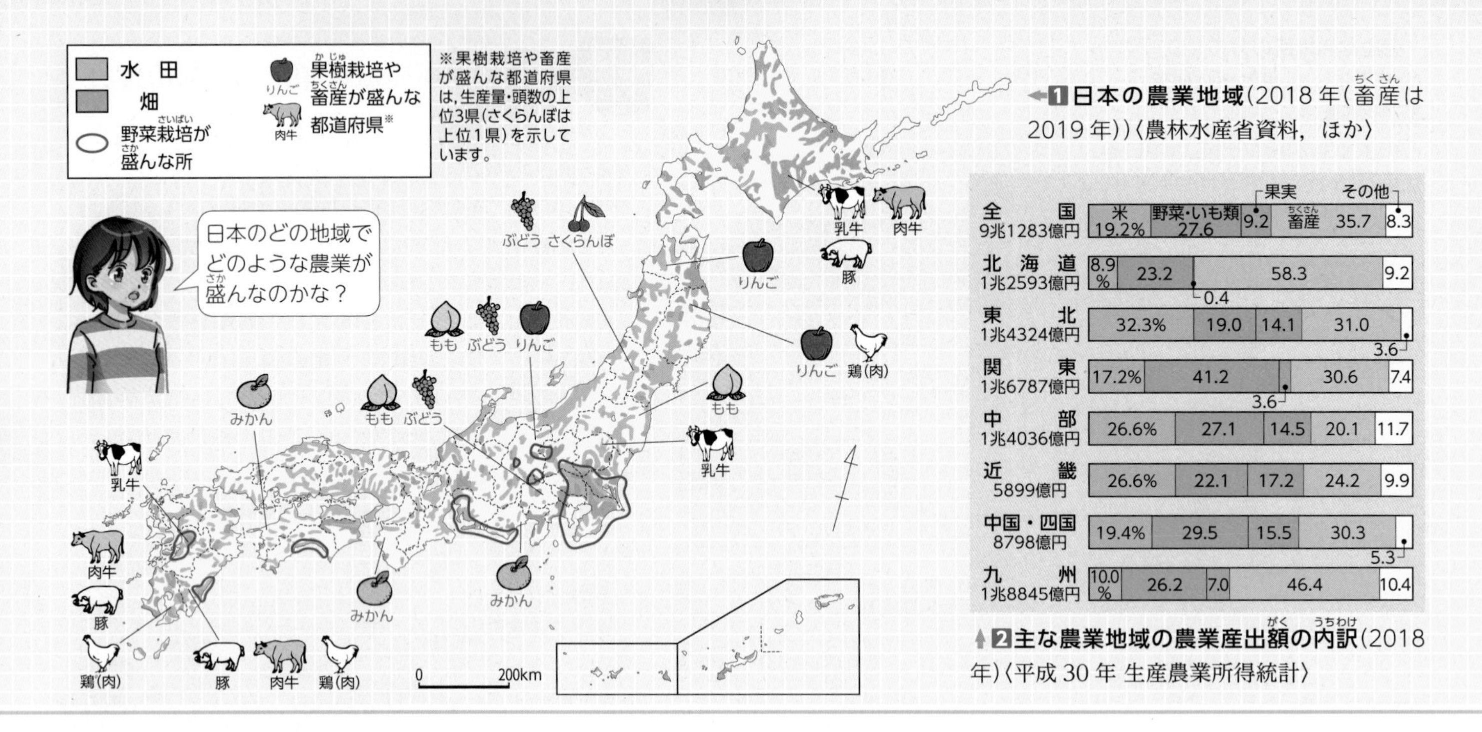

◀ **1 日本の農業地域**（2018年（畜産は2019年））〈農林水産省資料，ほか〉

▲ **2 主な農業地域の農業産出額の内訳**（2018年）〈平成30年 生産農業所得統計〉

8 日本の農業・林業・漁業とその変化

学習課題 日本の農業・林業・漁業には，どのような特色や課題があるのだろうか。

日本の農業地域

日本の耕地の半分以上は水田で，水が豊かな平野部を中心に全国各地に分布しています。**稲作**が特に盛んなのは，雪どけ水が豊富な東北地方の日本海側や北陸の平野部で，各産地が競って品質の優れた米を生産しています。（1）（→p.256）（→p.222）（→p.230, 261）

大都市の周辺では**近郊農業**が発達しており，新鮮さが求められる野菜などの生産が盛んです。近年は，交通網の発達によって，遠く離れた地域からも運ぶことが可能になったため，出荷時期に合わせて作物の生育を調節する**促成栽培**や**抑制栽培**を行っている地域があります。また，水はけがよく，日当たりのよい斜面や扇状地では**果樹栽培**が盛んです。涼しい所では りんご が，暖かい所では かんきつ類が栽培されるなど，気候に合わせて果物が生産されています。（解説）（→p.248）（解説）（→p.179, 197, 227）（→p.144）（→p.196, 228, 262）（1）

農業産出額が最も多い畜産では，大規模に経営する農家が増えています。北海道地方では乳牛や肉牛，九州地方では肉牛や豚，鶏が特に多く飼われています。一方で，飼料の多くを輸入に頼っているため，**食料自給率**が低いという課題が生じています。（2）（1）（❶，→p.75）

日本の農業の特色と課題

自然を相手にする農業は，台風や冷害などの自然災害の影響を受けて，収穫量や価格が変動しやすく，また，海外からの安い農産物の輸入が増えたため，その経営（→p.260）

解説 近郊農業

都市の消費者向けに，都市から距離の近い地域で行われる農業のことです。鮮度が求められる野菜や果物，花，鶏卵などが生産されます。

解説 促成栽培と抑制栽培

価格が高い時期に出荷するために，野菜などの成長を早めて出荷時期をずらす工夫をした栽培方法を促成栽培，逆に成長を遅らせる工夫をした栽培方法を抑制栽培とよびます。

❶ 日本の食料自給率（2018年）を見ると，主食である米は97%と，100%近くあります。しかし，小麦は12%，大豆などの豆類は7%と，低い値となっています。（→p.75）

地理プラス 農業の後継者を育成する取り組み

「後継者がいない」，「高齢のため，畑の規模を縮小せざるをえない」というような悩みをもつ農家が増えています。一方で，「新しく農業を始めたいのに，どのように始めたらよいか分からない」という声も多くあります。

大阪府では，農業協同組合と協力して，新たに農業を始めたい人をサポートする「新規就農『はじめの一歩』村」という取り組みが行われています。研修生は，地元の農家から農作物の栽培方法や販売方法などを学び，農業に必要な知識や技術を身に付けていきます。新たに農業を始めたい人と地元の農家との交流を通して，農業を盛り上げていくことを目指しています。

◀3 地元の農家から農業技術を学ぶ研修生（大阪府，富田林市，2017年撮影）

は厳しくなっています。近年，農業を目指す若い人が減っており，農業に就く人の3分の2が，65歳以上の高齢者によって占められています。こうした後継者の不足や高齢化の進行とともに，使われなくなった農地の荒廃なども深刻な課題になっています。

一方，手間をかけて作られる日本の農産物は，品質がよく，安全性が高いため，国内外で高く評価されています。また，機械化によって農作業の効率化を図り，効果的な肥料の使い方を研究した結果，労働時間を短縮し，収穫量を増やせるようになりました。
→p.179

日本の林業と漁業の特色

日本は森林に恵まれた国です。森林の約4割は人工林であり，木材としての利用価値が高いすぎやひのきが主に植林されています。1960年代後半以降は，海外からの木材輸入によって国内の林業が低迷しましたが，近年は，国内産の品質のよい木材が見直される動きも出ています。
4，→p.214

また，日本の周囲の海は，暖流と寒流がぶつかる世界有数の好漁場です。以前は**遠洋漁業**や**沖合漁業**が盛んでしたが，ロシアなどの国々が漁業権を主張すると遠洋漁業の漁獲量が減少し，日本近海の不漁などにより沖合漁業の漁獲量も減少しました。こうしたなかで，魚介類を確実に供給するため，**養殖業**や**栽培漁業**が行われています。
→p.145 →p.227 解説 →p.19 →p.279 5 解説 →p.197, 263, 279

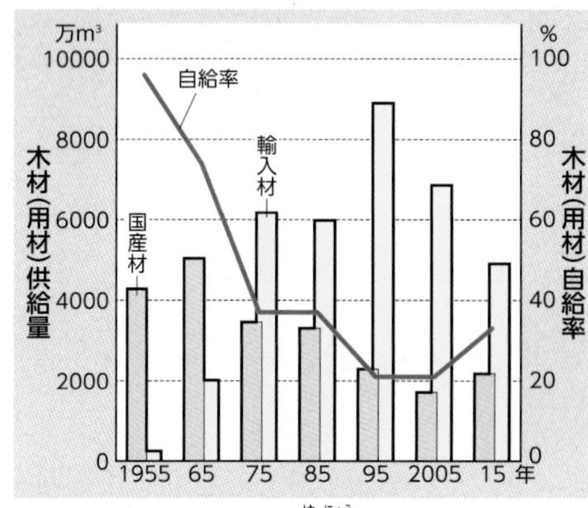

▲4 日本の木材生産と輸入の変化〈平成29年版 森林・林業白書〉

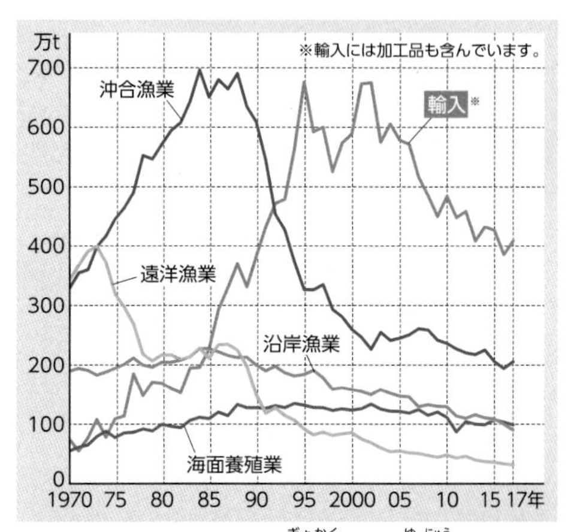

▲5 日本の漁業部門別漁獲量と輸入量の変化〈農林水産省資料〉

解説 遠洋漁業・沖合漁業

陸地から離れた沖合で行う漁業を沖合漁業，さらに遠く離れた海域で行う漁業を遠洋漁業とよびます。漁の期間は，遠洋漁業では1年以上かかる場合もあります。

解説 養殖業・栽培漁業

魚介類をいけすやいかだなどで育てて増やすことを養殖業，海底に魚が集まる漁場をつくったり稚魚や稚貝を放流したりして沿岸の漁業資源を増やそうとする漁業を栽培漁業とよびます。

稲作と畜産が盛んな地域を，それぞれ図1で確認しよう。

日本の農林水産業が抱える課題について説明しよう。

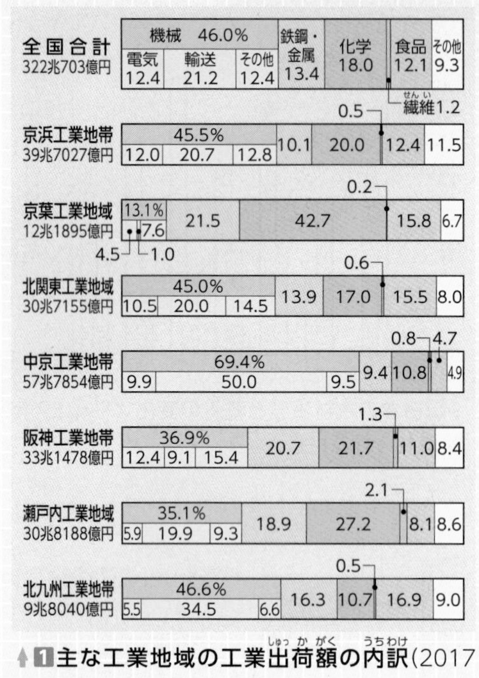

▲1主な工業地域の工業出荷額の内訳(2017年)〈平成30年 工業統計表〉

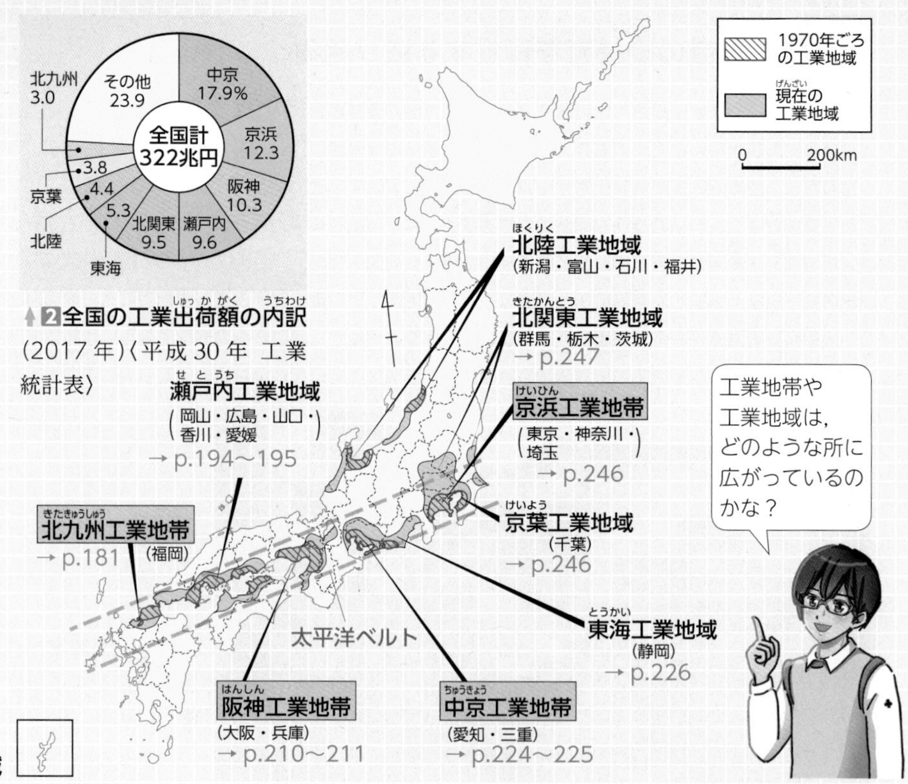

▲2全国の工業出荷額の内訳(2017年)〈平成30年 工業統計表〉

→3日本の主な工業地域

9 日本の工業とその変化

学習課題 日本の工業にはどのような特色があり，工場の立地はどのように変化してきたのだろうか。

日本の工業の特色と工業地域

日本は，アメリカ合衆国や中国，ドイツなどとともに世界の中でも工業が盛んな国の一つです。4 日本の工業は繊維工業などの**軽工業**(解説)から始まり，しだいに大きな敷地と設備が必要な**重化学工業**(解説)，そして高度な知識と技術を使った**先端技術産業**(解説, →p.103)(ハイテク産業)へと発展してきました。

日本の工業は，明治時代より京浜・中京・阪神・北九州などの工業地帯で発達してきました。1〜3 第二次世界大戦後は，原油(→巻末1)や鉄鉱石(→巻末1)などを輸入するのに便利な臨海部に製鉄所5や石油化学コンビナート(→p.194)が立地し，関東地方から九州地方北部にかけての沿岸部とその周辺に**太平洋ベルト**3とよばれる帯状の工業地域が形成されました。

1970年代以降は，**輸送機械工業**(→p.224)や**電気機械工業**などの組み立て型の工業が発展し，太平洋沿岸部だけでなく，東京や大阪などの大都市圏の周辺や，東北地方や九州地方などの内陸部に新しい工業地域が形成されました。これは，各地で交通網の整備が進んで高速道路(→p.181，264)沿いや空港付近に工業団地が整備されたことや，組み立て型の工業の発展に伴い，たくさんの部品工場が地方に分散したことが背景に

解説 軽工業・重化学工業・先端技術産業

製造技術が簡単で，日常生活で使う比較的軽い製品を生産する工業を軽工業とよびます。これに対して，比較的重い製品を生産する工業を重工業とよび，化学反応を利用して製品を生産する石油化学などの化学工業と合わせて重化学工業とよびます。半導体などは製品としては軽いものの，生産には高度な技術が必要なので，このような製品をつくる工業は先端技術産業とよばれます。

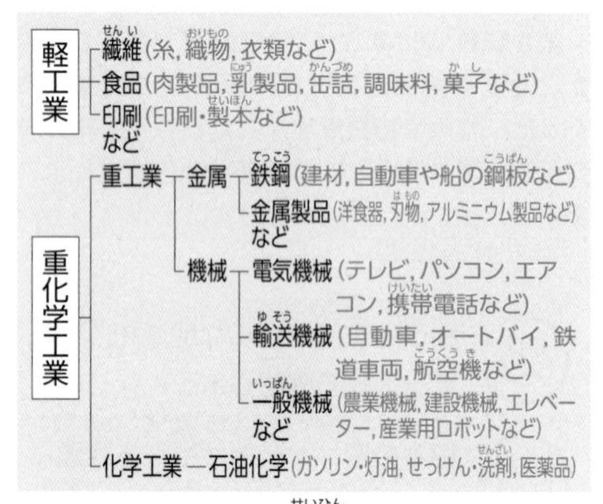

▲4工業の分類と主な製品

▲5 **臨海部に広がる大規模な工場群**〈神奈川県，川崎市〉 製鉄所や精油所，発電所などが立ち並んでいます。

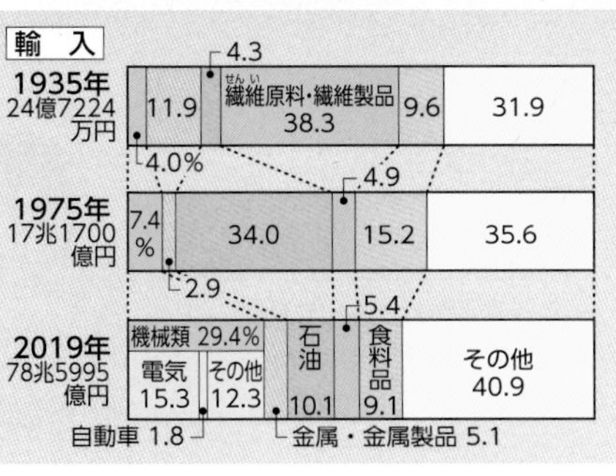

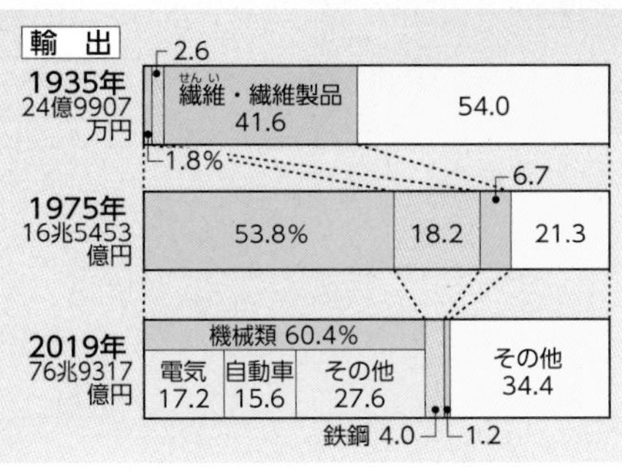

◀6 **日本の貿易品目の変化**〈財務省貿易統計，ほか〉 **資料活用** 輸入と輸出で割合が特に大きい品目の変化に注目しよう。

あります。また，研究や技術開発を行う研究所は，人材や流行などの情報が集まりやすい都市部やその周辺に立地しています。

変化する日本の工業

日本の工業は，原料や燃料を輸入し，高い技術力で優れた工業製品を作って輸出する**加工貿易**によって発展してきました。しかし，1980 年代に外国製品との競争のなかで**貿易摩擦**が生じると，日本企業はアメリカ合衆国やヨーロッパなどに進出して，自動車や電気製品などを現地で生産するようになりました。その後，賃金の安い労働力や新たな市場を求めて中国や東南アジアに進出先が広がり，多くの日本企業が多国籍企業として世界各地で生産を行っています。今日では，価格の安い外国企業からだけではなく，日本企業の海外工場からの工業製品の輸入も増えるなど，工業のグローバル化がますます進んでいます。

→p.59 →p.104

こうした変化に伴い，日本の工業にも大きな変化がみられるようになってきています。一部の工業では国内の生産が衰退し，**産業の空洞化**とよばれる現象がみられるようになりました。特に，中国などアジアの国々の工業が急成長し，これまで日本が得意としてきた機械工業などの分野で競争が激しくなってきています。国内の工業地域では，高機能製品や環境技術，先端技術を生かした製品などに活路を見いだそうとしており，新たな技術革新に力を入れています。

→p.54，210 →p.234

解説 貿易摩擦

ある国とある国との貿易が原因で，国内の産業・社会に生じる問題をいいます。例えば，1980 年代には，輸入した日本製の自動車がアメリカ合衆国でたくさん売れたので，アメリカ合衆国の自動車メーカーは生産を減らさなければならなくなり，多くの失業者が出ました。

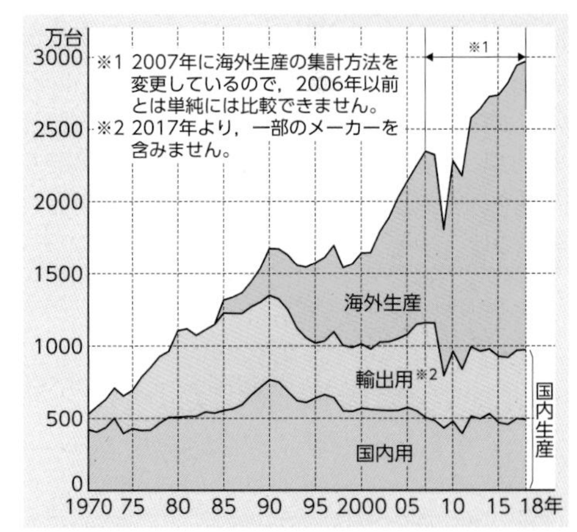

▲7 **日本の自動車生産の変化**〈日本自動車工業会資料〉

輸送機械工業が特に盛んな工業地域はどこか，図1で確認しよう。

内陸部に新しい工業地域が形成された背景について，説明しよう。

1 多くの商業施設が集まる渋谷（東京都，渋谷区，2018年撮影）

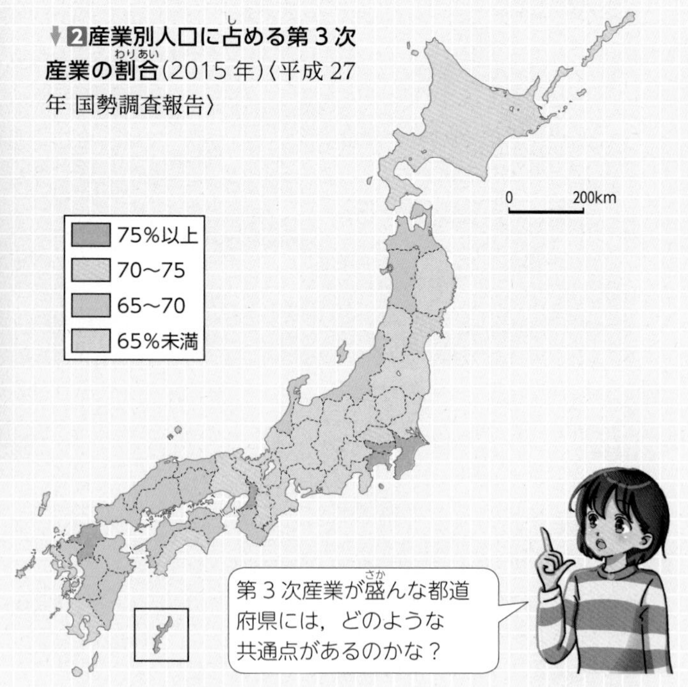

2 産業別人口に占める第３次産業の割合（2015年）〈平成27年 国勢調査報告〉

	商業	医療・福祉	宿泊・飲食サービス業	運輸・郵便業	教育・学習支援業	その他
合計 4936万人	21.5%	17.1	8.5	7.0	6.8	39.1

3 第３次産業の就業者の内訳（2019年）〈総務省資料〉

10 日本の商業・サービス業

学習課題 日本の産業の中心である商業やサービス業には，どのような特色や変化がみられるのだろうか。

産業の中心を担う第３次産業

産業は，農業・林業・漁業が**第１次産業**，鉱工業・建設業などが**第２次産業**，そしてこれら以外の産業が**第３次産業**に分類されます。

第３次産業には，小売業や卸売業などの**商業**（解説）や，宿泊・飲食業や金融・保険業，教育などの**サービス業**があり（3），日本では，第二次世界大戦後，経済の発展に伴い，第３次産業の割合が一貫して増加してきました。現在では，ほかの先進国と同じように第３次産業の割合が最も高く，仕事をもつ人の７割が第３次産業で働いています（4）。特に，人口が多く経済活動が活発な三大都市圏→p.154や，観光客が多い北海道→p.280や沖縄県→p.182では，第３次産業の割合が高くなっています（2）。

生活の変化と商業

かつての商業の中心は，駅前や都市中心部にある商店街やデパートでした。しかし，自動車による買い物が一般的になると，郊外の幹線道路沿いに広い駐車場を備えた大型のショッピングセンターや専門店→p.237が進出し，多様な商品やサービスを提供するようになりました。これに対して，駅前などでは，古くからあった商店や小規模なスーパーマーケットが閉店し，自動車を利用しない人々の買い物が不便になっている例が増えています。

解説 商業

商業は小売業と卸売業に分けられます。コンビニエンスストアやデパートといった，消費者に直接商品を販売する業種を小売業といい，このような店を小売店といいます。これに対し，小売店に商品を販売する業種を卸売業といい，問屋や商社などの卸売業者が生産者から商品を買いつけ，小売店に卸します。

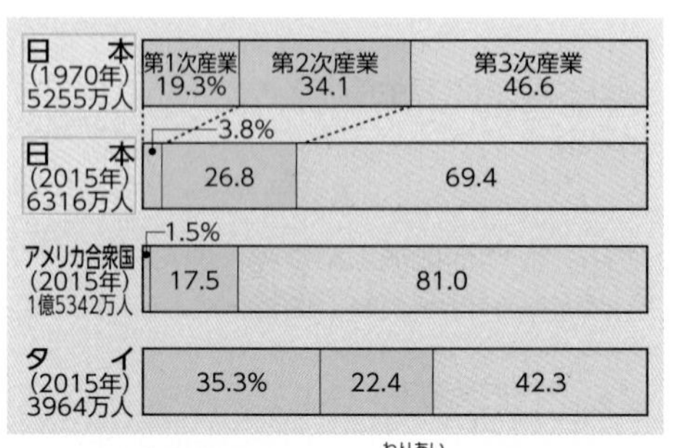

4 主な国の産業別人口の割合〈ILO STAT〉

地理プラス　ドローンによる配達の実現を目指して

2018年に福島県南相馬市と浪江町の郵便局の間で，ドローン（無人航空機）による荷物の輸送が始まりました。物流業界では，宅配便の取扱量の増加や，生活様式の変化などに対応するため，さまざまな取り組みが行われています。例えば，ドローンによる配達は，山間部や離島への配達の効率化や，災害時の物資の輸送などが期待され，各地で実証実験が進められています。

➡5 **ドローンによる荷物の配達**（福島県，浪江町，2018年撮影）

⬆6 **インターネットを使って商品を販売する会社の物流センター**（神奈川県，川崎市，2018年撮影）

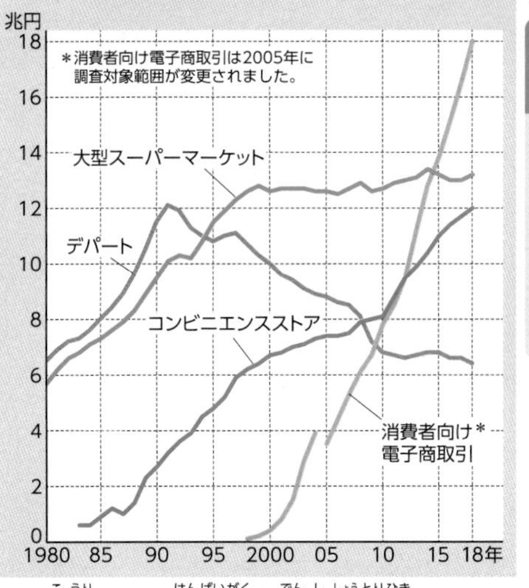

⬆7 **小売店での販売額と電子商取引の取引額の変化**〈商業動態統計調査，ほか〉

資料活用 販売額や取引額が伸びてきているのは何か，読み取ろう。

そうしたなかで，**情報通信技術（ICT）**→p.60の発達や生活時間の多様化に合わせて，買い物をする手段も多様化しています。例えば，24時間営業のコンビニエンスストアは，商品の販売や配送のデータを管理することで，全国に広がりました。インターネットで商品やサービスを売買する電子商取引も，7 豊富な商品をいつでも買えることから，急速に普及しています。7 電子商取引を活用すれば，高齢者など自動車の運転ができない人や，離島や農山村に住む人なども買い物ができるため，今後，ますます重要になると考えられています。8，→p.202

成長するサービス業

さまざまな業種によって構成されるサービス業には，成長が著しい業種がみられます。例えば，近年の情報通信技術の発展によって，ソフトウェアの開発や映像の制作など，情報や通信に関連する業種が成長しています。これらの業種で働く人は，情報を扱うテレビ局や新聞社などが多い東京をはじめとする大都市に集中しているという特徴があります。→p.244一方，急速な少子高齢化→p.155に伴って，医療や福祉サービスを提供する業種も増えていますが，3 これらの業種は暮らしに直接関わるため，全国に均等に分布しています。このほか，観光に関連する産業も成長しています。→p.164，182，280

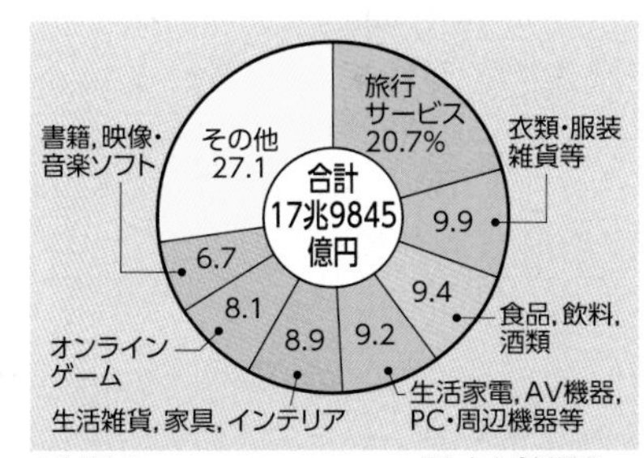

⬆8 **消費者に向けて行われる電子商取引の取引額の分野別内訳**（2018年）〈経済産業省資料〉

確認しよう 第3次産業には，どのような業種が含まれるのか，図3で確認しよう。

説明しよう 商業とサービス業では，それぞれどのような分野や業種が拡大しているのか，説明しよう。

↑1 コンテナの積み降ろし（東京都，江東区，2017年撮影）

↑2 航空貨物の積み降ろし（千葉県，成田国際空港，2017年撮影）

	機械類	自動車	電気製品	鋼材	その他
輸出 57.4兆円	34.3%	19.0	9.4	5.9	31.4

	原油	液化ガス	その他
輸入 60.0兆円	14.8%	9.0	76.2

↑3 日本の海上輸送貨物（2018年）〈海事レポート 2019〉

	半導体など	精密機械	化学品*	その他
輸出 23.6兆円	16.2%	9.7	8.6	65.5

	化学品*	半導体など	精密機械	事務用機器	その他
輸入 21.3兆円	16.1%	11.6	10.5	6.8	55.0

*医薬品などを含みます。

↑4 日本の航空輸送貨物（2017年度）〈数字でみる航空 2019〉

11 日本の交通網・通信網

学習課題 交通網や通信網が発達したことで，日本と世界や国内の地域間の結び付きはどのように変化したのだろうか。

交通網による世界との結び付き

空や海の交通網の発達により，現代の世界は国境を越えた人や物の移動が活発になっています。周囲を海で囲まれた日本では，原油や液化天然ガスなどの資源を輸入したり（→p.156），機械や自動車などの重い製品を輸出したりする（→p.195，220）場合には，大量に安く輸送できる船舶が利用されています（1，3）。一方で，軽量で価格の高い電子部品や（→p.181），新鮮さを保つことが必要な野菜や生花など（→p.85）は，航空貨物として速やかに運ばれます（2，4）。

日本と世界各地の人の移動は，航空路線の拡大に伴って増えてきました。仕事や観光で日本から海外へ出かける人が増えただけでなく，近年は近隣の中国や韓国など，さまざまな地域から，日本を訪れる外国人旅行者が増えています（5，6 →p.280）。外国人の観光客が増加した地域では，商業や観光業が活性化する一方で，宿泊施設や通信環境など，受け入れ体制を整えることも課題になっています。

交通網の整備と生活の変化

日本では高度経済成長期以降（→p.154），新幹線や高速道路の建設，空港の整備などが進み，都市間を結ぶ**高速交通網**が整備されてきました（8）。これによって，国内の主な都市間の移動にかかる時間は大幅に短縮されました（7，→p.192）。

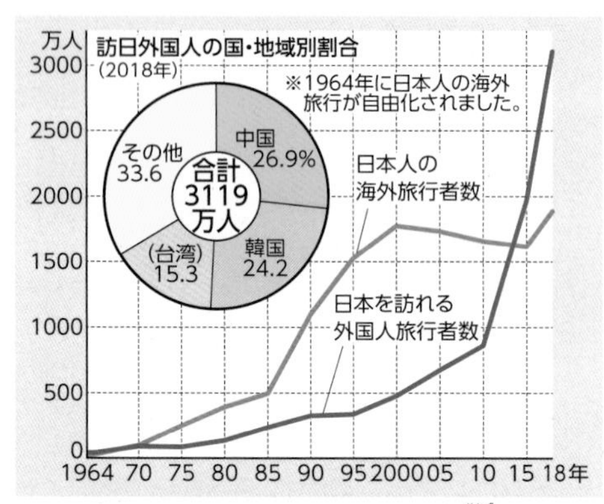

↑5 日本人の海外旅行者数と日本を訪れる外国人旅行者数の推移〈日本政府観光局（JNTO）資料〉

↑6 外国人旅行者向けの観光案内所（東京都，東京国際（羽田）空港，2019年撮影）

小学校●歴史●公民との関連　交通網の広がり（小），貿易や運輸（小），日本の産業と情報（小），情報化（公）

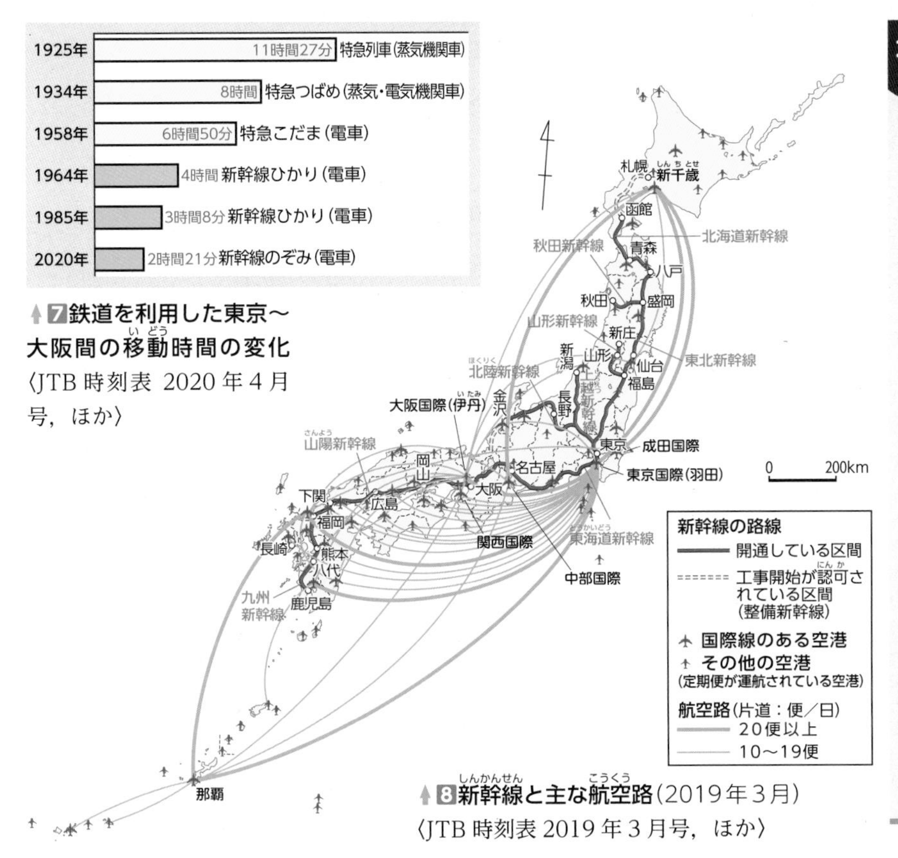

7 鉄道を利用した東京～大阪間の移動時間の変化
〈JTB 時刻表 2020 年４月号，ほか〉

8 新幹線と主な航空路（2019年３月）
〈JTB 時刻表 2019 年３月号，ほか〉

高速道路が全国に整備されたことによって，国内の旅客輸送や貨物輸送では自動車による輸送の割合が高くなりました。10 交通の便がよいインターチェンジ付近には，工業団地や流通団地が造られ，→p.181，247，264 働く場所ができたことで人口が増えた地域もあります。一方で，日本では，大都市圏内の通勤・通学で鉄道がよく利用され，中距離の移動にも新幹線が多く利用されているため，ほかの先進国と比べると，鉄道による旅客輸送の割合が高いという特徴があります。

通信網の発達と生活の変化

現在では，パソコンやスマートフォンなどの情報通信機器の普及や，通信ケーブルや通信衛星網の整備によって，11 インターネットや国際電話を使って世界中の人々と情報の交換や商品の取り引きができるようになっています。

高速通信網が全国的に整備された日本では，インターネットが広く普及しています。これによって，都市部から離れた離島や農山村でも，全国から商品を購入したり，→p.163 遠くにいる医師の診療を受けたりすることができるようになりました。9，→p.193 情報通信技術（ICT）→p.60 の発達は人々の生活を豊かにする一方，ICT を利用できる人とできない人との間では，**情報格差**が生まれています。

地理プラス　通信技術を医療に生かす

富山県南砺市では，大きな病院が中心となって地域の病院を高速通信回線で結び，互いの診断記録や検査記録を共有するネットワークがつくられました。これによって，小児科などの専門医がいない山間部の診療所でも，専門医が患者のデータを見ながら，診療所の医師に指導や助言ができるようになりました。現在，このような取り組みは全国各地で行われるようになっています。（→ p.193）

9 テレビ会議システムで富山市の病院と通信する山間部の診療所の医師（富山県，南砺市）

旅客	鉄道	自動車	船	航空機
1960年	75.8%	22.8	1.1	0.3
2018年	30.2%	63.0	0.2	6.6

貨物	鉄道	自動車	船	航空機
1960年	39.0%	15.0	46.0	0.1未満
2018年	3.8%	60.9	35.1	0.2

10 国内輸送の内訳の変化〈交通関連統計資料集，ほか〉

11 海底ケーブルの設置作業（千葉県，南房総市）

確認しよう　海上輸送と航空輸送で運ばれる物の特徴を図3と4で確認しよう。

説明しよう　交通網や通信網の発達によって，どのような変化が生じたのか，説明しよう。

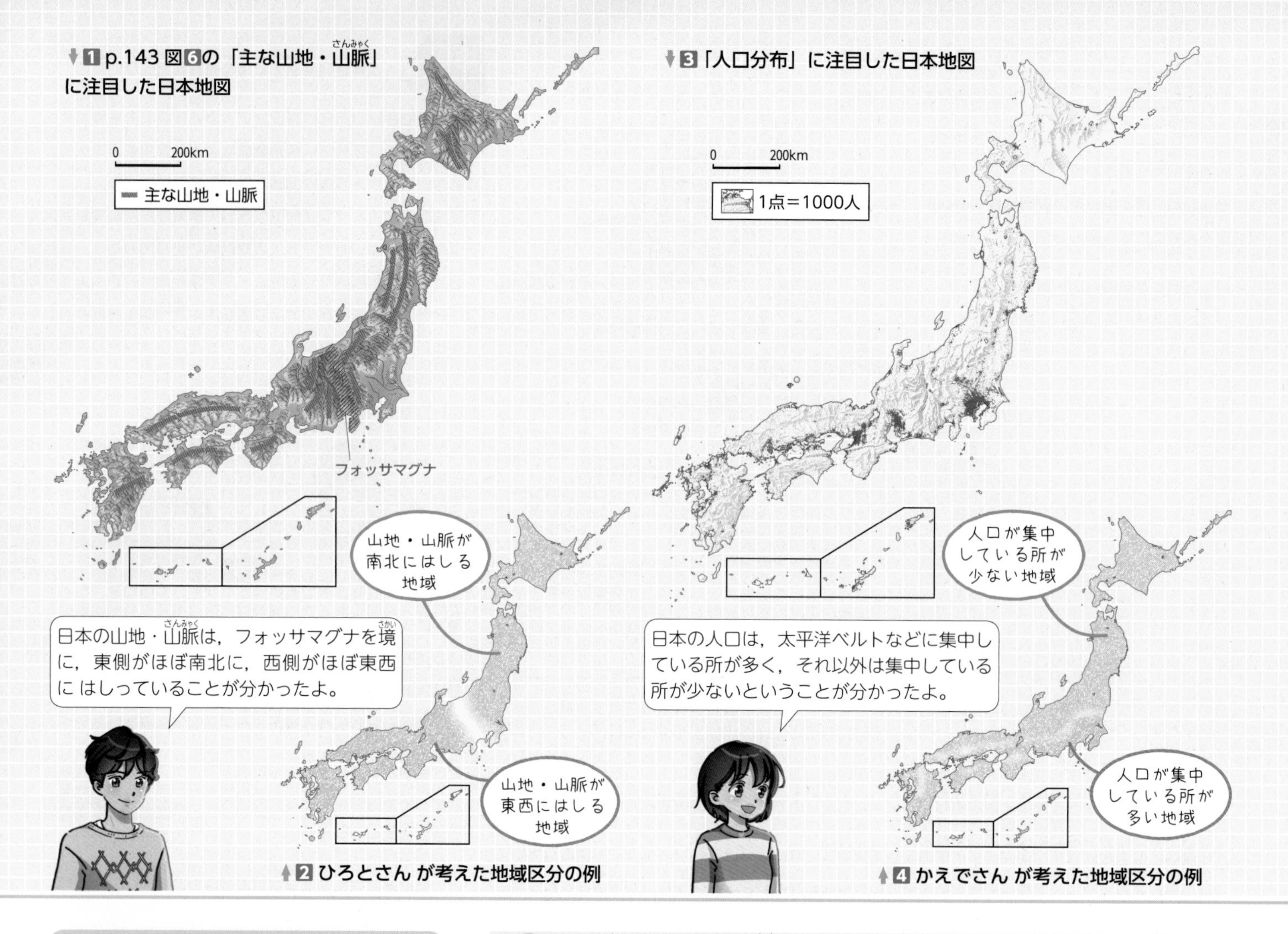

1 p.143 図6の「主な山地・山脈」に注目した日本地図

3「人口分布」に注目した日本地図

2 ひろとさん が考えた地域区分の例

4 かえでさん が考えた地域区分の例

12 さまざまな地域区分

学習課題 いくつかの視点を基に日本を区分すると，どのような特色がみえてくるのだろうか。

地域区分から日本の特色をつかむ

ある地域を，共通性や関連性などを基に，いくつかのまとまりに分けることを**地域区分**といいます。これまでの学習で，日本の自然環境や人口，産業，交通などについて学んできましたが，これらの視点は日本を地域区分するための指標の一つとなります。

例えば，ひろとさんはp.143 図6の自然環境の地図を見て，山地・山脈が並んでいる方向の違いから，日本を2つの地域に区分しました。これを見ると，日本の地形はフォッサマグナを境におおまかに2つに区分できることが分かります。2 また，かえでさんが作成した地域区分からは，日本の人口は，集中している所が多い地域とそうではない地域があることが分かります。4 しゅんさんの地域区分からは，日本の工業はどこでも盛んというわけではなく，盛ん

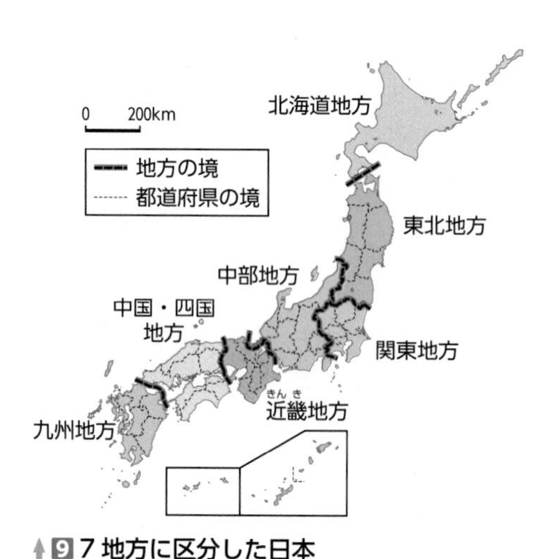

9 7地方に区分した日本

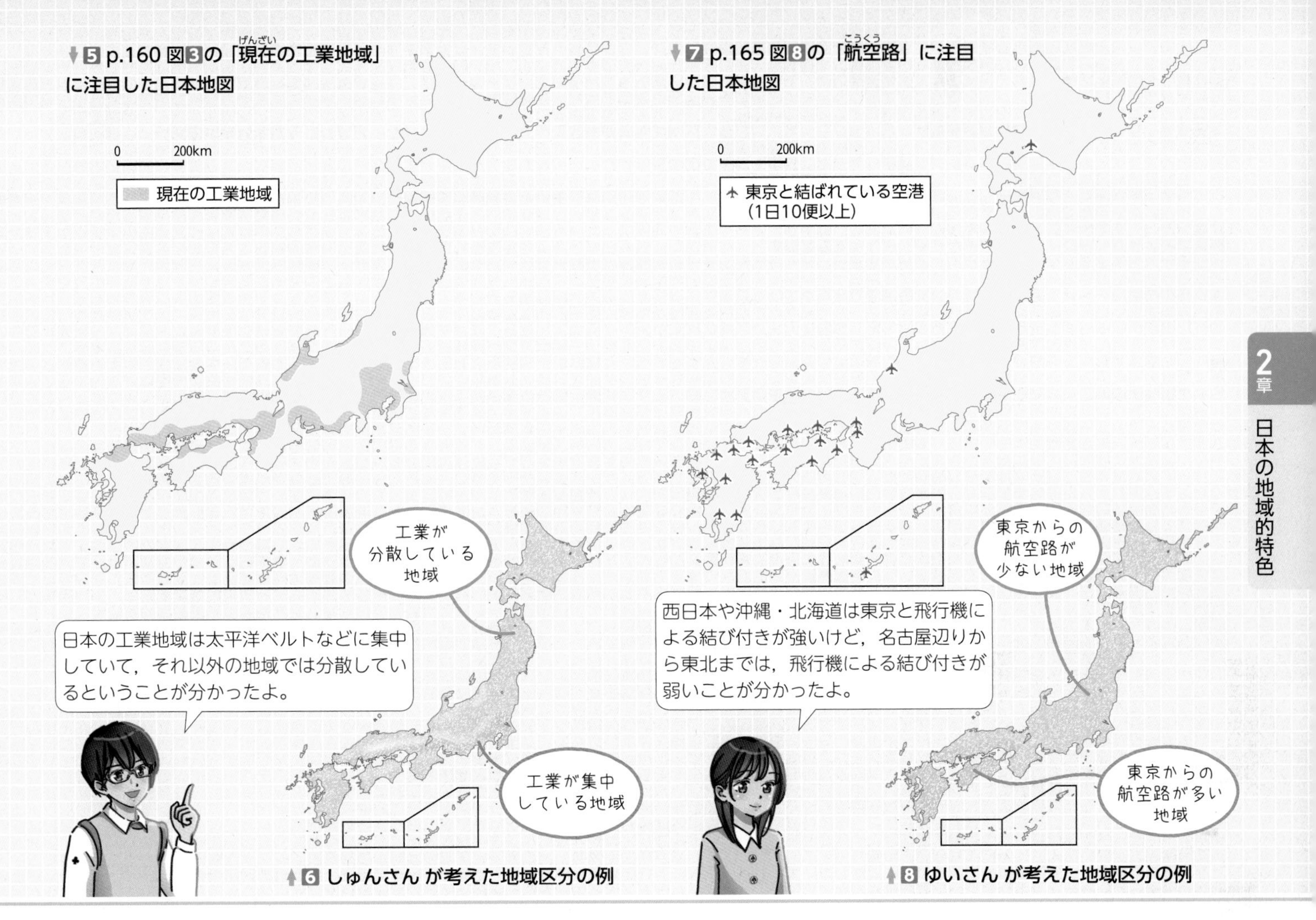

5 p.160 図3の「現在の工業地域」に注目した日本地図

6 しゅんさん が考えた地域区分の例

7 p.165 図8の「航空路」に注目した日本地図

8 ゆいさん が考えた地域区分の例

な地域は限られていることが分かります。[6] また，ゆいさんが作成した地域区分からは，飛行機によって東京と結び付きが強い地域と，そうではない地域があることが分かります。[8]

このように，さまざまな主題図を基に→p.46，地域区分をしてみると，日本はどこでも同じ様子というわけではなく，地域によってさまざまな違いがあることが分かります。そのため，地域区分を行うことは，日本全体の特色をつかむことにもつながります。

目的や基準によって変化する地域区分

地理の学習では，地域の特色をつかみやすくするため，日本を九州，中国・四国，近畿，中部，関東，東北，北海道に分ける，**7地方区分**がよく使われます。[9] また，これよりもおおまかに西日本・東日本・北海道と区分したり，[10] 山陰・山陽のように，一つの地方をより細かく区分したりすることもあります。→p.190, 222 このように，目的や基準によって，地域はさまざまな数や大きさに区分することができます。

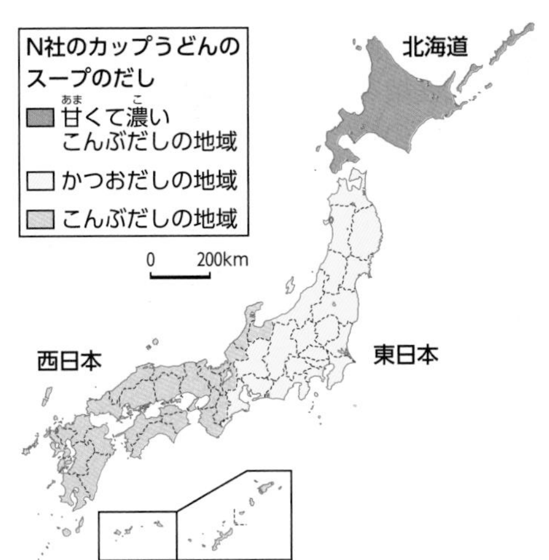

10 カップうどんの だし の違いによる地域区分（2019年3月）

日本の7地方区分の各地方名とその範囲を，図9で確認しよう。

地域区分によりみえてきた日本の特色を一つ，説明しよう。

第２章 日本の地域的特色

第2章の問い p.142～167 日本の自然環境や人口，産業には，どのような特色があるのだろうか。

1 学んだことを確かめよう ≫ 知識

1．図2のＡ～Ｃにあてはまる海流名を答えよう。
2．図1のⓐ～ⓔにあてはまる都市を，図2のア～オの中から答えよう。
3．図2の中に，冬の季節風の風向きを書き込もう。

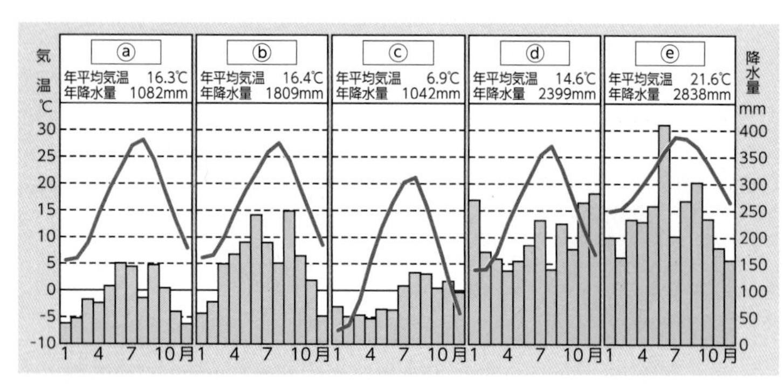

1日本のある都市の雨温図〈理科年表 2020〉

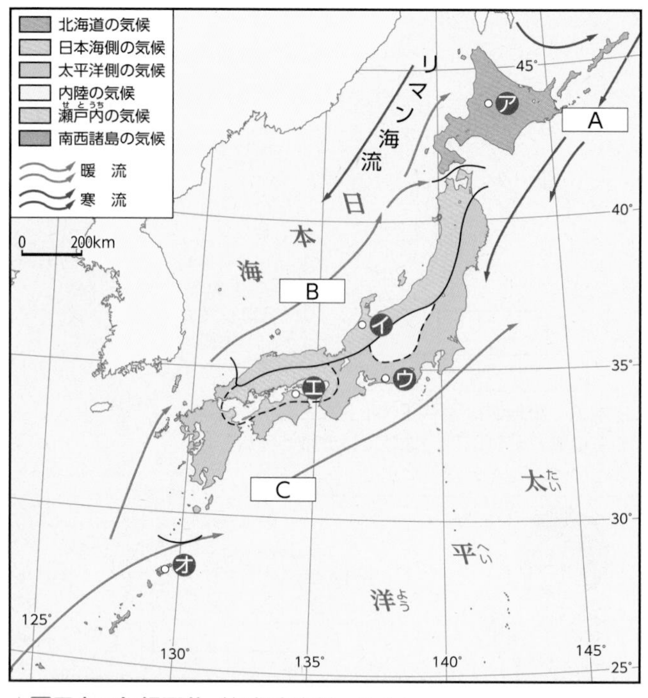

2日本の気候区分〈気象庁資料，ほか〉

4．図3の❶～❸は，都道府県別の第１次産業，第２次産業，第３次産業の割合を表したものである。それぞれの図はどの産業を表したものか，ⓕ～ⓗにあてはまる数字を答えよう。
5．図3の❶において，産業別人口に占める割合が高い都道府県が最も集中している地域を，７地方区分で答えよう。

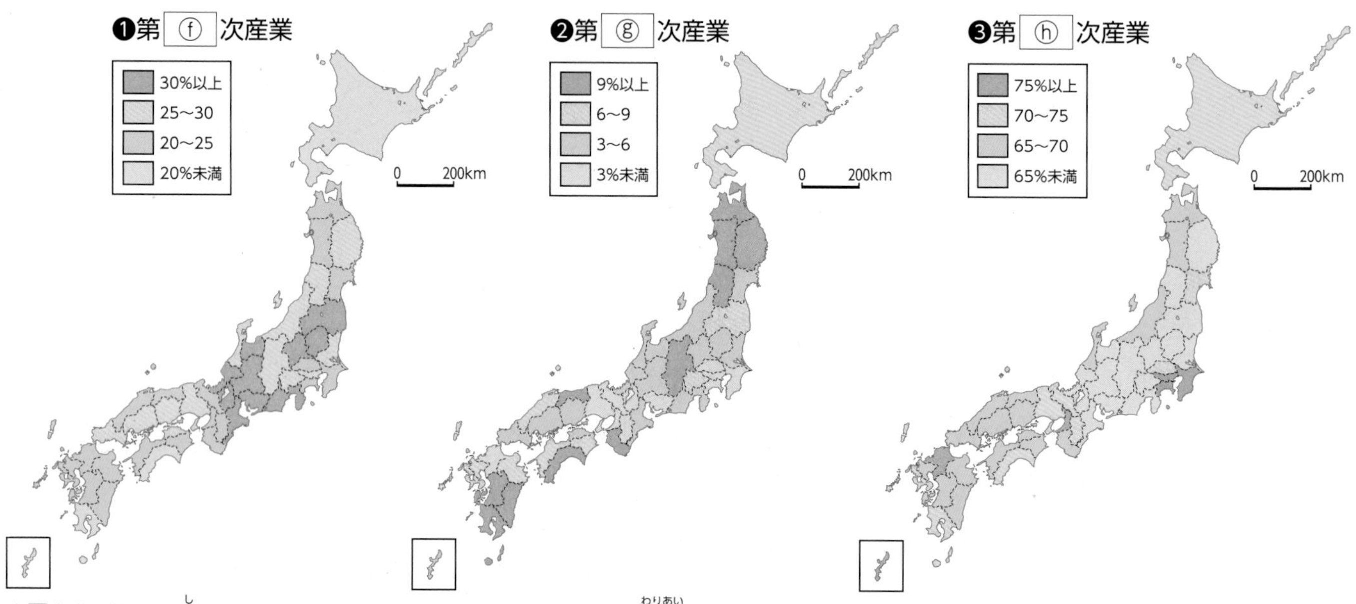

3産業別人口に占める第１次産業，第２次産業，第３次産業の割合(2015年)〈平成27年 国勢調査報告〉

2 「地理的な見方・考え方」を働かせて説明しよう ≫ 思考力，判断力，表現力

1．p.157 図5を右の(例)のように，「主に水力発電所が分布する地域」と「主に火力発電所が分布する地域」で地域区分を行った。その際，「主に火力発電所が分布する地域」における分布の特徴には，どのようなことがあるのだろうか。「主に水力発電所が分布する地域」における分布の特徴を参考にしながら，下のア）に書き込もう。

「章の問い」に関連が深い 見方・考え方
分布，地域全体の傾向（→巻頭7）

<区分した地域の分布の特徴>
●「主に水力発電所が分布する地域」
　→分布の特徴…本州の内陸
●「主に火力発電所が分布する地域」
　→分布の特徴…ア）＿＿＿＿＿＿＿＿＿＿＿＿＿＿

（例）
大きな発電所があまりない地域
主に水力発電所が分布する地域
主に火力発電所が分布する地域
0　200km

➡4 p.157 図5「主な発電所の分布」を基にした地域区分の例

2．水力発電所・火力発電所の分布を基にした地域区分と，自然環境および交通には，どのような関連があるだろうか。図4～6を見比べて，気付いたことを書き出そう。

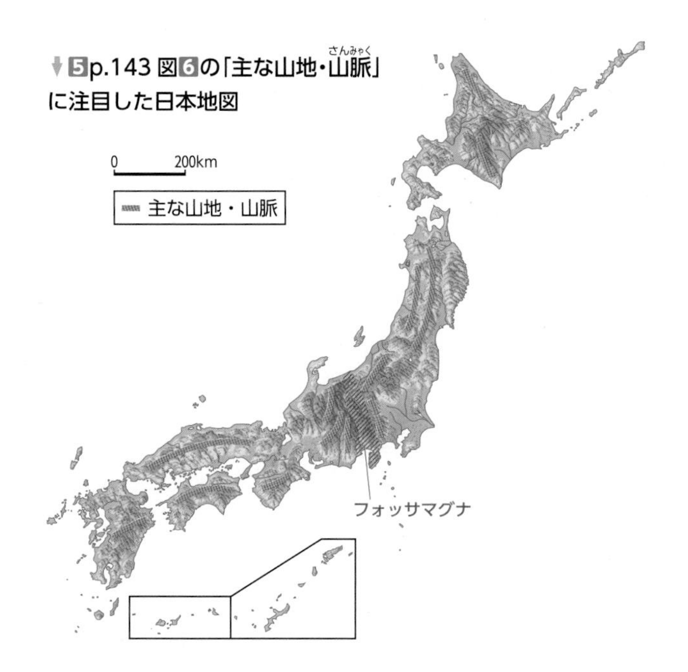

⬇5 p.143 図6の「主な山地・山脈」に注目した日本地図

⬇6 日本の「主な港」に注目した日本地図
0　200km
⚓ 主な港
釧路
苫小牧
八戸
気仙沼
石巻
仙台
北九州
境
博多
下関
松浦
銚子
東京
焼津
横浜
名古屋
清水
神戸
大阪
長崎
枕崎

3．表7の中から項目の異なる地図を二つ選び，共通点や相違点など，分布の特徴に注目して，見比べてみよう。そして，そこからみえてくる日本の特色を話し合おう。

項目	ページと図番号
自然環境に関する地図	p.143 図6，p.144 図3，p.148 図4，p.166 図1
人口に関する地図	p.154 図2，p.154 図3，p.166 図3
資源・エネルギーと産業に関する地図	p.157 図5，p.158 図1，p.160 図3，p.162 図2，p.167 図5
交通・通信に関する地図	p.165 図8，p.167 図7，p.169 図6

⬆7 第3部第2章「日本の地域的特色」で学んだ地図

第3章　日本の諸地域

章のねらい　日本の各地方における地域の特色や，その特色と地域にみられる課題との関係をとらえよう。

序説　学ぶにあたって

第３部第２章では，日本全体の特色を，自然環境，人口，資源・エネルギーと産業，交通・通信などの視点から学習してきました。しかし，その特色は地方によって異なります。

第３章では，p.166で学習した日本を七つの地方に分ける方法を利用して，日本の諸地域を学びます。各地方には，地域を追究する際に注目する視点が設定されており（図**2**），この視点に注目しながら，地域の特色をとらえていきます（図**1**）。

各地方の特色をとらえる過程においては，地域にみられる課題を人々がどのように克服してきたのか，また課題にどのように取り組もうとしているのか，ということにも目を向けてみましょう。この章の学習を通して，地域社会をよりよくするためには何が効果的なのかを考え，最終的には私たちの住む町で何をすればよいのかを考えましょう。

地域のさまざまな事象には関連があります。例えば南西諸島では，「温暖な気候」であるからこそ，「さとうきび」という特産品が生まれ，「台風が多い」という自然環境の課題があるからこそ，「風に強い家」が生まれました。さらに，「風に強い伝統的な家」は，観光資源にもなっています。これらの事象すべてが，地域の特色をつくり出しています。

導入		1見開き目		2見開き目		3見開き目〜		
地図・写真で眺める各地方	➡	各地方の自然環境	➡	各地方で注目する視点	➡	各地方の生活・産業など	➡	学習を振り返ろう

1第３部第３章における各地方の学習の展開

地方	注目する視点	地域にみられる課題
九州地方	自然環境	温暖な気候を生かした産業の発展 火山への対策
中国・四国地方	交通や通信	交通や通信を生かした産業の発展 過疎地域の活性化
近畿地方	環境保全	環境に配慮した産業の発展 自然環境や歴史的景観の保全
中部地方	産業	地域の特性を生かした新たな産業の発展
関東地方	人口や都市・村落	人口の集中を生かした産業の発展 過密への対策
東北地方	生活・文化	伝統文化を生かした産業の発展 伝統文化の継承
北海道地方	自然環境	寒冷な気候を生かした産業の発展 厳しい寒さや雪への対策

2各地方における地域を追究する際に注目する視点と，地域にみられる課題

KYUSYU

九州地方

吉野ヶ里遺跡（佐賀県）

福岡の博多ラーメンと屋台（福岡県）

プサンへの高速船
関門海峡
壱岐
玄界灘
北九州
八幡製鉄所
瀬戸内海
いちご
福岡
太宰府天満宮
福岡県
旧筑豊炭田
国東半島
関あじ・関さば
筑紫山地
筑後川
佐賀県
吉野ヶ里
筑紫平野
地熱発電所
別府
大分
湯布院
陶磁器
佐賀
大分県
五島列島
はまちの養殖
小麦
みかん
のりの養殖
黒川
くじゅう連山
かぼす
長崎県
雲仙岳（普賢岳）
有明海
熊本
阿蘇山
肉牛
九州山地
熊本県
長崎
島原半島
トマト
長崎くんち
出島
天草諸島
い草
宮崎県
球磨川下り
球磨川
きゅうり・ピーマン
日向灘
九州新幹線
霧島山
宮崎
太平洋
甑島列島
鹿児島県
肉牛
野球のキャンプ
薩摩半島
桜島
さつまいも
鹿児島
大隅半島
鹿児島湾
豚
志布志湾
茶
かつおぶし
種子島
宮之浦岳
屋久島

五島列島の教会群

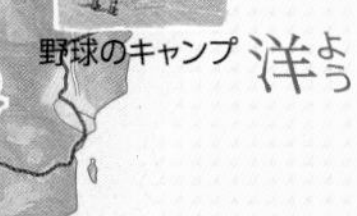

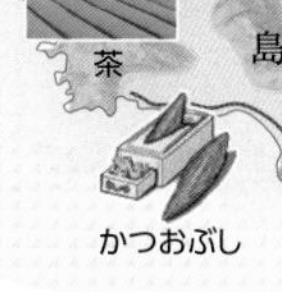

阿蘇山（熊本県）

別府温泉（大分県）

探してみよう！

イラストの中には，小学校で学習したものも含まれています。あなたが知っているイラストを見つけよう。

ビーチリゾート（沖縄県）

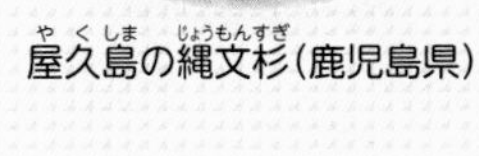

屋久島の縄文杉（鹿児島県）

写真で眺める 九州地方

由布岳は火山なんだね！火山は怖いイメージがあるけど，観光に生かせるのかな？

⬆**1由布岳と特急「ゆふいんの森」**（大分県，由布市，8月撮影） 由布岳は温泉地として有名な湯布院のシンボルとなっている火山です。リゾート感のある列車は，福岡市などの都市と温泉地を結んでいて，観光客に人気です。 ➡p.177

探してみよう！

写真1～6の位置を，地図上で確認しよう。

➡**2宮崎平野のビニールハウス群**（宮崎県，宮崎市） 宮崎平野では，冬でも温暖な気候を生かして，野菜の促成栽培が盛んです。 ➡p.175, 179

⬅**3有明海の干潟で行われる「鹿島ガタリンピック」**（左）（佐賀県，鹿島市，5月撮影）**と干潟に住むムツゴロウ**（右） 毎年初夏になると開かれる干潟の運動会で，大人から子どもまで泥だらけになって楽しみます。 ➡p.175

4 博多湾に面した福岡市の市街地（福岡県）　港町として発達した福岡市は，九州地方最大の都市となっています。 ➡p.180

5 日本一の生産量を誇るトマトの出荷（熊本県，八代市，12月撮影）　ビニールハウスで生産されたトマトは，12月に収穫のピークを迎えます。 ➡p.179

6 南の海でのダイビング（沖縄県，宮古島）　南西諸島を取り囲む暖かい海では，美しい熱帯魚やサンゴ礁が見られるため，ダイビングが人気です。
➡p.175, 182

第1節 九州地方 自然環境に注目して

第1節の問い p.171〜183　九州地方の自然環境は，人々の生活や産業にどのような影響を与えているのだろうか。

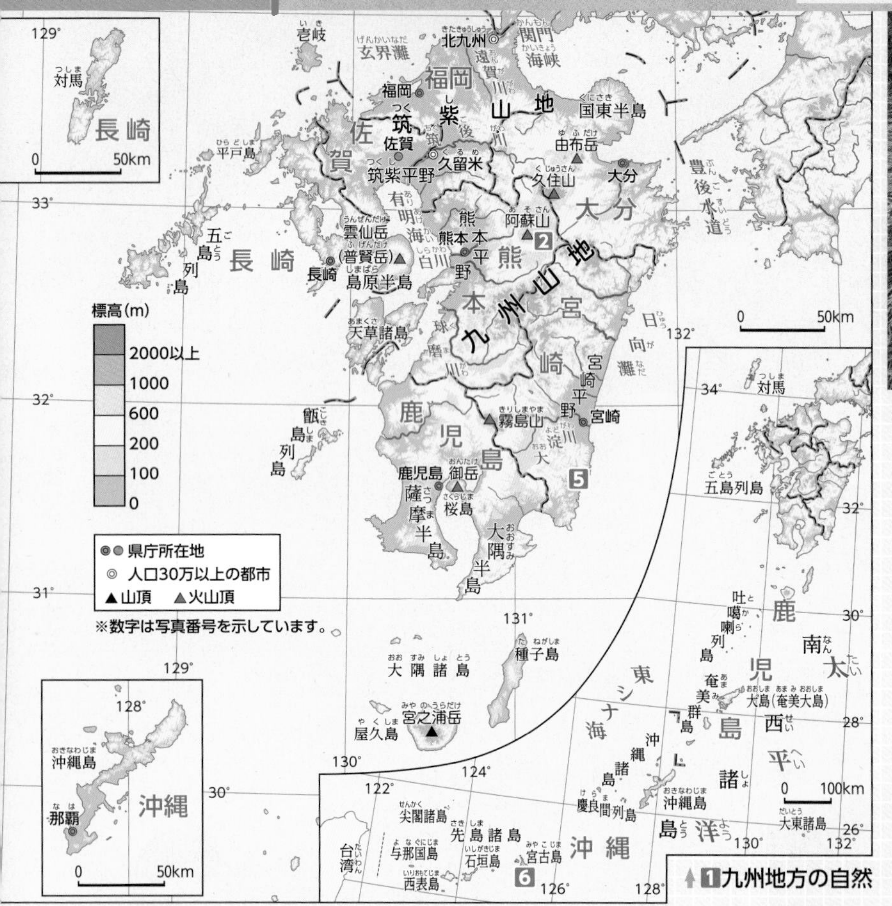

1 九州地方の自然

2 阿蘇山のカルデラ

解説 カルデラ

火山の爆発や噴火による陥没などによってできた大きなくぼ地のことをカルデラといいます。カルデラを縁取る環状の山々を外輪山といい，カルデラに水がたまるとカルデラ湖ができます。阿蘇山のカルデラは，南北約25km，東西約18kmもあり，世界最大級です。

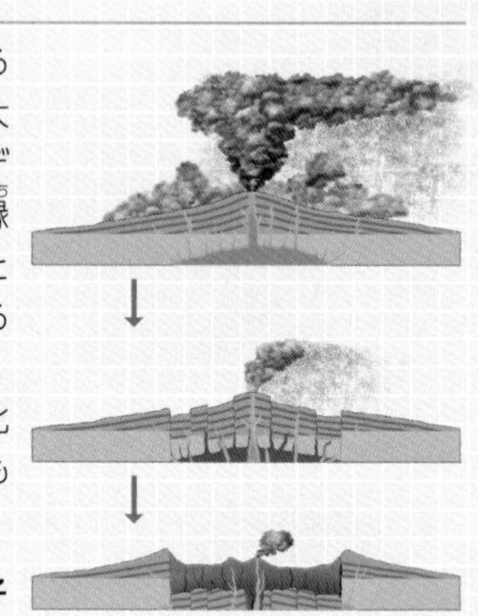

3 カルデラができる様子

1 九州地方の自然環境

学習課題　九州地方では，地形や気候にどのような特色がみられるのだろうか。

面積 38万km²	九州 11.8%	中国・四国 13.4	近畿 8.8	中部 17.7	関東 8.6	東北 17.7	北海道 22.0
人口 1.2億人	11.4%	8.8	17.7	16.9	34.1	6.9	4.2

4 日本の面積・人口に占める九州地方の割合
(2019年)〈住民基本台帳人口・世帯数表 平成31年版，ほか〉

❶ 南西諸島とは，大隅半島より南にある鹿児島県の島々と，沖縄県の島々の総称です。

❷ 満潮時には海面の下になり，干潮時には海面上に姿を現す，砂や泥が堆積してできた低湿地のことを干潟といいます。

海に囲まれて火山が多い九州地方

日本の南西部に位置する九州地方は，九州とその周囲の島々，さらに九州から台湾に向かって連なる南西諸島❶からなり，南北に長く広がっています。1，→p.173

九州の中央部には阿蘇山の巨大な**カルデラ**解説，2があり，その南には，険しい九州山地が連なっています。また，西部には雲仙岳，南部には桜島→p.176や霧島山→p.149などの**火山**があり，現在も活発に活動していて，たびたび噴火しています。九州山地を源流とする筑後川や白川の下流には，筑紫平野→p.179や熊本平野が広がっており，佐賀市や熊本市といった都市が発達しています。

海岸線に目をやると，九州の北西部は**リアス海岸**→p.145となっていて，その西に大陸棚→p.145が広がる海域をもつ長崎県は，全国有数の漁獲量を

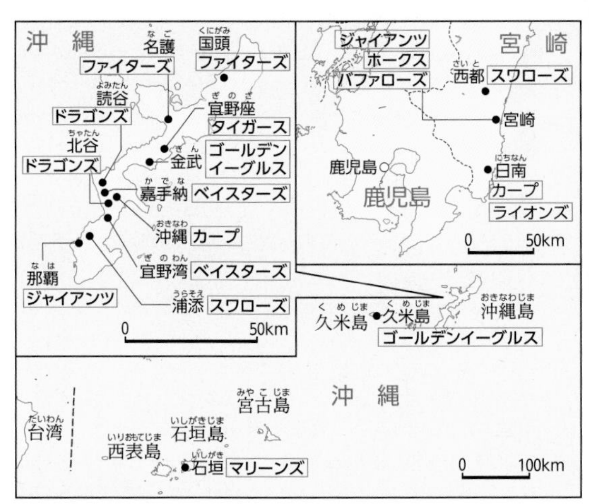

◀▲**5プロ野球チームの春季キャンプの開催地**(左)(2020年)〈日本野球機構資料，ほか〉**と練習を見学する人々**(上)(宮崎県，日南市，2019年2月撮影)

未来に向けて

防災 南西諸島での水不足対策

南西諸島の島々では多くの雨が降りますが，サンゴ礁でできた島などには，大きな河川や湖がないため，生活や農業に必要な水を常に確保することが困難でした。そのため，人々はたびたび水不足に悩まされてきました。

こうした中で，南西諸島では海水を真水に変える淡水化施設の整備が進み，生活用水が確保されています。また，地下水の通り道に壁を造って水をためる，大規模な地下ダムの建設も進められてきました。地下ダムの水は主に農業用水として利用され，水不足による農作物の被害を防いでいます。

▲**6地下ダム**(沖縄県，宮古島市，2017年撮影)　水位を観測するために，地下ダムの一部が地上に出ています。

誇ります。佐賀県の南には，日本最大の干潟❷をもつ有明海があり，→p.172日本有数の養殖のりの産地となっています。一方，九州南東部の宮崎平野では，日向灘に面して直線的な海岸線が続き，野菜栽培のビニールハウスが立ち並びます。→p.172, 179**南西諸島**には数多くの島があり，サンゴ礁の海など豊かな自然を求めて，多くの観光客が訪れる島もあります。→p.182

温暖な気候と自然災害

九州は，暖流である黒潮と対馬海流が近くを流れているため，→p.145冬でも比較的温暖です。特に，九州南部では冬に晴天の日が多く，さらに南に位置する南西諸島では，真冬でも半袖でいられるほど暖かい日もあります。7このため毎年2月になると，多くのプロ野球やJリーグのチームが九州南部や南西諸島で，合宿をしながら練習をするキャンプを行っています。5一方，夏から秋には，南の太平洋上から湿った季節風が吹き，多くの雨が降ります。→p.147雨は**梅雨**の時期から**台風**が通過する時期にかけて特に多く，集中豪雨によって洪水や崖崩れなどが起こることもあります。→p.149

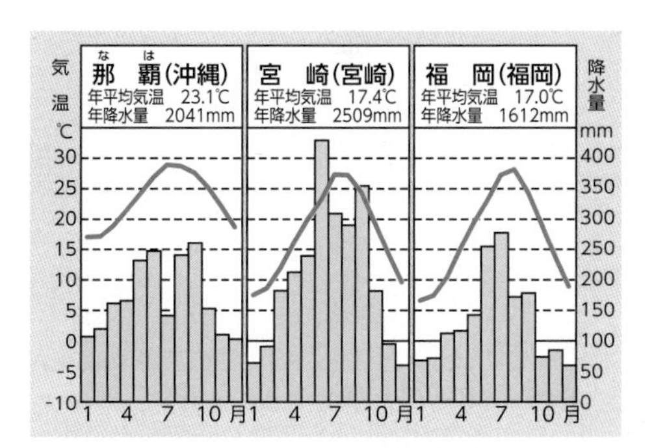

▲**7九州地方の主な都市の雨温図**〈理科年表2020〉 資料活用 那覇の気温，宮崎の降水量に注目しよう。

確認しよう　九州地方の地形と気候の特色を図1や本文で確認しよう。

説明しよう　九州地方では，どのような自然災害がよく起こるのだろうか。また，その原因を説明しよう。

1 噴煙を上げる桜島と鹿児島の市街地（鹿児島県，鹿児島市，2015年撮影）

2 火山と共にある九州の人々の生活

学習課題 火山は人々の生活や産業にどのような影響を与えているのだろうか。

火山と共に生きる鹿児島の人々

鹿児島市は，約60万（2019年）の人々が暮らす，九州南部で最大の都市です。その中心部からわずか4kmほどの所にある桜島は，頻繁に噴火を起こす**火山**として知られています。[1] このように活発な火山の近くに大きな都市があるのは，世界的にもあまり例がありません。

桜島が噴火をすると，鹿児島市には火山灰が降ることがあります。[2] 火山灰が降ると，町を歩く人は傘を差したり，ハンカチで口や鼻を覆ったりして灰を防ぎます。また，毎日の天気予報では桜島上空の風向きが伝えられ，[3] 人々は屋外に洗濯物を干すかどうかを判断します。噴火が収まると，火山灰は市が用意した専用の回収袋に入れて，集積所に集められます。

火山の噴火への備え

火山の噴火によって，火口から噴き飛んでくる噴石や，火砕流→p.149などは，ときに人の命に関わる災害を引き起こしかねません。そのため，桜島には各所にコンクリート製のシェルター（退避壕）が造られ，噴石が飛んできた時に身を守れる

2 日中でも火山灰で暗くなった街なかを走る車（鹿児島県，鹿児島市）

3 鹿児島のテレビ局が放送している天気予報の画面〈鹿児島読売テレビ資料〉

小学校●歴史●公民との関連 自然環境と暮らしの関わり（小），火山災害（小），防災対策（小）

地理プラス 自然保護と観光業の両立を目指す屋久島

九州地方の最高峰である宮之浦岳がそびえる屋久島には，温暖で多くの雨が降る気候の下，樹齢1000年を超える杉の原生林が残っています。ところが，1993年の世界遺産への登録をきっかけに観光客が増え，巨木の周囲が踏み荒らされるなどの問題が生じました。そのため観察デッキを整備したり，ガイドを通じて観光客に入山マナーを教えたりして，自然保護と観光業の両立に取り組んでいます。

→**4観察デッキから縄文杉を眺める観光客**（鹿児島県，屋久島町，2018年8月撮影）

↑**5湯けむりが立ち上る温泉街**（大分県，別府市，2015年撮影）

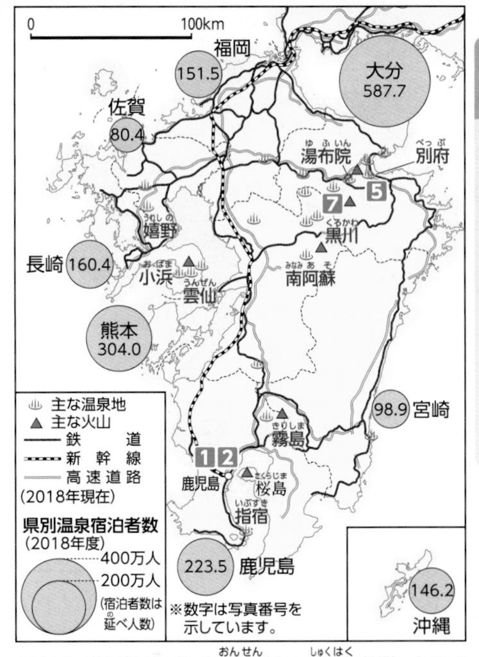

↑**6九州地方の主な温泉地と宿泊者数**〈平成30年度 温泉利用状況，ほか〉

ようにしてあります。また，住民が参加する大規模な避難訓練も定期的に行われており，噴火の際，島の外に避難する経路などを確認しています。このように，人々はさまざまな工夫を通して，火山灰への対策や噴火への備えを行い，火山と向き合いながら暮らしてきました。

火山がもたらした豊かな恵み

火山の存在は，ときに災害を引き起こす一方で，地下水を温めて，**温泉**も作り出します。→p.149火山の多い九州地方には，日本の温泉の源泉数の4割近く(2019年)が集まり，大分県の別府温泉や湯布院温泉5，熊本県の黒川温泉など，全国有数の温泉がいくつもあります6。これらの温泉は，古くから貴重な観光資源として，地域の経済を支えてきました。近年では，「ゆふいんの森」などの特色ある列車→p.172が温泉地に向けて運行され，国内だけでなく海外からも，これらの温泉地を訪れる観光客が増えています。特に，九州に近い韓国や中国などのアジア諸国からは，多くの観光客が訪れています。→p.180

火山活動で生じる地熱は，電力を生み出すエネルギー産業にも利用されています。国内の**地熱発電所**の6割(2016年)が九州地方にあり，中でも大分県の八丁原地熱発電所7は日本最大級の発電量を誇ります。

↑**7八丁原地熱発電所**（大分県，九重町）

資料活用 写真7の発電所の位置を，図6で確認しよう。

九州地方の主な火山と温泉地を図6で確認しよう。

火山が人々の生活や産業に与えている影響について説明しよう。

1 シラス台地の斜面（上）（鹿児島県，鹿屋市，2017 年撮影）とシラス（右）

3 自然を生かした九州地方の農業

火山活動の影響を受けた土地や温暖な気候を生かして，九州地方ではどのような農業が行われているのだろうか。

シラス台地とその利用

九州南部には，シラスとよばれる古い火山の噴出物が 50 ～ 100m にもなるほど厚く積もって出来た台地（**シラス台地**）が広がっています。1, 2 シラスは水を非常に通しやすいため，シラス台地の上から井戸を掘っても，50m 以上も掘らないと水が出てきません。そのため，かつてのシラス台地での農業には，大変な苦労がありました。ところが，第二次世界大戦後，ダムや農業用水の整備によって，シラス台地の農業は大きく変化しました。シラス台地が広がる鹿児島県の笠野原では，水が安定して得られるようになったことで，それまで栽培の中心であった さつまいもに加え，野菜や茶など，収益の多い作物の栽培が可能になりました。特に，茶は水はけのよい土地に適しているため，薩摩半島南部の台地でも生産が増加し，鹿児島県は静岡県に次ぐ茶の生産県になっています。3, →p.227

畜産が盛んな九州南部

やせた土地の多い九州南部では，家畜の ふんを畑の肥料として使うため，古くから牛や豚が大切に飼われていました。そのため，シラス台地で水が得られるようになると，家畜の餌となる作物の栽培とともに，**畜産**が盛んになりました。また，高度経済成長期→p.154に日本人の肉の消費量が増えたことで，

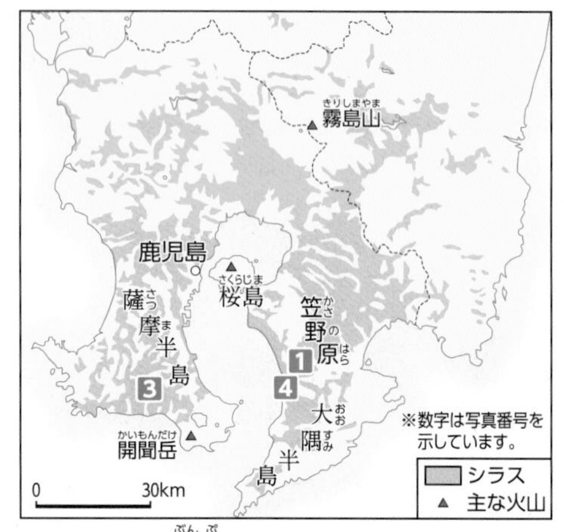

2 シラスの分布

3 茶摘み用の機械による収穫（鹿児島県，南九州市，2018 年撮影）

④黒豚の飼育(鹿児島県，鹿屋市，2018年撮影)

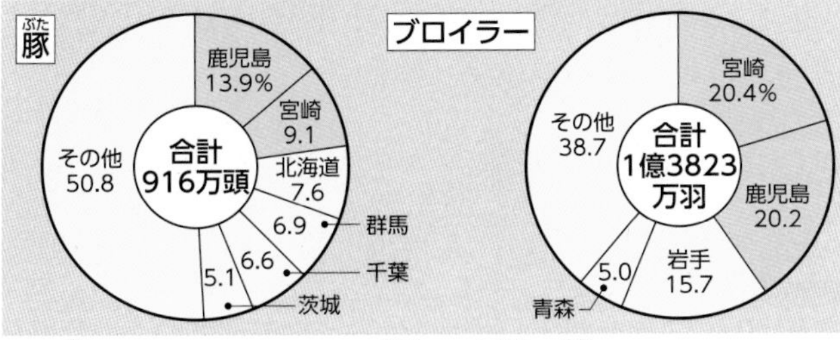

⑤豚やブロイラー(食用の鶏)の飼育が盛んな県(2019年)〈農林水産省資料〉

⑥筑紫平野での小麦の収穫(上)と田植えされた水田(下)(佐賀県，佐賀市，2018年撮影)　**資料活用** 2枚の写真が撮影された月に注目しよう。

九州南部は国内でも有数の豚や鶏，肉牛の産地へと急成長しました。→巻末1 →巻末1 ⑤, →p.158

近年では，安く大量に輸入される飼料を用いたり，企業が農家と契約を結び，牧場を経営したりして，豚や鶏の大規模な畜産が行われています。また，外国産の安い肉に対抗するために，家畜を効率よく育てるだけでなく，おいしくて安全な肉の生産にも力を入れています。そのため，鹿児島県の「かごしま黒豚」④や宮崎県の「宮崎牛」や地鶏など，各地でブランド化も進められています。

温暖な気候の下で行われる農業

佐賀県と福岡県にまたがる筑紫平野は，九州でも有数の穀物の産地です。冬でも温暖な気候を利用し，稲作が終わった後の水田で小麦→巻末2や大麦→巻末2といった，米以外の作物を栽培する**二毛作**が行われてきました。❶, →p.230 毎年5月になると，収穫を待つ黄金色の麦畑が筑紫平野の至る所で見られます。⑥ また，大消費地である福岡市などに近いことから，ビニールハウスを利用した生鮮野菜の栽培も盛んです。特に「あまおう」や「さがほのか」など，大粒で甘いいちごは海外でも人気が高く，ホンコン(香港)や台湾などのアジアを中心に輸出されています。⑦

九州南部は，冬でも温暖な気候を生かした野菜の**促成栽培**→p.158が盛んで，ビニールハウスを利用して，宮崎平野ではきゅうりやピーマン，→p.172 熊本平野ではトマトなどが生産され，→p.173 全国に出荷されています。

❶ 耕地面積を100とした場合の作付延べ面積の割合を耕地利用率といいますが，二毛作が盛んな佐賀県は，この耕地利用率が132.4%(2018年)で全国1位となっています。

⑦ホンコン(香港)のスーパーマーケットで売られる福岡県産のいちご「あまおう」

確認しよう　九州南部と北部の代表的な農畜産物を本文や地図帳で確認しよう。

説明しよう　九州南部と北部の代表的な農畜産物は，どのような地形や気候を生かしているのか説明しよう。

1 クルーズ客船からバスに乗り換える観光客（福岡県，福岡市，2018年撮影）

4 都市や産業の発展と自然環境

学習課題 アジアの国々に近いということが，都市や地域の産業の発展にどのような影響を与えているのだろうか。

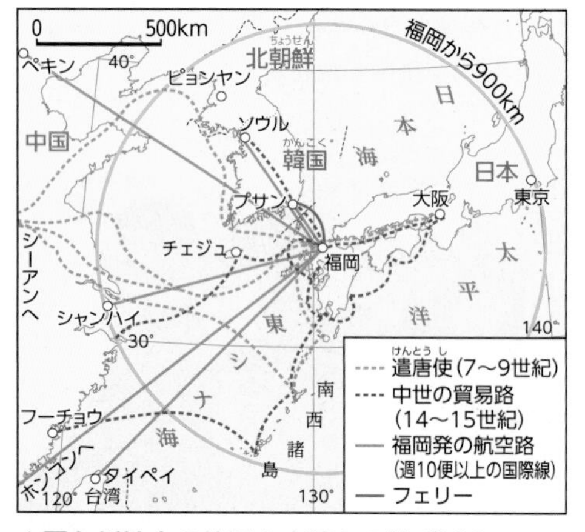

2 九州地方の位置と大陸との結び付き

資料活用 福岡市から海外の主な都市までの距離を，東京までの距離と比べよう。

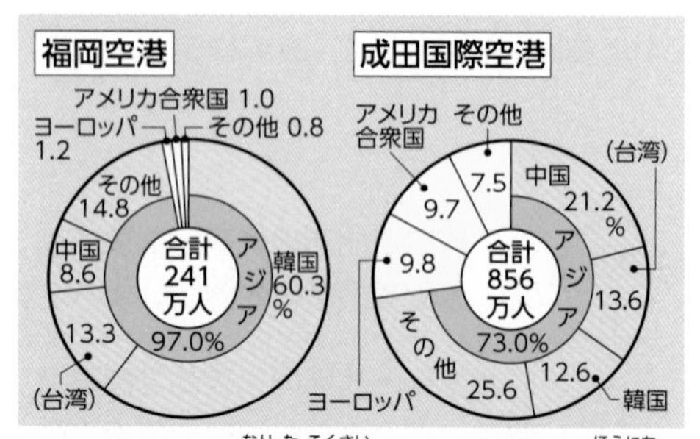

3 福岡空港と成田国際空港を利用する訪日外国人の国・地域別割合（2018年）〈法務省資料〉

大陸に近い都市，福岡

福岡市の海の玄関口である博多湾は，志賀島や海の中道に囲まれた地形となっているため，季節風による荒波が押し寄せる冬でも，波が穏やかで，船が行き来しやすい天然の良港です。→p.173そのため，福岡市は古くから大陸との貿易を行う港町として発展してきました。現在でも，福岡市は大陸との近さを生かし，中国や韓国といった近隣の国との交流が盛んです。2 福岡空港はアジアの主要都市と航空路線で結ばれているほか，2,3 博多港はクルーズ客船が立ち寄る回数で日本有数の港になっています。1

九州の中心都市としての役割

福岡市には，政府の出先機関や大企業の九州支社などが集中していて，東京などから多くの人が行き来しています。九州の各都市とも，新幹線や特急列車，高速道路によって短時間で結ばれており，九州の中での人の行き来も盛んです。また，商業施設や文化施設などが集中しているため，仕事だけでなく，買い物や観光に訪れる人も多くいます。

こうしたことから，福岡市は，政治や経済，文化において九州地方の中心的な役割を担い，現在では人口150万を超える（2019年）九州最大の都市となっています。また，福岡市を中心とした周辺の市町村を含めた市街地の広がりは，福岡都市圏ともいわれています。

4 八幡製鉄所の移り変わり（福岡県，北九州市） 本事務所などの創業期の建物は，2015年に世界遺産に登録されました。現在は，眺望スペースから見学することができます。

未来に向けて

環境 公害の街から生まれ変わった水俣市

八代海に面する熊本県水俣市では，1950～1960年代にかけて，神経や筋肉が侵される水俣病が発生しました（→p.186）。その原因は化学工場から出された廃水で，有機水銀に汚染された海で育った魚などを食べた住民に健康被害が生じました。

1970年代から汚染された海を浄化する取り組みが行われ，現在ではきれいな海を取り戻しました。1990年代からは，全国に先駆けてごみの分別処理を徹底するなど，さまざまな環境保全活動が市を挙げて始められました。現在では，市民，行政，企業が一体となって，持続可能な社会の実現を目指しています。

5 コンテナにごみを分別する市民（熊本県，水俣市，2016年撮影）

地下資源を生かした工業の発展とその変化

地層に豊富な石炭が含まれる九州北部では，江戸時代から筑豊炭田をはじめ，多くの炭田で石炭が採掘されていました。北九州市は，この筑豊炭田に近く，当時，鉄鉱石の輸入先だった中国にも近かったため，1901年に官営の八幡製鉄所が造られ，4 鉄鋼業を中心とした**北九州工業地帯**へと発展しました。→p.160

第二次世界大戦後は，日本の他地域や外国で鉄鋼業が盛んになり，北九州工業地帯の工業生産は伸び悩むようになりました。また，水質汚濁などの**公害**が深刻化した時期もありました。→p.186 しかし現在の北九州市は，公害を克服する環境保全の取り組みや，先進的なリサイクル技術で，世界からも注目される地域になっています。→p.186

九州では，1970年代に**IC（集積回路）** 解説 の工場が急増し，電気機械工業が盛んになりました。6，→p.160 しかし，1990年代以降は外国企業との競争が激しくなり，アジアの国々に生産の拠点を移す企業も増えています。一方で，九州北部の福岡県宮若市や大分県中津市などには，大規模な自動車の組み立て工場が進出し，それに関連する部品工場も増えています。生産された自動車は，近くの港から中国やアメリカ合衆国などに輸出されています。

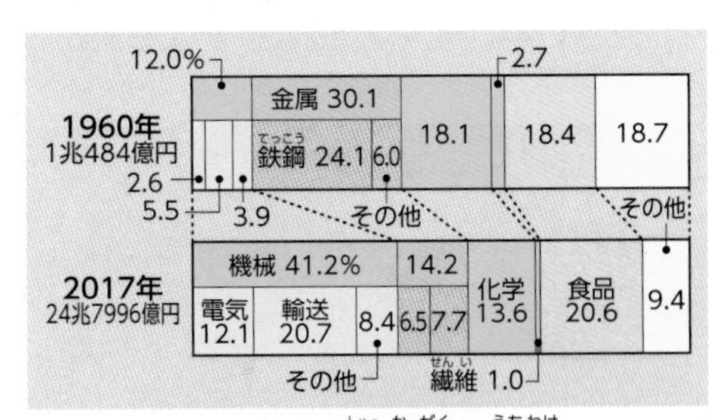

6 九州地方の工業出荷額の内訳〈平成30年 工業統計表，ほか〉 資料活用 機械と金属の出荷額の変化に注目しよう。

解説 IC（集積回路）

シリコン（ケイ素）の結晶で作った薄い基板の上に，超小型の回路を集めた電子装置のことを，IC（集積回路）といいます。ICはスマートフォンなど，ほとんどの電気製品に組み込まれていて，製品の「頭脳」にあたる大切な役割を担っています。

福岡市と博多湾，八幡製鉄所と筑豊炭田の位置を，地図帳で確認しよう。

福岡県で観光業や工業が発展した理由を，アジアの国々との位置関係から説明しよう。

1 青い海と白い砂浜が観光客に人気のビーチ（沖縄県，恩納村，７月撮影）

5 南西諸島の自然と人々の生活や産業

学習課題 南西諸島の自然環境は，人々の生活・文化や歴史，産業とどのように関わっているのだろうか。

南西諸島の自然と生活

九州の南に位置する南西諸島には，一年中温暖な気候の下，**サンゴ礁**→p.173の美しい海，マングローブ 2 やハイビスカスといった植物など，日本のほかの地域とは異なる自然が広がっています。また，南西諸島に上陸する**台風**は，雨風が強く，人々の暮らしにも大きな影響を与えてきました。例えば，暴風による被害を少なくするために，伝統的な住宅は，サンゴを積み上げた石垣に囲まれ，低く建てられたものが多く，屋根の瓦は しっくい で固定されています。3 最近は，瓦屋根の住宅は少なくなり，鉄筋コンクリートの住宅が多くなっています。

自然を生かした産業

南西諸島では，美しい自然と独自の文化が国内外の人々を引き付けており，観光業が盛んです。1, 6 特に沖縄県では，年間の観光客数が1000万人を超えており，(2019年) 沖縄島だけでなく石垣島や宮古島などの離島でも，リゾートの開発が進められています。一方で，開発によって土砂が海に流れ出すと，日光がさえぎられ，サンゴが死んでしまう問題が生じており，開発と自然保護との両立が課題となっています。

また，南西諸島では，温暖な気候を生かして，日照りや台風にも強い，さとうきびの栽培が盛んです。4 収穫された さとうきび は，

2 マングローブをカヌーでめぐるツアー（鹿児島県，奄美市，2015年撮影）

3 伝統的な家屋が残る町並み（沖縄県，竹富町，2015年撮影） 資料活用 石垣や樹木で家が囲まれている理由を考えよう。

小学校●歴史●公民との関連 自然環境に適した生活（小），琉球王国（歴），沖縄戦（歴），日米安全保障条約（歴・公）

4 さとうきびの収穫(沖縄県，宮古島市，2019年1月撮影)

5 菊の栽培(沖縄県，糸満市，2019年1月撮影)　温暖な沖縄では，冬でも露地栽培が行われ，電灯を照らすことで出荷時期の調整をしています(→ p.227)。

島の製糖工場で砂糖に加工されるなど，島々の経済を支えてきました。近年では菊[5]やパイナップル，マンゴーなど，収益の多い花や果物の生産も増えており[7]，東京などに出荷されています。さらに，冬の間も牧草が育つ利点を生かして，肉牛の飼育も盛んです。→巻末1

アジアとの交流の歴史　南西諸島は中国大陸や東南アジアに近いため，人々は古くから黒潮の流れや季節風→p.147を利用して船で行き来していました→p.180。特に，15世紀前半から17世紀初めに栄えていた琉球王国は，中国と日本，朝鮮との間で積極的に交易を行い，独自の文化を開花させました。首里城などの史跡や，織物や染め物などの伝統的工芸品→p.218，三線による民謡，郷土料理などが現在も受け継がれ，貴重な観光資源にもなっています[8]。

また，沖縄は第二次世界大戦中に戦場となり，1972年までアメリカ軍の統治下に置かれていた歴史があります。今なお，沖縄島の約15%の土地がアメリカ軍の専用施設(2018年3月末)に使われており[7]，市街地に隣接した基地で軍用機が離着陸することによる騒音など，専用施設の存在が住民生活にさまざまな問題を引き起こしています。

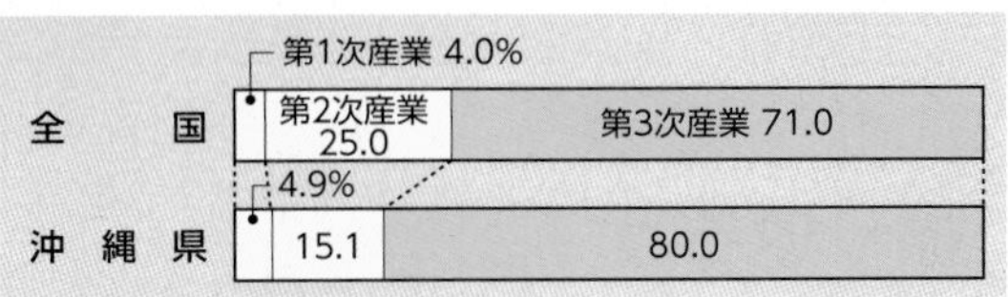

6 沖縄県の産業別人口(2015年)〈平成27年 国勢調査報告〉 **資料活用** 全国と沖縄県の第3次産業の割合を比較しよう。

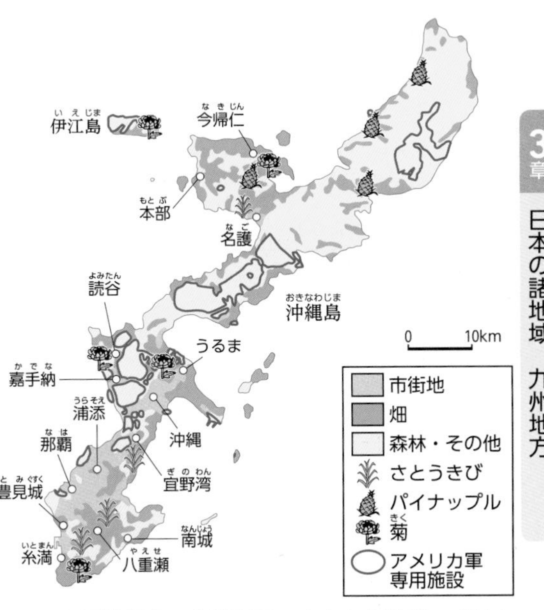

7 沖縄島の土地利用　広大な土地がアメリカ軍の専用施設に使われています。

8 琉球王国の時代から行われる組踊(沖縄県，浦添市)　組踊は，音楽や舞踊などを組み合わせた伝統芸能です。2010年にユネスコ無形文化遺産に登録されました。

確認しよう　写真1〜5が撮影された南西諸島の島々を，地図帳で確認しよう。

説明しよう　沖縄らしさが見られる生活や産業を挙げ，どのような自然環境と関わりがあるのか説明しよう。

節の学習を振り返ろう

第1節 九州地方

第1節の問い p.171〜183

九州地方の自然環境は，人々の生活や産業にどのような影響を与えているのだろうか。

1 学んだことを確かめよう ≫ 知識

1．A〜Hにあてはまる県庁所在地名と，その県名を答えよう。
2．ⓐ〜ⓓにあてはまる平野名，山名，山地名，諸島名を答えよう。
3．①〜⑩にあてはまる語句を，下のキーワードや教科書を振り返りながら答えよう。

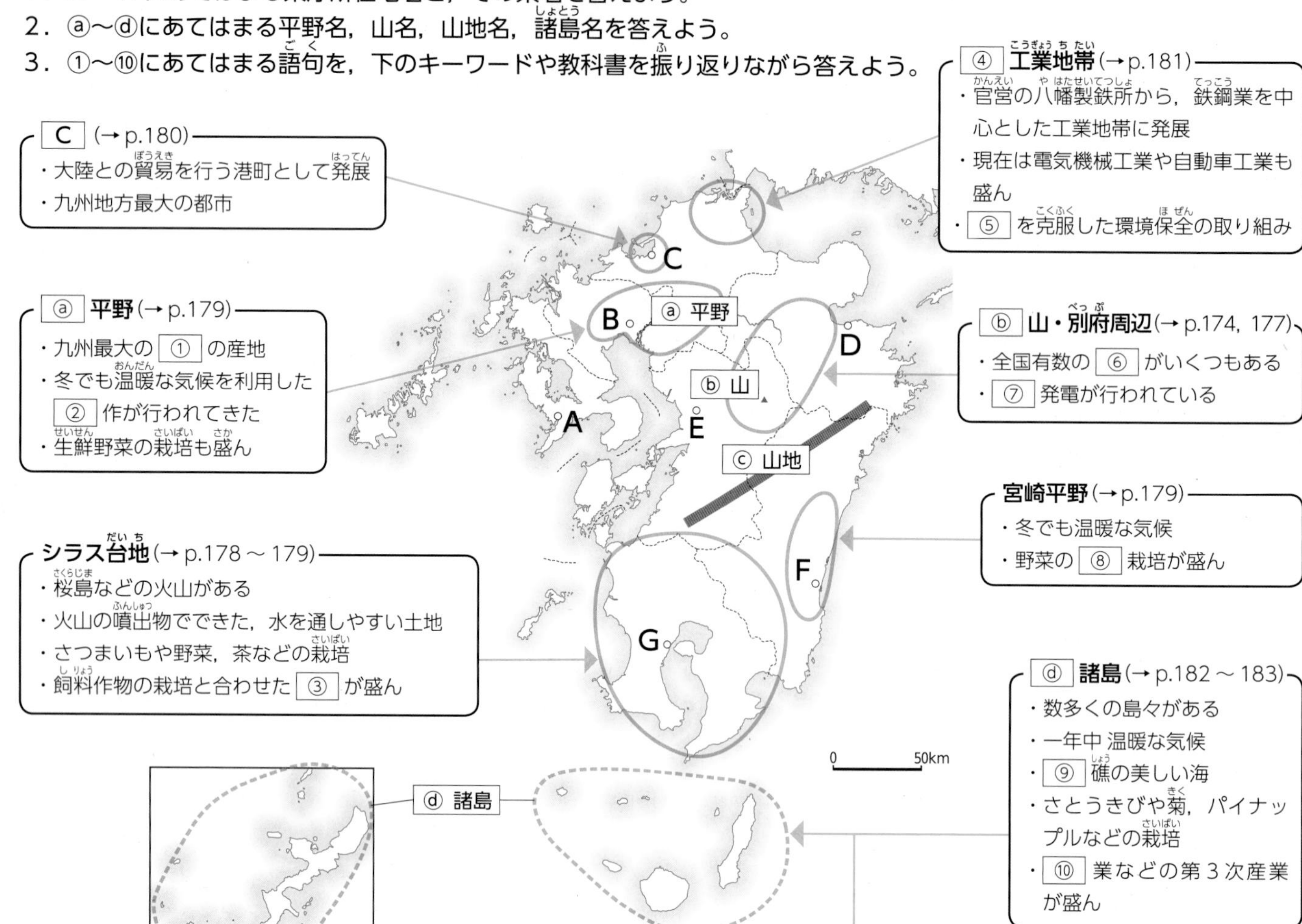

↑1白地図を使ったまとめ

写真を振り返ろう

p.172〜173の写真に関連した以下の文章を読んで，㋐〜㋕にあてはまる語句を，キーワードから答えよう。

九州地方には，写真1のように，由布岳や雲仙岳などの［ ㋐ ］がたくさんあり，近くには［ ㋑ ］もあるため，多くの観光客が訪れます。中央部には，世界最大級の［ ㋒ ］をもつ阿蘇山もあります。

また，温暖な気候を生かして，稲作の後にほかの作物を栽培する［ ㋓ ］や，写真2や5のような野菜の［ ㋔ ］が盛んです。写真6のように，南西諸島の暖かい海では［ ㋕ ］も見られ，人々を引き付けています。

✓キーワード

意味を説明できた語句にチェックを入れよう。

□カルデラ
□火山
□リアス海岸
□南西諸島
□梅雨
□台風
□温泉
□地熱発電所
□シラス台地
□畜産
□二毛作
□促成栽培
□北九州工業地帯
□公害
□IC（集積回路）
□サンゴ礁

2 「地理的な見方・考え方」を働かせて説明しよう ≫ 思考力，判断力，表現力

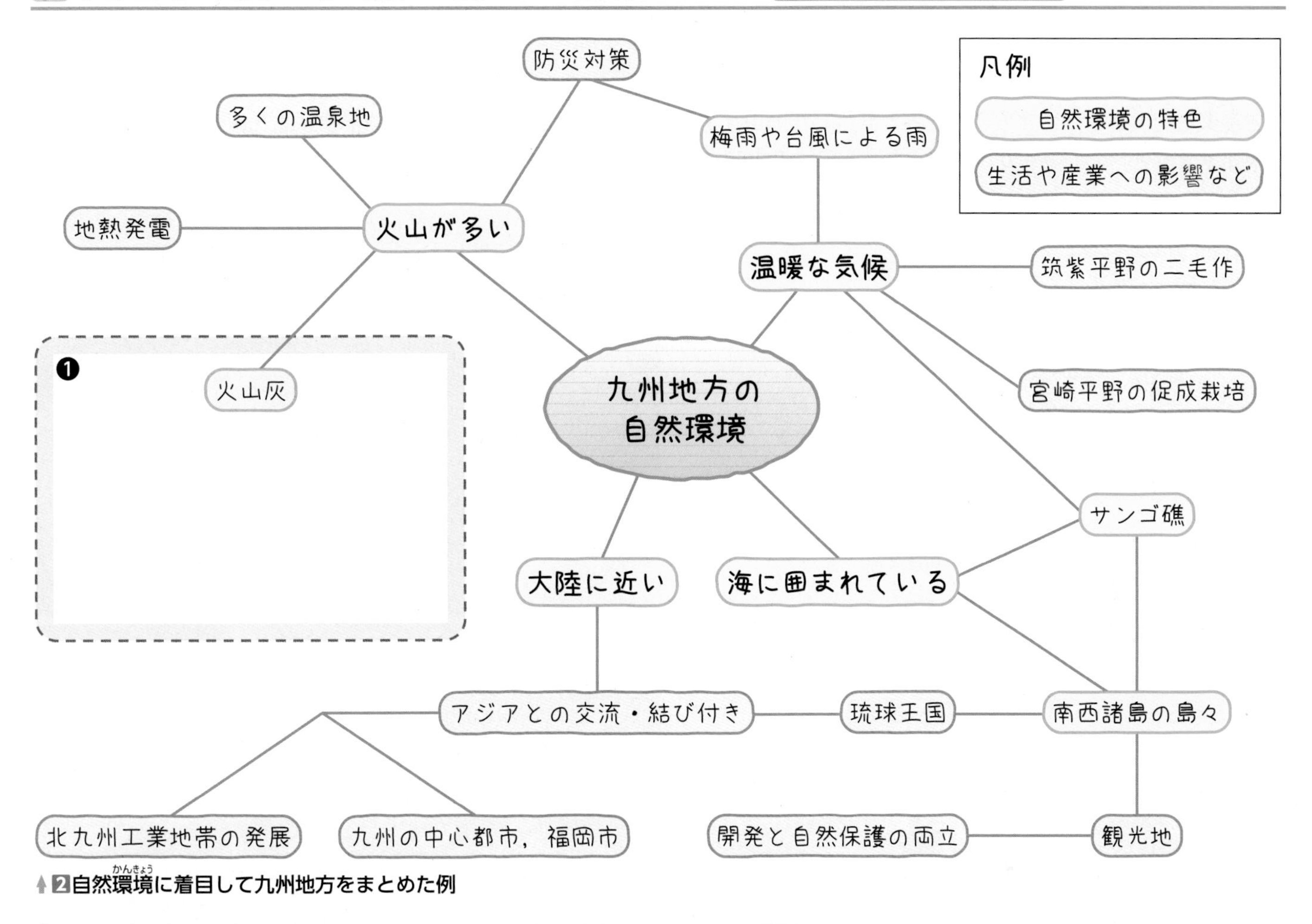

↑2自然環境に着目して九州地方をまとめた例

ステップ1 この地方の特色と課題を整理しよう

九州地方における火山と農業（畑作や畜産）との関連について，p.184のキーワードや教科書を振り返りながら，「火山灰」から関連する語句をいくつか書き出し，図2の❶の空欄を埋めよう。

ステップ2 「節の問い」への考えを説明しよう

作業1　九州地方の自然環境の特徴を，図2を参考に説明しよう。

作業2　九州地方の自然環境は，人々の生活や産業にどのような影響を与えているのだろうか。地理的な見方・考え方を働かせて，節の問いに対するあなたの考えを，「温泉」，「畜産」，「二毛作」の語句を使って説明しよう。

> 「節の問い」に関連が深い見方・考え方
> **ほかの場所への影響，地域全体の傾向**（→巻頭7）

ステップ3 【発展】持続可能な社会に向けて考えよう

作業1　人々の生活を改善したり，産業を発展させたりするためには，どのような取り組みを行うとよいか，自然環境に着目して考えよう。

作業2　グループになり，どのような取り組みを優先的に行うことが大切か，また，その取り組みは実現可能か，話し合おう。

作業3　話し合いの結論をp.286の表1に記入し，第4部第1章「地域の在り方」を考える際の参考にしよう。

私たちとの関わり

私たちが住む町には，どのような自然環境が広がっているのだろうか。また，どのような自然災害に気を付けたらよいか，考えよう。

地域の在り方を考える

自然環境の再生から資源循環型社会へ

～工業の発展と公害をいち早く経験した福岡県北九州市を例に～

日本では，もともと存在した自然環境を改変することで産業を発展させ，さまざまな公害が発生した歴史があります(→ p.181，225)。かつて公害が深刻だった北九州市は，公害を克服した経験を生かし，現在では「環境モデル都市」に認定されています。北九州市はどのようにして公害を克服し，現在に至ったのかをみてみましょう。

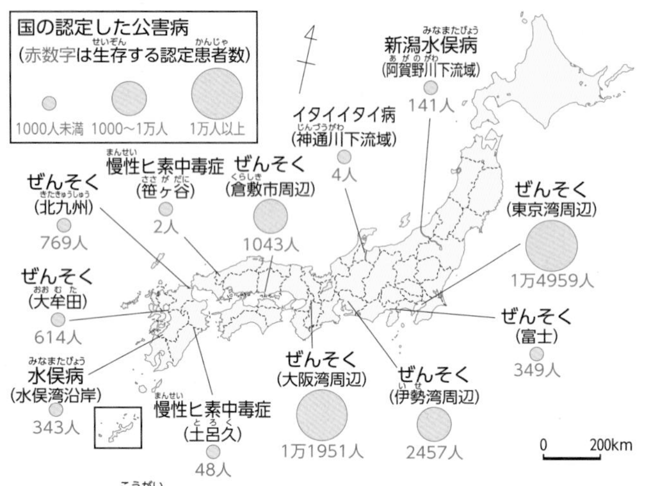

❶日本の公害(2018 年)〈環境白書 令和元年版〉

❷海外からエコタウン事業を視察に来た人々(福岡県，北九州市)

❸洞海湾の変化(福岡県，北九州市)

北九州市の洞海湾は，明治時代には広い干潟があり，くるまえび などの魚介類もとれた，豊かな海でした。その海は官営の八幡製鉄所の建設と同じ時期から埋め立てが行われ，次々と工場が建設されました。そして，東西約 20km もあった湾は，かつての自然景観が分からなくなるほど変化しました。こうした開発により，1960 年代には工場の排煙で窓も開けられないほど空気は汚れ，ぜんそく などに苦しむ人々が大勢いました。また，「死の海」などとよばれるほど，海の色も変色していました。

1970 年代になると，環境の改善を求める市民運動が盛んになり，煙や ばいじん を規制する条例も作られたため，市民や自治体，企業などが協力した環境改善の取り組みが進みました。

こうして，きれいな空と海を取り戻した北九州市は，公害を克服した経験を生かして，現在は廃棄物を再利用する事業などに取り組んでいます。その中心的な存在となっているのが北九州エコタウン事業です。この事業では，あらゆる廃棄物を再び原料として活用することで，最終的に廃棄物をゼロにする，資源循環型社会の実現を目指しています。このほかにも，太陽光や風力などの再生可能エネルギーを活用するなど，地球温暖化の原因となる二酸化炭素の排出を抑えた社会づくりが行われています。

「環境首都」を目指す北九州市は，2018 年に SDGs (持続可能な開発目標) (→巻頭 1 ～ 2)の推進に向けた世界のモデル都市にアジアで初めて選定され，国内外に向けて先進的な取り組みを発信しています。

CHUGOKU-SHIKOKU

中国・四国地方

探してみよう！

イラストの中には，小学校で学習したものも含まれています。あなたが知っているイラストを見つけよう。

出雲大社（島根県）

鳥取砂丘（鳥取県）

厳島神社（広島県）

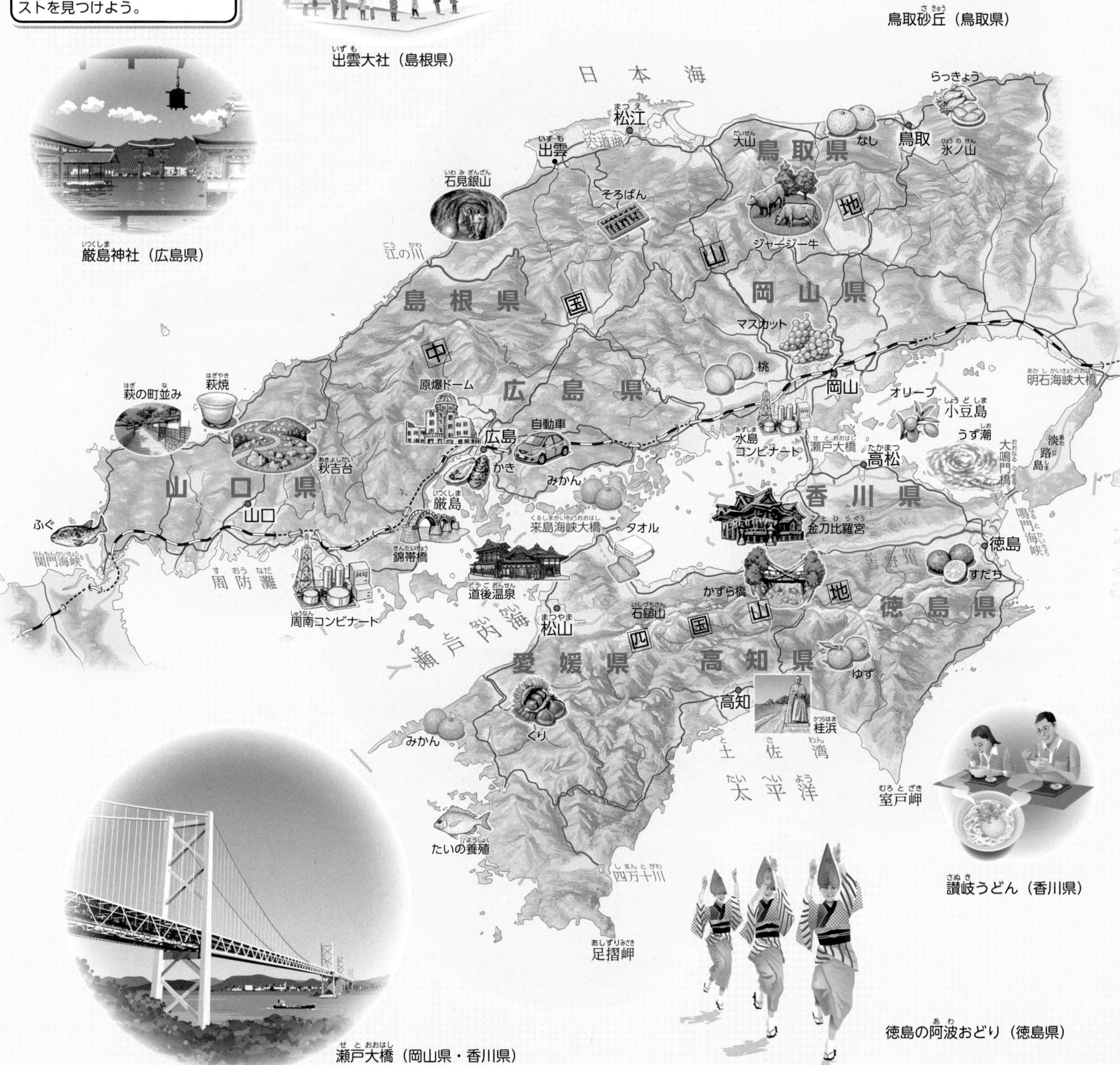

讃岐うどん（香川県）

瀬戸大橋（岡山県・香川県）

徳島の阿波おどり（徳島県）

写真で眺める
中国・四国地方

↑**1瀬戸内海と来島海峡大橋**(愛媛県，今治市)
本州の広島県尾道市と四国の愛媛県今治市とを結ぶルートは，瀬戸内しまなみ海道とよばれています。 ➔p.192, 199

→**2瀬戸内しまなみ海道でサイクリングを楽しむ人々**(愛媛県，今治市，4月撮影) 写真は多々羅大橋で，後方に見えるのは広島県の生口島です。 ➔p.199

探してみよう！
写真1～7の位置を，地図上で確認しよう。

←↓**3世界遺産の厳島神社**(左)(広島県，廿日市市，2017年11月撮影)**と宮島にある平清盛の像**(下) 厳島神社は，平安時代に平清盛の援助によって宮島につくられた，海上交通の安全を祈るための神社です。
➔p.190, 192

◀4 **広大な鳥取砂丘**（鳥取県，鳥取市，2017年9月撮影）
鳥取砂丘は標高が約50mもあり，風によって形がさまざまに変わります。 ➔p.199

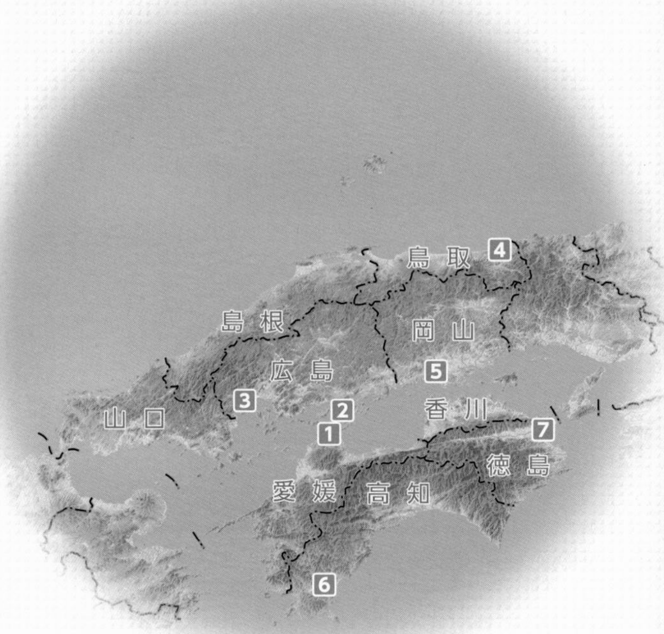

◀5 **倉敷美観地区**（岡山県，倉敷市，2017年6月撮影）
古くから海上交通の拠点だった倉敷には，今でも江戸時代の町家や土蔵が残っています。
➔p.192

▶6 **清らかな水が流れる四万十川**（高知県，四万十市，2016年5月撮影） 川の増水時には水面下に沈むように設計された橋は，沈下橋とよばれ，四万十川にはこの沈下橋がたくさんあります。 ➔p.190

◀7 **夏をいろどる「阿波おどり」**（徳島県，徳島市，2017年8月撮影） 毎年8月に行われる祭りには，県外からも多くの観光客が訪れます。 ➔p.193

第2節 中国・四国地方

交通や通信に注目して

第2節の問い p.187〜199　中国・四国地方における交通網や通信網の整備は，人々の生活や産業にどのような影響を与えているのだろうか。

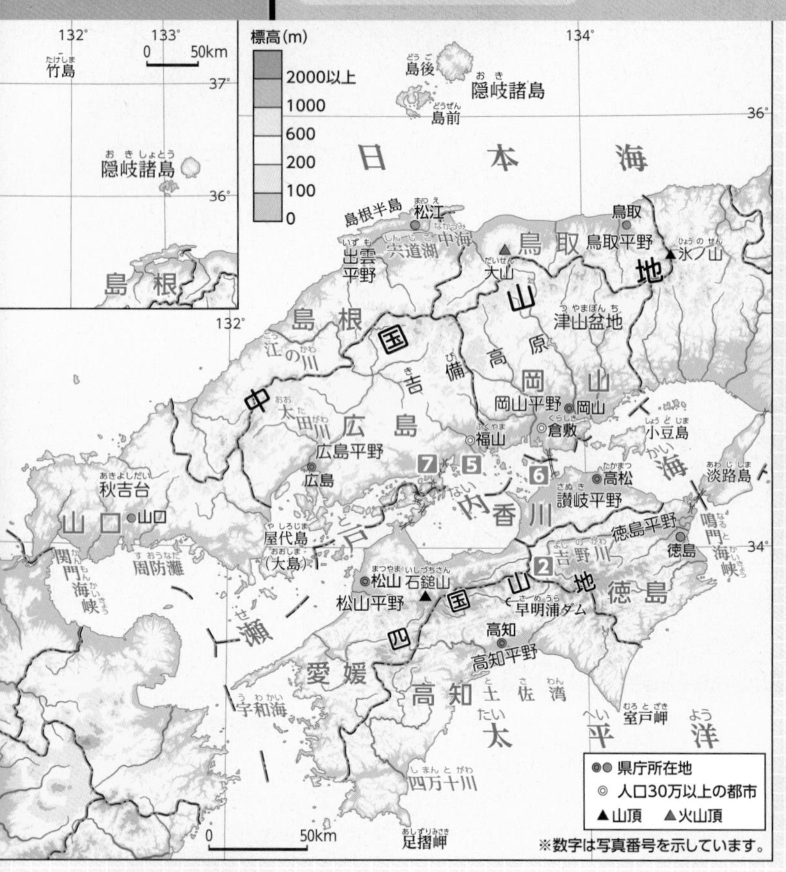

1 中国・四国地方の自然

2 四国山地の深い谷を流れる吉野川(徳島県，三好市，4月撮影)

1 中国・四国地方の自然環境

学習課題　中国・四国地方では，地形や気候にどのような特色がみられるのだろうか。

	九州	中国・四国	近畿	中部	関東	東北	北海道
面積 38万km²	11.8%	13.4	8.8	17.7	8.6	17.7	22.0
人口 1.2億人	11.4%	8.8	17.7	16.9	34.1	6.9	4.2

3 日本の面積・人口に占める中国・四国地方の割合(2019年)〈住民基本台帳人口・世帯数表 平成31年版，ほか〉

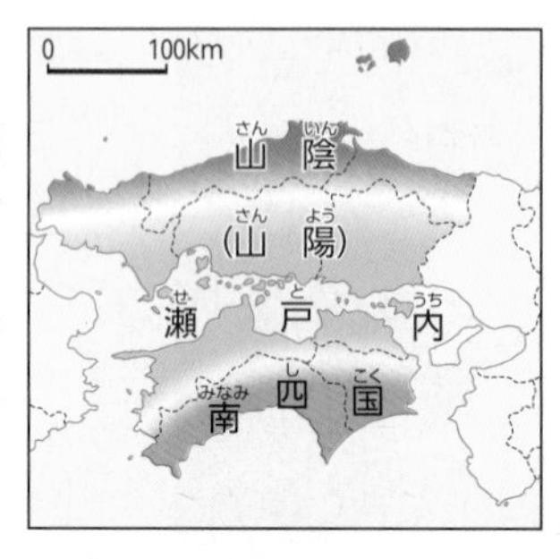

4 中国・四国地方の地域区分　中国地方のうち，中国山地の南側を山陽とよぶことがあります。

三つの海と二つの山地

中国・四国地方は，北は日本海，南は太平洋に面し，その間には瀬戸内海が東西方向に広がっています。中国山地と四国山地の山々は海岸の近くまで迫っている所が多く，広い平野が少ないことが特徴です。このような地形の特徴から，中国・四国地方は，**山陰**・**瀬戸内**・**南四国**の三つの地域に分けられます。

中国山地は，火山である大山などを除けば，標高1000m前後のなだらかな山が多く，高原では肉牛の飼育や酪農が行われています。→巻末1一方で，四国山地は，1500mを超える険しい山が多く，吉野川や四万十川がつくった深い谷が見られるという特徴があります。

瀬戸内海には，大小700ほどの島々が点在し，→p.188美しい景観が見られます。エンジンが発達する前の船は，風の向きや潮の流れが頼

小学校●歴史●公民との関連　日本の自然環境(小)，防災対策(小)

▲5 **鞆の浦と仙酔島**(広島県，福山市，2016年5月撮影)　古い港町の町並みが残る鞆の浦は，重要伝統的建造物群保存地区に指定されています。

▲6 **讃岐平野のため池**(香川県，丸亀市，2018年9月撮影)　香川県には，讃岐平野を中心に大小1万4000以上のため池があり，その水の多くは農業用水として使われています。

未来に向けて

防災 土砂災害に備えた防災教育

中国・四国地方には，土砂災害危険箇所が約15万か所あります。これは，地方別では最も多い数で，水はけのよい土質が多く，地形的にも山の斜面が崩れやすいことが，その主な原因です。近年では，2014年や2018年に広島・岡山県などが大雨に見舞われ(→ p.149)，大規模な土砂災害が発生しました。広島県では，2015年から「『みんなで減災』県民総ぐるみ運動」が行われています。県の職員などが小中学校に出向いて行われる砂防出前講座では，土石流や崖崩れの恐ろしさ，それらを防ぐ砂防えん堤(砂防ダム)の機能について，模型などを使って学び，日頃から防災意識を高めています。

▲7 **土砂災害のしくみを学ぶ小学生**(広島県，三原市，2018年撮影)

りだったので，入り江になっている場所には「潮待ちの港」とよばれる港が数多くありました。東西から流れ込む潮流の分かれ目に位置する広島県福山市の鞆の浦は，こうした港の一つです。5

三つの地域で異なる気候

日本海に面する山陰では，冬に吹く北西からの**季節風**(→p.146)の影響で雪や雨の日が多く，山沿いを中心にたくさんの雪が積もります。

瀬戸内は，夏も冬も季節風が山地にさえぎられるため，晴天の日が多く，降水量が少ない地域です。そのため，水不足になりやすく，古くから農業用の**ため池**や用水路が整備されてきました。6

南四国は，黒潮(→p.145)の影響を受けるため1年を通して温暖です。また，夏から秋にかけて吹く南東からの季節風や台風の影響を受けて，多くの雨が降ります。四国山地の吉野川上流にある早明浦ダムは，大雨による吉野川沿いの洪水被害を抑える役割を果たし，蓄えた水は四国四県の飲み水や農業用水として利用されるなど，水不足問題の解消にも役立っています。

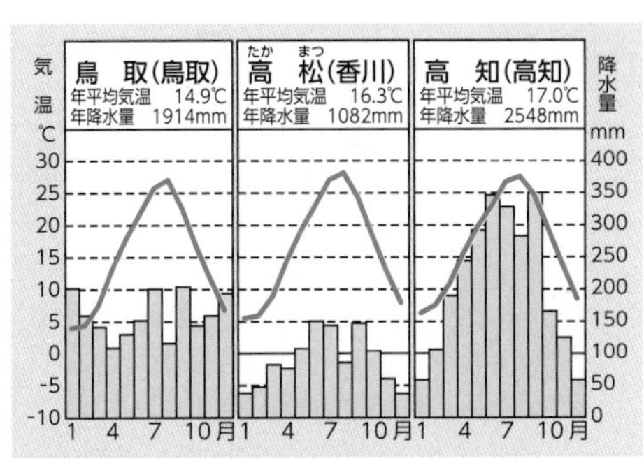

▲8 **中国・四国地方の主な都市の雨温図**〈理科年表 2020〉 **資料活用** 降水量の違いに注目しよう。

確認しよう　中国・四国地方の気候に影響を与える山地の位置と名称，図8の雨温図の都市の位置を，図1で確認しよう。

説明しよう　中国・四国地方の気候の特色を，山陰・瀬戸内・南四国に分けて説明しよう。

↑ **1 本州と四国を結ぶ瀬戸大橋**（香川県，坂出市）　橋は２層構造になっており，上は自動車，下は列車が走っています。

2　交通網の整備と人々の生活の変化

学習課題　本州四国連絡橋や高速道路の開通は，人々の生活をどのように変化させたのだろうか。

高速道路網の整備と連絡橋の開通

波が穏やかな瀬戸内海では，古くから船を使った海上交通網が発達していました。そのため，都のあった近畿地方や九州地方，東アジア諸国などと結び付き，たくさんの人や物が船を使って行き来していました。➜p.188, 191

1970年代になると，中国自動車道や山陽新幹線など，東西方向を結ぶ陸上交通網が整備されはじめ，1988年には**本州四国連絡橋**❶の一つである瀬戸大橋が開通しました[1]。これにより，鉄道や自動車とフェリーとを乗り継いで約２時間かかっていた岡山市と高松市の間の移動時間は，１時間以内に短縮されました[2]。

その後，本州四国連絡橋のほかの二つのルートが開通したことにより，本州と四国の間の移動時間はさらに短縮されました。また，瀬戸内と山陰を結ぶ米子自動車道や浜田自動車道，瀬戸内と南四国を結ぶ高知自動車道など，南北方向を結ぶ陸上交通網の整備も進み[2]，人や物の移動が活発になっています。

橋の開通による島での生活の変化

橋が開通した瀬戸内の島々では，島民の日常的な移動手段はフェリーから自動車へと変化し[5]，買い物や通勤・通学，通院などの際に，フェリーの時間を気

❶ 本州と四国を結ぶ橋の総称で，神戸－鳴門，児島（倉敷）－坂出，尾道－今治の三つのルートがあります。

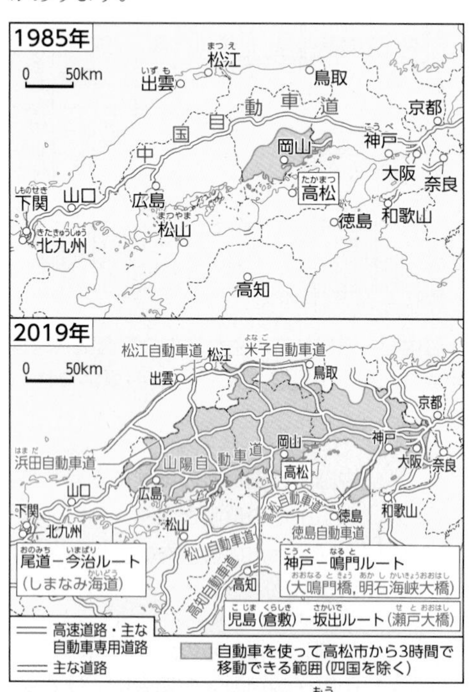

↑ **2 中国・四国地方の高速道路網と所要時間の変化**〈本州四国連絡高速道路資料，ほか〉

未来に向けて

共生　世界とつながる平和記念都市，広島 

長崎市とともに第二次世界大戦で原子爆弾の被害を受けた広島市は，**平和記念都市**として世界の平和を求め，核兵器の悲惨さを発信しています。その活動の一つが修学旅行の誘致です。国内各地から来る修学旅行生は年間 30 万人を超え，世界遺産に登録された原爆ドームなどを見学したり，被爆者の話を聞いたりしながら，命の尊さや平和の大切さを学んでいます（→巻頭2）。

3 平和記念式典（左）**と「平和への誓い」を読み上げる小学 6 年生**（上）（広島県，広島市，2018 年 8 月 6 日撮影）

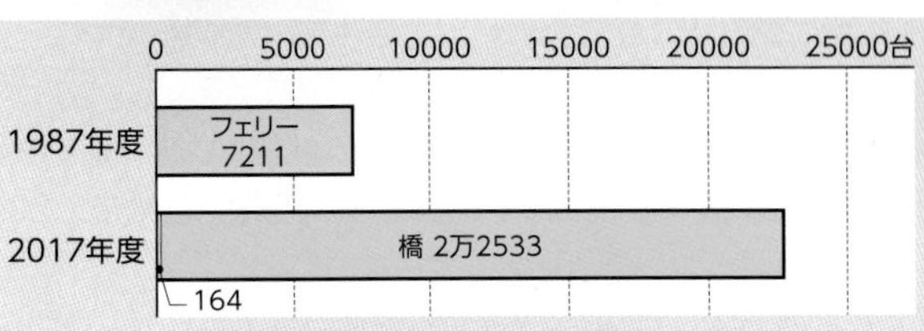

4 瀬戸内海の島々を巡回する診療船「済生丸」（岡山県，北木島，2019 年撮影）瀬戸内海には病院のない島が多いため，船内で診察や健康診断が受けられる診療船が活躍しています。

	0	5000	10000	15000	20000	25000台
1987年度	フェリー 7211					
2017年度	橋 2万2533 / フェリー 164					

5 瀬戸大橋開通前後の 1 日あたりの自動車通行量の変化〈四国運輸局資料，ほか〉

資料活用 瀬戸大橋の開通による通行量と内訳の変化を読み取ろう。

にせずに移動できるようになりました。一方，フェリーの利用者は減少し，航路の多くは廃止されたり，便の数が減ったりしたため，自動車をもたない人や高齢者にとっては，生活が不便になる面もありました。そのため，生活用品を輸送する船や，健康診断のできる医療設備を備えた診療船などが，今でも島での生活を支えています。4 また香川県では，離島や山間部での医療を充実させるため，通信網を使って病院と診療所の医師が電子カルテを共有するなどの取り組みが行われています。→p.165

交通網の発達による結びつきの変化

交通網の発達は，中国・四国地方と他地域との結びつきにも大きく影響しています。

徳島県では，大鳴門橋と明石海峡大橋→p.206の開通によって，神戸市や大阪市への移動時間が大幅に短縮されたので，高速バスを利用して日帰りで近畿地方に買い物に出かける人々が増えました。6 逆に，徳島市で行われる「阿波おどり」→p.189などの観光を目的に，全国各地から四国を訪れる人々も増えています。

一方で，他地域への移動が便利になったことによって，大阪などの大都市に買い物に行く人などが吸い寄せられて❷地方都市の消費が落ち込み，経済が衰退するという課題も生じています。

6 徳島市から大阪市へ向かう高速バス（徳島県，徳島市，2019 年撮影）淡路島を経由して，約 2 時間半で移動することができます。

❷ 交通網の整備により，地方都市から大都市への買い物客が増えたり，地方都市の支店が閉鎖されたりする現象をストロー現象といいます。

確認しよう 本州と四国を結ぶ三つのルートの位置と名称を図2で確認しよう。

説明しよう 本州四国連絡橋の開通によって，島で暮らす人々の生活がどのように変化したのか，説明しよう。

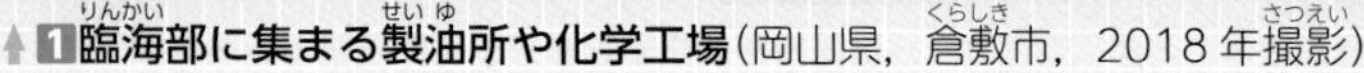
1 臨海部に集まる製油所や化学工場（岡山県，倉敷市，2018年撮影）

2 瀬戸内海沿岸の広大な塩田での塩作り（岡山県，倉敷市付近，1951年撮影）

3 瀬戸内海の海運と工業の発展

学習課題 瀬戸内海に面した地域では，船を使った輸送を利用して，どのように工業を発達させてきたのだろうか。

海を生かした瀬戸内工業地域

瀬戸内海沿岸では，古くから製塩業 2 や造船業，綿織物工業 3 などが盛んでした。第二次世界大戦後は，塩田 2 の跡地や遠浅の海岸を埋め立てた広大な土地が利用できたため，京浜工業地帯 →p.246 や阪神工業地帯 →p.210 などから工場の移転が進み，**瀬戸内工業地域** →p.160 が形成されました。

工場が集まる臨海部は，大型貨物船を使って海外から原油 →巻末1 や鉄鉱石 →巻末1 などを大量に輸入したり，大きく重い工業製品を国内外に輸送したりしやすいため，**石油化学工業**（解説）や製鉄業，造船業，自動車工業などの重化学工業が発達しました。例えば，岡山県倉敷市 →p.160 や山口県周南市，愛媛県新居浜市などには**石油化学コンビナート**（解説） 4 が形成され，広島県福山市や呉市などには製鉄所が作られました。なかでも，倉敷市の水島地区 1 にはさまざまな分野の工場が集まり，鉄鋼や自動車，食品なども生産されています。

輸送機械工業の発達

広島市とその周辺には自動車関連工場が集まっています。この地域では古くから工業が発達し，高い技術をもつ人が多かったことが，自動車工業の発達を後押ししました。また，造船業が盛んだった山口県下松市には，造船工場の

解説 化学工業と石油化学工業

化学反応を利用して原料を加工し，さまざまな製品を作り出す工業を化学工業といいます。このうち，原油からつくられた石油製品や，天然ガスを原料とするものを石油化学工業といいます。石油化学工業の製品には，プラスチックやタイヤ，化学繊維，洗剤，医薬品などがあります。

解説 石油化学コンビナート

コンビナートとは，効率よく生産するために，関係のある工場を港湾などにまとめた地域をいいます。石油化学コンビナートには，石油製品の生産に関連する企業が集まり，互いにパイプラインで結ばれ，原料や燃料などを効率よく輸送できるようになっています。原油の精製から石油製品への加工までが，一つのコンビナートで行われます。

小学校●歴史●公民との関連 貿易や運輸（小），産業と情報の関わり（小），特産物（歴）

地理プラス 伝統的な産業の新しい形

瀬戸内海沿岸では，古くから綿織物の生産が盛んで，現在も愛媛県今治市はタオル，岡山県は学生服やジーンズの一大生産地となっています。

今治市では，第二次世界大戦後のタオル需要の高まりをきっかけにタオル工場が増えました。しかしその後，中国などからの価格が安い輸入品が増えたことにより，生産が落ち込みました。海外に工場を移す企業も現れましたが，今治市を中心とする地域の企業は，高い技術を生かして「今治タオル」という高品質タオルの地域ブランドをつくり，収益を上げる工夫をしてきました。現在では，今治タオルは全国のデパートなどで取り扱われ，海外にも進出しています。

▲3 海外の見本市に出展した「今治タオル」（イギリス，ロンドン）

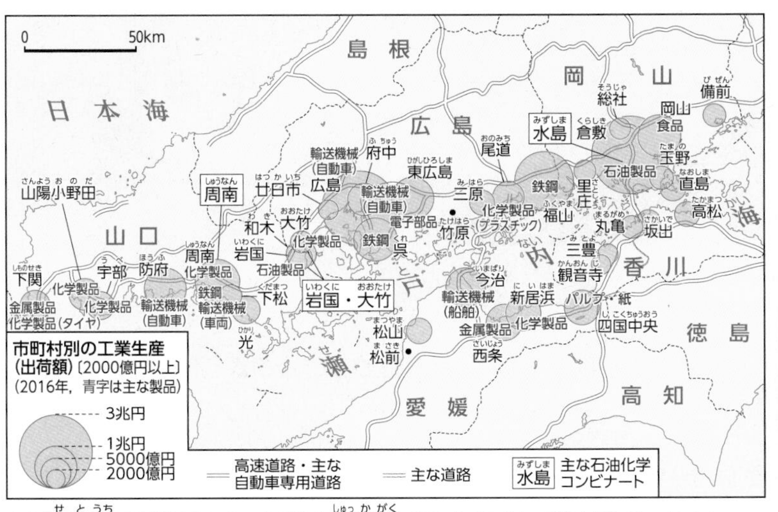

▲4 瀬戸内工業地域の主な工業と出荷額〈平成29年 工業統計表，ほか〉

資料活用 出荷額が多い地域に着目しよう。

▲5 出荷される高速鉄道の車両（山口県，下松市，2015年撮影） 船に積み込まれた車両は，瀬戸内海を渡って国内外に運ばれます。

跡地を利用した鉄道車両の工場があります。工場では，国内各地を走る特急列車や新幹線，海外向けの高速鉄道などの車両が造られ，完成した車両は大型貨物船やトラックで各地に輸送されます。5

新たな製品開発への取り組み

近年，大規模な石油化学コンビナートの建設がアジア各地で進んでいます。また，日本企業の海外進出が進み，→p.59 現地で原料を調達する動きが強まっているため，日本国内では石油化学製品の需要が減ってきています。

瀬戸内工業地域では，外国との競争に勝ち残るために，機能や性能が高い製品の開発を進める化学メーカーが増えています。山口県宇部市や愛媛県新居浜市の石油化学工場や研究所などでは，高い技術が求められる医薬品や医療器具などの開発が行われています。6 このほかにも最先端の技術を用いた製品の開発が進められており，愛媛県松前町では航空機の機体などに使われる軽くて丈夫な炭素繊維が，広島県竹原市では電気自動車用の蓄電池が生産されています。

▲6 医薬品の開発（山口県，宇部市） 新しい薬の開発には高度な化学の知識や技術が必要とされ，商品となるまでに長い時間がかかります。

瀬戸内の臨海部で盛んに造られている工業製品を，図4を見て三つ書き出そう。

瀬戸内で工業が発達した理由を，自然条件や原料・製品の輸送手段に着目して説明しよう。

▲2 みかんの生産量（2018年）〈農林水産省資料〉

▲1 山の斜面に広がるみかん畑（上）とその収穫（右）（愛媛県，八幡浜市，2018年12月撮影）

4 交通網を生かして発展する農業

学習課題 瀬戸内や南四国で生産される農産物は，どのようにして競争力を高め，市場を広げてきたのだろうか。

▲3 さまざまな品種の かんきつ類が陳列された店先（埼玉県，さいたま市，2019年3月撮影）

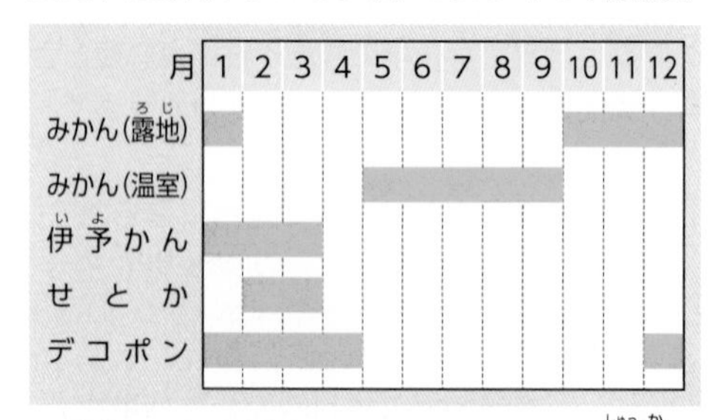

▲4 愛媛県で生産される かんきつ類の出荷カレンダー〈愛媛県資料〉 **資料活用** 出荷時期の違いに注目しよう。

温暖な気候を生かした農業

日照時間が長く，降水量が少ない瀬戸内の気候は，かんきつ類の栽培に適しています。特に愛媛県の南部や瀬戸内海の島々では，みかんや 伊予かん などの生産が盛んです。2，➡p.158 これらの地域は，もともと山がちな地形で，日当たりのよい斜面の段々畑に果樹園が広がる風景が見られます。1 また，香川県の小豆島では，乾燥に強いオリーブの生産が行われています。

競争力を高める取り組み

かつては，瀬戸内で栽培される かんきつ類は みかん が中心でした。しかし，和歌山県や静岡県など ほかの生産地との競争や，2 1990年代にアメリカ合衆国からオレンジが輸入されるようになった影響などにより，みかんの出荷は大きく減少しました。そこで愛媛県では，品種改良を重ね，伊予かん や せとか，デコポンなど，味や香りがよく，みかん とは収穫時期の異なる かんきつ類を生産することで，3，4 ほかの生産地との差別化を図っています。なかには，広島県の生口島や愛媛県の岩城島などのように，レモンの生産に特化した所もあります。

南四国に位置する高知平野では，温暖な気候を生かした野菜の生産が盛んです。夏が旬である なす 7 やピーマンなどの野菜を，端境

地理プラス 水質のよさを生かした宇和海沿岸の養殖

愛媛県南部の宇和海沿岸に広がるリアス海岸では，たい や ぶり，ひらめ，真珠などの養殖が盛んです。この地域の入り江は，黒潮の一部が流れ込むため，水質がよいのが特徴です。近年では，かんきつ類の果汁を絞った後に残る皮を餌として与える取り組みが行われ，「みかん鯛」や「みかんブリ」などの名称で親しまれています。

養殖で育てられた魚は，整備された高速道路網を利用して全国各地に出荷されます。なかには，生きた魚を専用の生けすを積んだトラックに乗せ，大阪などの料理店に直送する水産会社もあります。

5 ぶりの養殖(愛媛県，愛南町，11月撮影)

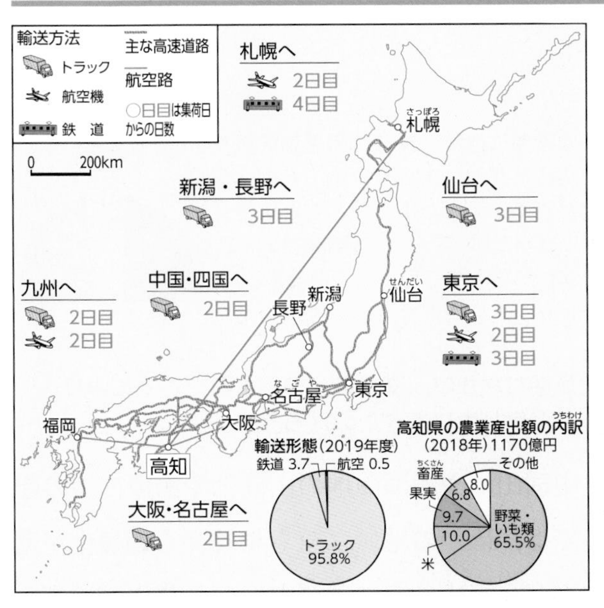

7 全国に向けて出荷される なす(高知県，安芸市，2019年3月撮影)

6 高知県の農業産出額と野菜の輸送形態，主な出荷先への輸送手段
〈農林水産省資料，ほか〉 資料活用 高知県から遠く離れた地域には，どのような輸送手段で出荷されているのだろうか。

期にあたる冬から春にかけて出荷するため，ビニールハウスを利用した促成栽培が行われています。農家は，冬のハウス栽培と夏の露地栽培を組み合わせたり，栽培する野菜の種類を増やしたりすることで，年間を通して安定した収入を得られるように工夫しています。

→p.126 →p.158, 179

交通網の発達による市場の拡大

瀬戸内で生産された かんきつ類や南四国で生産された野菜は，以前は船や鉄道で運ばれ，主に大阪など近畿地方の市場に出荷されていました。しかし，本州と四国を結ぶ橋の開通や高速道路網の整備，保冷トラックの普及などにより，現在では，東京や札幌など遠く離れた市場にも，鮮度を保ったまま出荷できるようになっています。

→p.192

また，岡山県の丘陵地で栽培される白桃やマスカットは，海外でも人気です。鮮度が落ちやすい これらの果物は，航空機でホンコンや東南アジアなどに向けて輸出されており，空の交通網も生かした市場の拡大が進んでいます。

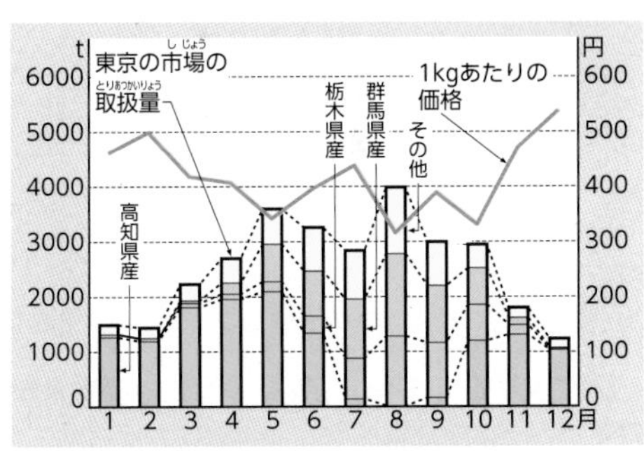

8 東京へ出荷される なすの量と価格(2019年)〈東京都中央卸売市場資料〉 夏が旬である なすは，冬から春にかけて高値で取り引きされます。

確認しよう 中国・四国地方で生産が盛んな農産物を，本文から書き出そう。

説明しよう 南四国ではなぜ促成栽培を行っているのか，図8や本文を参考に説明しよう。

↑1 縁結びの神様として知られる出雲大社
(島根県，出雲市，2015年撮影)

↑2 石見神楽の公演(島根県，浜田市)

交通網の整備は，島根県の観光にも影響しているのかな？

声 石見神楽を継承する人の話

神楽は，秋の収穫期に自然や神様への感謝を表すために舞を舞ったことがはじまりで，今でも地元の人たちに受け継がれているんだよ。もともとは地元だけの秋のお祭りだったけど，今では週末を中心に，観光客向けの公演があちこちで行われているよ。

5 人々を呼び寄せる地域の取り組み

学習課題 過疎化や高齢化が進むなかで，交通網が整備されたことにより，地域にどのような変化が生じてきたのだろうか。

山間部や離島で進む過疎化

中国山地や四国山地の山間部や瀬戸内海の離島では，ほかの地域よりも早くから**過疎**化が進みました。山陰では，高度経済成長期に瀬戸内ほど工業化が進まなかったこともあり，進学や就職のために広島市や岡山市，近畿地方などの都市部へと転出する人が数多くいました。その後も若い世代の転出は進み，人口減少や高齢化が深刻な地域が増えています。5

→p.154 →p.190 →p.154 →p.155

一方で，整備された高速道路や空港を利用して，全国各地や海外から多くの人が訪れることができるようになりました。これらの地域では，観光客を呼び寄せたり，通信網を整備して情報通信技術(ICT)関連企業を誘致したりするなど，**地域おこし**の取り組みが行われています。

→p.60 →p.202

文化財や伝統文化を生かす取り組み

古い歴史と伝統のある島根県は「神話の里」といわれることもあり，出雲大社1など数多くの文化財や史跡があります。もともと交通の便があまりよくなかったこの地域に，米子自動車道や浜田自動車道などが開通したことによって，訪れる観光客が増えました。島根県西部の石見地域では，神話などをもとにした伝統芸能の石見神楽2や，世界遺産に登録

→p.192

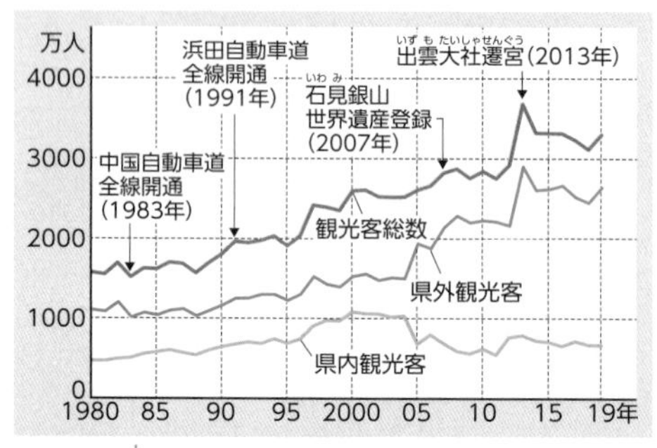

↑3 島根県を訪れる観光客数の変化〈島根県資料〉

↑4 萩の町並み(山口県，萩市，4月撮影) 現在も城下町の面影を残しています。

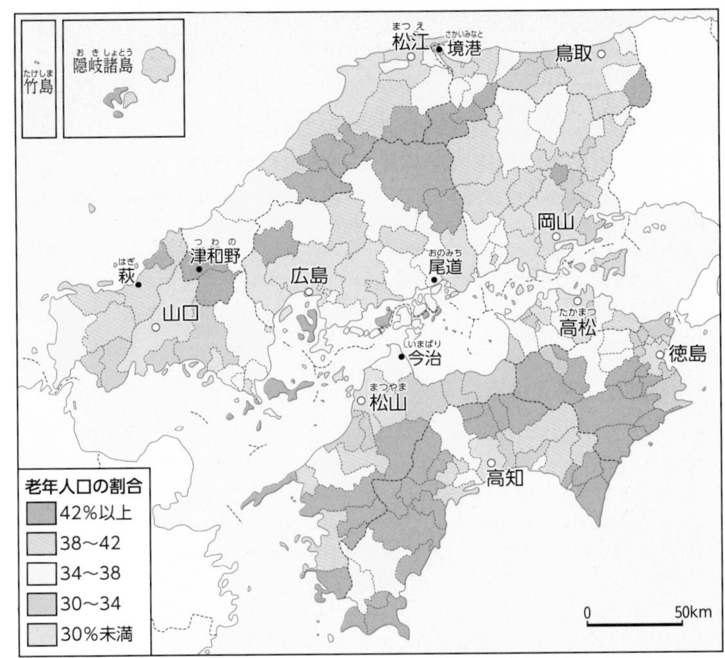

▲5中国・四国地方の市町村別 老年人口の割合(2019年)〈住民基本台帳人口・世帯数表 平成31年版〉

地理プラス 「うどん県」にようこそ！

讃岐うどんで知られる香川県には，瀬戸大橋の開通や現在の高松空港の開港によって，全国から うどん を食べに来る観光客が増えています。県の知名度が低かった香川県では，郷土食の うどん を生かして，2011年から「うどん県。それだけじゃない香川県」のキャッチフレーズの下，県の知名度アップに取り組んでいます。香川県のうどん屋では，客自身が つゆ をかけたり薬味をのせたりするのが普通で，このセルフサービス形式も，讃岐うどんの人気とともに全国に広がりました。

→6セルフサービス形式の讃岐うどんの店(香川県，丸亀市，2019年撮影)

された石見銀山が注目され，多くの観光客を集めるようになりました。[3]また，江戸時代に城下町として栄え，現在も武家屋敷や商家などが多く保存されている山口県萩市[4]や島根県津和野町，松江市なども，多くの観光客を呼び寄せています。

交通網の整備が後押しした観光地

鳥取県には，日本最大級の砂丘として知られる鳥取砂丘→p.189や なし の観光農園[7]，新鮮な海の幸を楽しめる漁港など，さまざまな観光資源があります。なかでも境港市の境港駅から商店街へと整備された「水木しげるロード」には，漫画に登場するキャラクターの銅像や記念館，キャラクターグッズなどを販売する店が立ち並び，多くの観光客が散策を楽しんでいます。[8]境港市は，米子空港から近いことに加え，周辺の高速道路が開通したことによって，鳥取県有数の観光地となりました。

島ならではの特色を生かした地域おこし

広島県尾道市と愛媛県今治市を結ぶ瀬戸内しまなみ海道→p.188は，徒歩や自転車でも瀬戸内海の島々を渡ることができます。美しい景観を眺めたり，サイクリングを楽しんだりすることを目的に，国内だけでなく海外からも多くの観光客が訪れています。そのため，瀬戸内しまなみ海道沿いの島々では，農業や漁業の体験，瀬戸内海をめぐる観光船など，豊かな自然や水産資源を生かした地域おこしが行われています。

▲7なしの観光農園(鳥取県，鳥取市，9月撮影)

▲8観光客でにぎわう「水木しげるロード」(鳥取県，境港市，2018年撮影)

図5で，高齢化が進んでいる地域を確認しよう。

山陰とよばれる島根県や鳥取県では，観光業をどのように発展させているのか，説明しよう。

節の学習を振り返ろう

第2節 中国・四国地方

第2節の問い p.187〜199 中国・四国地方における交通網や通信網の整備は，人々の生活や産業にどのような影響を与えているのだろうか。

1 学んだことを確かめよう >> 知識

1．A〜Iにあてはまる県庁所在地名と，その県名を答えよう。
2．ⓐ〜ⓓにあてはまる諸島名，山地名，河川名を答えよう。
3．①〜⑥にあてはまる語句を，下のキーワードや教科書を振り返りながら答えよう。

山陰（→ p.190，198〜199）
- 南北方向を結ぶ ① や空港の整備
- 数多くの文化財や史跡，伝統芸能などを生かした観光

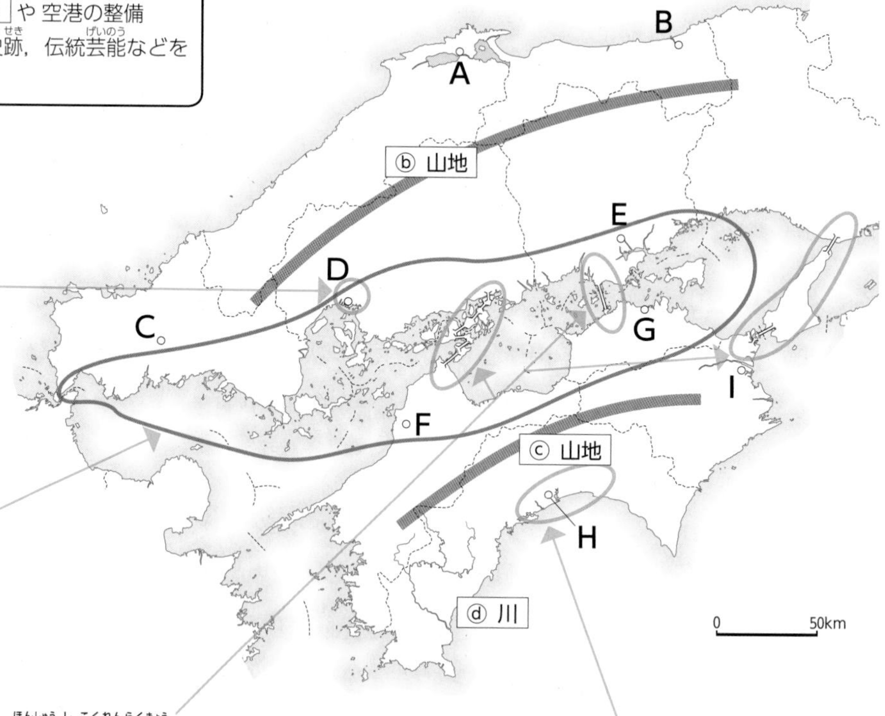

D（→ p.193）
- ② に登録された原爆ドームなどには，国内各地から多くの修学旅行生が訪れる
- 平和記念都市であり，核兵器の悲惨さを発信する運動を行っている

瀬戸内工業地域（→ p.194〜195）
- 塩田の跡地や遠浅の海岸を ③ てつくられた工業地域
- 石油製品の生産に関連する企業が集まる ④ コンビナートが立地

瀬戸内（→ p.190，196）
- 日照時間が長く，降水量が少ない気候に適した ⑤ 類の栽培が盛ん
- 岡山県の丘陵地では，白桃やマスカットを栽培し，ホンコンなどへも輸出

本州四国連絡橋（→ p.192〜193）
- 橋の開通によって，島では移動手段がフェリーから自動車へと変化
- 移動時間が短縮されて観光客が増加

高知平野（→ p.196）
- 温暖な気候を生かして，野菜の ⑥ 栽培が盛ん
- 保冷トラックなどで全国へ出荷

▲1白地図を使ったまとめ

写真を振り返ろう

p.188〜189 の写真に関連した以下の文章を読んで，㋐〜㋔にあてはまる語句を，キーワードから答えよう。

中国・四国地方のうち，瀬戸内海に面した ㋐ では，写真3や5が象徴するように，船による海上交通が盛んでした。その後，写真1のような本州と四国を結ぶ ㋑ が開通したことにより，人々の生活は大きく変化しました。一方，島根県や鳥取県がある ㋒ では，ほかの地域よりも早くから ㋓ 化が進んでいたため，写真4などの観光資源を生かして，さまざまな ㋔ が行われています。

✓キーワード

意味を説明できた語句にチェックを入れよう。

- □山陰
- □瀬戸内
- □南四国
- □季節風
- □ため池
- □本州四国連絡橋
- □平和記念都市
- □瀬戸内工業地域
- □石油化学工業
- □石油化学コンビナート
- □促成栽培
- □過疎
- □地域おこし

2 「地理的な見方・考え方」を働かせて説明しよう ≫ 思考力，判断力，表現力

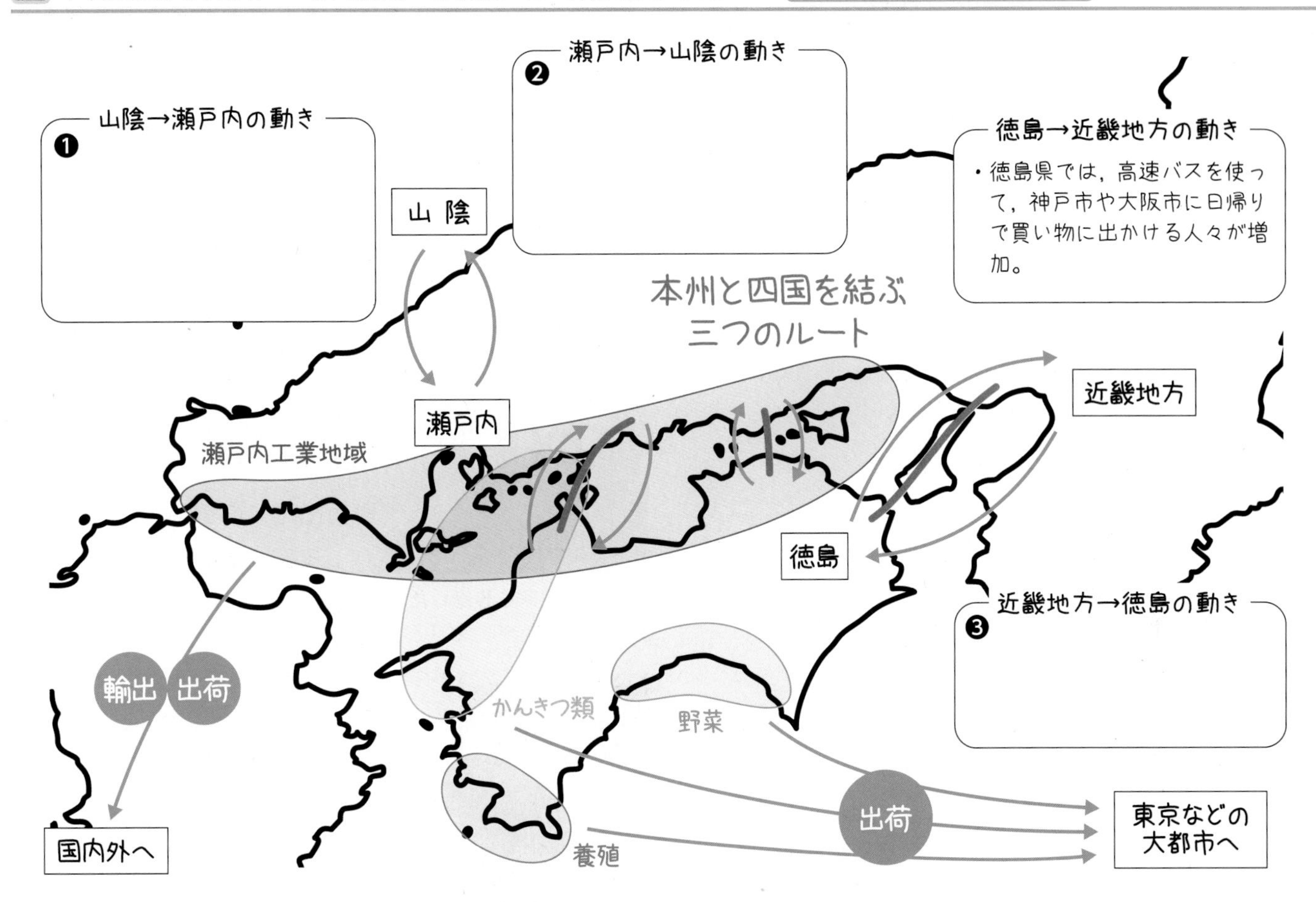

▲2中国・四国地方における交通網の整備による影響をまとめた例

ステップ1 この地方の特色と課題を整理しよう

交通網が整備されたことによる人や物の動きについて，p.200のキーワードや教科書を振り返りながら，図2の❶～❸の空欄を埋めよう。

ステップ2 「節の問い」への考えを説明しよう

作業1　中国・四国地方で，整備された通信網を生活や産業に役立てている例を書き出そう。

作業2　中国・四国地方における交通網や通信網の整備は，人々の生活や産業にどのような影響を与えているのだろうか。地理的な見方・考え方を働かせて，節の問いに対するあなたの考えを，「促成栽培」と「地域おこし」の語句を使って説明しよう。

「節の問い」に関連が深い見方・考え方
ほかの場所への影響，地域全体の傾向（→巻頭7）

ステップ3 【発展】持続可能な社会に向けて考えよう

作業1　整備された交通網や通信網を生かして，人々の生活を改善したり，産業を発展させたりするためには，どのような取り組みを行うとよいか，考えよう。

作業2　グループになり，どのような取り組みを優先的に行うことが大切か，また，その取り組みは実現可能か，話し合おう。

作業3　話し合いの結論をp.286の表1に記入し，第4部第1章「地域の在り方」を考える際の参考にしよう。

私たちとの関わり

私たちが住む町では，交通網や通信網の整備が進むことによって，中国・四国地方で学んだような生活や産業への影響が生じていないか，考えよう。

地域の在り方を考える

通信網を生かした地域おこしの取り組み

～徳島県神山町や上勝町の ICT 活用を例に～

人口集中の続く都市部では，過密による都市問題(→ p.242)を抱える一方で，大都市から離れた山間部や離島のほとんどの地域では，過疎の問題が深刻になっています(→ p.198)。過疎地域の一つである徳島県神山町や上勝町では，地域おこしのためにどのような取り組みが行われているのでしょうか。

↓1主な都市と過疎地域の分布〈住民基本台帳人口・世帯数表 平成31年版，ほか〉

過疎地域(2017年)
資料なし
・人口50万以上の都市(2019年)
0 200km
徳島県上勝町
徳島県神山町

↑2古い民家を改修したICT関連企業のサテライトオフィス(徳島県，神山町，2017年撮影)

→3タブレット端末で市場情報などを確認する「つまもの」の生産者(徳島県，上勝町，2019年撮影) 生産者には高齢者も多くいます。

人口減少が続く過疎地域は，住民の高齢化や産業の衰退などの問題を抱えています。これに対して，ほかの地域から人を呼び込み，新たな産業を創出することによって，地域おこしの成果を上げている地域があります。

徳島県の神山町と上勝町は，徳島県東部の山あいにある町で，徳島県特産の すだち などの産地です。両町とも，徳島市や小松島市の中心部から車で１時間ほどの距離にあり，人口の流出が続いたため，過疎化と少子化・高齢化に直面している過疎地域です。

このような過疎地域を多く抱える徳島県は，各市町村と協力してインターネット環境の整備に取り組み，神山町でも光ファイバーを用いた高速通信網が利用できるようになりました。都市部と変わらないインターネット環境で仕事ができることを企業に呼びかけたところ，東京などの大都市に本社を置く複数の情報通信技術(ICT)関連企業が，神山町に遠隔拠点(サテライトオフィス)を置くようになりました。これに加えて，豊かな自然環境を求めて，国内外から神山町への移住を希望する人が増えてきています。移住者が始めたカフェなどは，新しい移住者と地元の人たちとの交流の場にもなっています。

徳島県上勝町では，料理を引き立てるために添えられる季節の葉や花などの「つまもの」を生産する新しい農業が行われています。上勝町では，山間部に点在する農家が互いに情報を共有することができるように，農家どうしをネットワークで結ぶ通信システムを整備しました。各農家は，上勝町内の出荷状況から，遠く離れた都市の市場情報まで，パソコンやタブレット端末などで確認し，その日に出荷する「つまもの」の種類や量を決めています。「つまもの」は，軽量で高齢者や女性でも収穫しやすく，山間の狭い農地での少量の生産にも向いているのが特徴です。そのため，高齢化が進む山間部などでの地域おこしの好例として，全国から注目されています。

KINKI
近畿地方
探してみよう！
イラストの中には，小学校で学習したものも含まれています。あなたが知っているイラストを見つけよう。
天橋立（京都府）
かに漁
丹後半島
若狭湾
コウノトリ
天橋立
丹後ちりめん
京都の祇園祭（京都府）
伊吹山地
氷ノ山
和牛
中国山地
琵琶湖
東海道新幹線
彦根城
京都府
比叡山
兵庫県
鈴鹿山脈
まつたけ
金閣
安土城跡
大津
京都
滋賀県
姫路城
四日市コンビナート
淀川
清水焼
信楽焼
姫路
異人館
大阪城
伊勢湾
津
大阪
奈良
神戸
自転車
瀬戸内海
明石海峡大橋
奈良盆地
大阪湾
堺
石舞台古墳
伊勢
法隆寺
淡路島
大阪府
志摩半島
奈良県
三重県
大鳴門橋
紀の川
かき
和歌山
高野山
真珠の養殖
みかん
紀伊山地
林業
うめ
熊野本宮大社
和歌山県
那智滝
潮岬
神戸港（兵庫県）
大阪の道頓堀川（大阪府）
伊勢神宮（三重県）

写真で眺める 近畿地方

1 **面積が日本一の湖，琵琶湖**（滋賀県）　琵琶湖の水は，瀬田川，宇治川，淀川と流れ，大阪湾へと注ぎます。 ➔p.206, 208

2 **真珠の養殖**（三重県，志摩市）　リアス海岸が続く志摩半島では，真珠やのりの養殖が盛んです。 ➔p.206, 215

3 **神戸港と埋立地につくられた観光施設**（兵庫県，神戸市，2017年撮影）　明治時代以降，神戸は外国文化の玄関口として栄えてきました。 ➔p.206, 208

ー4**観光客でにぎわう清水寺の山門**（京都府，京都市，2016年5月撮影） 日本人・外国人を問わず，日本の伝統文化の一つである着物を着て，観光名所をめぐる観光客が増えています。 ➔p.212

旅行で京都に行ったら，行きたい場所はどこかな？

ー5**鹿と出会える奈良の町**（奈良県，奈良市，2018年撮影） 写真は大仏で有名な東大寺の参道です。東大寺は，この地に平城京がおかれた奈良時代に建てられました。 ➔p.206, 212

↓6**大阪名物の食べ物を売る店が立ち並ぶ通天閣周辺の繁華街**（大阪府，大阪市） 商業が発展している大阪は，「食いだおれ」の町としても知られています。
➔p.206, 209

第3節 近畿地方

環境保全に注目して

第3節の問い p.203～215

近畿地方における自然環境や歴史的景観の保全は，人口の増加や産業の発展のなかで，どのように取り組まれてきたのだろうか。

1 近畿地方の自然

2 淀川の下流に広がる大阪の中心部（大阪府，大阪市，2016年撮影） **資料活用** 写真から読み取れる大阪の中心部の特徴を挙げよう。

1 近畿地方の自然環境

学習課題 近畿地方では，地形や気候にどのような特色がみられるのだろうか。

	九州	中国・四国	近畿	中部	関東	東北	北海道
面積 38万km²	11.8%	13.4	8.8	17.7	8.6	17.7	22.0
人口 1.2億人	11.4%	8.8	17.7	16.9	34.1	6.9	4.2

3 日本の面積・人口に占める近畿地方の割合（2019年）〈住民基本台帳人口・世帯数表 平成31年版，ほか〉

4 淡路島と本州を結ぶ明石海峡大橋（兵庫県，淡路市） 大阪湾と瀬戸内海を分ける淡路島は，近畿地方で最も大きな島です。

中央部の低地と南北の山地

近畿地方は地形に注目すると，大きく北部・中央部・南部の三つの地域に分けられます。

中央部は，日本最大の湖である**琵琶湖**→p.204と**淀川**を中心とした低地で，2 近江盆地や京都盆地，奈良盆地などの盆地と，大阪平野や播磨平野などの平野が広がっています。1 これらの低地は古くから人々の生活の場となり，現在は京都→p.212・大阪・神戸→p.204などの大都市が集中する地域になっています。→p.208

中央部の低地を挟んだ北側と南側は，広い範囲が山地になっています。北部が中国山地や丹波高地などの なだらかな山地であるのに対して，南部には紀伊山地の険しい山地が広がります。

近畿地方は，北は日本海，南は太平洋，西は瀬戸内海に面しています。播磨灘や大阪湾のほとんどが人工海岸であるのに対して，北部と南部では山地が海まで迫り，若狭湾や志摩半島→p.204には，入り組んだ海岸線が特徴の**リアス海岸**→p.145が見られます。

 小学校●歴史●公民との関連 日本の自然環境（小），防災対策（小）

▲5冬の天橋立(京都府，宮津市，2月撮影)　景勝地として有名です。

▲6梅の実の収穫(和歌山県，田辺市，5月撮影)

未来に向けて

防災　震災の経験を語り継ぐ神戸

1995年1月17日に発生した兵庫県南部地震では，震度7に達する強い揺れで多くの建物が倒壊しました。夜明け前の地震だったために，自宅で眠っていた人が建物や家具の下敷きになるなどして，6000人を超える人が亡くなりました(阪神・淡路大震災)。また，水道や電気，鉄道や道路などの生活基盤が破壊され，都市の生活が長期間 まひ しました。

地震から20年以上たった今，震災後に生まれた若い世代や，新たに地域に移り住んできた人に，地震の恐ろしさと，それに対する備えの大切さ，そして救援から復旧・復興への道のりを伝えることが，ますます重要になっています。学校や職場などで，震災を経験した人が，みずからの体験を話し，それを語り継いでいく取り組みが進められています。

▲7「人と防災未来センター」で震災の経験を見学者に話すボランティアガイド(兵庫県，神戸市)

三つの地域で異なる気候

近畿地方の気候も，北部・中央部・南部で異なります。日本海に近い北部は，北西からの**季節風**➜p.147の影響で冬の雨や雪が多く，山地にはスキー場がたくさんあります。5 一方，太平洋に近い南部は，黒潮の影響➜p.145で冬でも温暖で，和歌山県では みかん や梅6などの果樹栽培と観光業が盛んです。紀伊半島の南東側は，南東からの季節風が吹きつける夏に雨が非常に多く降るため，日本有数の多雨地域として知られます。温暖で雨が多い紀伊山地は，樹木を育てる林業が盛んな地域となっています。➜p.214

近畿地方の中央部は，平野や盆地を中心に夏の暑さが厳しく，甲子園球場で行われる夏の全国高校野球選手権大会は，暑さとの戦いとなることでも知られます。特に京都盆地などの内陸の盆地は，夏は暑さが厳しく，冬は冷え込むため，1年の気温の差が大きいのが特徴です。中央部は，北と南を山地に挟まれているので，年間を通して降水量が少なく，水不足のときでも田畑に水を送れるように，播磨平野や奈良盆地などでは **ため池**➜p.191が多く造られてきました。

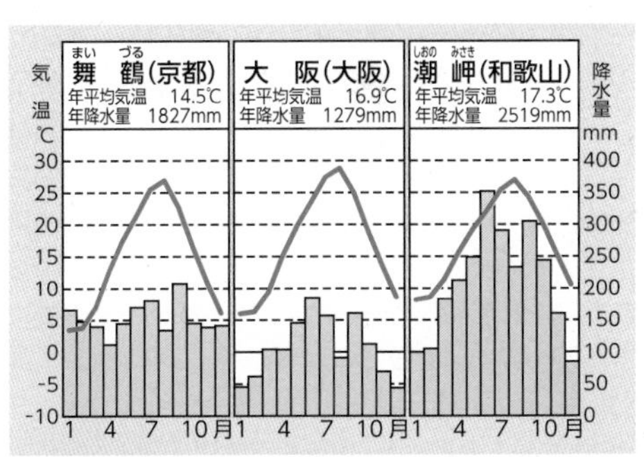

▲8近畿地方の主な都市の雨温図〈理科年表2020，ほか〉

確認しよう　近畿地方の北部・中央部・南部に見られる特徴的な地形を，図1で確認しよう。

説明しよう　近畿地方の気候の特色を，北部・中央部・南部に分けて説明しよう。

⬆1 **琵琶湖疏水の一部，南禅寺の水路閣**（京都府，京都市，2018 年撮影） 琵琶湖の水を京都に引くために，明治時代に建設されました。

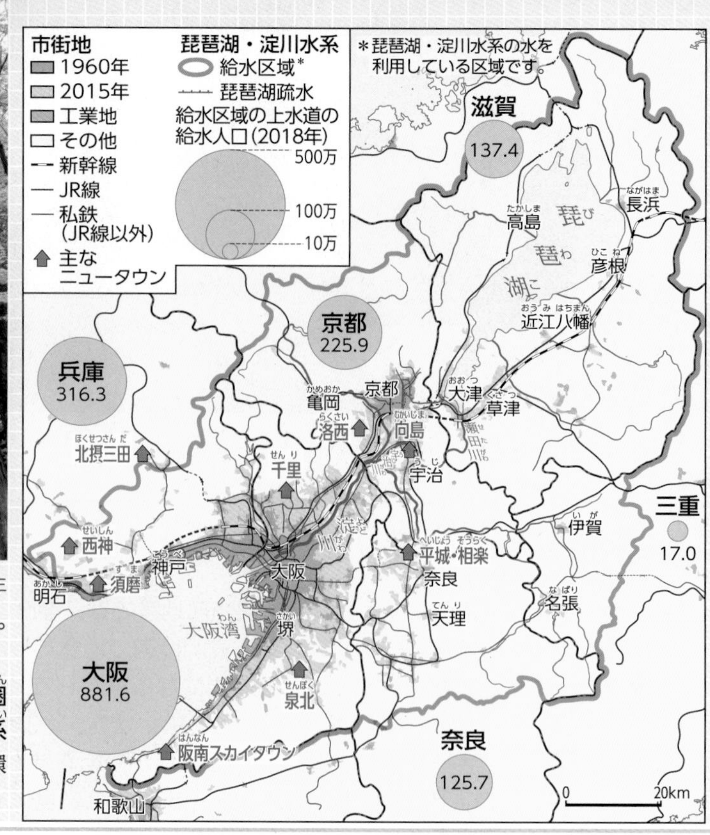

➡2 **京阪神大都市圏と琵琶湖・淀川水系の範囲**〈BYQ 水環境レポート，ほか〉

2 琵琶湖の水が支える京阪神大都市圏

学習課題 京阪神大都市圏の水源である琵琶湖とその周辺では，環境保全のために，どのような取り組みが行われてきたのだろうか。

解説 ニュータウン

大都市の過密状態を解消するために，大都市の周辺に新しく建設された住宅団地や市街地をいいます。イギリスが発祥で，日本では 1960 年代に大阪府の千里地区に，1970 年代に東京都の多摩地区などに造られました。

⬆3 **六甲山地から削り取った土砂を利用して造成されたポートアイランドと神戸空港**（兵庫県，神戸市，2019 年撮影） **資料活用** 地図帳で，六甲山地とポートアイランドの位置を調べよう。

京阪神大都市圏と琵琶湖・淀川の水

京都，大阪，神戸を中心に広がる**京阪神大都市圏**➡p.154は，東京大都市圏➡p.242に次いで人口が集中している地域です。大阪市を中心にして鉄道や道路が周辺に延び，沿線に市街地が広がっています。2

京阪神大都市圏では，人口の増加に伴って住宅地が不足したため，1960 年代から郊外の丘陵地に**ニュータウン**（解説）がいくつも建設されました。千里・泉北・須磨などのニュータウンは，その代表です。六甲山地が海岸まで迫っていて平坦な土地が少ない神戸市➡p.204では，山を削って住宅地を造り，その土砂を海の埋め立てに利用することによって，市街地を広げる工夫をしてきました。3

京阪神大都市圏では，琵琶湖➡p.204から流れ出て大阪湾に注ぐ淀川の水が，浄水場で安全な水道水となって流域に暮らす 1700 万（2018年）の人々の生活を支えています。そのため，琵琶湖・淀川水系の環境を保全することは，近畿地方全体の重要な課題となっています。1,2

琵琶湖の水を守る取り組み

琵琶湖では，周辺の農地で使われた肥料や，急速に増えた工場の廃水，家庭の生活排水などが流

未来に向けて

共生　近畿地方と朝鮮半島との結び付き

近畿地方には，多くの在日韓国・朝鮮人が暮らしています。これらの人々の多くは，日本が朝鮮半島を植民地支配した時期に，朝鮮半島から職を求めて移住したり，労働者として連れてこられたりした人々とその子孫です。大阪市生野区などの在日韓国・朝鮮人が多い地域には，キムチなどの食べ物や民族衣装を売る店が並ぶ商店街があり，生活に密着した場所となっています。また，朝鮮半島の伝統的な踊りや音楽といった文化に触れられる祭りも開かれています。このように，在日韓国・朝鮮人は独自の伝統文化や生活習慣を誇りとして大切にしています。

4 在日韓国・朝鮮人が多い生野区の商店街(大阪府，大阪市，2018年撮影)

5 琵琶湖で発生した赤潮(滋賀県)

6 横断幕を掲げて粉せっけんの使用を訴える市民(滋賀県，大津市，1979年撮影)

7 水質改善のためにヨシの苗を琵琶湖の湖岸に植える中学生(滋賀県，長浜市)

れ込んだことにより，1970年代から，赤潮[5]やアオコとよばれるプランクトンの異常発生などが起こるようになり，水道水への影響が問題になりました。このため，琵琶湖周辺の住民は，水質悪化の原因となる りん を含む合成洗剤の使用中止と，りん を含まない粉せっけんの使用を呼びかける運動を始め[6]，滋賀県も下水道の整備や工場廃水の制限に取り組みました。その結果，琵琶湖に流れ込む水質を悪化させる物質は，徐々に減少していきました。近年では，水中の りん などを養分として成長するヨシを湖岸に植えることにより，水質を改善しようとする取り組みなども行われています[7]。

水の都，大阪

近畿地方の中心都市である大阪は→p.205，「水の都」や「天下の台所」とよばれます。これは，大阪の中心部→p.206には堀川とよばれる運河が張りめぐらされ，古くから琵琶湖や淀川，瀬戸内海を利用した船の行き来が盛んだったことにより，全国の米や特産物を売買する商業が発展していたからです。

近年では，観光遊覧船に乗って川や運河からの景色を楽しむ観光や，道頓堀川をはじめとした水辺の環境の整備など，川や運河が多いことを まちづくり に生かす取り組みもみられます[8]。

8 川沿いに遊歩道が整備された道頓堀川と観光客を乗せた観光遊覧船(大阪府，大阪市，2017年撮影)

確認しよう　琵琶湖・淀川水系の給水区域内にある主な都市を，図2で確認しよう。

説明しよう　琵琶湖の周辺では，水質を保全するために，どのような取り組みが行われてきたのか説明しよう。

1 大阪湾岸の工業地帯の移り変わり（兵庫県，尼崎市）

3枚とも，ほぼ同じ場所を撮影しています。

資料活用 建物の様子や周辺の環境に着目しながら三つの写真を比較し，異なる点を挙げよう。

3 阪神工業地帯と環境問題への取り組み

学習課題 阪神工業地帯では，工業の発展と共に生じた環境問題に対して，どのように取り組んできたのだろうか。

移り変わる阪神工業地帯

淀川の下流域にあたる大阪湾の周辺は，明治時代から繊維などの工業が発達し，第二次世界大戦後は**阪神工業地帯**の中心として日本の工業を支えてきました。[1,4] しかし，工場が集中する大阪では，1960 年代になると，地下水のくみ上げすぎによる地盤沈下や工場の排煙による大気汚染などの**公害**が深刻になりました。[3] また，工業用地の不足も問題となりました。そこで，大阪湾の埋め立てが進められ，港湾の整備や埋立地への工場の移転が行われました。

→p.206, 208 →p.160 →p.186

臨海部は原料や製品の海上輸送に便利なため，大阪市から堺市，高石市にかけての埋立地には，化学工場や製鉄所などの重化学工業の集中が進みました。しかし 1980 年代以降，化学や鉄鋼などの工業が伸び悩むと，工場の閉鎖や他地域への移転が進んで埋立地に空き地が目立つようになり，阪神工業地帯の工業出荷額も減少しました。[2]

→p.164 →p.160

2000 年代に入ると，移転した工場の跡地にテレビなどの工場が進出して，一時期，一大生産拠点となりました。[1] しかし，これらの工場は世界的な不況やアジアなど外国との競争の影響を受けて急速に縮小し，現在の臨海部は，太陽光発電のパネルや蓄電池などの新

年	機械	鉄鋼・金属	化学	繊維	食品	その他
1983年 32兆6275億円	29.6%	21.7	15.5	5.8	10.3	17.1
2017年 33兆1478億円	36.9	20.7	21.7	1.3	11.0	8.4

※大阪府と兵庫県の合計です。

2 阪神工業地帯の工業出荷額〈平成 30 年 工業統計表，ほか〉

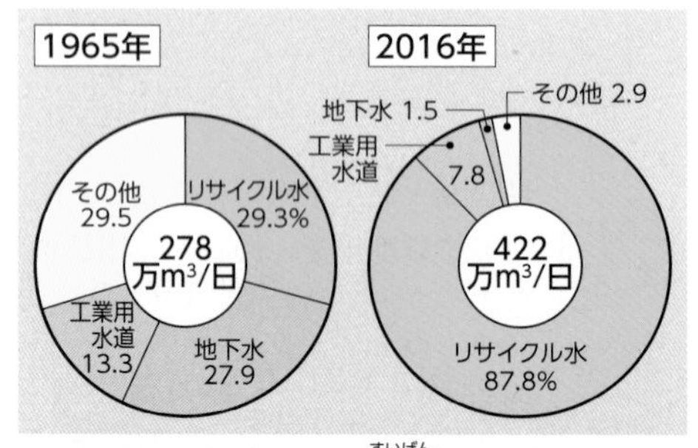

3 大阪府の工業用水の水源〈経済産業省資料〉

資料活用 水源の変化を読み取ろう。

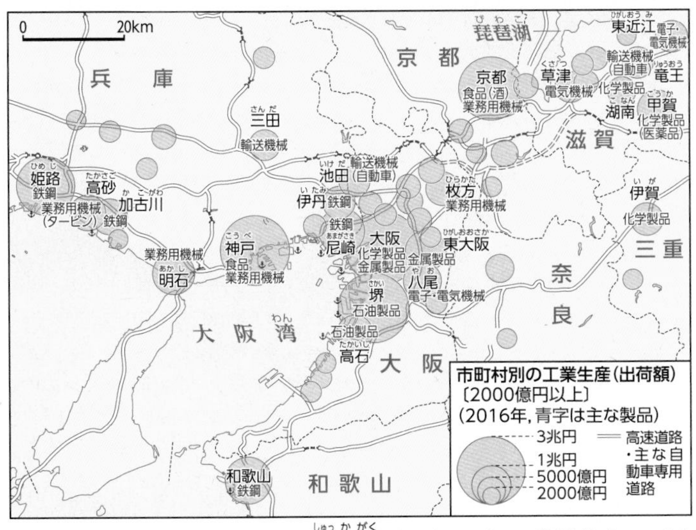

4 阪神工業地帯の主な工業と出荷額〈平成 29 年 工業統計表,ほか〉

5 大阪府で生産が盛んな工業製品(2017 年)〈平成 30 年 工業統計表〉

製品	大阪	その他
じゅうたん 30億円	75.6%	24.4
自転車部品 1879億円	78.3%	21.7
絵の具 57億円	67.9%	32.1
ノート類 139億円	27.5%	72.5

地理プラス オンリーワンの技術で世界と戦う町工場

大阪では ねじ の生産が盛んで,多くの町工場で ねじ が作られてきましたが,アジア諸国で工業化が進むと,ねじ の国際競争が激しくなりました。こうしたなか,独自の技術を開発することで,国際競争に立ち向かおうとする町工場が出てきました。東大阪市の従業員数約 90 名の町工場では,神社の鳥居に使われている くさび の原理を応用して,「絶対に緩まない ねじ」を開発しました。世界で唯一の技術といえるこの ねじ は,東京スカイツリーや明石海峡大橋などの建造物,新幹線の車両など,安全性が重要とされるさまざまな場面で採用され,イギリスなど海外でも広く使われています。

6「絶対に緩まない ねじ」を製造する企業(大阪府,東大阪市)

しい分野の工場,大型の物流施設,テーマパークなどが集まる地域へと変化しています。1 新しい工場や施設では,屋根に大規模な太陽光発電設備を設置したり,工業用水のリサイクルを進めたりして,3 環境に配慮する取り組みを積極的に行っています。また,2025 年に大阪湾の夢洲で開催予定の「日本国際博覧会」でも,最先端の環境技術を生かした施設の整備が進められることになっています。

地域に根ざした中小企業

大阪府の東部にある東大阪市や八尾市などには,**中小企業**(解説)の町工場が数多くあります。6, 7 これらの工場は,金属加工をはじめとする多様な業種からなり,自転車部品や文房具など,生活に関わりが深いさまざまな工業製品を生産しています。5 東大阪市では,後継者不足のために廃業する中小企業も少なくないことから,町工場の高い技術力を結集して人工衛星を作るプロジェクトにより,若者に ものづくり の楽しさを伝える取り組みなどを行っています。また,工場の跡地に住宅が建てられたことで,新しい住民から騒音などの苦情が寄せられるようになりました。そこで,時間帯によって騒音や振動を規制するなどの環境対策を行い,工場と住民が共生できる まちづくり が進められています。

解説 中小企業と大企業

製造業では,資本金が 3 億円以下,または従業員数が 300 人以下の企業を中小企業といいます。中小企業の基準を超える企業を大企業といいます。

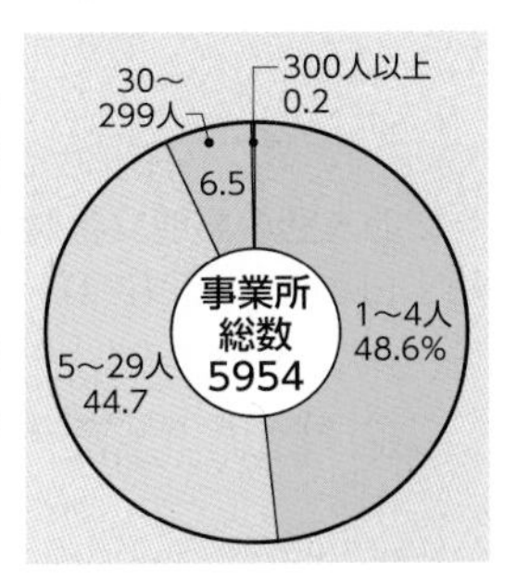

7 東大阪市における製造業の従業員数別割合(2016 年)〈東大阪市資料〉

資料活用 東大阪市の製造業に占める中小企業の割合は,何%だろうか。

確認しよう 阪神工業地帯では,かつてどのような公害が発生したのか,本文から書き出そう。

説明しよう 阪神工業地帯では,環境問題に対してどのような取り組みを行ってきたのか,説明しよう。

▲1空から見た京都市の中心部（京都府，2016年撮影）

▲2京都市内の住所表示の例

4 古都京都・奈良と歴史的景観の保全

京都と奈良では，歴史的景観を保全していくために，どのような取り組みが行われているのだろうか。

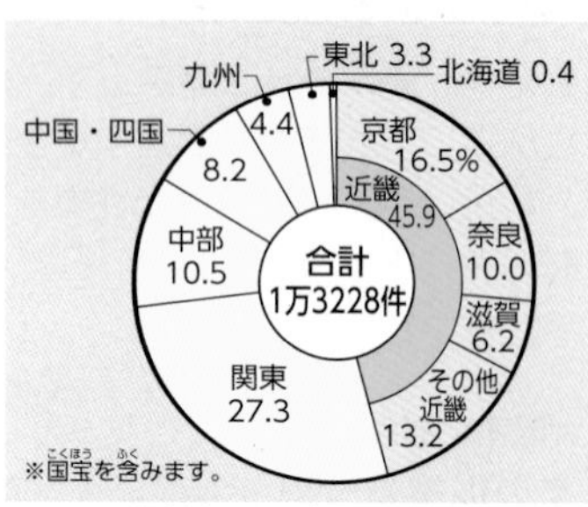

▲3地方別の重要文化財数の割合（2020年5月1日現在）〈文化庁資料〉

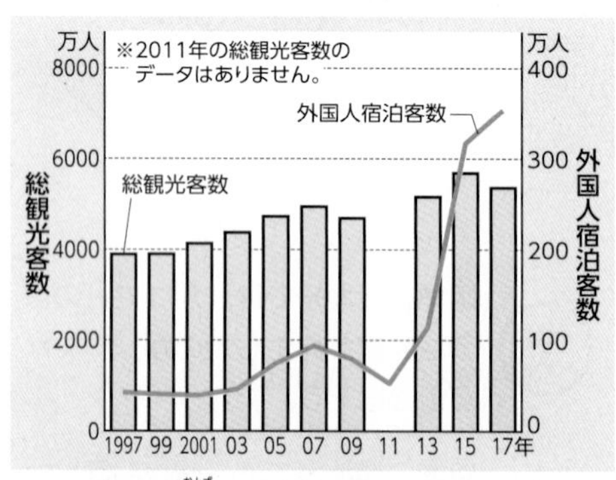

▲4京都市を訪れる観光客数の変化〈京都市資料〉 資料活用 2017年の外国人宿泊客数は，2007年と比べて約何倍に増えているだろうか。

歴史が息づく古都の町並み

京都の古くからの市街地では，四条通や五条通などの東西に延びる道路と，烏丸通や室町通などの南北に延びる道路が，碁盤の目のように整然と交差しています。1 これは，平安時代に造られた平安京の道路網が，現在の京都の町にも引き継がれているからです。京都では，一本一本の通りに名前が付けられており，住所を示すのにも，写真2のように，通りの名前が使われます。ある通りから見て北にある場所は「上る」，南にある場所は「下る」と表示されます。

京都と奈良は，8世紀以降，平安京や平城京の都が置かれ，長い間，日本の政治や文化の中心であったので，「古都」とよばれています。世界遺産に登録されている清水寺や東大寺→p.205をはじめとして，寺院や神社が数多くあり，重要文化財3に指定された建物や絵画，彫刻などもたくさん残されています。また，西陣織や清水焼，奈良墨などの**伝統的工芸品**→p.218, 231の生産も盛んです。さらに，京都に夏の訪れを告げる「祇園祭」など，さまざまな伝統文化も息づいています。日本の伝統文化が色濃く残る京都と奈良には，多くの観光客が訪れており，近年では，日本文化に関心をもつ外国人観光客が急増しています。4，→p.164

小学校●歴史●公民との関連 文化財や伝統の保存・継承(小)，平安京(歴)，平城京(歴)，室町幕府(歴)

未来に向けて

環境　姫路城とその周辺の景観を守る取り組み

兵庫県姫路市では，世界遺産に登録されている姫路城を中心としたまちづくりが進められています。例えば，姫路駅と姫路城を結ぶ大通りである大手前通り沿いの地区では，戦後に先駆的に行われた無電柱化をはじめ，建物の高さや外壁の色に基準を設けるなど，姫路城の魅力を引き立てるための景観づくりが進められています。景観の保全には，地域住民の意見も取り入れられており，市と住民が一体となって，世界遺産にふさわしい景観の形成に取り組んでいます。

5 景観に配慮した姫路城近くの土産物店（兵庫県，姫路市，2018年撮影）

6 2005年（左）と2020年（右）の二年坂の様子（京都府，京都市）

資料活用　新旧の写真を比較して，変わった点を挙げよう。

- 地域の特性に応じて建物の高さ制限を設ける。
- 周囲の歴史的な町並みや自然景観と調和するよう，建物の形や色を工夫する。
- 京都の優れた眺めを守るため，建物の高さや形を制限する。
- 屋上看板や点滅式の照明を禁止し，高さや大きさなどの規制を強化する。
- 歴史的な町並みを保全するため，建物の外観の修理などに補助金を出す。

7 京都市が進める景観政策の例〈京都市資料〉

古都の景観の保全に向けて

第二次世界大戦中に空襲の被害をあまり受けなかった京都や奈良には，伝統的な町並みが多く残されています。しかし，狭い土地を効率的に利用するために高層の建物が建設されたり，歴史的な建物の近くに現代的なビルが建てられたりして，古都の歴史的景観はしだいに失われつつあります。

このため，京都や奈良では，住民の生活の利便性を守りながら，古都の歴史と伝統を後世に受け継いでいくための，さまざまな取り組みが行われています。例えば京都市では，伝統的な町並みがよく残っている地区などで，建物の高さやデザインを整えたり，電線を地中に埋めたりすることが行われています。6, 7 また奈良市でも，町家とよばれる伝統的な住居を保存するために，伝統的な外観は保ったまま，建物の内部だけを店舗や宿泊施設などに改装して利用する取り組みが行われています。8 これらの取り組みには，歴史ある町並みの魅力を残したいという，古都に暮らす人々の願いが込められています。

8 町家を改装したコンビニエンスストア（奈良県，奈良市，2018年撮影）

確認しよう　「古都」とよばれる京都と奈良における観光資源の例を，本文から書き出そう。

説明しよう　京都と奈良では歴史的景観を保全するために，どのような取り組みを行っているのか，説明しよう。

1 吉野すぎの伐採（奈良県，川上村，2017年7月撮影）

5 環境に配慮した林業と漁業

学習課題 近畿地方で行われている林業・漁業では，環境を保全するために，どのような取り組みを行っているのだろうか。

林業が盛んな紀伊山地

雨が多く暖かい気候が木の生育に適している紀伊山地には，豊かな森林が広がっています。➜p.207 急斜面の多い険しい山地であるにも関わらず，森林の多くは人が育てた人工林で，すぎ や ひのき などが植えられています。これらの人工林では，樹木の成長に合わせて伐採と植林が繰り返し行われ，枝打ちや間伐などの手入れを行って樹木を育てる林業が，古くから行われてきました。1 特に奈良県の「吉野すぎ」や三重県の「尾鷲ひのき」は，色が美しく香りもよいことから，建築材や家具などに加工され，高品質な木材のブランドとして知られています。5

林業が抱える課題とその対策

紀伊山地の森林には，出荷できる樹齢のすぎ や ひのき が豊富にありますが，伐採量はほとんど増えていません。これは，安い外国産木材の輸入が増えたため，木材価格が低迷しているからです。➜p.159 山間部では，高齢化によって林業の働き手が減り，3 森林管理の技術を受け継ぐ若い後継者が不足したため，管理が行き届かず荒れてしまう森林も増えています。

こうしたなか，国や自治体は林業の知識や技能が習得できるよう支援する「緑の雇用」制度を始め，この制度を利用して林業の仕事に就き，山間部に移住する人も出てくるようになりました。また奈良県の十津川村のように，学校などの公共施設で地元産の木材の使用を進めて，林業の活性化を目指す地域も出てきています。2

2 地元産の木材をふんだんに使用した小学校の校舎（奈良県，十津川村，2018年撮影）

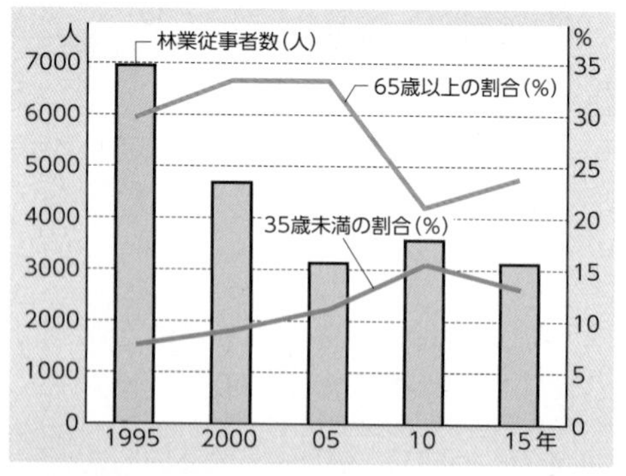

3 奈良・和歌山・三重の3県における林業従事者数の変化〈平成27年 国勢調査報告，ほか〉 **資料活用** 林業従事者数は，どのように変化したのだろうか。

熊野古道の保全に取り組む人の話

紀伊山地には，高野山や熊野本宮大社のように，古くから人々の信仰の対象となってきた場所があって，そこへ通じる熊野古道と共に，世界遺産に登録されて大切にされているのよ。でも，世界遺産に登録された後は，観光客の増加によって熊野古道の山道が荒れたり，山道を整備したことで元の植生が壊されてしまったりしたので，地元の住民や企業によって保全活動が行われているの。熊野古道は生活道路としても利用されているから，住民の生活を守ることと観光業との両立が課題になっているわ。

4 熊野古道の保全活動（和歌山県，田辺市） 山道に土を補充しています。

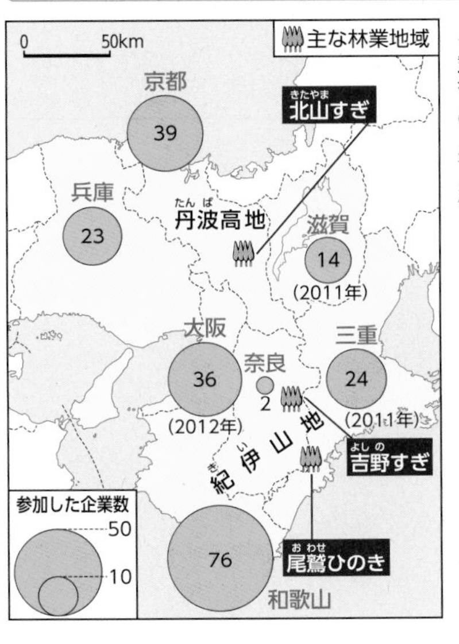

5 近畿地方の「企業の森づくり活動」の事例数（主に2017年）〈国土緑化推進機構資料〉

6 船上で選別されるズワイガニ（兵庫県，豊岡市） 漁業規制で決められたサイズよりも小さなカニは，海に戻すことになっています。

環境林を保全するために

森林には，木材の生産だけでなく，土砂災害を→p.149防いだり，農業・生活用水を蓄えたりする働きがあります。また，二酸化炭素を吸収して**地球温暖化**→巻頭1～2, p.105を防ぐ役割もあります。このような環境に対する効果を重視した「環境林」を保全する取り組みが広がっています。例えば，企業が所有者から森林を借りて，植林などの作業に社員が参加したり，地元の林業従事者との交流を深めたりする「企業の森づくり活動」が，和歌山県や三重県などで行われています。5 また，森林を保全するための県民税を設け，地域全体で森林を保全する取り組みも進められています。

水産資源を保護する取り組み

近畿地方の沿岸部では，古くから漁業が盛んに行われてきました。しかし，魚介類のとりすぎや過度の養殖による水質汚濁が原因で，日本海沿岸ではズワイガニ，志摩半島の英虞湾では真珠をつくる貝→p.204の減少を招くなど，各地で水産資源の減少が問題となりました。ズワイガニの漁獲量が減少した日本海側の地域では，とるカニの大きさや量，漁の時期などを制限し，水産資源の回復に努めています。6, 7

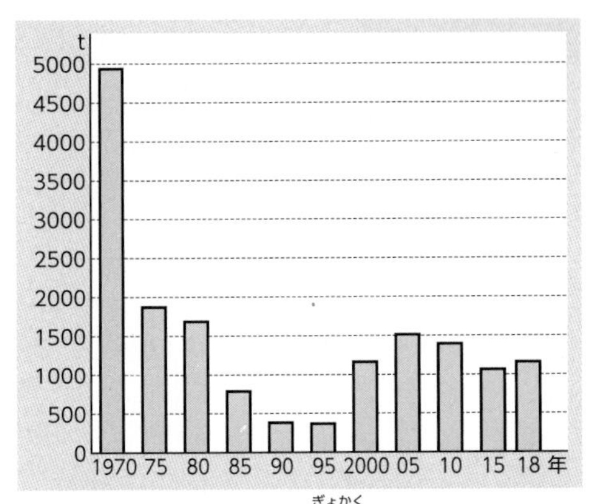

7 兵庫県のズワイガニ漁獲量の変化〈農林水産省資料〉 **資料活用** ズワイガニの漁獲量は，どのように変化したのだろうか。

確認しよう　紀伊山地の林業で課題となっていることを，図3や本文で確認しよう。

説明しよう　近畿地方で行われている森林や水産資源を保全・保護するための取り組みについて，説明しよう。

節の学習を振り返ろう

第3節 近畿地方

第3節の問い p.203〜215　近畿地方における自然環境や歴史的景観の保全は，人口の増加や産業の発展のなかで，どのように取り組まれてきたのだろうか。

1 学んだことを確かめよう ≫ 知識

1．A〜Gにあてはまる府・県庁所在地名と，その府・県名を答えよう。
2．ⓐ〜ⓓにあてはまる湾名，湖名，河川名，山地名を答えよう。
3．①〜⑥にあてはまる語句を，下のキーワードや教科書を振り返りながら答えよう。

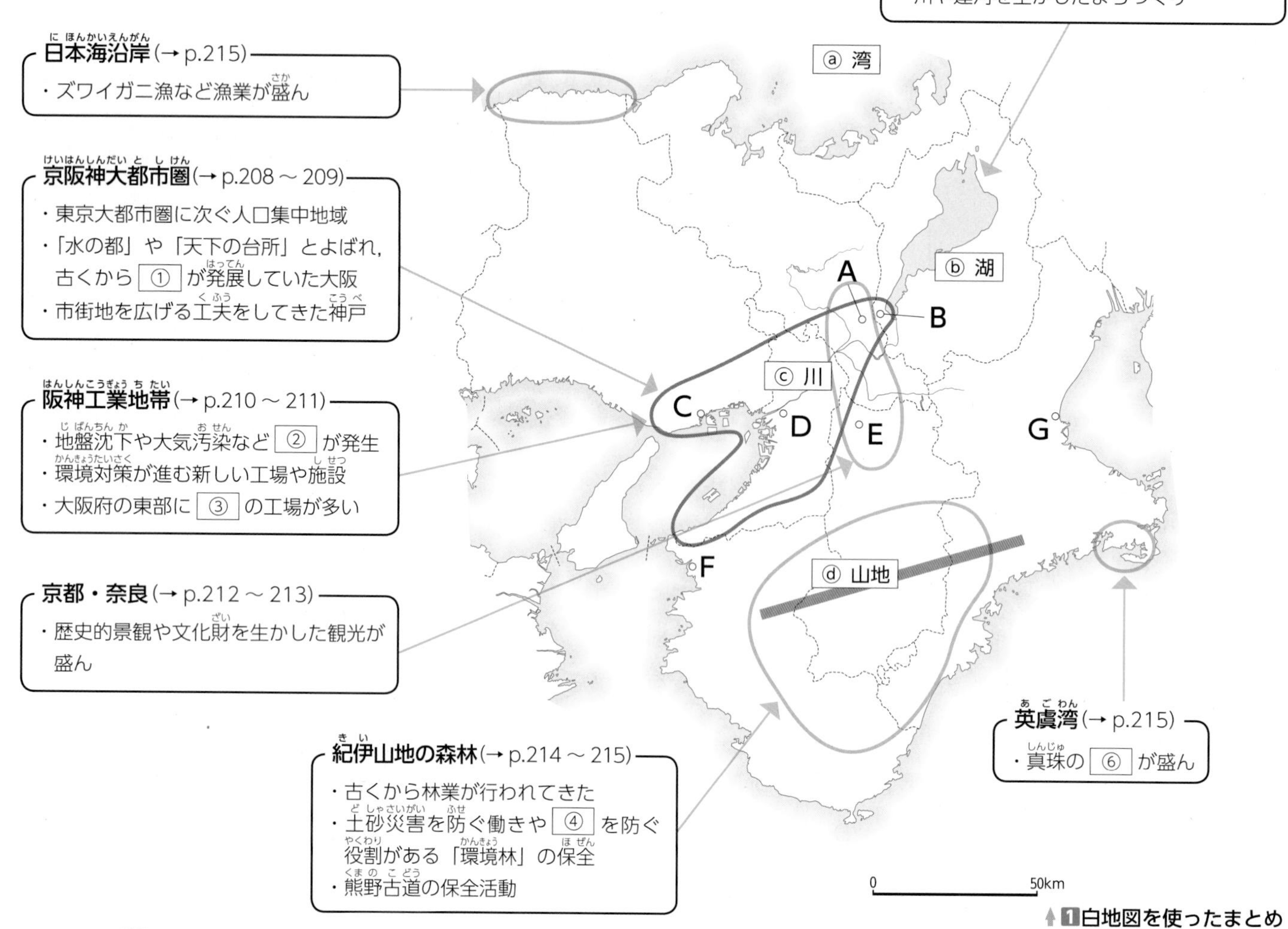

▲1白地図を使ったまとめ

写真を振り返ろう

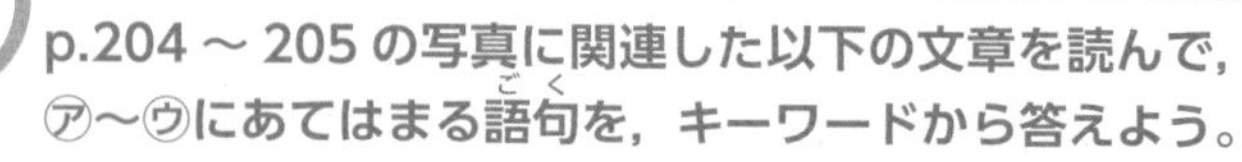

p.204〜205の写真に関連した以下の文章を読んで，㋐〜㋒にあてはまる語句を，キーワードから答えよう。

近畿地方では，写真1が示すように［㋐］の豊富な水によって，人々の生活が支えられています。中心都市である大阪は，写真6のように商業が発展しており，［㋑］の町工場も数多くあります。また，近畿地方には，写真4や5のような歴史的な建物や観光名所が数多くあるほか，西陣織や清水焼などの［㋒］もたくさんあるため，外国人観光客が増えています。

✓キーワード　意味を説明できた語句にチェックを入れよう。

- □琵琶湖
- □淀川
- □リアス海岸
- □季節風
- □ため池
- □京阪神大都市圏
- □ニュータウン
- □阪神工業地帯
- □公害
- □中小企業
- □伝統的工芸品
- □地球温暖化

2 「地理的な見方・考え方」を働かせて説明しよう ≫ 思考力，判断力，表現力

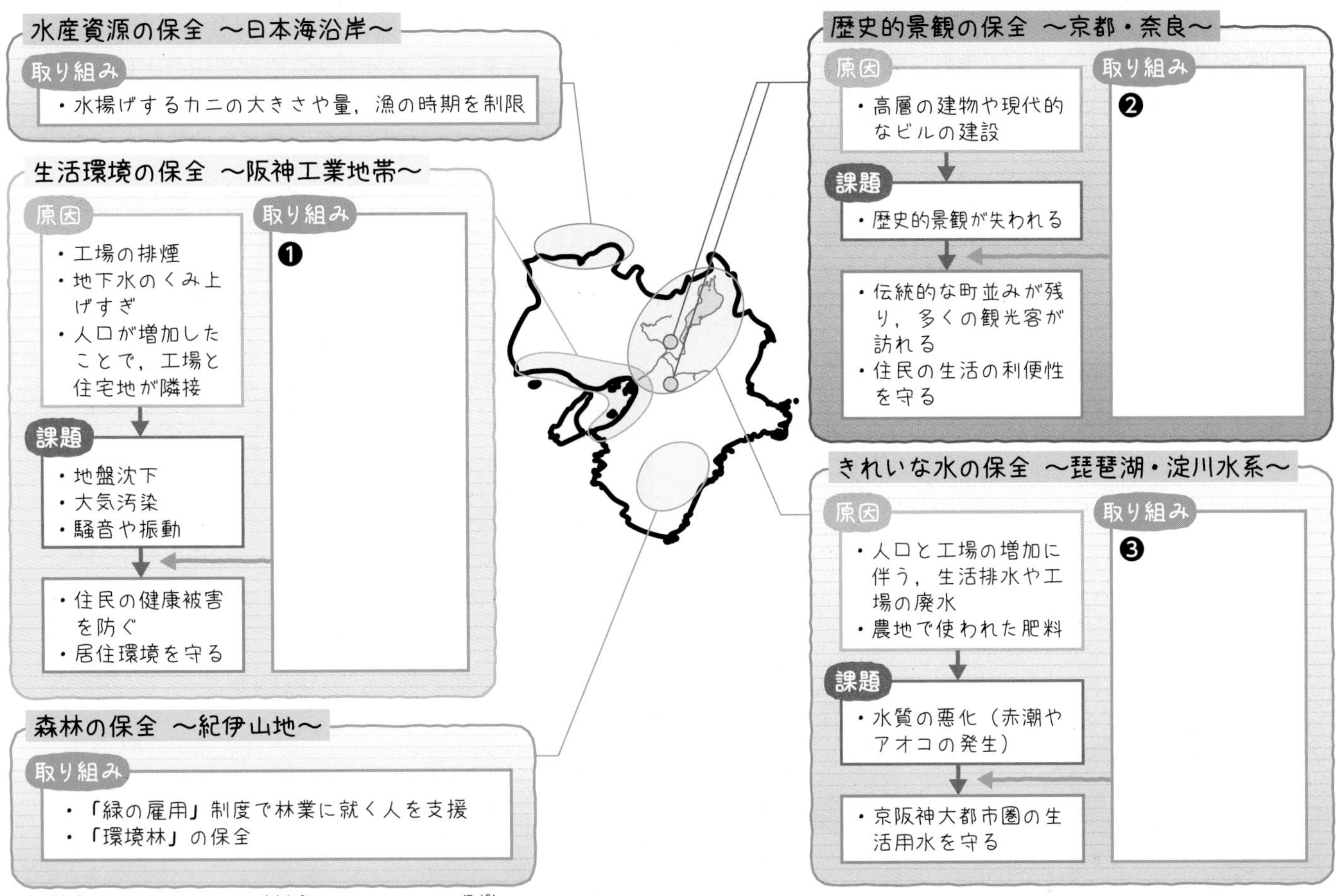

↑ 2 近畿地方における自然環境や歴史的景観の保全の取り組みをまとめた例

ステップ1 この地方の特色と課題を整理しよう

近畿地方において自然環境や歴史的景観を保全するために行われてきた取り組みについて，p.216のキーワードや教科書を振り返りながら，図2の❶～❸を埋めよう。

ステップ2 「節の問い」への考えを説明しよう

作業1　人口の増加や産業の発展によって，近畿地方で生じた課題について，図2を参考に説明しよう。

作業2　近畿地方における自然環境や歴史的景観の保全は，人口の増加や産業の発展のなかで，どのように取り組まれてきたのだろうか。地理的な見方・考え方を働かせて，節の問いに対するあなたの考えを，「移転」と「規制」の語句を使って説明しよう。

「節の問い」に関連が深い見方・考え方
ほかの場所への影響，地域全体の傾向（→巻頭7）

ステップ3 【発展】持続可能な社会に向けて考えよう

作業1　自然環境や歴史的景観を保全しつつ，人々の生活を改善したり，産業を発展させたりするためには，どのようなことに注意するとよいか，考えよう。

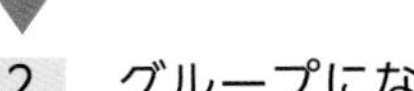

作業2　グループになり，どのようなことに注意することが大切か，話し合おう。また，私たちにできる自然環境の保全の取り組みはないか，話し合おう。

作業3　話し合いの結論をp.286の表1に記入し，第4部第1章「地域の在り方」を考える際の参考にしよう。

私たちとの関わり
私たちが住む町では，どのような伝統的な町並みや歴史的な建物などが保全されているのか，調べよう。

地域の在り方を考える

環境につちかわれた産業の発展のために

～地場産業から先端技術を生み出してきた京都の企業を例に～

日本各地には，伝統工芸など地域に根ざした地場産業が数多くあります。地場産業は，その土地の自然環境を背景に，入手しやすい原材料を生かして，独自の品々を生み出してきました。さまざまな製品を生み出してきた京都の企業は，伝統技術を生かしながら発展していくために，どのような取り組みを行ってきたのでしょうか。

➡1伝統的工芸品の指定品目数(2019年)〈経済産業省資料〉

⬆3スマートフォンや家電製品に使われるセラミックス部品〈写真提供 村田製作所〉

⬆2代表的な京漬物，千枚漬の漬け込み作業(京都府，京都市)京野菜の一つである聖護院かぶら をスライスして漬物にします。

⬆4京都の企業の太陽光発電システムが使われているメガソーラー(滋賀県，草津市，2015年撮影)

1000年余りの間，都が置かれた京都には，長い歴史の中で育まれてきた地場産業(→ p.231)があります。京焼・清水焼，西陣織，京友禅などは，京都を代表する伝統的工芸品として知られています。また，清酒，京菓子，京漬物，京料理なども，きれいな水や京野菜など，地域の自然環境から得られる原材料を生かした地場産業として発展し，現在では観光資源の一つにもなっています。

一方で京都は，先端技術産業の分野でも，国内の重要な拠点の一つでもあります。病院での診断や航空機に使われる精密機械，IC(→ p.181)の基板から，駅の自動改札機やゲーム機といった身近なものまで，さまざまな先端技術が京都の企業から生み出されてきました。

これらの先端技術産業の中には，京都の地場産業と深く関わっているものがあります。例えば，京焼など陶磁器を生産する技術を生かして，耐熱性などに優れたセラミックス素材を開発し，家電製品などに組み込まれるセラミックス部品を製造している企業が京都には多くあります。これらの企業の中には，その高い技術力を生かして，メガソーラーや住宅用太陽光発電システム(→ p.157)などの環境技術においても，世界的なメーカーとなっている企業があります。このように，伝統技術を生かしながら，社会の変化に応じて新たなものづくりに挑戦することで，京都の企業は大きく発展してきました。

現在の京都の産業をリードしているのは，主に戦後から1970年代にかけて生まれた企業です。しかし，それ以降は，京都で新たに企業を立ち上げる例が少なくなっています。そのため京都市では，京都大学など新しい技術者が育つ環境を生かしながら，企業を立ち上げるための講習会を開催したり，新しい企業を支援するための施設をつくったりするなどの取り組みを進めています。

中部地方

となみチューリップフェア（富山県）

白川郷と五箇山の合掌造りの集落（岐阜県・富山県）

高山祭（岐阜県）

スキー場（新潟県・長野県・岐阜県，ほか）

上高地（長野県）

自動車の生産（愛知県）

探してみよう！

イラストの中には，小学校で学習したものも含まれています。あなたが知っているイラストを見つけよう。

写真で眺める 中部地方

港に集められる自動車は，どこで生産されているのかな？

↑**1名古屋港の自動車運搬船と積み込み待ちの自動車**（愛知県，名古屋市，2019年撮影） 自動車運搬船には，6000台を超える自動車を積み込むことができ，世界各地に輸出されます。 ➔ p.224

探してみよう！

写真1～7の位置を，地図上で確認しよう。

→**2外国人観光客でにぎわう立山黒部アルペンルート**（富山県，立山町，2016年4月撮影） 富山県立山町と長野県大町市を結ぶこのルートは，春になってもそそり立つ雪の壁が見られることで人気があります。
➔ p.223, 228

←↑**3夏の上高地**（左）（長野県，松本市，2017年5月撮影）**と北アルプスに生息するライチョウ**（上） 梓川の上流に位置する上高地には，豊かな自然を求めて，多くの観光客が訪れます。
➔ p.222, 228

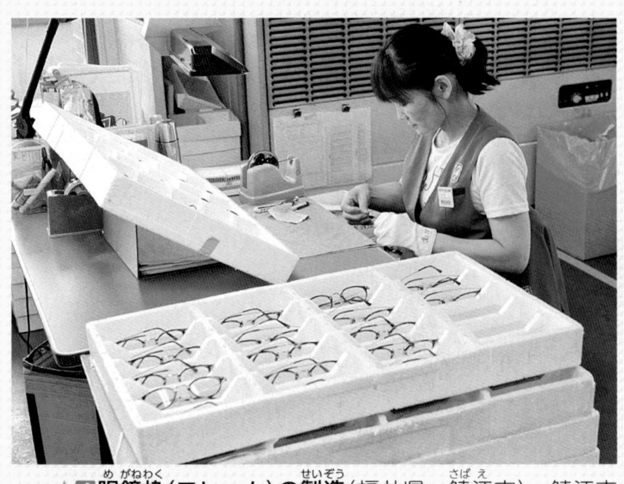

↑4 **眼鏡枠(フレーム)の製造**(福井県，鯖江市)　鯖江市は国内生産の9割を占める眼鏡の産地です。➔p.231

↑5 **桃の花が咲く 春の甲府盆地を走る山梨リニア実験線**(山梨県，笛吹市，2016年4月撮影)　リニア中央新幹線の2027年開業を目指して，実験が続けられています。➔p.225, 228

↑6 **金沢箔の工房**(石川県，金沢市)　金箔は，400年以上の歴史をもつ金沢の伝統的工芸品です。➔p.231

➡7 **米どころとして知られる越後平野の広大な水田地帯**(新潟県，新潟市，8月撮影)　耕地整理された水田が整然と広がります。➔p.230

第4節 中部地方 産業に注目して

第4節の問い p.219〜231

中部地方における産業の発展に，自然環境や交通網の整備はどのような影響を与えているのだろうか。

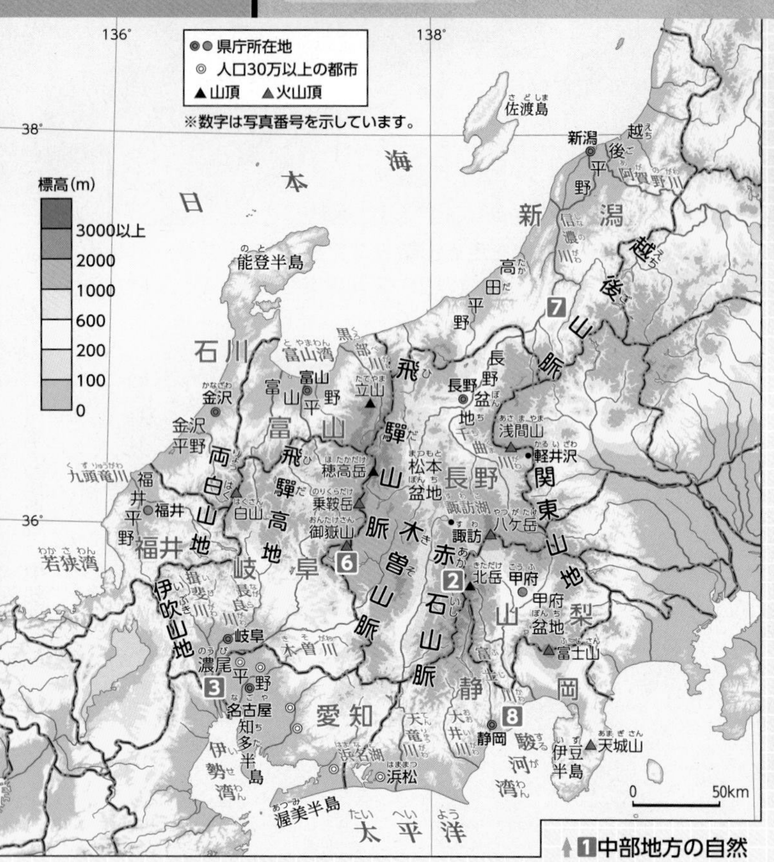

❶中部地方の自然

❷多くの登山客が訪れる赤石山脈の山々（長野県・山梨県，2016年９月撮影）

❸木曽三川とよばれる木曽川・長良川・揖斐川が流れる濃尾平野の南部（三重県・岐阜県・愛知県，2016年６月撮影）

1 中部地方の自然環境

	九州	中国・四国	近畿	中部	関東	東北	北海道
面積 38万km²	11.8%	13.4	8.8	17.7	8.6	17.7	22.0
人口 1.2億人	11.4%	8.8	17.7	16.9	34.1	6.9	4.2

❹日本の面積・人口に占める中部地方の割合（2019年）〈住民基本台帳人口・世帯数表 平成31年版，ほか〉

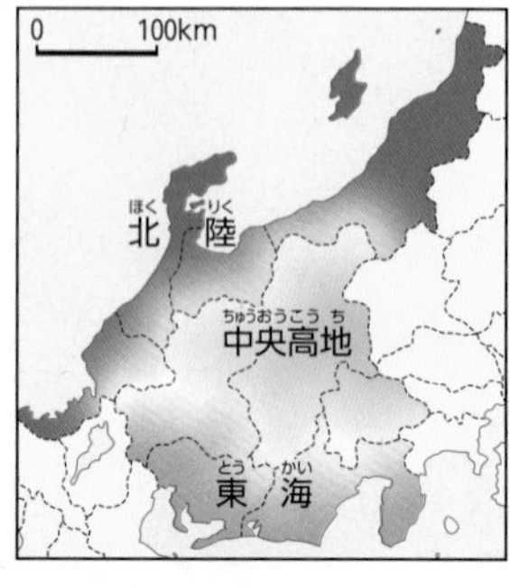

➡❺中部地方の地域区分　東海には，近畿地方の三重県の一部を含むことがあります。

学習課題　日本の中央部に位置する中部地方では，地形や気候にどのような特色がみられるのだろうか。

日本アルプスを抱く中部地方

本州の中央部に位置する中部地方は，3000m級の山々が連なる内陸の高地から，河川の下流域に広がる海岸近くの平野まで，起伏に富んだ地形が特徴です。中部地方のほぼ中央には，**日本アルプス**❶とよばれる飛驒山脈，➡p.143，220木曽山脈，赤石山脈❷があり，富士山❽や浅間山，御嶽山❻などの火山も➡p.142，148点在しています❶。

日本アルプスの山々からは多くの河川が流れ出し，太平洋には富士川や天竜川，木曽川などが，日本海には信濃川や黒部川などが注いでいます❶。これらの河川の上流域や中流域に位置する中央高地は，平地が少ない地域です。そのため，河川に沿うようにして人口や産業が集まっており，甲府盆地や長野盆地，松本盆地などの盆地には，地域の中心となる都市があります。河川の下流域には，太平洋側に

未来に向けて

防災 御嶽山噴火の教訓を伝える火山マイスター

長野県と岐阜県の境に位置する御嶽山は，火山としては富士山の次に標高が高い山です。2014年9月に突然噴火して，山頂の近くにいた多くの登山客が犠牲になりました。

この災害の教訓を生かして，次の噴火に備えるために，長野県では「御嶽山火山マイスター」という制度をつくりました。マイスターとはドイツ語で“名人”や“達人”を意味し，火山マイスターは火山や防災についての正しい知識や，噴火による災害の記憶を広く伝える専門家です。認定された「御嶽山火山マイスター」は，御嶽山を登る学習ツアーや観光客などへの情報提供活動を通して，災害の教訓と，御嶽山がもたらす自然のすばらしさを伝えています。

⬆6 **観光客に御嶽山の情報を提供する「御嶽山火山マイスター」**(上)**と配布パンフレット**(下)(御嶽山，2018年撮影)

濃尾平野，日本海側に越後平野や富山平野などの平野が広がっています。濃尾平野は，昔は川の氾濫に悩まされた地域でしたが，現在では治水が進んだことによって住宅地が増え，中部地方で最大の人口を抱える名古屋大都市圏となっています。→p.225

三つの地域で異なる気候

日本海側から太平洋側まで南北に広く，内陸と海沿いの地域との標高差も大きい中部地方は，太平洋側の**東海**，内陸で標高の高い**中央高地**，日本海側の**北陸**，という三つの地域で気候が大きく異なります。5,→p.147

東海は，夏から秋にかけて降水量が多く，冬は温暖な気候です。そのため，駿河湾沿いの日当たりのよい丘陵などでは，みかんの栽培が盛んです。8 中央高地は，1年を通して降水量が少なく，冬の寒さが厳しい地域です。夏は盆地を中心に気温が高くなりますが，高原は涼しく過ごしやすいため，長野県軽井沢町など標高の高い地域は，都市部の人々の避暑地となっています。北陸は，冬の北西からの湿った季節風の影響で雪が多く，特に山あいの地域では3～4mもの雪が積もり，世界でも有数の豪雪地帯となっています。7 大雪になると交通がまひして，日常生活に大きな影響を及ぼします。→p.149

⬆7 **豪雪地帯の商店街**(新潟県，十日町市，1月撮影) 買い物客の歩道を確保するためのアーケードは，昔は雁木とよばれ，北陸の豪雪地帯の各地で見られました。

⬆8 **みかん畑と富士山**(静岡県，静岡市，11月撮影) 静岡県は，和歌山県や愛媛県とともにみかんの生産県です(→p.196)。

❶ 飛驒山脈は北アルプス，木曽山脈は中央アルプス，赤石山脈は南アルプスとよばれています。

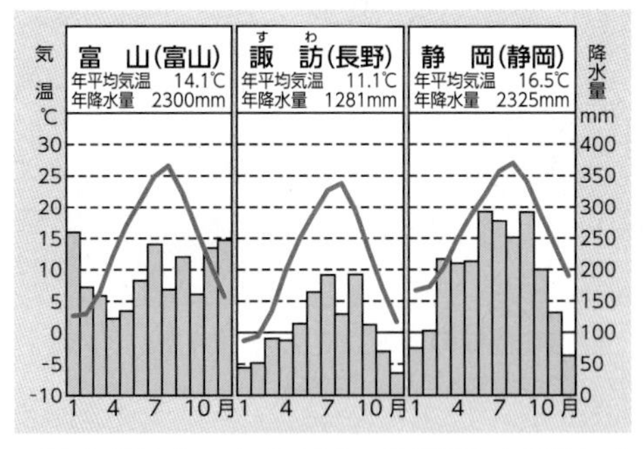

⬆9 **中部地方の主な都市の雨温図**〈理科年表2020，ほか〉 **資料活用** 降水量の違いに注目しよう。

確認しよう：図1で日本アルプスとよばれる三つの山脈の位置と名称を確認しよう。

説明しよう：中部地方の気候の特色を，東海・中央高地・北陸に分けて説明しよう。

1 ハイブリッドカーの生産ライン（愛知県，豊田市，2017 年撮影）

声 自動車メーカーに勤める人の話

自動車の組み立て作業では，正確性と効率性を高めるために，担当者ごとに作業する箇所を分担して，自動車に貼られた作業工程表を見ながら，流れ作業で行っているんだよ。完成品になった自動車は，国内だけでなく，海外にも出荷されているんだ。

2 中京工業地帯の発展と名古屋大都市圏

学習課題 名古屋を中心とする地域では，どのようにして自動車などの輸送機械工業が盛んになったのだろうか。

繊維工業から自動車工業へ

名古屋市を中心とする地域では，江戸時代のころに周辺の農村で栽培される綿花や豊かな水を利用して，繊維工業が盛んになりました。繊維工業の発展とともに織物機械を作る技術も発達し，その技術を土台にして，自動車の生産が始まりました。[2] **自動車工業**は第二次世界大戦後に大きく発展し，[3] 中心となる愛知県豊田市は「自動車の町」として有名になりました。

自動車工業は，約 3 万点もの部品を組み立てて 1 台の自動車を造る，組み立て型の工業です。[1] そのため，自動車の組み立て工場の周りには部品を造る関連工場が数多く集まり，これらの工場から組み立て工場へと効率よく部品が納入されています。

日本最大の工業地帯

伊勢湾岸には，愛知県東海市の製鉄所や三重県四日市市の石油化学コンビナート→p.194などの工場があり，海外から船で輸入した鉄鉱石→巻末1や原油→巻末1を原料として，鉄板やプラスチックが造られています。自動車の生産では，これらの工場で造られた製品を基に部品が造られ，完成した自動車は，名古屋港などから自動車運搬船→p.220で世界各地に運ばれます。

このように，名古屋市を中心とする地域では，内陸部の自動車工

2 織物機械の組み立て工場（愛知県，刈谷市，1927 年撮影）

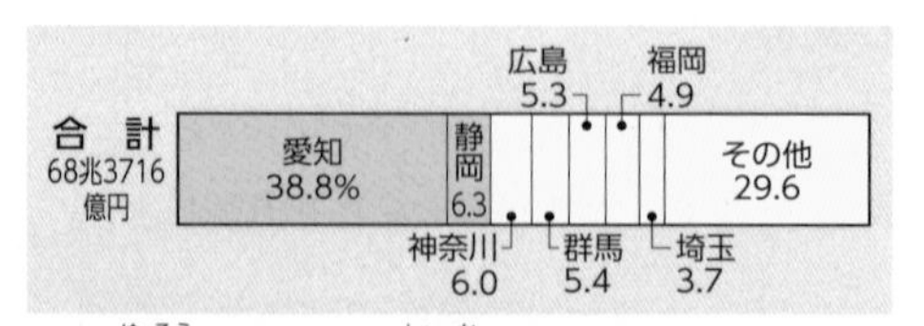

3 輸送機械工業の出荷額（2017 年）〈平成 30 年 工業統計表〉 自動車やオートバイを造る工業を輸送機械工業といいます。

未来に向けて

環境　公害の教訓を伝える三重県四日市市

　中京工業地帯の西部に位置する四日市市では，第二次世界大戦後，工業化が進む一方で，工場の排煙や汚れた排水による公害が発生し，特に排煙による健康被害では，多くの住民が ぜんそく などに苦しみました。自治体や工場が協力して環境改善に取り組んできた結果，現在では住民が安心して暮らせる環境を取り戻し，その後も環境を守る取り組みが行われています。例えば「四日市公害と環境未来館」では，展示や公害を経験した住民による語り部の体験談などを通して，公害の教訓を学び，未来に豊かな環境を引き継ぐという意識を育てています。また，「国際環境技術移転センター(ICETT)」では，環境保全の技術をアジアの国々などに伝えています。

4「四日市公害と環境未来館」で公害の教訓を学ぶ中学生(三重県，四日市市，2018年撮影)

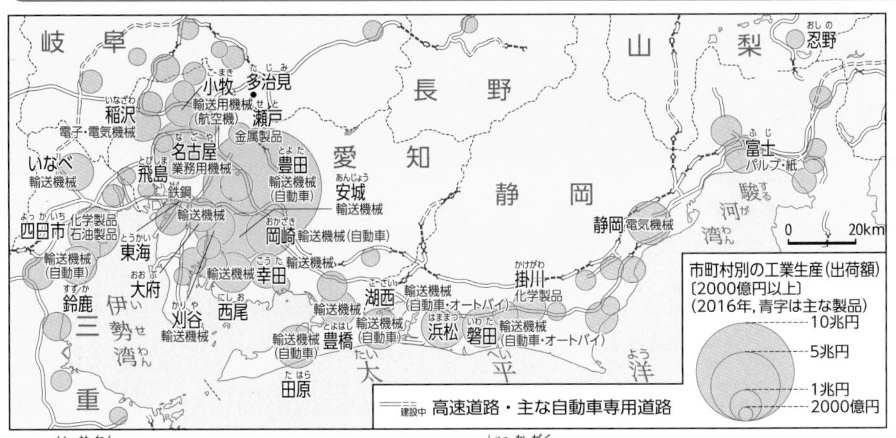

5伊勢湾周辺から静岡県にかけての主な工業と出荷額〈平成29年 工業統計表，ほか〉

6ファインセラミックスでできた自動車部品

7ロケットの工場(愛知県，飛島村)　愛知・岐阜・三重・長野・静岡の各県は，日本の航空宇宙産業の拠点になっています。

業と臨海部の重化学工業が一体となって発達し，**中京工業地帯**とよばれる日本最大の工業地帯が形成されています。近年では，陶磁器を生産する技術から発展した，愛知県瀬戸市や岐阜県多治見市のファインセラミックス産業や，濃尾平野を中心に工場が集まる航空宇宙産業などが，新しい産業として注目されています。 5，→p.160　6　7

結び付きを強める名古屋大都市圏

　東海の中心都市である名古屋市には，国の出先機関や大企業のオフィス，商業施設が集まる市街地が広がっています。名古屋市は，鉄道や道路によって岐阜県や三重県などの周辺地域と結び付き，工業の発達を背景に成長して，**名古屋大都市圏**を形成してきました。現在は，東京と京阪神に次いで，日本で三番目に人口が多く集まる大都市圏となっています。交通の大動脈である東海道新幹線や東名・名神高速道路，中部国際空港などによってさまざまな地域と結び付く名古屋大都市圏は，今後開通予定のリニア中央新幹線も加えて，国内だけでなく世界ともさらに結び付きを強めることを目指しています。 8　→p.154　→p.242　→p.208　→p.221

8高層ビルが立ち並ぶ名古屋駅周辺(愛知県，名古屋市，2018年撮影)

確認しよう　中京工業地帯で生産が盛んな工業製品を，図5で確認しよう。

説明しよう　名古屋を中心とした地域で自動車工業が発展した理由を説明しよう。

1 新東名高速道路と富士山のすそ野に広がる茶畑や工場（静岡県，富士宮市，11月撮影）

3 東海で発達するさまざまな産業

学習課題 東海の産業は，自然環境や交通網などの条件を生かして，どのように発達してきたのだろうか。

豊かな水を生かして発達した工業

静岡県西部の浜松市周辺は，天竜川の上流から運ばれてきた木材を加工する拠点でした。その木材加工技術を生かして，ピアノなど楽器の生産が盛んになりました。第二次世界大戦後は，オートバイや自動車の生産も盛んになり[2,3]，近年では光センサーなどの光学製品を造る先端技術産業が注目されています。一方，静岡県東部の富士市周辺には，富士山のふもとの豊かな水（→p.234）や広い土地を利用した製紙・パルプ工業が発達しています[3]（→p.225）。このように多くの工場が集まっている静岡県の太平洋沿岸は，**東海工業地域**（→p.160）とよばれています。近年では，東京大都市圏（→p.242）に近い長泉町などに，医療・健康分野の研究所が進出しています。

水が得にくい地域での農業

茶は，温暖で霜が降りることが少なく，日当たりと水はけのよい場所が栽培に適しています[1]（→p.178）。こうした特徴をもつ静岡県の牧ノ原や磐田原などの台地（→p.144）では，明治時代から茶の栽培が盛んになりました。茶畑のそばには，傷みやすい茶葉を素早く乾燥するための製茶工場[6]があり，製品は国内だけでなく，清水港などの港からアメリカ合衆国などへも輸出されています。また，愛知県西尾市などで生産される茶は，主に抹茶に加工され，

2 グランドピアノの生産ライン（静岡県，掛川市）

製品	静岡	愛媛	埼玉	愛知	北海道	大阪	その他
ピアノ 182億円	100%						
パルプ・紙・紙加工品 7兆4432億円	11.2%	7.7	6.5	5.7	5.3	4.7	58.9

3 静岡県で生産が盛んな工業製品（2017年）〈平成30年 工業統計表〉

▲4 **豊川用水からの水を蓄える万場調整池**（愛知県，豊橋市）

▲→5 **菊の電照栽培を行う温室が立ち並ぶ渥美半島**（上）**と収穫作業**（右）（愛知県，田原市，2018年10月撮影） 資料活用 p.183の写真5と見比べよう。

茶 8.6万t	静岡 38.7%	鹿児島 32.6	三重 7.2	その他 21.5	
菊 14億2400万本	愛知 31.8%	沖縄 17.9	福岡 6.7	鹿児島 6.0	その他 37.6
キャベツ 146.7万t	群馬 18.8%	愛知 16.7	千葉 8.5	茨城 7.5	鹿児島 5.2 / その他 43.3

▲6 **東海で生産が盛んな農産物**（2018年）〈農林水産省資料〉

「西尾の抹茶」として外国からの旅行者にも人気です。

渥美半島は，大きな河川がなく，台地や砂丘が多い地域のため，昔は水不足に悩まされ，作物の栽培が難しい地域でした。しかし，1968年に豊川用水という大規模な用水路が整備されたことにより，この地域は都市向けに野菜や花などを栽培する**園芸農業**（解説）が盛んな地域へと変化しました（4，6）。菊の栽培では，温室の中で電灯を照らして光を当て（電照栽培）（❶，5），日照時間を延ばすことで成長を抑える**抑制栽培**（→p.158）が行われています。静岡県でも，ガラス温室やビニールハウスを用いて，ガーベラなどの切り花や いちご，メロンの栽培が行われています。このように東海は，冬でも温暖で温室の暖房にかかる燃料費を抑えることができ，東名高速道路などを使った都市への輸送の便がよいことを生かし（1），**施設園芸農業**が盛んな地域に発展しています。

遠洋漁業の基地，焼津

静岡県焼津市にある焼津港は，千葉県の銚子港に次いで，日本で二番目の漁獲量を誇る（2018年）港です。太平洋だけでなく，インド洋や大西洋まで漁場とする**遠洋漁業**（→p.159）の基地として栄え（7），まぐろ や かつお の漁獲量は日本一です（2018年）。また，焼津港周辺では，港に揚がった魚を缶詰や かまぼこ，かつおぶし などに加工する食品工業が盛んです。

解説 園芸農業

都市の市場への出荷を目的に，野菜や果樹，花などを栽培する農業のことを園芸農業といいます。園芸農業には，温室などの施設を使う施設園芸農業や，トラックやフェリーなどを使って農産物を輸送する輸送園芸農業があります。

❶ 菊は，日照時間が短くなると開花する特性があるため，花の芽ができる前に夜も電灯を照らすことで，開花時期を遅らせています。

▲7 **冷凍された かつお の水揚げ**（静岡県，焼津市，2017年撮影） 遠洋漁業は1回あたりの航海日数が長いため，船上で魚を冷凍します。

確認しよう　東海で栽培が盛んな農作物を図6や本文から書き出そう。

説明しよう　東海で施設園芸農業が発展した背景について，説明しよう。

↑1 甲府盆地の扇状地に広がる ぶどう畑(山梨県，山梨市，5月撮影)

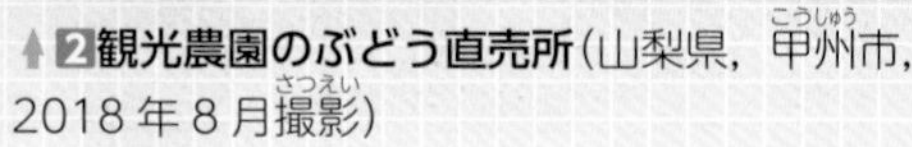

↑2 観光農園のぶどう直売所(山梨県，甲州市，2018年8月撮影)

4 内陸にある中央高地の産業の移り変わり

学習課題 内陸で山あいの環境にある中央高地では，時代の変化とともに，どのような産業が発展したのだろうか。

解説 養蚕と製糸業

桑の葉を えさ として与えながら蚕を育て，繭を生産する農業のことを養蚕といいます。繭から生糸を作るのが製糸業です。製糸業は，日本では明治時代以降に発達し，当時は生糸が輸出の中心でした。

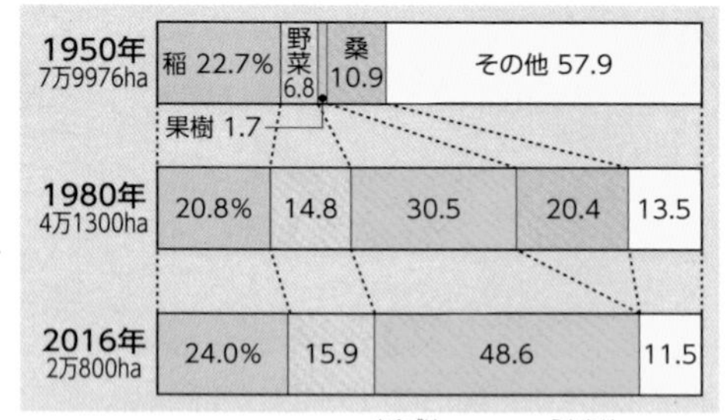

↑3 山梨県の農産物の作付面積の内訳の変化
〈平成29年 耕地及び作付面積統計，ほか〉

資料活用 果樹の作付面積割合の変化に注目しよう。

山あいの盆地に生まれた産業

中央高地にある甲府盆地や長野盆地などの盆地には，**扇状地**が広がっています。扇状地は水田に適さないため，明治から昭和の初めにかけては，**養蚕**のための桑畑として主に利用されていました。しかし，化学繊維の普及などによって**製糸業**が衰退すると，扇状地の日当たりや水はけのよさを生かして，果樹の栽培が始まりました。昼と夜の気温差が大きい内陸の気候は，品質のよい果物を作るのに適しているため，山梨県や長野県は，現在では全国有数の ぶどう や桃の産地となっています。

→p.223 →p.144 1 解説 解説 3 →p.147 1,2, →p.221

甲府盆地では，ぶどうを原料にしたワインの生産も盛んで，ワインを醸造するワイナリーの見学は観光客にも人気です。豊かな自然に恵まれた中央高地には，大都市圏からの観光客が1年を通して訪れ，近年では新幹線や高速道路を生かした外国人観光客向けの周遊ルートも開発されています。

→p.220

涼しい気候を生かした高原野菜

標高が1000mを超える中央高地の高原は，米作りに不向きであったため，かつては そば などの雑穀や野菜をわずかに栽培する地域でした。しかし，第二次世界大戦後は，食の洋風化などによる需要の高まりをきっかけに，涼しい気候に適したレタスやキャベツなどの**高原野菜**の栽培が

▲4 **レタスの収穫の様子**（長野県，川上村，2018年8月撮影） 収穫は午前2時ごろから午前8時ごろまで行われます。 **資料活用** 夜明け前から収穫する理由を考えよう。

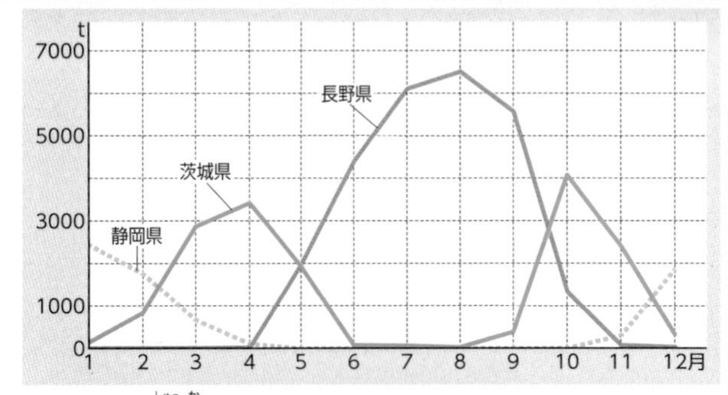

▲5 **東京へ出荷されるレタスの量**（2019年）〈東京都中央卸売市場資料〉 **資料活用** 長野県でレタス栽培が盛んな時期に注目しよう。

盛んになりました。八ケ岳のふもとに広がる野辺山原では，涼しい気候を生かして抑制栽培を行い，ほかの産地の野菜の出荷量が少なくなる夏の時期を中心に，高原野菜を出荷しています。→p.158, 227整備された高速道路を利用することで，早朝に収穫した高原野菜を，その日のうちに東京や大阪の店頭に並べることが可能になりました。[5][4]

製糸業から電気機械工業へ

長野県の諏訪盆地では，1920年代ごろから製糸業が衰退し始めました。その後，第二次世界大戦中には，空襲を避けるために，大都市から製糸工場の跡地などに多くの機械工場が移ってきました。戦後は，それらの工場でつちかわれた技術を地元の企業が受け継ぎ，この地域のきれいな水や空気が部品の洗浄に適していたこともあって，時計やレンズを作る**精密機械工業**が発達しました。

1980年代以降になると，高速道路の整備が進み，工業製品や原材料の輸送が便利になりました。その結果，長野県松本市や伊那市，山梨県忍野村などの高速道路に近い地域には，電子部品やプリンタ，産業用ロボットなどの**電気機械工業**の工場が進出するようになりました。→p.160また，工場での きのこ の大量生産や寒天の製造など，中央高地の気候を生かした食品の生産でも注目されています。[6, 7]→p.147

プリンタ 9752億円	長野 60.5%	福島 19.9	その他 19.6

産業用ロボット 1兆190億円	山梨 45.5%	愛知 14.5	福岡 10.9	長野 5.1	静岡 4.6	兵庫 4.5	その他 14.9

▲6 **プリンタと産業用ロボットの出荷額**（2017年）〈平成30年 工業統計表〉

▲7 **産業用ロボットが稼働する工場**（山梨県，忍野村）

地図帳で，山梨県と長野県で生産が盛んな果物と野菜を調べよう。

中央高地の産業の変化を，「製糸業」，「精密機械工業」，「電気機械工業」の語句を使って説明しよう。

▲**1 収穫前の水田**(左)(2018年撮影)**と小千谷縮の雪さらし**(右)(新潟県，小千谷市)

5 雪を生かした北陸の産業

学習課題 雪が多い北陸では，どのような産業が発達してきたのだろうか。

雪どけ水を生かした越後平野の稲作

冬に雪の多い北陸では，屋根の雪おろしや道路の雪かきなどが住民の負担となる一方で，雪は地域の生活や産業を支える役割も果たしています。→p.223

かつての越後平野は，湿原や湖沼が広がっており，梅雨や台風の時期に起こる洪水に悩まされていました。江戸時代以降，排水路が掘られ，干拓が進んで農地が整備されると，春の豊富な雪どけ水を有効に利用できるようになり，越後平野は全国有数の稲作地帯となりました。この地域で多く栽培されるコシヒカリは，北陸で品種改良された稲です。→p.221現在では，新潟県の「魚沼産コシヒカリ」のように，**銘柄米**❶として人気を得ているものもあります。また，米を原料とした米菓2や餅，日本酒などを作る食品産業も発達しました。

冬場の副業として発達した地場産業

北陸では雪に覆われる期間が長いため，米は**単作**(解説)で作られ，冬の期間は屋内で作業できる織物や漆器，金物などの工芸品を作る副業が行われていました。5 染め物の模様をきれいに仕上げるため行われる小千谷縮の雪さらしは，雪に覆われた冬季の水田を利用して行われてきました。1

このような，農作業を行えない期間の副業でつちかわれた技術を

▲**2 米菓工場の生産ライン**(新潟県，新潟市)

❶ 特に優れた品質をもつとして産地や品種が登録された米を，銘柄米といいます。コシヒカリは，「越の国(北陸)に光り輝く品種」になることを願って名付けられました。近年では，「新之助」という新しい銘柄米も新潟県で開発・生産されています。

解説 単作

単作とは，1年間に1種類の農作物だけを栽培することで，一毛作ともいいます。1年間に2種類の農作物を同じ耕地で栽培することは二毛作といい，日本では九州地方などの温暖な地域でみられます(→p.179)。

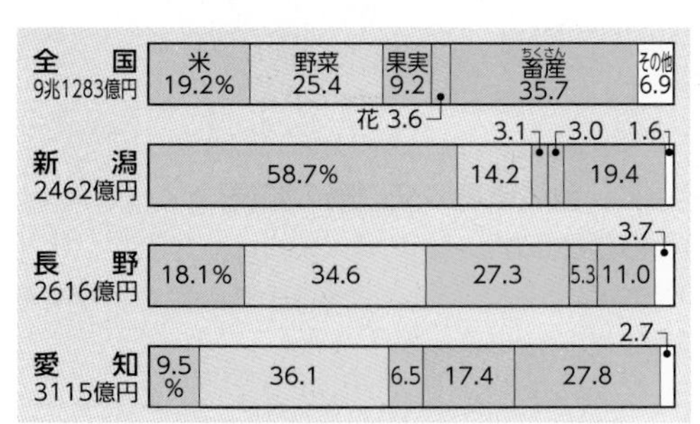

▲3 **新潟県・長野県・愛知県の農業産出額**（2018年）〈平成30年 生産農業所得統計〉

資料活用 北陸の新潟県，中央高地の長野県，東海の愛知県の農業の特色を確認しよう。

▲4 **洋食器の製造**（新潟県，燕市，2015年撮影）

解説 地場産業

古くから受け継がれてきた技術や，地元で取れる原材料などを生かし，地域と密接に結び付いて発達してきた産業のことを地場産業といいます。地場産業のなかでも，織物や漆器，陶磁器など，現代の生活でも使われる伝統的工芸品を作る産業は，伝統産業といいます。

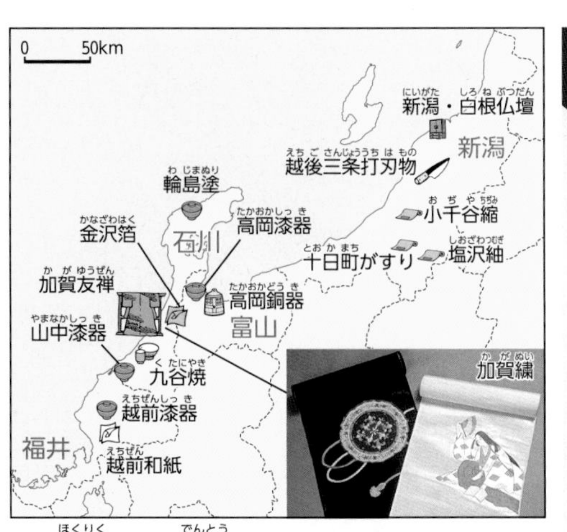

▲5 **北陸の主な伝統的工芸品**〈経済産業省資料〉

地理プラス 加賀藩の文化を現在に生かす金沢市

加賀藩の城下町であった金沢市には，武家屋敷や町家が立ち並ぶ古い町並みと，藩の保護によって発展した加賀友禅や金沢箔（→p.221）などの伝統的工芸品が，地域の文化として受け継がれています。これらは観光資源となり，北陸新幹線などを利用して，金沢には多くの観光客が訪れています。

➡6 **昔ながらの町並みが残る「ひがし茶屋街」**（石川県，金沢市，2019年撮影）

土台にして，現在ではさまざまな**地場産業**が発展しています。新潟県燕市では，くぎ作りで発達した金属加工の技術を生かして，スプーンから自動車部品まで，さまざまな金属製品が作られています。福井県鯖江市では，農家の内職から始まった眼鏡枠（フレーム）作りが盛んで，中小企業が作業の工程を分担して製品が作られています。

雪どけ水を生かした工業と暮らし

北陸には山岳地帯から流れ出る豊富な雪どけ水を利用して，多くの水力発電所が建設されました。特に黒部川などには水力発電所がたくさんつくられ，地場産業である銅器の製造技術と結び付いて，大量の電力と水を必要とするアルミニウム工業の発展を支えました。現在では，輸入したアルミニウムをサッシなどの建具に加工する工業へと発展しています。

黒部川の豊かな水は，まちづくりにも生かされています。富山県黒部市の宇奈月温泉では，水力で発電した電気を使ったバスが走り，温泉の熱は地面を温めて雪をとかす装置などに利用されています。

▲7 **アルミサッシの製造**（富山県，射水市）

北陸の地場産業を，図5で確認しよう。

北陸で地場産業が発達した理由について，説明しよう。

節の学習を振り返ろう

第４節　中部地方

第4節の問い p.219～231

中部地方における産業の発展に，自然環境や交通網の整備はどのような影響を与えているのだろうか。

1 学んだことを確かめよう ≫ 知識

1．A～Iにあてはまる県庁所在地名と，その県名を答えよう。
2．ⓐ～ⓓにあてはまる山脈名と半島名を答えよう。
3．①～⑧にあてはまる語句を，下のキーワードや教科書を振り返りながら答えよう。

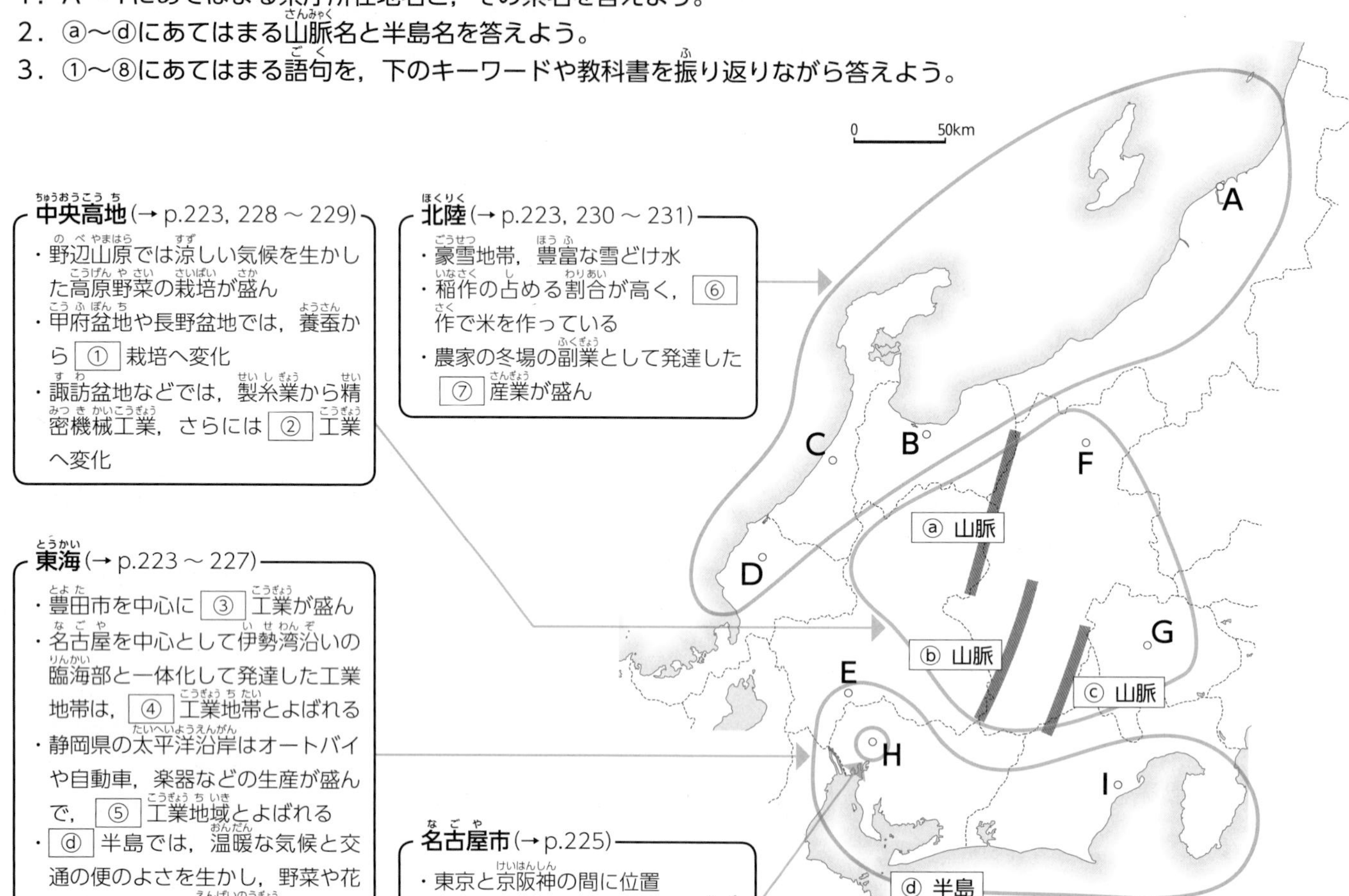

↑ 1 白地図を使ったまとめ

写真を振り返ろう

p.220 ～ 221 の写真に関連した以下の文章を読んで，㋐～㋓にあてはまる語句を，キーワードから答えよう。

中部地方は，冬でも温暖な［　㋐　］，写真3のように，夏でも涼しい［　㋑　］，写真2のように，冬に雪が多い［　㋒　］の三つの地域に分けられます。［　㋒　］では，写真7のように稲作が盛んで，写真4のように，農家の冬場の副業として発達した［　㋓　］が盛んな地域もあります。

✓ キーワード　意味を説明できた語句にチェックを入れよう。

- □日本アルプス
- □東海
- □中央高地
- □北陸
- □自動車工業
- □中京工業地帯
- □名古屋大都市圏
- □東海工業地域
- □園芸農業
- □抑制栽培
- □施設園芸農業
- □遠洋漁業
- □扇状地
- □養蚕
- □製糸業
- □高原野菜
- □精密機械工業
- □電気機械工業
- □銘柄米
- □単作
- □地場産業

2 「地理的な見方・考え方」を働かせて説明しよう ≫ 思考力，判断力，表現力

	東海	中央高地	北陸
自然環境	・「木曽三川」など，水量豊富な河川 ・一方で，水が得にくい台地 ・太平洋側の温暖な気候	・盆地の扇状地や高原 ・内陸の気候 …夏も涼しい …昼夜の気温差が大きい	❶
農業	・渥美半島では，水不足に悩まされ，作物の栽培が難しかった ・水はけのよさを生かした茶の栽培 ↓◀交通網，用水の整備 ・都市向けに野菜や花などを栽培する園芸農業が盛ん ・静岡県では，茶の栽培が盛ん …海外にも輸出	・盆地の扇状地では，養蚕のための桑を栽培 ・米づくりに不向きだった高原では，雑穀や野菜などを栽培 ↓◀交通網，需要の変化 ❷	・越後平野には，湿原や湖沼が広がっていた ・梅雨や台風による洪水 ↓◀排水路の整備 ・雪どけ水を生かした単作の稲作地帯 ・銘柄米の生産
工業	・綿花の産地で繊維産業が発展 ↓◀技術力，交通網 ❸	・養蚕が盛んな地域で製糸業が発展 ↓◀技術力，交通網 ・戦後に精密機械工業が発達 ・現在は高速道路に近い地域に電気機械工業も進出	・農家の冬場の副業として工芸品を生産 ↓◀技術力，雪どけ水 ・金属製品や眼鏡枠(フレーム)作りなどの地場産業が盛ん ・水力発電の電力を生かした産業

↑2 中部地方の産業の移り変わりをまとめた例

ステップ1 この地方の特色と課題を整理しよう

中部地方を三つの地域に分けた際の自然環境や農業，工業の特徴について，p.232のキーワードや教科書を振り返りながら，図2の❶～❸を埋めよう。

ステップ2 「節の問い」への考えを説明しよう

作業1 東海，中央高地，北陸では，どのような自然環境の違いがあるのか，図2を参考に説明しよう。

▼

作業2 中部地方における産業の発展に，自然環境や交通網の整備はどのような影響を与えているのだろうか。地理的な見方・考え方を働かせて，節の問いに対するあなたの考えを，「自動車工業」，「高原野菜」，「地場産業」の語句を使って説明しよう。

> 「節の問い」に関連が深い 見方・考え方
> **ほかの場所への影響，地域全体の傾向**（→巻頭7）

ステップ3 【発展】持続可能な社会に向けて考えよう

作業1 中部地方の産業は，どのような課題を抱えているのだろうか。産業を維持・発展させていくためには，どのような取り組みを行うとよいか，課題の原因を踏まえて考えよう。

作業2 グループになり，どのような取り組みを優先的に行うことが大切か，また，その取り組みは実現可能か，話し合おう。

作業3 話し合いの結論をp.286の表1に記入し，第4部第1章「地域の在り方」を考える際の参考にしよう。

私たちとの関わり
私たちが住む町では，どのような産業が発達しているのだろうか。特産品などに注目して考えよう。

時代の変化に対応する産業の創出

～新たな ものづくり に挑戦を続ける静岡県浜松市を例に～

日本企業の海外進出や，価格の安い外国企業からの輸入が増えたため，一部の工業では国内の生産が衰退し，産業の空洞化が進んでいます(→ p.161)。

静岡県の中でも工業が盛んな浜松市では，産業の競争力を高めるために，どのような取り組みが行われているのでしょうか。

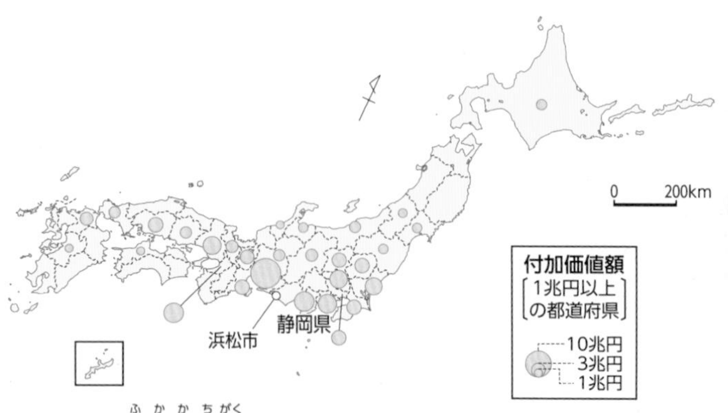

▲**1工業の付加価値額**(2017年)〈平成30年 工業統計表〉 付加価値額とは，出荷額から原材料費や税金などを差し引いた額です。

▲**2高性能の光センサーが壁一面に敷き詰められたニュートリノ観測装置「スーパーカミオカンデ」**(岐阜県，飛驒市，2018年撮影） ニュートリノの研究では，2002年に小柴昌俊さんが，2015年に梶田隆章さんがノーベル物理学賞を受賞しました。

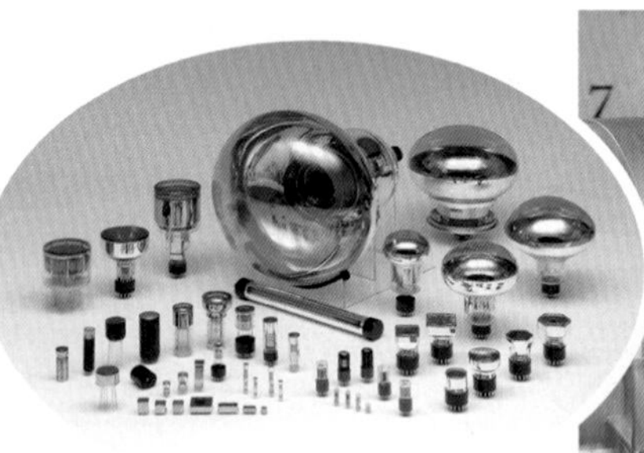
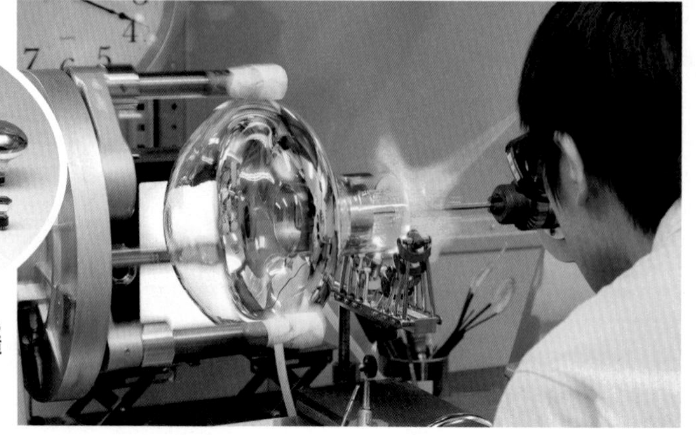

▲➡**3光センサー**(上)**とその製造の様子**(右)(2018年撮影)
〈写真提供 浜松ホトニクス〉

人口が減少する時代に入った日本では，地域の持続的な発展のために，産業も時代の変化に対応した工夫が求められています。これに対して，高度な技術によって商品価値を高めたり，消費者の多様な要求に合わせた商品を開発したりする取り組みを行っている地域があります。

静岡県浜松市周辺には「やらまいか」という方言があります。「やらまいか」とは，「何事にも果敢に挑戦してみよう」，「何事もまずはやってみよう」という意気込みを表す言葉です。江戸時代の綿織物や製材から始まった浜松市の産業は，優れた起業家や研究者の技術革新によって発展し，軽自動車やオートバイ，ピアノ，テレビ，木工機械，写真フィルム，国産旅客機，アルミホイールなど，数々の日本初となる製品を生み出してきました。

近年では，テレビに映像を映し出す技術を応用した先端技術産業が発展し，その技術を生かした世界的な企業が浜松市に拠点を置いています。なかでも，光をとらえる技術を生かした光センサーは，スマートフォンや医療機器などに利用されているほか，宇宙での星の爆発などで発生するニュートリノ(素粒子の一種)を観測する装置などにも利用されています。

現在，浜松市では，既存のものづくりの技術に，光技術や電子技術，情報通信技術(ICT)を融合させた，新たな産業を創出する取り組みが行われています。2018年には「SDGs未来都市」に選定され，持続可能な開発目標(SDGs)(→巻頭1～2)の実現に向けて地域の技術力を生かし，産業と環境が調和した社会づくりを目指しています。

KANTO

関東地方

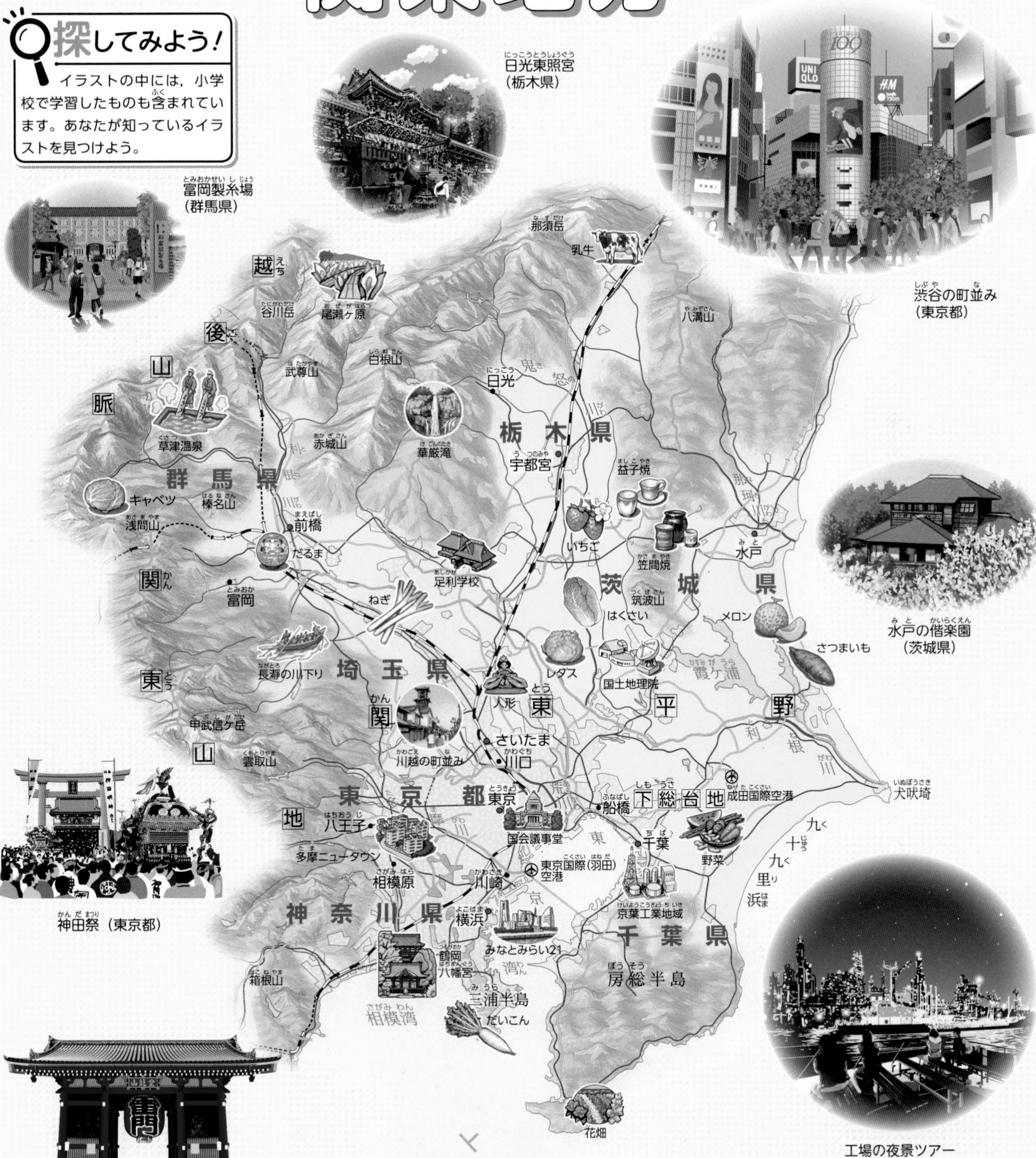

探してみよう！
イラストの中には，小学校で学習したものも含まれています。あなたが知っているイラストを見つけよう。
日光東照宮
（栃木県）
渋谷の町並み
（東京都）
富岡製糸場
（群馬県）
那須岳
乳牛
越
後
山
脈
谷川岳
尾瀬ヶ原
八溝山
武尊山
白根山
日光
鬼
怒
川
草津温泉
赤城山
華厳滝
栃木県
宇都宮
益子焼
群馬県
キャベツ
榛名山
利
根
川
那
珂
川
浅間山
前橋
だるま
足利学校
いちご
笠間焼
水戸
関
東
山
地
富岡
ねぎ
茨城県
筑波山
はくさい
メロン
水戸の偕楽園
（茨城県）
長瀞の川下り
埼玉県
レタス
国土地理院
霞ケ浦
さつまいも
人形
関
東
平
野
甲武信ケ岳
雲取山
さいたま
川口
川越の町並み
東京都
東京
国会議事堂
八王子
下総台地
船橋
成田国際空港
犬吠埼
九十九里浜
多摩ニュータウン
千葉
野菜
東京国際（羽田）
空港
相模原
川崎
京
葉
東
京
湾
神奈川県
横浜
京葉工業地域
みなとみらい21
千葉県
鶴岡
八幡宮
房総半島
箱根山
三浦半島
相模湾
だいこん
神田祭（東京都）
花畑
工場の夜景ツアー
（神奈川県）
浅草寺の雷門（東京都）
大島

写真で眺める 関東地方

1 **関東平野に広がる市街地と東京スカイツリー**（東京都） 関東平野は関東地方の多くの部分を占め，都市部にはビルが立ち並んでいます。写真中央のひときわ高いタワーが東京スカイツリーで，日本一の高さ(634m)となっています。 p.238

2 **東京駅を利用して勤務先に向かう人々**（東京都，千代田区） p.240, 242

3 **日光東照宮**（栃木県，日光市，2017年撮影） 関東平野の開発が進むきっかけをつくった徳川家康がまつられており，世界遺産にも登録されています。 p.249

➡4**高原で作られるキャベツ**（群馬県，嬬恋村，2016年9月撮影） 標高1000mを超える高原地域で，キャベツの栽培が行われています。 ➡p.248

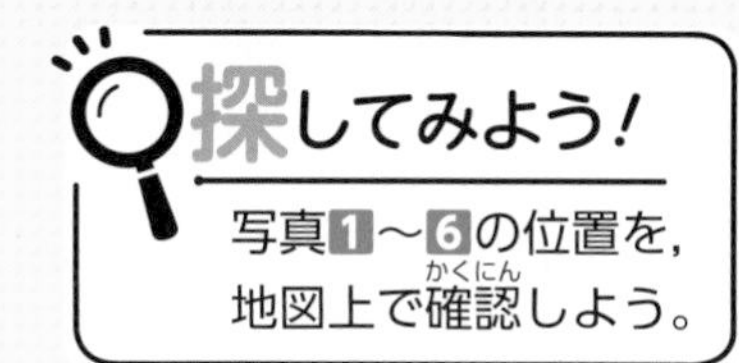

⬅5**観光客でにぎわう横浜中華街**（神奈川県，横浜市，2015年撮影） 多くの中華料理店が立ち並び，チャイナタウンの雰囲気を味わうことができます。 ➡p.243

⬇6**日本最大級のショッピングセンター**（埼玉県，越谷市） 車で訪れる買い物客のために，広大な駐車場が用意されています。 ➡p.244

第5節　関東地方

人口や都市・村落に注目して

第5節の問い p.235〜249

関東地方における人口の集中は，人々の生活や産業にどのような影響を与えているのだろうか。

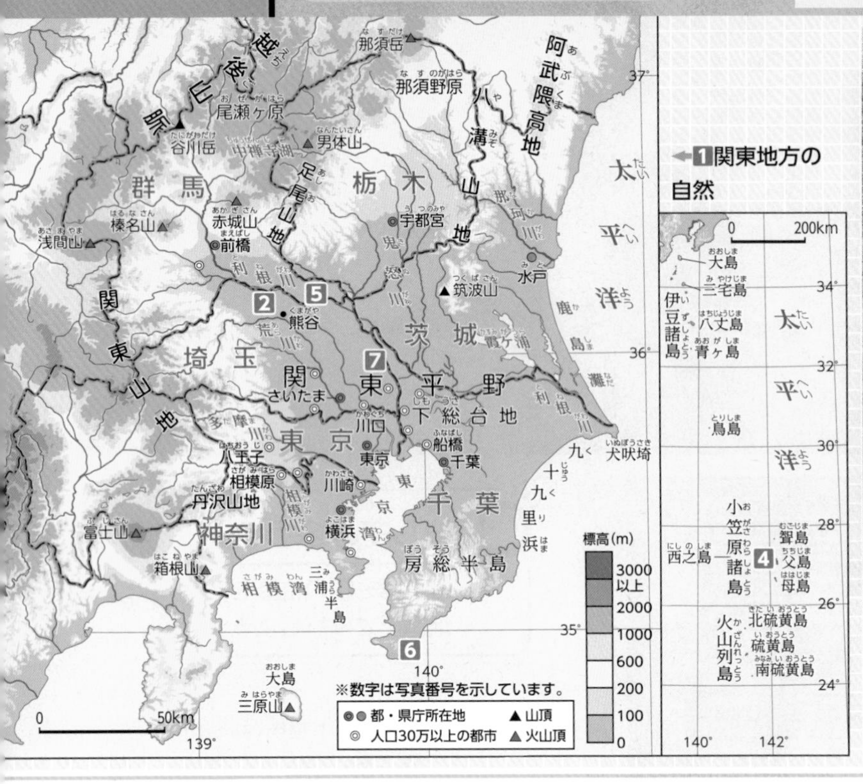

1 関東地方の自然

2 住宅地や畑が広がる関東平野（埼玉県，深谷市，5月撮影）　関東平野の中央には，日本最大の流域面積をもつ利根川が流れています。

1　関東地方の自然環境

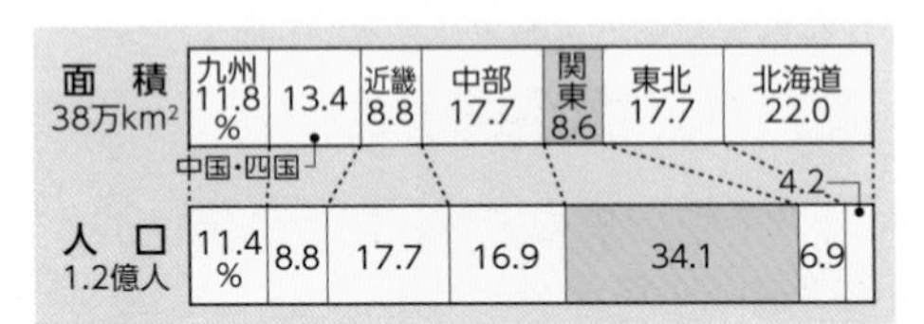

3 日本の面積・人口に占める関東地方の割合（2019年）〈住民基本台帳人口・世帯数表 平成31年版，ほか〉

4 世界遺産に登録されている小笠原諸島の父島（東京都，小笠原村，6月撮影）

学習課題　関東地方では，地形や気候にどのような特色がみられるのだろうか。

日本で最も広い関東平野

関東地方は1都6県からなり，約4000万の人々が暮らす，最も人口の多い地方です。日本最大の平野である**関東平野**を中心に，西は関東山地，北は越後山脈，阿武隈高地などに囲まれています。関東平野には，箱根山や富士山などの火山灰が堆積してできた赤土(**関東ローム**)に覆われた**台地**→p.144と，利根川や荒川，多摩川などの河川沿いにできた低地が広がっています。2

関東平野は，17世紀初めに江戸幕府が開かれてから開発が進み，人口が増えていきました。下総台地などの台地は水が得にくく，畑作地として開墾されましたが，今日では住宅地やゴルフ場なども多く見られます。一方，川沿いの低地は水が得やすいので水田に利用され，人口が多い都市部では高層ビルも見られます。→p.236太平洋に面した海岸線には，九十九里浜のような砂浜海岸→p.145が見られます。東京湾は海岸線の大部分が埋め立てられたため，自然のままの海岸線はほとんど残っておらず，埋立地は工業用地などに利用されています。→p.161

小学校●歴史●公民との関連　日本の自然環境(小)，防災対策(小)

5「屋敷森」とよばれる防風林がある家(群馬県，明和町，1月撮影)　屋敷森は，家の北側か西側につくられ，冬の季節風から家を守ります。

6花摘みを楽しむ観光客が見られる房総半島の花畑(千葉県，南房総市，2019年2月撮影)

未来に向けて

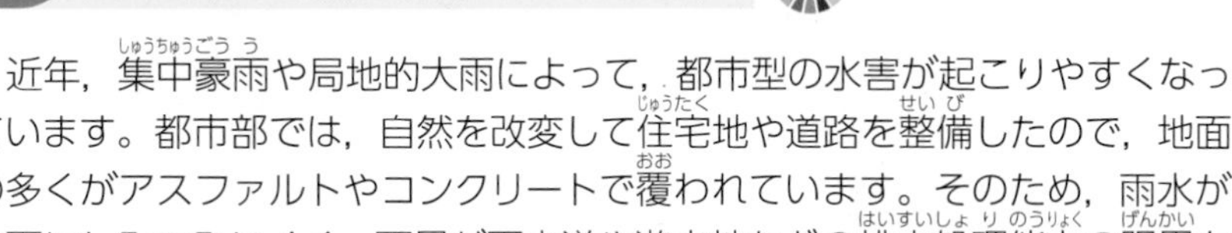

防災　都市型の水害に備える取り組み

　近年，集中豪雨や局地的大雨によって，都市型の水害が起こりやすくなっています。都市部では，自然を改変して住宅地や道路を整備したので，地面の多くがアスファルトやコンクリートで覆われています。そのため，雨水が地下にしみこみにくく，雨量が下水道や遊水地などの排水処理能力の限界を短時間のうちに超えると，氾濫や浸水が生じやすくなります。

　こうした都市型の水害を防ぐ取り組みの一つに，地下に設置される調節池や放水路などがあります。例えば，埼玉県東部の春日部市内の地下には，総延長約6.3kmにわたる首都圏外郭放水路が建設されました。この放水路は，大雨などであふれそうになった中川などの水を一時的に貯水し，江戸川に排水することで，中川・綾瀬川流域の洪水被害を防ぐ役割を担っています。

7首都圏外郭放水路(左)(埼玉県，春日部市，2015年撮影)とその位置(上)

内陸と海沿いで異なる気候

関東地方の大部分は太平洋側の気候ですが，→p.147 内陸と海沿いでは気候が異なります。

　北関東を中心とする内陸は，夏と冬の気温差が大きく，降水量が少ないのが特徴です。特に冬は，北西の**季節風**→p.51, 147が越後山脈などにぶつかって雪を降らせたあと，乾いた風となって関東平野に吹き降りてくるため❶，晴天の日が続きます。5 夏は，埼玉県熊谷市→p.147のように毎年高温になる町もみられ，山沿いでは雷雨がしばしば発生します。

　一方，南関東を中心とする海沿いの地域は，黒潮が近海を流れる→p.145ため，冬でも温暖なのが特徴です。房総半島や三浦半島は，冬に観光農園で花摘みが楽しめることでも知られています。6 東京都に属する伊豆諸島などの島々は一年中温暖で，特に緯度が低い小笠原諸島の島々は，南西諸島→p.182と同じような気候です。4

　高層ビルが立ち並ぶ東京の中心部では，気温が周辺地域よりも高くなる**ヒートアイランド現象**がみられます。また近年は，短時間のうちに大雨をもたらす局地的大雨(ゲリラ豪雨)が，気温が高くなる夏に，関東地方の至る所で発生しています。

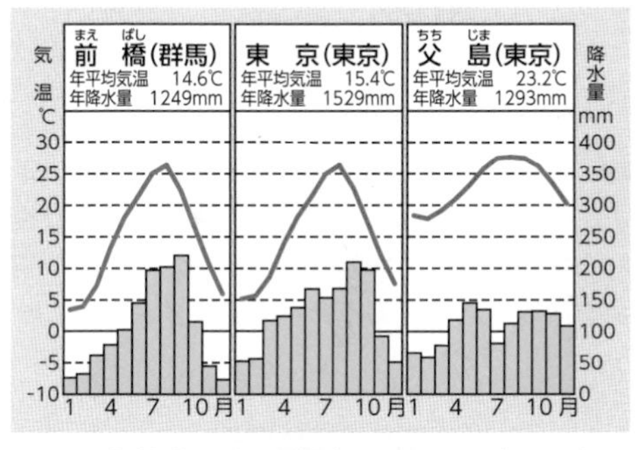

8関東地方の主な都市の雨温図〈理科年表2020，ほか〉　資料活用　前橋，東京，父島の位置を，図1で確認しよう。

❶「からっ風」や「赤城おろし」，「男体おろし」，「筑波おろし」など，地域によって，さまざまな名称でよばれています。

関東地方における内陸と海沿いの気候の違いを，図8で確認しよう。

関東地方の地形の特徴について，「台地」と「低地」の語句を使って説明しよう。

❶最高裁判所　❷国会議事堂　❸首相官邸　❹内閣府　❺国土交通省　❻警視庁　❼総務省　❽法務省　❾外務省　❿農林水産省　⓫厚生労働省・環境省　⓬財務省　⓭経済産業省　⓮文部科学省

↑ 1 霞が関にある官庁街とその周辺（東京都，千代田区）　**資料活用**　写真1は東京のどの辺りにあるのか，図2で確認しよう。

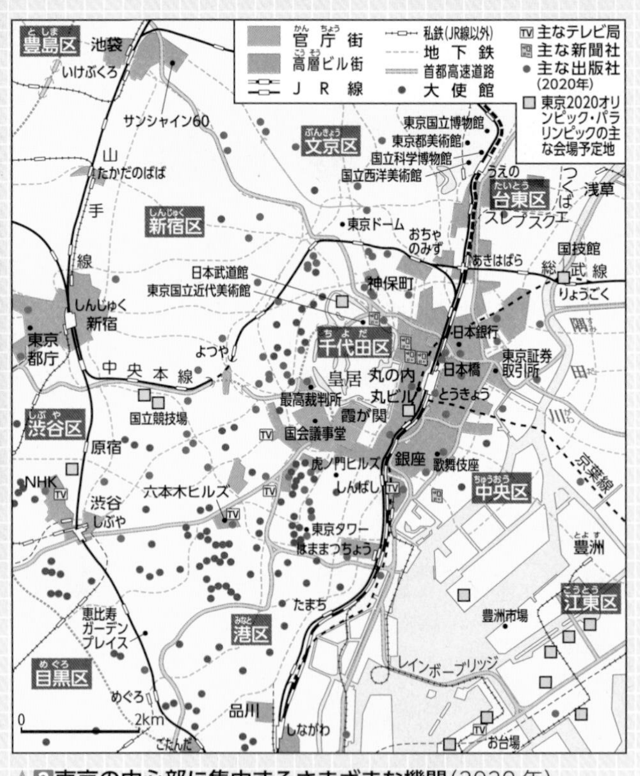

↑ 2 東京の中心部に集中するさまざまな機関（2020年）

2　多くの人々が集まる首都，東京

学習課題　首都であり，多くの人々が集まる東京には，どのような役割があるのだろうか。

日本の首都，東京

日本の**首都**である東京は，世界でも有数の大都市で，江戸時代から今日まで，日本の中心として発達してきました。東京の中心部は，23の特別区❶からなります。かつて江戸城があった場所は皇居となり，その周辺には日本の政治の中心として，国会議事堂や最高裁判所のほか，多くの中央官庁が集まっています[1]。また，日本銀行をはじめ，大きな銀行の本店や東京証券取引所，大企業の本社などが集中し，日本の経済の中心にもなっています[6]。さらに，大学や専門学校などの教育機関や博物館・美術館などの文化施設も多く立地しています[2]。

東京の中心部で働く人の多くは，都内の住宅地や神奈川・埼玉・千葉などの隣県から通勤しているため，千代田区などのオフィス街では，**夜間人口**よりも**昼間人口**がはるかに多くなります[3]。

→p.242　→p.236

世界都市，Tokyo

東京には，日本国内だけではなく世界各地から人や物，資金，情報などが集まるとともに，これらは東京から世界へ向けても送り出されています。その中心になっているのは金融や貿易，情報通信などの国際的な活動で，世界各地との

❶ 特別区とは，東京の23区のことをいいます。それぞれの区は，一般の市と同じような役割を特別にもっており，条例を制定したり，税金を徴収したりすることができます。（→p.23）

解説　夜間人口と昼間人口

夜間人口はその地域に住んでいる人口のことで，昼間人口は，夜間人口に通勤や通学などで昼間に移動する人口を足したり引いたりした人口のことです。都心部では昼間人口が多くなり，郊外の住宅地では夜間人口が多くなります。

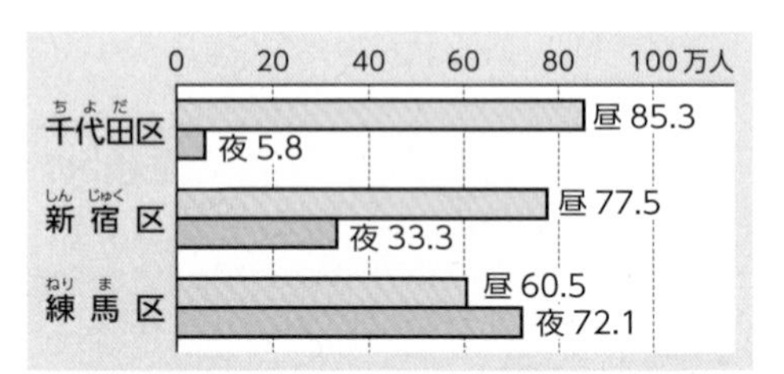

↑ 3 東京都の主な区における昼間人口と夜間人口の違い（2015年）〈平成27年 国勢調査報告〉

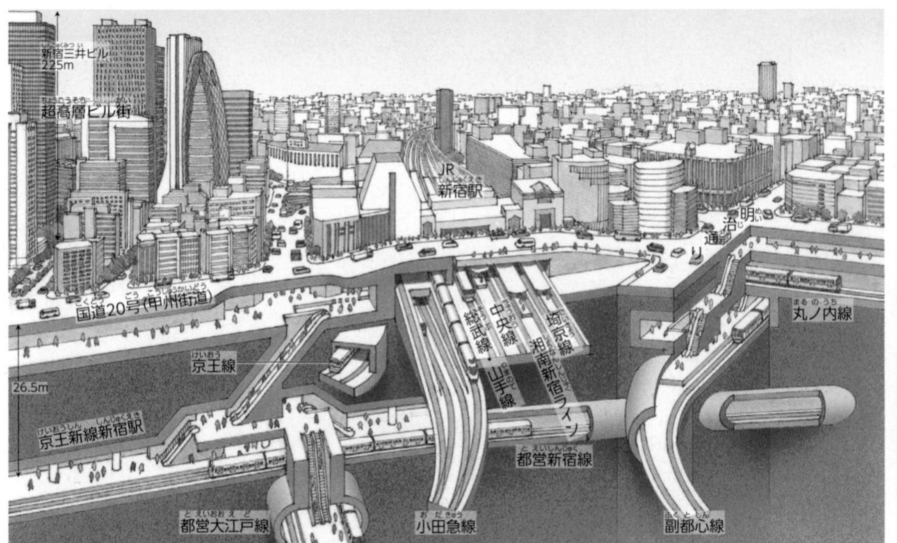

▲[4]ターミナル駅となっている新宿駅　複数の路線が乗り入れる新宿駅は，１日の乗降客数が 300 万人を超えていて，世界一，乗降客数の多い駅といわれています。

▲[5]通勤・通学時間帯に混雑する新宿駅（東京都，新宿区，2017 年撮影）

やりとりが昼夜を問わず行われています。各国の大使館や国際機関[2]，外資系企業なども集中しており，世界中から集まってきた外国人が多く住んでいます[6]。このように東京は，政治・経済・文化などの面で，世界の国々やさまざまな都市との結び付きを強めており，ニューヨーク→p.94やロンドン→p.66と並んで，世界都市とよばれています。

交通網の中心となる東京

東京への通勤・通学には，**都心**[解説]から放射状に発達した鉄道網が重要な役割を果たしています。複数の鉄道路線が乗り入れる駅はターミナル駅❷といわれ，都心と郊外とを結ぶ交通の拠点となっています[5]。特に，新宿・渋谷・池袋などは**副都心**[解説]とよばれ，都心とともに昼間人口が多い[3]地域になっています。ターミナル駅周辺など東京の中心部は，地下鉄が網の目のように張り巡らされ，高層ビルが立ち並んでいます[4]。これは，地価が高く広さも限られた土地を，有効に活用するための工夫です。→p.242

東京は，全国を結ぶ交通網の中心でもあります。新幹線や高速道路が，東京を起点として国内各地とつながっています。また，航空路線においても，東京国際（羽田）空港→p.165が国内線の中心として日本最大の旅客数を誇っています。近年は，国際線の充実も図られており，成田国際空港→p.180とともに，東京の空の玄関口として，日本から海外へ向かう人や日本を訪れる多くの外国人観光客に利用されています。→p.164
これらの空港では貨物の輸送も盛んで，特に成田国際空港の貿易額は，輸出入を行う日本の港や空港の中で最大となっています。

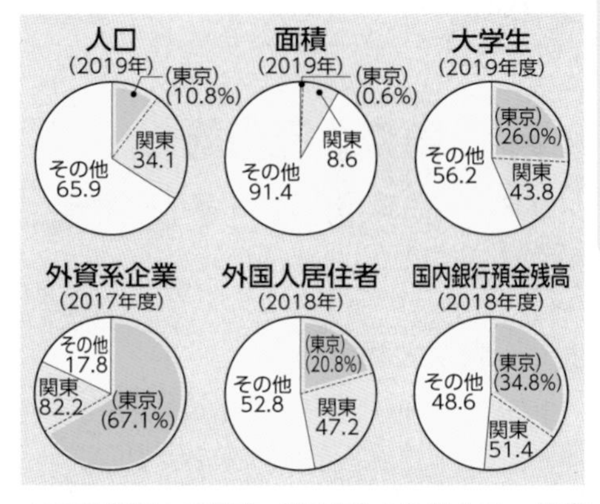

▲[6]東京都への集中〈住民基本台帳人口・世帯数表　平成 31 年版，ほか〉

解説 都心と副都心

政治や経済の重要な施設が集中する千代田区・中央区・港区などの中心地区を都心といいます。また，ターミナル駅を中心に高層ビル街がみられる新宿・渋谷・池袋など，都心に次いで中心となる機能をもつ地区を副都心といいます。

❷ 鉄道の起点や終点となる駅のこと。

東京に集中的に集まっている機関にはどのようなものがあるか，図[2]を見て挙げよう。

写真[1]の千代田区の人口の特徴について，図[3]を見ながら「昼間人口」と「夜間人口」の語句を使って説明しよう。

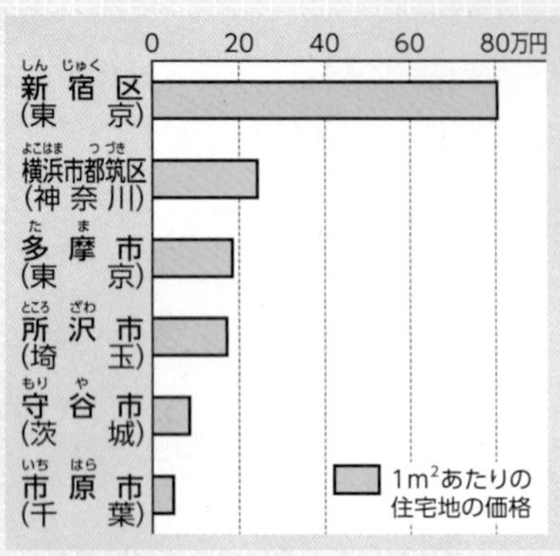

■1 **東京大都市圏内の地価の比較**（2020 年）〈東京都財務局資料，ほか〉

ニュータウンは，なぜ都心ではなく，郊外につくられるのかな？

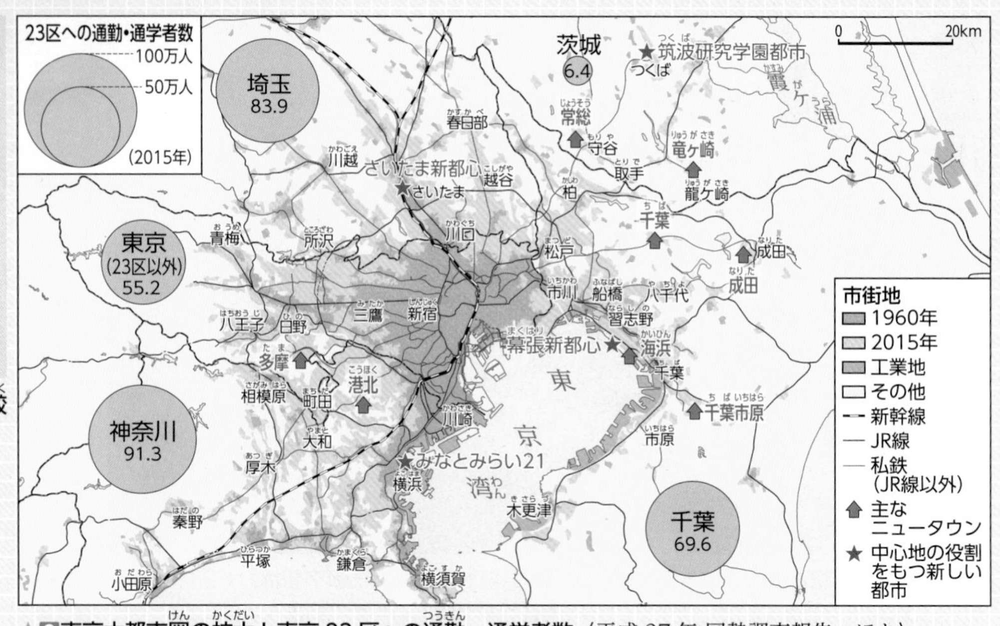

■2 **東京大都市圏の拡大と東京 23 区への通勤・通学者数**〈平成 27 年 国勢調査報告，ほか〉

資料活用 図■1の都市を，上の図で探そう。横浜市都筑区は，港北ニュータウンがある区です。

3 東京大都市圏の過密問題とその対策

学習課題 拡大する東京大都市圏では，どのような課題が生じてきたのだろうか。

解説 東京大都市圏

東京の都心から 50 ～ 70km の範囲内で，鉄道網に沿って市街地が発達した地域のことをいいます。東京への通勤・通学者が多く住む市街地が，都県境を越えて連続して広がっています。

■3 **筑波研究学園都市**（茨城県，つくば市，2017 年撮影） 2005 年につくばエクスプレスが開業して以降は，東京へ通勤・通学する人々の住宅地の開発が沿線で進んでいます。

解説 再開発

ある地域の古くなった建物や工場などを取り壊して，新しい目的に応じた町につくり直すことをいいます。

東京大都市圏の拡大　東京とその周辺は，働く場所や学校が多いので，高度経済成長期→p.154には日本の各地方から多くの人が移り住みました。東京への人口集中が進み，住宅地が不足して地価が高くなると，住宅地は鉄道路線に沿って開発され，より地価の安い東京の周辺部へと広がっていきました。■1,■2 こうして神奈川県や埼玉県，千葉県，茨城県など東京の周辺の県にかけて広がった**東京大都市圏**（解説）は，日本の約 4 分の 1 の人口が集中する日本最大の都市圏→p.154として，人口が**過密**な地域になっています。

東京大都市圏の過密問題とその対策　人口が過密な東京大都市圏では，通勤時間帯の混雑や ごみ の増加など，さまざまな**都市問題**が発生してきました。東京の中心部につながる鉄道や道路は交通量が多く，混雑や交通渋滞が日常的に発生しています。これに対し，通勤時間をずらす時差通勤の推奨や圏央道などの環状道路の整備によって，混雑や渋滞の緩和が図られています。また，都市の機能を分散させるために，例えば，1970 年代には筑波研究学園都市の建設が進められ，東京から大学や研究機関が計画的に移転しました。■3 1990 年代以降は，臨海部の埋立地や鉄道施設の跡地などで**再開発**（解説）が行われてきました。千葉市から習志野市にかけての

4 横浜の「みなとみらい21」地区（神奈川県，横浜市，2018年撮影） ランドマークタワーがある場所には，かつては造船所がありました。

5 港北ニュータウン（神奈川県，横浜市，都筑区，2017年撮影） 緑や公園が多く，商業施設も充実しているため，若い世代に人気の住宅地となっています。保育所に入れない待機児童を減らす横浜市の取り組みも，暮らしやすさを支えています。

「幕張新都心」や さいたま市の「さいたま新都心」などは，企業のオフィスや商業施設などが集まり，多くの人に利用されています。2

住宅の不足に対しては，1970年代以降に多摩や海浜などの大規模な**ニュータウン**が，東京の都心から30kmほど離れた郊外につくられ，東京の中心部などへ通勤・通学する人の居住地となってきました。近年はこれらのニュータウンで，居住者の高齢化や少子化，建物の老朽化などが課題となっています。そこで，高齢者も住みやすい住宅の整備や古い建物の再生などにより，若い世代をよび込み，地域を活性化させる取り組みが行われています。

→p.208

全国第2位の大都市，横浜

東京大都市圏には，横浜市・川崎市・さいたま市・千葉市・相模原市の五つの**政令指定都市**があります。なかでも横浜市は370万を超える人々が暮らす，全国第2位の大都市です。横浜は，江戸末期に開港して港町が形成されて以来，国際色豊かな都市として発展してきました。洋館や れんがづくり の建物などの歴史的な景観が残されている一方で，再開発によってつくられた「みなとみらい21」地区には商業施設や国際会議場などが集まっています。横浜市はもともと臨海部から開発されましたが，東京の人口が増えるにつれ，内陸の丘陵地でも住宅地の開発が盛んになりました。1970年代に開発が始まった港北ニュータウンのように，横浜の中心部や東京への交通の利便性が高く，生活環境が整った住宅地では，人口が増加しました。

(2019年)

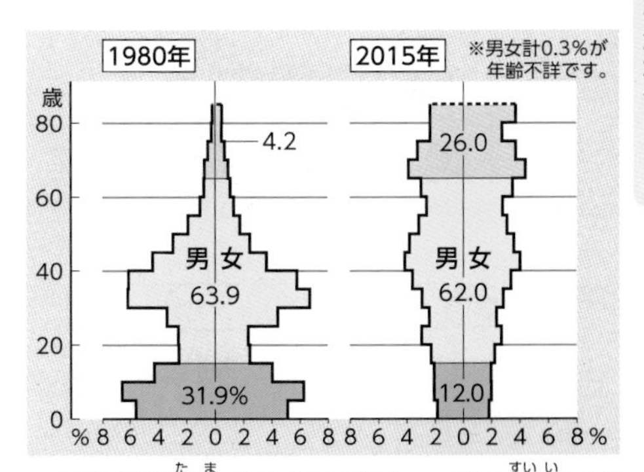

6 東京都多摩市の人口ピラミッドの推移〈多摩市資料，ほか〉 資料活用 1980年と2015年の人口ピラミッドを比較しよう。

解説 政令指定都市

人口50万以上で，政令によって都道府県並みの特別な権限をもっている大都市をいいます。市の中に区が設置されており，税金の使いみちなどを独自に決めることができたり，国と直接交渉できたりすることも特徴です。2020年現在，全国で20都市が指定されています。

東京大都市圏にある五つの政令指定都市を，地図帳で確認しよう。

東京大都市圏の拡大に伴う都市問題と，その対策について，説明しよう。

1 国内外から多くの人々が集まる「東京ゲームショウ」（千葉県，千葉市，2017年撮影）

2 ゲームの制作会社の様子（東京都，港区，2018年撮影）

4 人口の集中と第3次産業の発達

学習課題 人口が集中する地域で発達する産業には，どのような特色があるのだろうか。

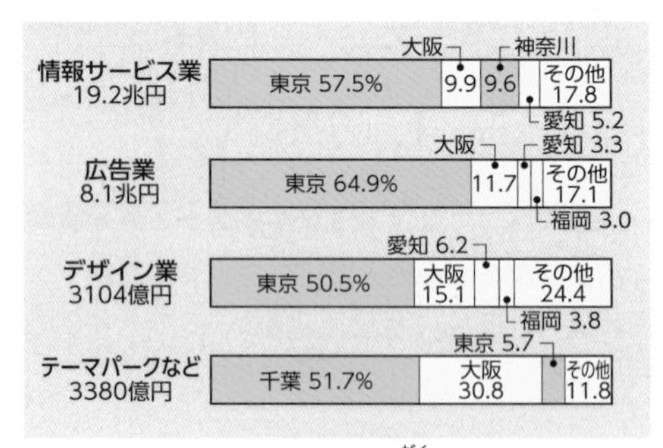

3 サービス業の年間売上額（2017年）〈経済産業省資料〉

情報と娯楽を扱う産業の発達

日本最大の都市であり，世界都市でもある東京には，世界中から多くの人が集まるとともに，政治や経済のニュースからファッション・音楽・グルメなどのさまざまな流行まで，膨大な情報が集まってきます。[4] それらの情報を扱うテレビ局や新聞社，出版社などは東京に集中しています。さらに，インターネットに関連した**情報通信技術（ICT）関連産業**→p.240 →p.60や，ゲーム・映画・アニメ・漫画など情報の発信や流通に関連した産業も東京に集中しています。[2, 3] これらの産業は，技術と独創性をもった人材が必要なため，情報と人が集まる大都市東京で発達しました。

また，東京ディズニーリゾートなどのテーマパークや大きなイベントが開催される展示場も，[1] 国内外から多くの人々を引き付けています。第3次産業の**サービス業**→p.162に分類されるこうした産業の発達は，[3] 東京大都市圏→p.242に人口が集中する要因の一つにもなっています。

活発な消費活動を支える産業

東京大都市圏は，日本最大の消費地でもあるため，物流センターや卸売市場，デパート，大型ショッピングセンターなど，多くの商業施設が立地しています。→p.237このため，**商業**→p.162に携わる人が非常に多く，なかでも東京都は，全国の卸売業や小売業の販売額において最も高い割合を占めています。[8]

4 ファッションやスイーツなどの流行の発信地，原宿（東京都，渋谷区） さまざまな店舗が密集し，休日には多くの人で混雑します。

地理プラス 変化し続ける湾岸地域

東京湾岸の埋立地には，かつて工場や造船所などの港湾施設が広がっていました。しかし現在は，それらの跡地に商業施設やタワーマンションが立ち並び，景観が大きく変化しています。こうした臨海部の新しいまちづくりは，ウォーターフロント開発とよばれます。もともと東京湾岸には離れ小島のような埋立地が多く，交通が不便でしたが，これらが橋や道路によって結ばれることで，湾岸地域の価値が見直されるようになりました。

東京 2020 オリンピック・パラリンピックでは会場や選手村として活用され，東京の都心と結ばれる道路などの交通網がいっそう整備されるなど，湾岸地域は多様で新しい生活や産業の場所として注目されています。

5 東京 2020 オリンピック・パラリンピック会場にもなった湾岸地域（東京都，中央区・江東区・港区，2017 年撮影）

6 買い物客でにぎわうアウトレットモール（千葉県，木更津市） 高速道路（東京湾アクアライン）のインターチェンジの近くに立地しています。

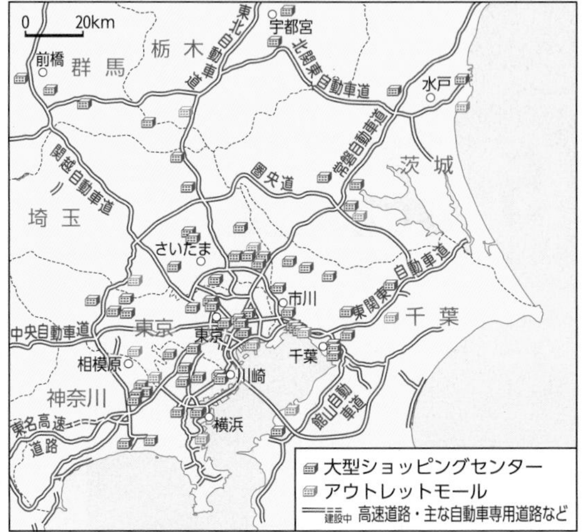

7 関東地方の高速道路網と大型ショッピングセンターなどの分布（2019 年）〈日本ショッピングセンター協会資料，ほか〉

東京の中心部では，ターミナル駅にデパートなどが集まっている→p.241一方，電気街の秋葉原や古書街の神保町，若者が多い原宿，ブランドショップが集まる銀座など，個性的な商業地も見られます。4 また近郊には，横浜中華街→p.237など外国文化にいろどられた商業地もあり，多くの人を引き付けています。大田・豊洲などの卸売市場や→p.248，千葉県市川市，神奈川県川崎市・相模原市などの高速道路沿いにある物流センターなどが，東京大都市圏の活発な商業活動を支えています。これらの施設には，宅配便などの運送業者や通信販売を行う企業の倉庫もあり，商品が各地へ配送されています。→p.163

交通網の発達などにより，東京周辺には大型ショッピングセンターやアウトレットモールも多くつくられました。6, 7 しかし，これらの新しい商業施設の出店によって，古くからあった商店街への客足が減ってしまう問題も出てきています。→p.162

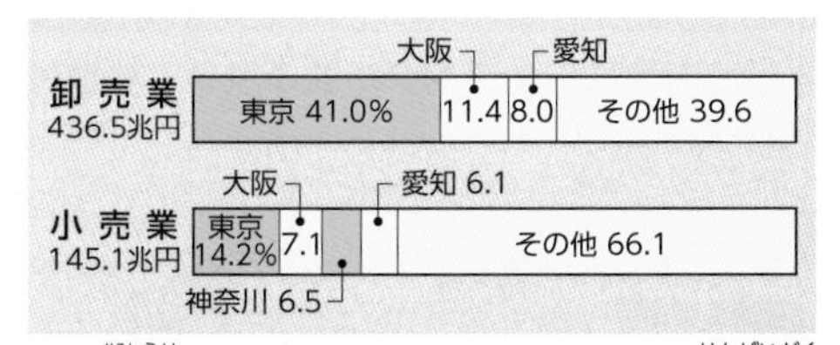

8 卸売業と小売業における年間商品販売額（2015 年）〈経済産業省資料〉

確認しよう　東京大都市圏で盛んなサービス業の例を，図3で確認しよう。

説明しよう　サービス業や商業が発達する理由を，人口の集中と関連させながら説明しよう。

1 印刷工場での製本作業の様子（東京都，板橋区，2017 年撮影） 書籍用に印刷された紙が指定の大きさにカットされ，本の形に仕上げられていきます。

2 印刷業の出荷額（2017 年）〈平成 30 年 工業統計表〉

5 臨海部から内陸部へ移りゆく工場

京浜工業地帯や北関東工業地域の形成は，関東地方の人口の変化とどのように関係しているのだろうか。

臨海部から発達した京浜工業地帯

京浜工業地帯[4]は，東京都・神奈川県・埼玉県にまたがる日本有数の工業地帯です。→p.160 なかでも多くの人口を抱える東京では，新聞社や出版社が多いので，→p.240 印刷業が盛んです。[1,2] また，大消費地である東京都やその周りの県では，ビールやジュースなど，重くて輸送費がかさむ飲料や，日もちのしないパン・生菓子などの工場が立地し，食品工業も盛んです。東京の中心部の周辺では，古くからの工業が残っている場所も多く，住宅地に町工場が点在している所もあります。

船舶を利用した工業原料の輸入や製品の輸出に適した東京湾岸の埋立地には，大規模な製鉄所や火力発電所，物流倉庫などが立地しています。特に，千葉県の臨海部は**京葉工業地域**[4]ともいわれ，大規模な石油化学コンビナートが立ち並んでいます。[3] →p.194

1960 年代の高度経済成長期以降，これらの地域の工場で働くために，→p.154 多くの若い人々が日本各地から東京大都市圏に移り住み，人口→p.242増加の一つの要因となりました。しかし，人口増加に伴い，市街地が拡大すると，工業用地の不足や公害などの問題が生じました。→p.186 そのため，機械工業などの工場は，東京の中心部から離れた東京都八王子市や神奈川県藤沢市・相模原市などへ移転していきました。その後，化学や鉄鋼などの工業が伸び悩むと，古い工場の閉鎖や移転が

3 臨海部に石油タンクが並ぶ京葉工業地域（千葉県，市原市）

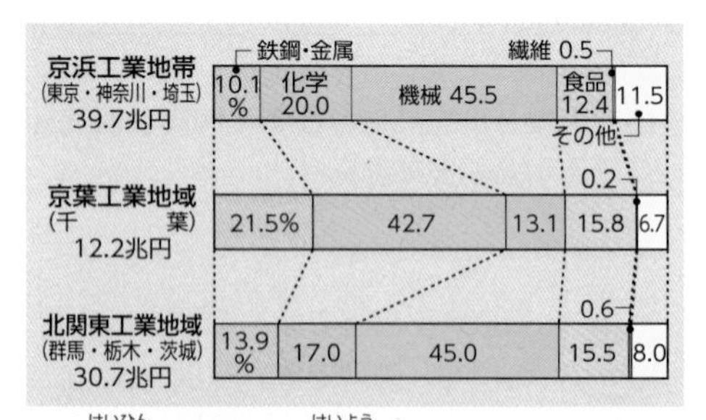

4 京浜工業地帯と京葉・北関東工業地域の工業出荷額の内訳（2017 年）〈平成 30 年 工業統計表〉 **資料活用** 京葉工業地域と北関東工業地域の特徴をグラフから読み取ろう。

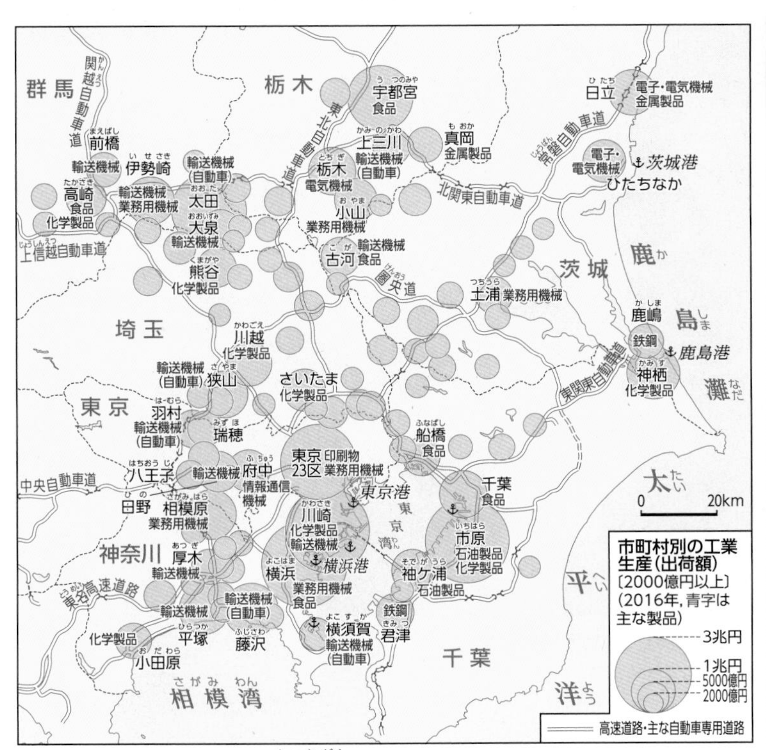

5関東地方の主な工業と出荷額〈平成29年 工業統計表,ほか〉

未来に向けて

共生 多文化の共生を目指す大泉町

自動車関連工場が多い群馬県大泉町には,工場で働く日系ブラジル人とその家族が多く住んでいます。町にはポルトガル語の表示やブラジルの食材を売る店が見られ,学校には日系ブラジル人の生徒がたくさんいます。このため大泉町では,小中学校に日本語学級を設けてボランティアによる日本語・ポルトガル語講座を開いたり,ポルトガル語の生活ガイドブックを作ったりして,異なる文化をもつ人々が暮らしやすいまちづくりに取り組んでいます。

6日系ブラジル人向けにブラジルの食材が売られているスーパーマーケット(群馬県,大泉町)

増え,海外に拠点を移す工場も出てきました。その跡地は,再開発→p.242によって企業のオフィスや研究所,商業施設などに利用され,臨海部などでは景観が大きく変わる地区も出てきました。→p.245

北関東への工場進出と流通の変化

工場の進出は,栃木県や群馬県,茨城県といった北関東にも広がりました。北関東は,もともと繊維工業や航空機の生産が盛んな地域で,その技術や広い土地を活用するために,県や市町村が工業団地を造り,工場を積極的に誘致しました。これらが工場進出の原動力となって,電気機械などの大工場や,大工場から部品の製造を請け負う中小工場も次々と進出し,内陸型の**北関東工業地域**が形成されました。4

現在の北関東工業地域では,電気機械や自動車などの工業が発達しており,関越自動車道や東北自動車道,北関東自動車道などの高速道路の近くに多くの工場が集まっています。5自動車関連の工場では,作業に多くの人手が必要とされるため,外国籍の日系人も大勢働くようになりました。6群馬県や栃木県などで生産された工業製品は,以前は東京港や横浜港から輸出していましたが,2011年に全線開通した北関東自動車道を利用して,茨城港からも輸出するようになり,北関東と外国との工業の結び付きが強まっています。7,8

7茨城港から輸出される建設機械(茨城県,ひたちなか市・東海村)

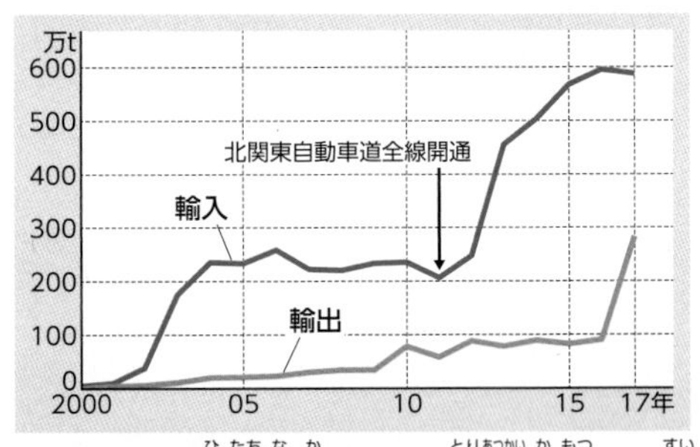

8茨城港(常陸那珂港区)の取扱貨物量の推移〈茨城県資料〉

確認しよう 写真3の都市で生産されている主な工業製品を,図5で確認しよう。

説明しよう 東京大都市圏への人口の集中が,京浜工業地帯と北関東工業地域に与えた影響について説明しよう。

1 はくさいの収穫（茨城県，八千代町，2018年11月撮影）
収穫されたはくさいは，畑で出荷用の段ボールに箱詰めされ，トラックで運ばれます。

2 大田市場に集められた茨城県産のはくさい（東京都，大田区）

6 大都市周辺の農業と山間部の過疎問題

学習課題 東京大都市圏の周辺の農業地域や山間部は，人口の多い東京大都市圏と，どのように結び付いているのだろうか。

農産物	生産量	都道府県別割合（%）
はくさい	89.0万t	茨城 26.5，長野 25.4，群馬 3.7，北海道 2.9，栃木 2.7，大分 2.7，埼玉 2.7，その他 33.4
ねぎ	45.3万t	千葉 13.8，埼玉 12.3，茨城 11.0，群馬 4.3，北海道 4.3，その他 54.3
ほうれんそう	22.8万t	千葉 11.2，埼玉 10.6，群馬 9.4，茨城 7.8，宮崎 6.9，その他 54.1
いちご	16.2万t	栃木 15.4，福岡 10.1，熊本 6.9，静岡 6.7，長崎 6.3，その他 54.6
鶏卵	262.8万t	茨城 8.5，鹿児島 6.9，千葉 6.4，広島 4.9，岡山 4.9，その他 68.4

3 関東地方で生産が盛んな農産物（2018年）〈農林水産省資料〉

4 いちごの収穫作業（栃木県，鹿沼市，11月撮影）

食料の大消費地を支える農業

関東平野の台地（→p.238）では，早くから畑作地が広がり，都市の住民向けに新鮮な農産物を生産する**近郊農業**（→p.158）が発展してきました。近郊農業は，練馬区や江戸川区など東京23区内でも盛んでしたが，都市化（→p.138）に伴い住宅地が拡大すると，市街地よりも外側の地域へと移っていきました。[5]

関東地方では，北海道（→p.278）のような広大な耕地は確保できません。しかし，同じ畑で何度も収穫できる農産物を，東京や横浜などの人口の多い大消費地の近くで生産することで，輸送にかかる時間や費用を抑えることができます。この利点を生かし，茨城県や千葉県などは多くの野菜の生産量で全国の上位を占めています。また，野菜以外にも，新鮮さが要求される果物，牛乳，鶏卵，食肉などが盛んに生産されています。[1, 3] 例えば，栃木県のいちごの生産量は全国有数で，「とちおとめ」などのブランド品種が作られています。また，栃木県では乳牛の飼育が，茨城県や千葉県では鶏卵の生産が盛んです。[3, 4]

関東地方では，道路網が整備され，保冷トラックによる長距離輸送が可能になったため，消費地から離れた地域でも農産物が盛んに生産されるようになりました。[3, 5] 群馬県嬬恋村では，夏でも涼しい高原の気候を生かしたキャベツの生産が盛んです。[5] また，冬でも温暖（→p.237）

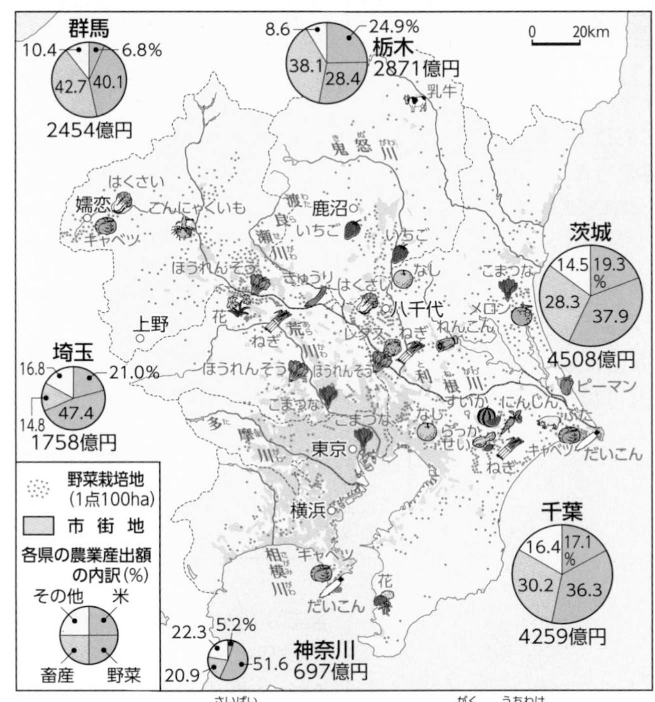

▲**5主な野菜などの栽培地と各県の農業産出額の内訳**（2018年）〈農林水産省資料，ほか〉 **資料活用** 写真1の撮影地を，上の地図中で確認しよう。

上野村に移住した若い人の話

私は東京出身ですが，農業と田舎生活にあこがれがあったので，大学卒業後に上野村にIターン移住し，今は村営の「きのこセンター」で働いています。上野村には，コンビニがない不便さはあっても，すばらしい自然があります。45歳以下の移住者には，月3万～5万円の生活補助金が村から支給される生活支援もありますよ。また，小中学校の給食は無料，18歳以下の子どもの医療費は無料なので，子育てをする世代の人たちにとっても住みやすそうです。私も将来結婚して，上野村で子育てをしたいと考えています。

→**6移住者が働く場となっている村営の「きのこセンター」**（群馬県，上野村，2016年撮影）

な房総半島や三浦半島の南部では，一年中花が栽培されています。→p.239

山間部の役割と地域の再生

関東地方には，山間部を中心に豊かな自然が見られます。箱根や尾瀬7，日光→p.236，奥多摩などには，観光や登山，キャンプなどを楽しむために多くの人々が訪れます。しかし，多くの山間部では，農林業が衰退して人口が流出するとともに，若い世代が各県の中心都市や東京大都市圏→p.242などに移り住むようになったので，高齢化と**過疎**が問題となっています。→p.154

例えば，群馬県南西部の上野村では，長年，若い世代の人口流出が続いたことにより，人口の減少と少子化・高齢化が進んできました。このため上野村では，地域の自然を生かした特産品の開発や働き口の確保6，村営住宅の整備など，若い世代が生活できる村づくりに取り組んできました。その結果，都市部から上野村に戻って生活する**Uターン**（解説）や，ほかの地域の出身者が上野村に移り住む**Iターン**（解説）による移住者が増え，現在ではこれらの移住者が村の人口の2割(2018年)を占めるまでになっています。

関東地方の山間部では，上野村のように，東京大都市圏に近い利点を生かし，都市部の人々との交流や若い世代の移住→p.252を通して，地域の活性化や過疎問題の解決を図る例が増えています。

▲**7尾瀬ヶ原の湿原の木道を歩く人々**（群馬県，片品村，6月撮影）

解説 IターンとUターン

大都市圏出身者が大都市圏以外の地域に移り住むことをIターンといいます。大都市圏以外の出身者が大都市圏に移住し，出身地またはその近くに戻ることをUターンといいます。

確認しよう 関東地方の各県では，稲作・野菜栽培・畜産の中で何が盛んなのか，図5で確認しよう。

説明しよう 東京大都市圏の周辺の農業地域や山間部は，東京大都市圏とどのように結び付いているのか説明しよう。

節の学習を振り返ろう

第5節 関東地方

第5節の問い p.235～249

関東地方における人口の集中は，人々の生活や産業にどのような影響を与えているのだろうか。

1 学んだことを確かめよう >> 知識

1．A～Gにあてはまる都・県庁所在地名と，その都・県名を答えよう。
2．ⓐ～ⓔにあてはまる山脈・山地名，平野名，河川名，半島名を答えよう。
3．①～⑧にあてはまる語句を，下のキーワードや教科書を振り返りながら答えよう。

山間部(→ p.249)
・高齢化や ① が問題となっている地域での，Iターンや Uターンを支援する取り組み

G (→ p.242～243)
・全国第2位の人口をもつ，国際色豊かな都市
・内陸の丘陵地では住宅地が開発されている

東京大都市圏(→ p.242～243)
・東京の中心部から鉄道に沿って，住宅地が周囲の県にも広がる
・ ② による都市問題の解決に向けた，都市の機能を分散する取り組み

京浜工業地帯と京葉工業地域(→ p.246～247)
・東京・神奈川・埼玉と千葉に広がる全国有数の工業が盛んな地域
・ ③ 湾岸には，製鉄所や火力発電所，石油化学コンビナートなどが立地

北関東工業地域(→ p.247)
・工業技術や広い土地があり，県や市町村が工業団地を造って工場を誘致
・ ④ の近くには電気機械などの工場が集まる

農業が盛んな地域(→ p.248)
・大都市の周辺では，野菜や果物，牛乳，鶏卵，食肉などを生産する ⑤ 農業が盛ん

首都， E (→ p.240～241)
・国会議事堂，中央官庁，銀行の本店などが集まる，日本の ⑥ と ⑦ の中心

商業・サービス業が盛んな地域(→ p.244～245)
・ ⑧ が集まる東京にはテレビ局や新聞社，出版社が多い
・サービス業や商業などの第3次産業が盛ん

ⓐ 山脈
ⓑ 山地
ⓒ 平野
ⓓ 川
ⓔ 半島
A B C D E F G
0 50km

▲1白地図を使ったまとめ

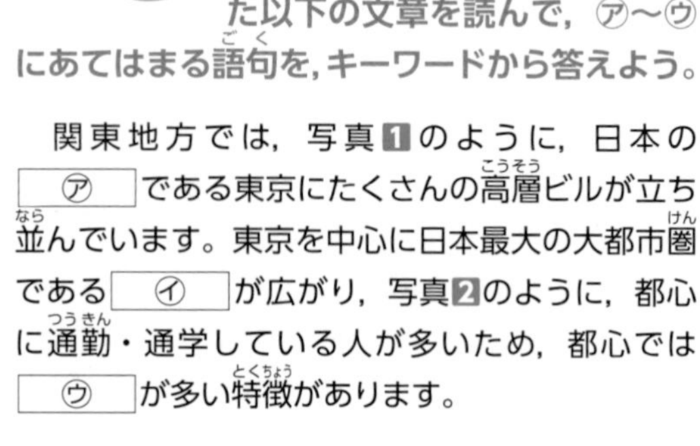

写真を振り返ろう

p.236～237の写真に関連した以下の文章を読んで，㋐～㋒にあてはまる語句を，キーワードから答えよう。

関東地方では，写真1のように，日本の ㋐ である東京にたくさんの高層ビルが立ち並んでいます。東京を中心に日本最大の大都市圏である ㋑ が広がり，写真2のように，都心に通勤・通学している人が多いため，都心では ㋒ が多い特徴があります。

キーワード 意味を説明できた語句にチェックを入れよう。

□関東平野	□副都心	□サービス業
□関東ローム	□東京大都市圏	□商業
□台地	□過密	□京浜工業地帯
□季節風	□都市問題	□京葉工業地域
□ヒートアイランド現象	□再開発	□北関東工業地域
□首都	□ニュータウン	□近郊農業
□夜間人口	□政令指定都市	□過疎
□昼間人口	□情報通信技術(ICT)	□Uターン
□都心	関連産業	□Iターン

2 「地理的な見方・考え方」を働かせて説明しよう ≫ 思考力，判断力，表現力

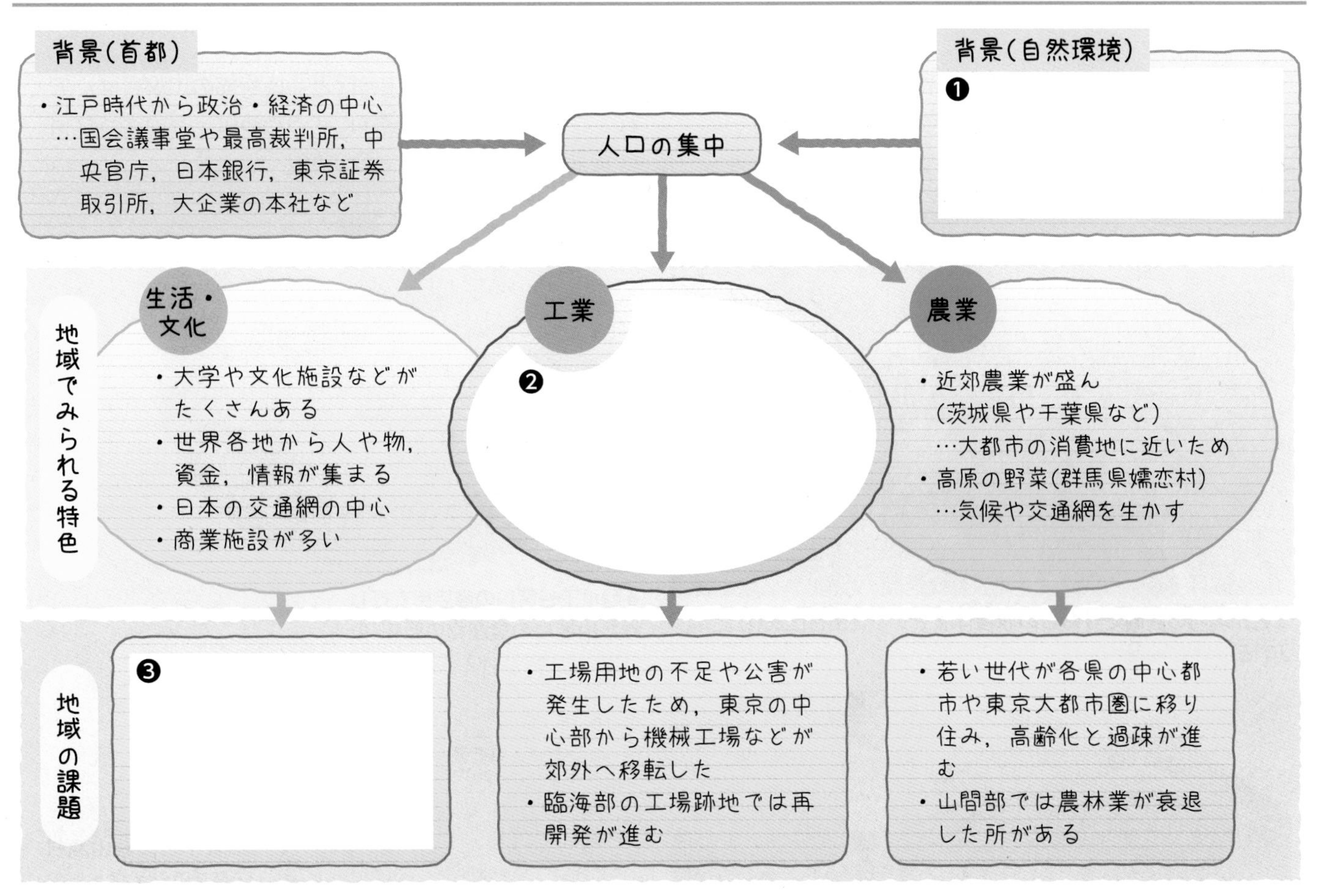

↑2人口の集中に着目して関東地方をまとめた例

ステップ1 この地方の特色と課題を整理しよう

関東地方の自然環境(かんきょう)や工業の特色，地域の課題について，p.250のキーワードや教科書を振(ふ)り返りながら，図2の❶～❸を埋(う)めよう。

ステップ2 「節の問い」への考えを説明しよう

作業1　関東地方，特に東京に人口が集中する理由を，図2を参考に説明しよう。

作業2　関東地方における人口の集中は，人々の生活や産業にどのような影響(えいきょう)を与(あた)えているのだろうか。地理的な見方・考え方を働かせて，節の問いに対するあなたの考えを，「首都(しゅと)」，「商業(しょうぎょう)」，「近郊農業(きんこうのうぎょう)」の語句(ごく)を使って説明しよう。

「節の問い」に関連が深い 見方・考え方
ほかの場所への影響，地域全体の傾向(けいこう)（→巻頭7）

ステップ3 【発展】持続可能な社会に向けて考えよう

作業1　過密(かみつ)や過疎(かそ)の課題を解決(かいけつ)するためには，どのような取り組みを行うとよいだろうか。それぞれの課題が起こっている場所に着目して考えよう。

作業2　グループになり，どのような取り組みを優先(ゆうせん)的に行うことが大切か，また，その取り組みは実現可能(じつげんかのう)か，話し合おう。

作業3　話し合いの結論(けつろん)をp.286の表1に記入し，第4部第1章「地域の在(あ)り方」を考える際(さい)の参考にしよう。

私たちとの関わり

私たちが住む町では，人口がどのように変化しているだろうか。インターネットや統計資料(とうけいしりょう)などを使って，調べよう。

地域の在り方を考える

都市と農村の交流の取り組み

～東京都世田谷区と群馬県川場村の「縁組協定」を例に～

東京23区などの都市部では，市民が豊かな自然や農業に触れる機会が少なくなっています。一方，山あいの農村部では，産業の衰退や過疎に悩んでいる地域が多くあります。都市部の世田谷区と，農村部の川場村は，それぞれの住民の生活を豊かにするために，どのような相互交流の取り組みを行っているのでしょうか。

↑**1川場村の農園でりんごの収穫体験をする世田谷区民**（群馬県，2015年9月撮影）

↑**2世田谷区内の商店街で行われた川場村の農産物の販売**（東京都，2018年12月撮影）

←**4「子ども農山漁村交流プロジェクト」の受け入れモデル地域**〈農林水産省資料〉 農業体験などを目的とした子どもの受け入れは，全国の農村・漁村で行われています。

↑**3災害時には避難所としても利用される道の駅の大型施設**（群馬県，川場村，2017年撮影） 防災備品も備蓄されています。

世田谷区は，東京23区の中でも最大の90万（2019年）の人口をもつ区です。住宅地の拡大とともに都市化が進んだ世田谷区では，区民が自然に触れ合うレクリエーション活動の場をつくるために，1981年に群馬県の川場村と相互協力協定（縁組協定）を結ぶことになりました。

川場村は，総面積の8割以上を森林が占める村で，稲作やこんにゃくいも，りんごの栽培などの農業が主な産業です。1970年代の初めに過疎地域に指定され，農業以外の観光業などの開発が課題となっていたところ，自然豊かな「第二のふるさと」づくりの構想を進めていた世田谷区との縁組みがまとまり，相互交流が始まりました。

まず，世田谷区民が1年単位で川場村のりんごの木のオーナーとなり，春と秋の農作業に参加する取り組みが始められ，川場村の農家と世田谷区民との交流が進められました。また，「世田谷区民健康村」という拠点施設が完成すると，世田谷区立の全小学校の5年生が川場村に宿泊して，登山など自然に親しむ移動教室が始められました。さらに，1990年代には，東京の水源地である川場村の森林を保全するために，区民と村民が協力して森の手入れを行う取り組みや，災害が発生した際に備えた相互援助の取り組みも行われるようになりました。

これらの取り組みは，縁組協定から40年近くたった現在でも続けられており，交流事業によって新しい雇用や若者の移住者が増えた川場村は，2000年には過疎地域の指定から外れました。このような都市と農村の交流の取り組みは，全国の市区町村に広がっています（図4）。

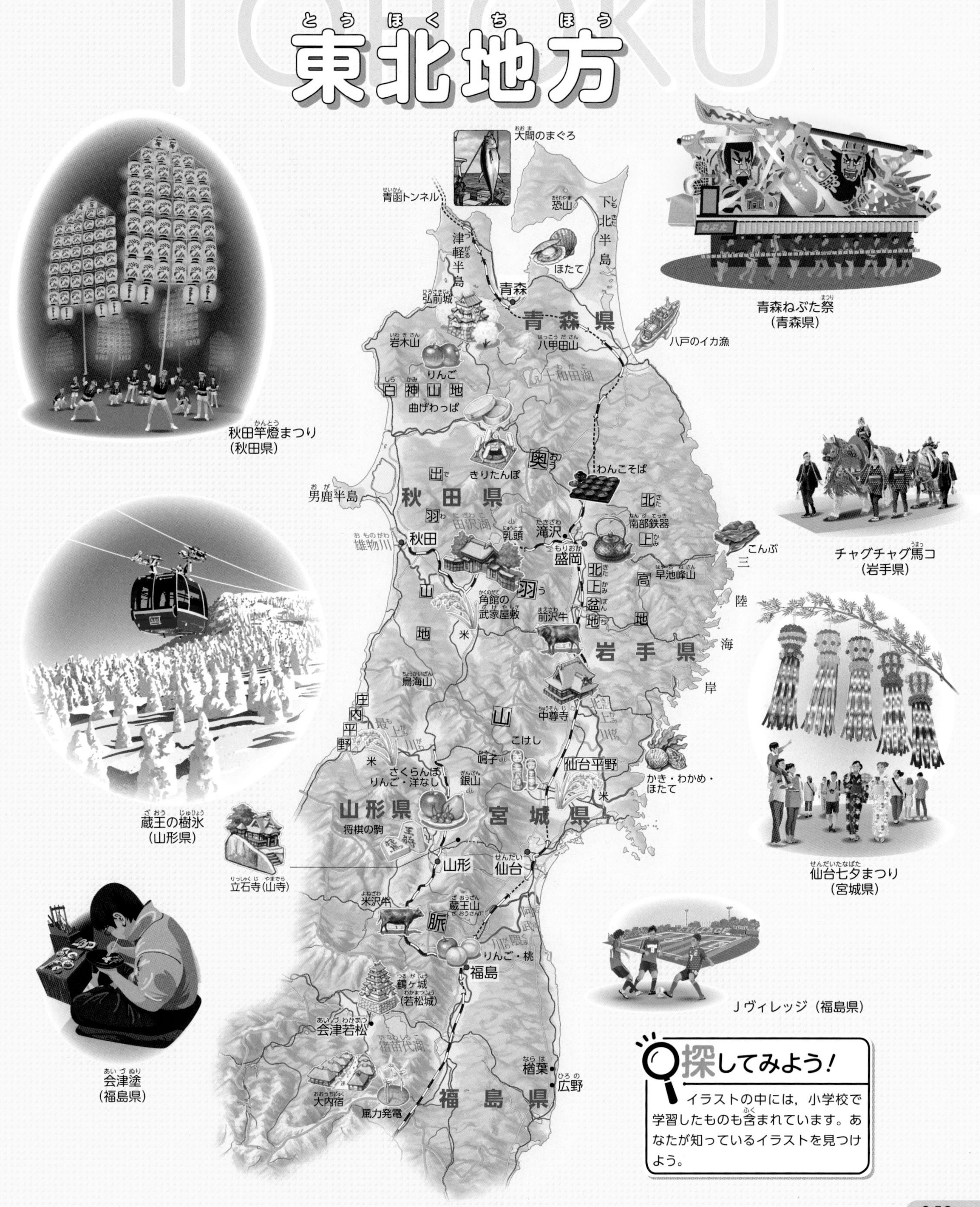
TOHOKU
東北地方
大間のまぐろ
青函トンネル
恐山
下北半島
津軽半島
ほたて
青森
弘前城
青森県
八戸のイカ漁
青森ねぶた祭
(青森県)
岩木山
八甲田山
十和田湖
りんご
白神山地
曲げわっぱ
秋田竿燈まつり
(秋田県)
奥
きりたんぽ
わんこそば
出
男鹿半島
秋田県
北
羽
南部鉄器
田沢湖
乳頭
滝沢
雄物川
秋田
上
こんぶ
盛岡
チャグチャグ馬コ
(岩手県)
三
山
北
高
早池峰山
上
羽
角館の
武家屋敷
前沢牛
陸
盆
地
地
地
米
岩手県
海
鳥海山
岸
庄
内
最上川
平
中尊寺
山
北上川
野
こけし
米
鳴子
仙台平野
さくらんぼ
りんご・洋なし
銀山
かき・わかめ・
ほたて
蔵王の樹氷
(山形県)
山形県
宮城県
仙台七夕まつり
(宮城県)
将棋の駒
立石寺(山寺)
山形
仙台
米沢牛
蔵王山
脈
阿武隈川
りんご・桃
福島
鶴ケ城
(若松城)
Jヴィレッジ(福島県)
会津若松
猪苗代湖
楢葉
会津塗
(福島県)
広野
大内宿
福島県
風力発電
探してみよう!
イラストの中には，小学校で学習したものも含まれています。あなたが知っているイラストを見つけよう。

写真で眺める 東北地方

↑**1 多くの観光客でにぎわう「青森ねぶた祭」**（青森県，青森市，8月撮影） 青森ねぶた祭は，毎年約300万人の観光客が訪れる，東北きっての祭りの一つです。 ➡ p.258

探してみよう！

写真1～6の位置を，地図上で確認しよう。

→**2 わんこそば を楽しむ人々**（岩手県，盛岡市） 一口分の そばが，自分のお碗に蓋をするまで次々と盛られます。 ➡ p.261

←**3 雪の多い地域の伝統行事，「横手の雪まつり」**（秋田県，横手市，2月撮影） 水神様をまつる祭壇を備えた かまくら を作り，子どもたちが七輪で餅を焼くなどして過ごします。

➡ p.258

↑**4鳥海山と庄内平野**(山形県，酒田市，2017年5月撮影)　毎年5月ごろになると鳥海山に積もった雪がとけ始め，とけた所が腰をかがめたおじいさんに見える「種まきじいさん」が山肌に現れます。これを目安に，庄内平野では田植えの時期を迎えます。 ➔ p.256, 260

←**5秋の訪れを告げる風物詩，さんまの水揚げ**(宮城県，気仙沼市，9月撮影)
　三陸海岸は，国内でも有数の漁業地域です。 ➔ p.263

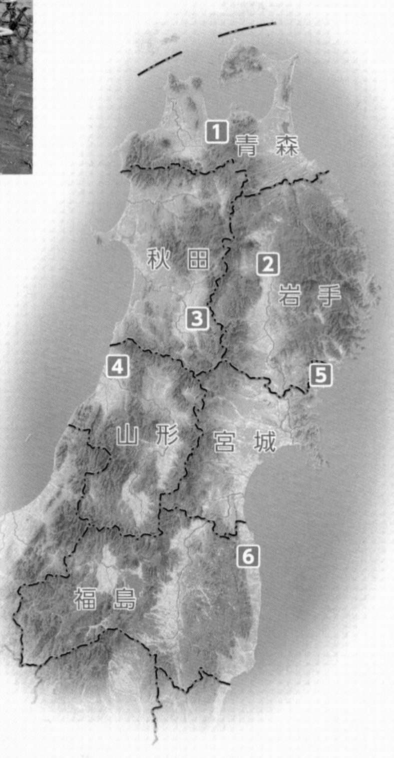

↓**6千年以上の歴史がある「相馬野馬追」**(福島県，南相馬市，2018年7月撮影)　古くから馬の飼育が盛んだった東北地方では，馬を主役にした祭りが各地に見られます。相馬野馬追は，野生の馬を追って捕らえ，奉納したことを始まりとする祭りです。 ➔ p.258

第6節 東北地方

生活・文化に注目して

第6節の問い p.253〜265 東北地方における人々の生活や文化に，自然環境や交通網の整備はどのような影響を与えているのだろうか。

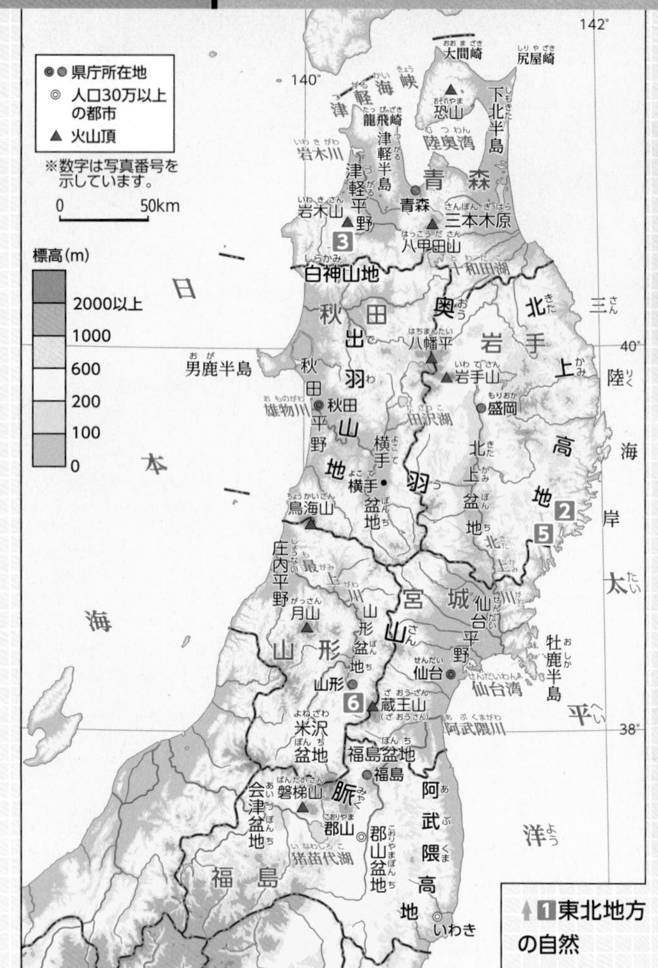

1 東北地方の自然

2 リアス海岸が続く三陸海岸（岩手県，大船渡市，2016年8月撮影）

3 白神山地のぶな林（青森県，西目屋村，8月撮影） 世界遺産に登録された白神山地には，貴重なぶなの原生林が広大に残されています。

1 東北地方の自然環境

学習課題 南北に長い東北地方では，地形や気候にどのような特色がみられるのだろうか。

南北にはしる山脈がつくる地形

東北地方は本州の北部に位置し，南北に長く広がっています。中央には奥羽山脈[6]がはしり，太平洋側には北上高地や阿武隈高地が，日本海側には出羽山地や白神山地[3]が広がります。八甲田山や鳥海山，磐梯山→p.255などの火山が多いのも特徴で，十和田湖のように火山の噴火でできた湖も見られます。火山の周辺には温泉が数多くあり，観光資源となっています。

南北に連なる山脈や山地の合間には，日本海と太平洋に向かって流れる河川により，北上盆地や山形盆地，郡山盆地や会津盆地などの盆地が形成されました。北上川の下流部の仙台平野や，最上川の下流部の庄内平野→p.255などは，広大な稲作地域となっています。東北地

	九州	中国・四国	近畿	中部	関東	東北	北海道
面積 38万km²	11.8%	13.4	8.8	17.7	8.6	17.7	22.0
人口 1.2億人	11.4%	8.8	17.7	16.9	34.1	6.9	4.2

4 日本の面積・人口に占める東北地方の割合（2019年）〈住民基本台帳人口・世帯数表 平成31年版，ほか〉

防災　津波を後世に伝える桜の木

リアス海岸が続く三陸海岸に位置する岩手県陸前高田市は，2011年に起きた東北地方太平洋沖地震(東日本大震災)による津波で，市街地の大半が流されるという大きな被害を受けました。この津波を後世に伝えるために，地元住民とボランティアが協力して，津波が到達した地点に桜の木を植えて，17000本の桜並木をつくる事業が進められています。日本で古くから親しまれてきた桜を目印にして，津波が発生したときには，ここよりも内陸の高い場所へ逃げることを，地域の人々に語り継ごうとしています。

▲5 震災の年から毎年続けられている桜の植樹(右)と開花した桜の花(左)(岩手県，陸前高田市，2018年撮影)

▲6 奥羽山脈にあるスキー場(山形県，蔵王山，2016年2月撮影)　水分を多く含んだ冬の季節風が山の斜面に強く吹きつけるため，樹木の周りに氷や雪がついて固まった樹氷が見られます。

方では，これらの盆地や平野を中心に市街地が発展してきました。

また，日本海側には砂浜が続く海岸線が多く見られるのに対して，太平洋側の三陸海岸には，入り組んだ**リアス海岸**2，➡p.145が続きます。波が穏やかな入り江では，養殖業をはじめとした漁業➡p.255，263が盛んです。

東西と南北で異なる気候

東北地方は本州のほかの地域と比べて緯度が高く，北に行くほど冬の寒さが厳しくなります。また，南北の長さが約500kmもあるため，東北地方の北と南では年平均気温が2～3℃異なります。日本海側では，冬になると北西からの**季節風**➡p.147によって冷たく湿った空気が流れ込むため，雪がたくさん降ります。これに対して太平洋側では，奥羽山脈を越えて乾いた風が吹き降ろすため，雪は少なくなります。

東北地方は，本州のほかの地域と比べて夏も涼しくなります。特に太平洋側では，**やませ**➡p.260とよばれる北東の冷たい風が吹くと，曇りや霧の日が続き，日照時間が不足して気温が低くなります。

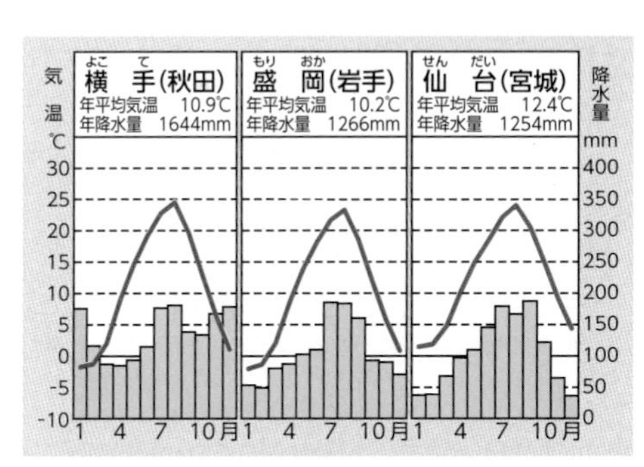

▲7 東北地方の主な都市の雨温図〈理科年表2020，ほか〉 資料活用 三つの都市における降水量の季節変化に注目しよう。

確認しよう　図1で北上川と最上川の流れをたどり，流域に形成された盆地や平野の名称と位置を確認しよう。

説明しよう　東北地方の気候の特色について，東西の違いに着目して説明しよう。

▲1 提灯が輝く「秋田竿燈まつり」(秋田県，秋田市，2017年8月撮影)　長い竹に数十個もの提灯をぶら下げて練り歩きます。

2 伝統行事と生活・文化の変化

月	開催日	祭りの名前
2	第2土曜・日曜	大館アメッコ市(大館市)
	15～17日	横手の雪まつり(横手市)
	17～20日	八戸えんぶり(八戸市)
4	20日～5月5日	角館の桜まつり(仙北市)
	20日～5月6日	弘前さくらまつり(弘前市)
	29日～5月3日	米沢上杉まつり(米沢市)
5	第3土曜・日曜	仙台・青葉まつり(仙台市)
6	第2土曜	チャグチャグ馬コ(滝沢市)
7	最終土曜・日曜・月曜	相馬野馬追(南相馬市など)
	31日～8月4日	八戸三社大祭(八戸市)
8	第1金曜・土曜・日曜	北上・みちのく芸能まつり(北上市)
	2～4日	福島わらじまつり(福島市)
	1～4日	盛岡さんさ踊り(盛岡市)
	1～7日	弘前ねぷたまつり(弘前市)
	2～7日	青森ねぶた祭(青森市)
	3～6日	秋田竿燈まつり(秋田市)
	4～8日	五所川原立佞武多(五所川原市)
	5～7日	山形花笠まつり(山形市)
	6～8日	仙台七夕まつり(仙台市)
	1～3日	郡山うねめまつり(郡山市)
	24～26日	新庄まつり(新庄市)
	最終土曜	大曲の花火(大仙市)
	30日～9月1日	全国こけし祭り(大崎市)
9	第2土曜・日曜	定禅寺ストリートジャズフェスティバル(仙台市)
12	6～31日	SENDAI光のページェント(仙台市)

▲2 **東北地方の主な祭り**(2019年)〈大館市資料，ほか〉 **資料活用** 祭りの多い季節はいつだろうか。

学習課題 東北地方の伝統的な祭りや人々の生活は，どのように変化してきたのだろうか。

地域の生活・文化から生まれた祭り

東北地方の各地には，地域で受け継がれているさまざまな祭りや行事があります。[2] 例えば，「秋田竿燈まつり」では，米俵に見立てた提灯を稲穂の形にかたどった竿燈を持って練り歩き，米の豊作を願います。[1] これは，厳しい自然環境の中で米づくりを行ってきた東北地方において，人々が豊作を願って始めたものです。また，馬を色鮮やかな衣装で着飾らせて町を行進する，岩手県滝沢市の「チャグチャグ馬コ」は，かつて農作業に欠かせなかった馬の労をねぎらう祭りです。この祭りは，人と馬が密接に結び付いた生活の中から生まれました。

→p.255

こうした**伝統行事**は，東北地方の人々の生活や文化と深く結び付きながら，今日まで大切に受け継がれています。

伝統文化を生かした観光業の発展

東北地方では，1970年代から1980年代にかけて，高速道路や新幹線が整備されたことによって，東北地方の各都市の行き来が盛んになり，[5] 全国各地からも仕事や観光で多くの人が訪れるようになりました。それに伴って，東北地方で行われてきた多くの祭りが，新たな観光資源として注目されるようになりました。

↑→**3仙台市と山形市を結ぶ高速バス**(上)**とバス停の時刻表**(右)(宮城県，仙台市，2019年撮影)

高速バス　**仙台～山形**　【予約不要・座席定員制】　FOR YAMAGATA

仙台駅前㉒　平成31年4月1日改正

	平日(月曜～金曜) Week Day(Monday~Friday)		土曜・日曜・祝日 Saturday,Sunday&Holiday Aug13～16、Dec29～31、Jan2～3
6	15 30 45	6	35 55
7	00 05 12 17 22 27 35 50	7	15 35 55
8	05 20 30 40 50	8	20 40
9	00 10 20 30 45	9	00 20 40 55
10	00 15 30 45 55	10	10 25 40 55
11	10 20 30 45	11	10 30 50
12	00 20 40	12	10 30 50
13	00 20 40	13	10 25 40 55
14	00 20 35 50	14	10 25 40 55
15	05 20 30 40 50	15	10 20 30 40 55
16	00 10 20 35 50	16	10 20 30 40 50 58
17	00 10 20 28 36 44 52	17	06 14 22 30 40 50
18	00 10 18 28 35 45 55	18	00 10 20 30 40 55
19	05 12 20 35 50	19	10 25 40 55
20	05 20 35 50	20	10 25 40 55
21	05 20 35 50	21	15 30 45
22	05 20 30	22	00 15 30

←**4鮮やかな七夕飾りでいろどられた「仙台七夕まつり」**(宮城県，仙台市，2018年8月撮影)

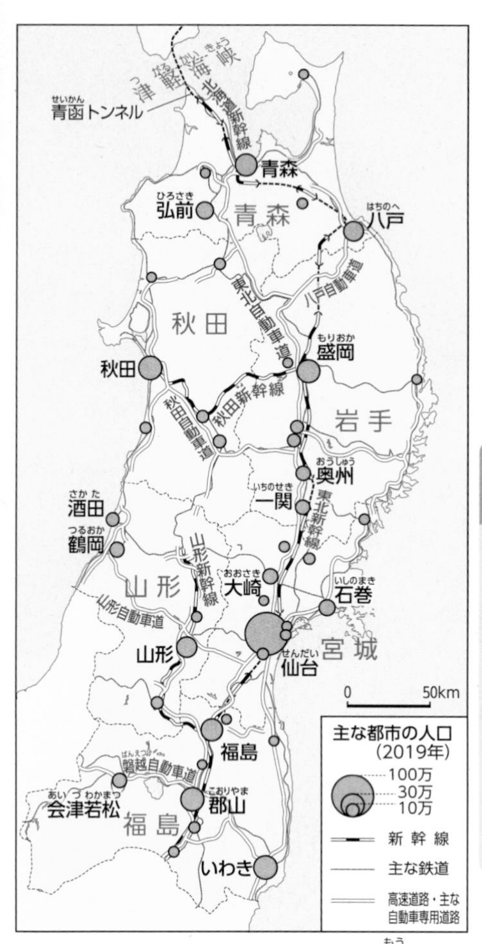

↑**5東北地方の主な都市の人口と交通網**〈住民基本台帳人口・世帯数表 平成31年版，ほか〉

例えば，仙台市の「仙台七夕まつり」4は，本来は豊作を願う祭りですが，近年は商店街の振興を目的とした観光イベントとして盛大に行われています。この「仙台七夕まつり」，「秋田竿燈まつり」1，「青森ねぶた祭」→p.254は東北三大祭りとよばれ，これらの夏祭りをめぐるツアーは人気で，国内外から多くの観光客が訪れます。

生活・文化の拠点として発展する仙台市

仙台市は，江戸時代の城下町から発展した緑豊かな町で，人口が100万を超える(2019年)東北地方で唯一の政令指定都市→p.243です。東北地方の行政・経済などの中心的な役割を担い，政府の出先機関や企業の支店，大型の商業施設などが集まっています。仙台市と東北地方の各都市を結ぶ，新幹線や高速バス3を利用して，買い物や観光だけでなく，通勤や通学で多くの人々が仙台市を訪れるようになりました。また，仙台市を本拠地とするプロ野球球団6やプロサッカーチーム，プロバスケットボールチームもあるため，これらの試合観戦をするために訪れる人も増えています。

このように仙台市を中心とする**都市圏**→p.154が形成される一方で，東北地方では，新幹線や高速道路などが通らない地域を中心に，人口の減少や高齢化が進んでいる地域もあり，課題となっています。

↑**6仙台市を本拠地にするプロ野球球団の試合風景**(宮城県，仙台市，2019年撮影)

確認しよう　東北地方に見られる祭りや伝統行事は，どのような目的で始められたものが多いか，確認しよう。

説明しよう　東北地方の伝統行事や人々の生活は，どのように変化しているか，交通網の整備の点から説明しよう。

1やませによる霧が立ちこめる水田(青森県，三沢市，5月撮影)と「雨ニモマケズ」の一節

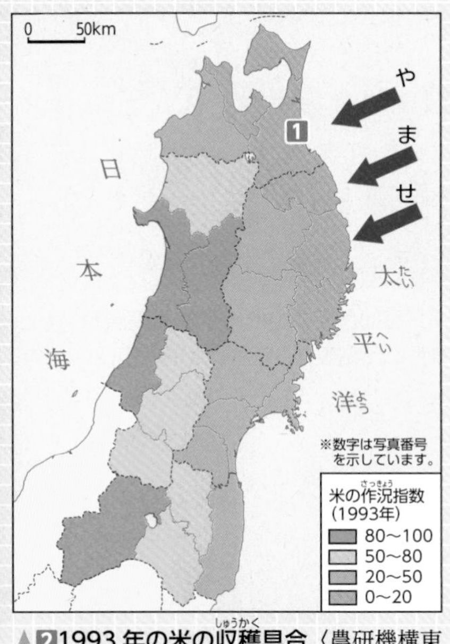

2 1993年の米の収穫具合〈農研機構東北農業研究センター資料〉 平年の米の収穫量を100とした場合の，1993年の収量の比率を示しています。

3 稲作と畑作に対する人々の工夫や努力

学習課題 東北地方の人々は，冷涼な気候の下で農業を発展させるために，どのような工夫や努力を行ってきたのだろうか。

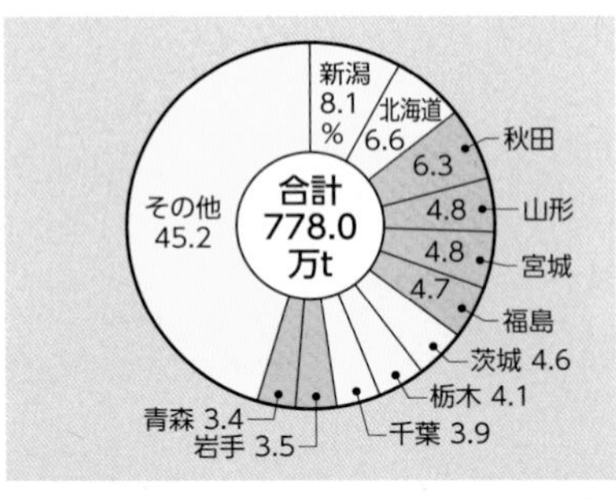

3米の生産(2018年)〈農林水産省資料〉

資料活用 東北地方の米の生産量は，全国でどのくらいの割合を占めるのだろうか。

米作りと寒い夏の克服

仙台平野や庄内平野，秋田平野など，東北地方の平野や盆地では，古くから米の生産が盛んに行われてきました。東北地方の祭りに，豊作への願いや収穫への感謝を表すものが多いことからも，稲作が人々の生活の基盤にあったことが分かります。しかし，岩手県出身の詩人である宮沢賢治が，「雨ニモマケズ」という詩の中で「サムサノナツハ　オロオロアルキ」とうたったように，東北地方の農家は夏の低い気温に苦しめられ，自然の厳しさと闘ってきました。

→p.255 →p.258

東北地方の太平洋側では，**やませ**の影響を強く受けると，稲が十分に育たず，収穫量が減る**冷害**が起こることがあります。特に1993年には多くの地域で冷害が起き，東北地方が大きな被害を受けただけでなく，日本中が米不足で苦しみました。この年をきっかけに，宮城県で開発されていた「ひとめぼれ」など，冷害に強い品種の栽培が広がりました。

現在では，水田に水を深く張って根の保温効果を高める昔からの対策法に加え，気温と稲の生育状況を管理することで冷害の警戒を伝える情報システムを利用する農家もいます。

解説 やませ

稲の生長期にあたる，主に6月から8月にかけて，東北地方を中心に吹く冷たく湿った北東の風のことをいいます。やませが吹くと，東北地方の太平洋側では霧や雲が多く発生し，日照時間が減少するため，稲が十分に育たなくなり，収穫量が少なくなります。また，やませによって気温の低い日が続くと，夏でもストーブなどの暖房器具を使うことがあります。

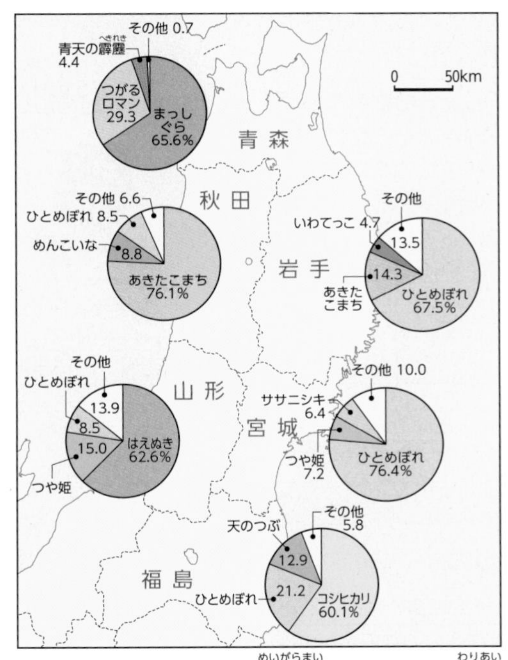

4 東北地方各県の主な銘柄米の作付面積の割合（2018年）〈米穀安定供給確保支援機構資料〉

地理プラス 秋の風物詩，芋煮会

山形県や宮城県などでは，秋になると河原などの屋外に家族や友人が集まり，さといもが入った鍋を囲んで，みんなで食事を楽しみます。この風習は芋煮会とよばれ，秋に行われる地域独特の伝統行事となっています。

芋煮会は，冬の低温に弱い さといも を寒くなる前に消費しようとした生活の知恵から始まったともいわれ，地域の人々の生活に根づいています。秋に欠かせない季節行事である芋煮会は，学校行事になっている所もあり，この時季の河原は，家族や職場の仲間，友人などで集まった多くの人でにぎわいます。

5 河原で芋煮会をする子どもたち（山形県，東根市，2016年9月撮影）

減反政策と銘柄米の開発

1970年代になると，日本人の食生活が変化したことによって米の消費量が減り，米が余るようになったため，政府は米の生産量を減らす**減反政策**❶を始めました。東北地方の米の産地では，大豆や麦など，ほかの作物への転作→p.277が進みましたが，消費者に喜ばれる米作りを目指して，冷害に強いだけでなく，よりおいしい**銘柄米**→p.230の開発も進められました。現在は，秋田県の「あきたこまち」や山形県の「はえぬき」「つや姫」など，それぞれの県を代表する銘柄米が全国で販売されています→p.277。4

冷涼な気候を生かした農業と食文化

東北地方では，古くから寒さに強い そば や小麦の栽培も広く行われてきました。そのため，岩手県盛岡市の わんこそば→p.254 や秋田県の稲庭うどん のように，そば や小麦を使った食文化が根づいています。また，米の不作に備えて，さといも も各地で作られてきました。5

やませ が吹き込む太平洋側では，冷涼な気候を生かした畑作や酪農も盛んです。岩手県遠野市は，涼しい気候の下で育ち，ビールの原料となるホップの日本有数の産地です→p.263。青森県の三本木原は，夏の低温の影響を受けにくい根菜類である，にんにく6 や ごぼう，ながいも などの一大産地となっています→p.263。また，比較的なだらかな高原が広がる北上高地には，乳牛の牧場が多くあります。

❶ この政策の下では，政府が各県で生産できる米の量を決定していました。しかし，海外からの米が大量に輸入されることを見込み，輸入米に対する国産米の競争力を高める必要性が出てきたため，2018年度に減反政策は廃止されました。

6 にんにくの収穫（青森県，東北町，7月撮影）

やませの影響が強い年には，東北地方の太平洋側の地域で，どのような影響があったのか，図2から読み取ろう。

東北地方の農家が行っている稲作の工夫について，「やませ」，「冷害」，「品種」の語句を使って説明しよう。

1さくらんぼ の選別と箱詰め作業（山形県，東根市，2017年6月撮影）

さくらんぼ農家の話

さくらんぼの出荷作業は，一粒ずつ大きさを判別したり，向きをそろえて箱詰めしたりしなければならないので，家族だけでなく近所の人たちにも手伝ってもらっているの。地元の農協に出荷したり，直接注文の全国のお客さんに発送したりして出荷時期は大忙しよ。

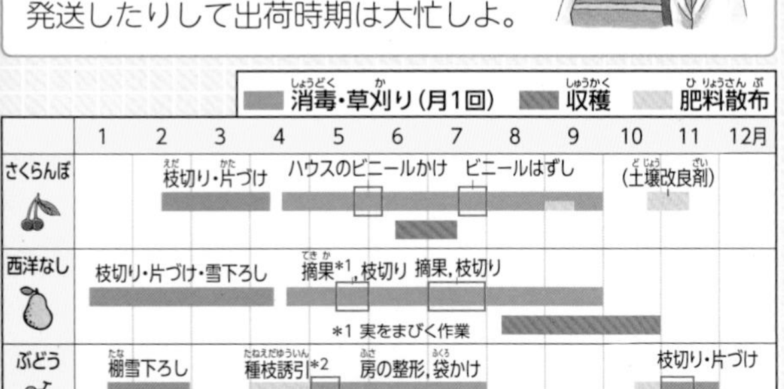

2山形盆地にある観光農園の年間の農作業

4 果樹栽培と水産業における人々の工夫や努力

学習課題 東北地方で盛んに行われている果樹栽培や水産業には，どのような工夫や努力がみられるのだろうか。

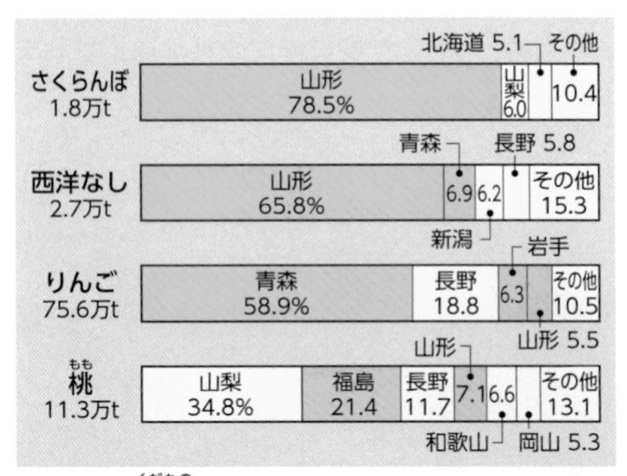

3主な果物の生産量（2018年）〈農林水産省資料〉

4桃の収穫（福島県，福島市，7月撮影） 収穫から出荷まで手作業で大切に扱います。

果樹栽培における農家の人々の工夫

スーパーマーケットや青果店に行くと，季節によって，東北地方でとれた さまざまな種類の果物が売られています。東北地方の盆地や平野の へり にある傾斜地，山あいから川が流れ出る所にある扇状地→p.144では，水はけがよく，日あたりもよいため，**果樹栽培**が盛んに行われてきました。3，8

山形県は，県の中央部の山形盆地を中心に，夏の昼夜の気温差を生かした果樹栽培を営む農家が多く，「果物王国」とよばれています。なかでも，さくらんぼ の「佐藤錦」や「紅秀峰」が有名で，高速道路や空港が整備されたことで，トラックや航空機で全国各地に出荷されるようになりました。さくらんぼ農家の中には，1年を通して西洋なし や ぶどう など，さまざまな果物を並行して栽培し，2 安定した収入が得られる努力をしているところもあります。また，観光農園を開いて観光客をよぶ取り組みも広まっており，収穫や出荷1の手間が省けるだけでなく，地域の活性化にもつながっています。

山形県よりも冷涼な青森県では，津軽平野を中心に りんご の栽培が盛んで，5 国内の生産量の半分以上を占めており，3 近年は中国や台湾などへの輸出にも力を入れています。このほかにも，福島県では，福島盆地などの桃が日本有数の生産量を誇っています。4

小学校●歴史●公民との関連 自然環境に適応した生活（小），日本の農業や水産業（小）

5 りんご の せり（青森県，弘前市，2016年撮影）　収穫期である9～12月の間の1日あたりの取扱量は，りんごの箱で約42000箱（約840t），多いときには15万箱近くになります。

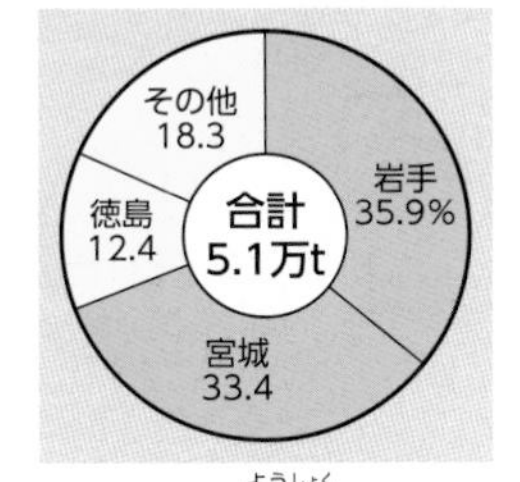

7 わかめの養殖量（2018年）〈農林水産省資料〉

6 わかめの水揚げ（岩手県，宮古市沖，2016年1月撮影）

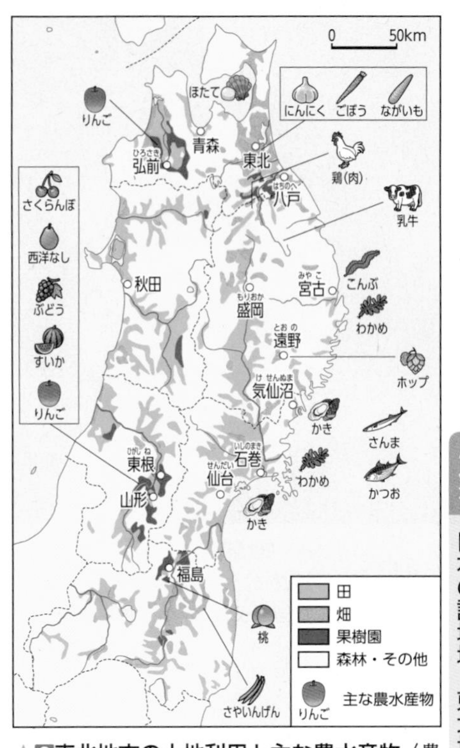

8 東北地方の土地利用と主な農水産物〈農林水産省資料，ほか〉　資料活用　各県で，どのような農産物や水産物が生産されているのだろうか。

生活に根ざした水産業の営み

三陸海岸の漁港に近い地域では，学校の運動会などの応援の際に，豊漁を祈願する大漁旗が使われることがあります。9 かつては，学校の運動会が漁の合間の5月に行われていたこともあるほど，漁業と生活が密接に結び付いています。三陸海岸の沖合いには，寒流の親潮と暖流の黒潮が出会う**潮目**（潮境）→p.145があり，かつお や さんま などたくさんの魚が集まる豊かな漁場となっています。そのため，八戸や気仙沼，石巻など，水揚げ量の多い漁港が点在しています。また，リアス海岸→p.145が続く三陸海岸の入り江や陸奥湾→p.256では，波が穏やかなため，かき や わかめ，ほたて などの**養殖業**6, 7が盛んに行われてきました。8 漁港の周辺には，豊かな水産物を，かまぼこ などの練り物や干物，塩漬けの わかめ といった食品に加工する工場が集まっています。

2011年の東北地方太平洋沖地震（東日本大震災）によって，漁港や水産加工場は大きな被害を受けましたが，かつお の水揚げ量や わかめ の生産量などは震災前に戻りつつある所もあります。また，水産加工場の再建など，復興を目指した努力も続けられています。

9 運動会で大漁旗を使った衣装を着てソーラン節を踊る子どもたち（宮城県，気仙沼市，2017年撮影）

確認しよう　東北地方では，どのような地域で，どのような果樹を栽培しているのか，図3や図8で確認しよう。

説明しよう　東北地方の果樹栽培農家にみられる生産の工夫について，説明しよう。

1 自動車工場（上）と工場での生産の様子（右）（宮城県，大衡村，2015年撮影）

自動車工場は，どのような場所に造られたのかな？

2 東北地方の主な工業と出荷額〈平成29年 工業統計表，ほか〉

5 工業の発展と人々の生活の変化

学習課題 東北地方の工業は，交通網の整備や人々の生活の変化とともに，どのように発展してきたのだろうか。

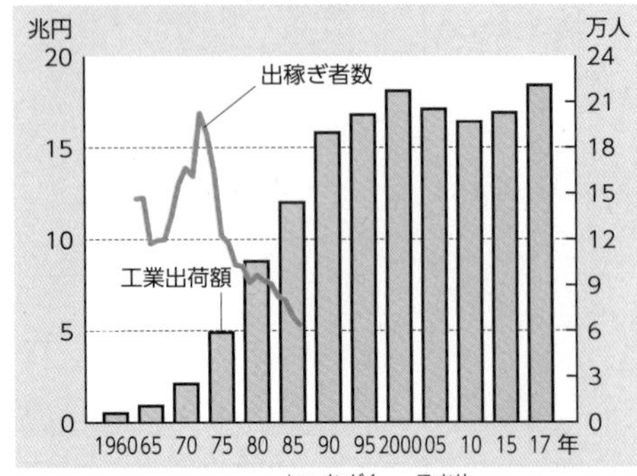

3 東北地方の工業出荷額と出稼ぎ者数の変化〈平成30年 工業統計表，ほか〉 資料活用 出稼ぎ者数と工業出荷額はどのように変化しているだろうか。

4 風力発電所の風車群（福島県，郡山市）

交通網の整備による工業の成長

1940年ごろまでの東北地方は農林水産業が中心で，岩手県釜石市の製鉄業を除けば，食品工業や木材の加工業が主な産業でした。そのため，仕事を求めて東北地方から集団で関東地方へ就職する人や，積雪によって農業ができない冬の間だけ出稼ぎに行く人が大勢いました。[3]

1970年代から1980年代にかけて，東北自動車道や東北新幹線など南北方向の交通網が整備され，その後，山形・八戸・磐越・秋田自動車道や，山形新幹線・秋田新幹線など東西方向の交通網が発達しました。交通網の整備に伴い，岩手県北上市や福島県郡山市などの高速道路沿いに**工業団地**→p.259が造られ，労働力を必要とする電気機械工場などが誘致されるようになりました。働く場所が増えたことで，出稼ぎはほぼなくなり，農業や漁業と兼業する人も増えました。[2]

新たな工業の発展と環境に配慮したエネルギーの導入

1990年代になると，岩手県から宮城県にかけての高速道路沿いに規模の大きな自動車工場が進出し，それに関連する部品工場も増えていきました。[1] 2011年の東北地方太平洋沖地震（東日本大震災）の際には，これらの工場も大きな被害を受けましたが，現在では，ハイ

地理プラス

炭鉱の町から温泉テーマパークの町へ

福島県いわき市とその周辺の地域には，常磐炭田とよばれる炭田が広がり，炭鉱で働く人々でにぎわっていました。しかし，1960年代から石炭の事業は衰退し，多くの人が失業したため，地域社会に大きな影響が出ました。そこで炭鉱を経営していた企業が，石炭を掘る際に湧き出ていた温泉水を，テーマパークに利用する事業を始め，地域が活気づきました。いわき市は，東北地方太平洋沖地震（東日本大震災）による大きな被害を受けましたが，現在でもテーマパークは復興の象徴として，多くの人々を勇気づけています。

5 テーマパークでフラダンスのショーを楽しむ観光客（福島県，いわき市）

6 南部鉄器の製造風景（岩手県，盛岡市）

7 会津塗の技術を学ぶ若者（福島県，会津若松市，2016年撮影）

ブリッドカーをはじめとする自動車生産の一大拠点として，自動車産業を中心とした工業地域となっています。また，東日本大震災による福島県の原子力発電所の事故をきっかけに，東北地方では原子力発電に代わる新しいエネルギー源として，風力や地熱，太陽光，バイオマス❶など，再生可能エネルギー[4]を導入する動きが活発になっています。→p.157このほかにも，山形県や岩手県を中心に，電子部品や情報通信機械などの製造が盛んに行われており，医療機器の製造など，新たな産業の育成も進められています。

進化する伝統的工芸品と後継者の育成

東北地方には，漆器の会津塗や津軽塗，木工品の天童将棋駒をはじめとするさまざまな**伝統的工芸品**[8]があります。→p.218これらには，地元でとれる材料が使われており，江戸時代以前から，職人が育成されたり，冬の間の農家の副業として行われたりしながら発達してきました。なかでも岩手県の南部鉄器[6]は，古くから地元に豊富にあった砂鉄や漆，木材といった資源を利用して作られてきました。安くて軽い調理器具が普及したことにより，生産量は一時減少しましたが，現代風にデザインを変えることで，国内だけでなく海外でも人気を得るようになりました。

一方，こうした伝統的工芸品を作る職人の高齢化が進んでおり，後継者が不足するという課題に直面しています。そこで，訓練校を開き，後継者の育成に取り組んでいる例もみられます[7]。

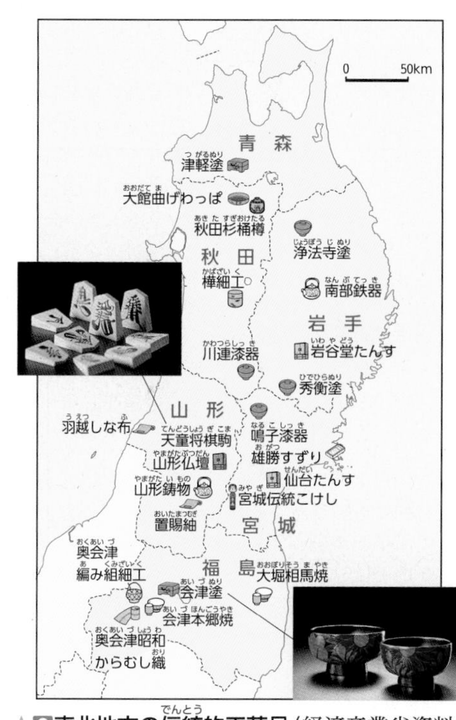

8 東北地方の伝統的工芸品〈経済産業省資料〉

❶ 木材や牛ふんなど，生物由来の資源の総称で，バイオマス発電は，これらを発酵させてガス化し，発電に利用します。

確認しよう　東北地方で工業が盛んな都市を，図2で確認しよう。

説明しよう　東北地方の伝統的工芸品はどのように変化しているのか，説明しよう。

節の学習を振り返ろう

第6節 東北地方

第6節の問い p.253〜265 東北地方における人々の生活や文化に，自然環境や交通網の整備はどのような影響を与えているのだろうか。

1 学んだことを確かめよう ≫ 知識

1．A〜Fにあてはまる県庁所在地名と，その県名を答えよう。

2．ⓐ〜ⓓにあてはまる河川名，平野名，山脈名を答えよう。

3．①〜⑨にあてはまる語句を，下のキーワードや教科書を振り返りながら答えよう。

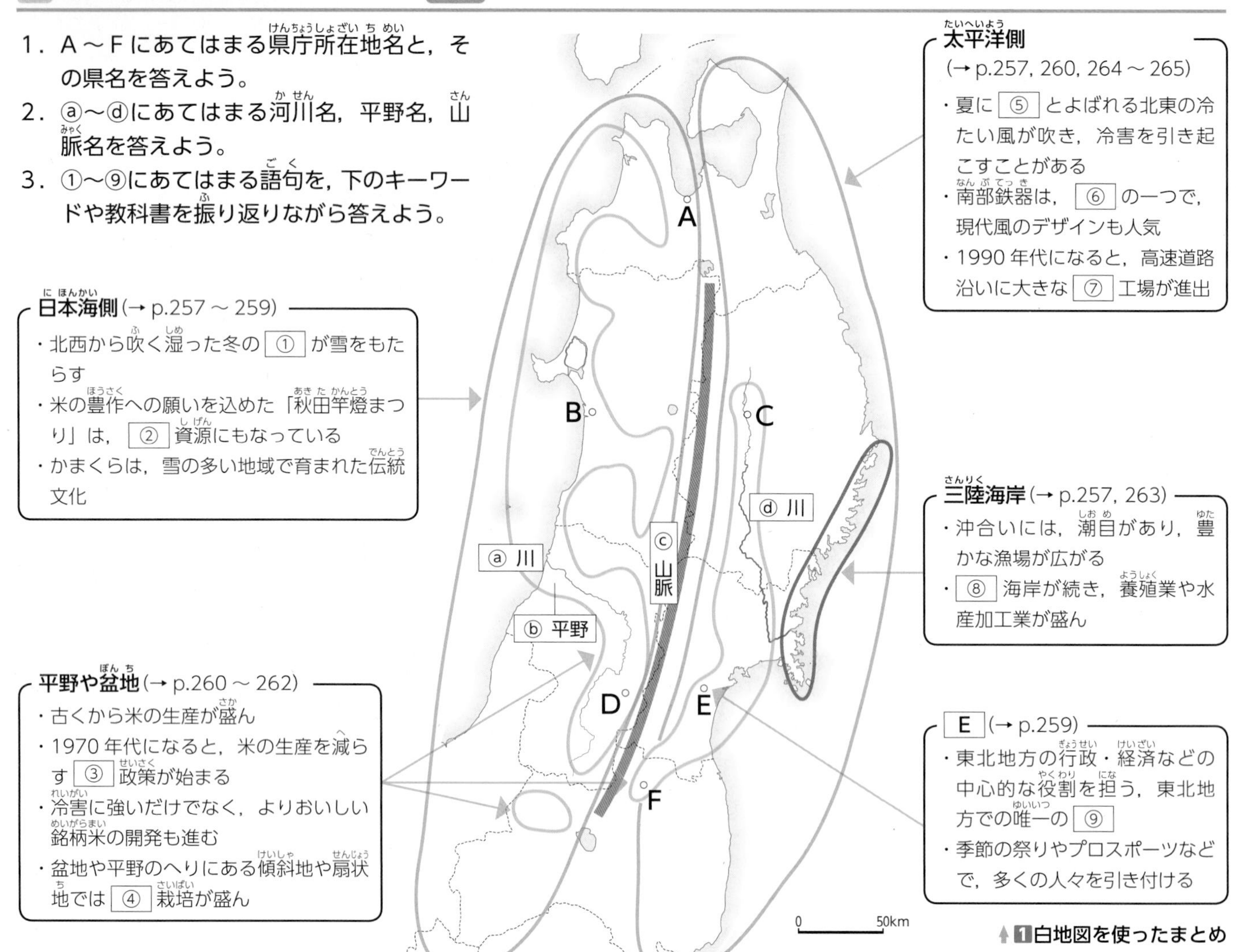

▲1白地図を使ったまとめ

写真を振り返ろう

p.254 〜 255 の写真に関連した以下の文章を読んで，㋐〜㋓にあてはまる語句を，キーワードから答えよう。

東北地方では，写真4のように，古くから米の生産が盛んに行われてきました。しかし，夏に［　㋐　］とよばれる北東からの冷たい風が吹くと，太平洋側を中心に［　㋑　］に悩まされることがあります。

三陸海岸の沖合いには，寒流と暖流が出合う［　㋒　］があるため，写真5のように漁業が盛んで，かき や わかめ などの［　㋓　］も行われています。

キーワード

意味を説明できた語句にチェックを入れよう。

- □リアス海岸
- □季節風
- □やませ
- □伝統行事
- □都市圏
- □冷害
- □減反政策
- □銘柄米
- □果樹栽培
- □潮目
- □養殖業
- □工業団地
- □伝統的工芸品

2 「地理的な見方・考え方」を働かせて説明しよう ≫ 思考力，判断力，表現力

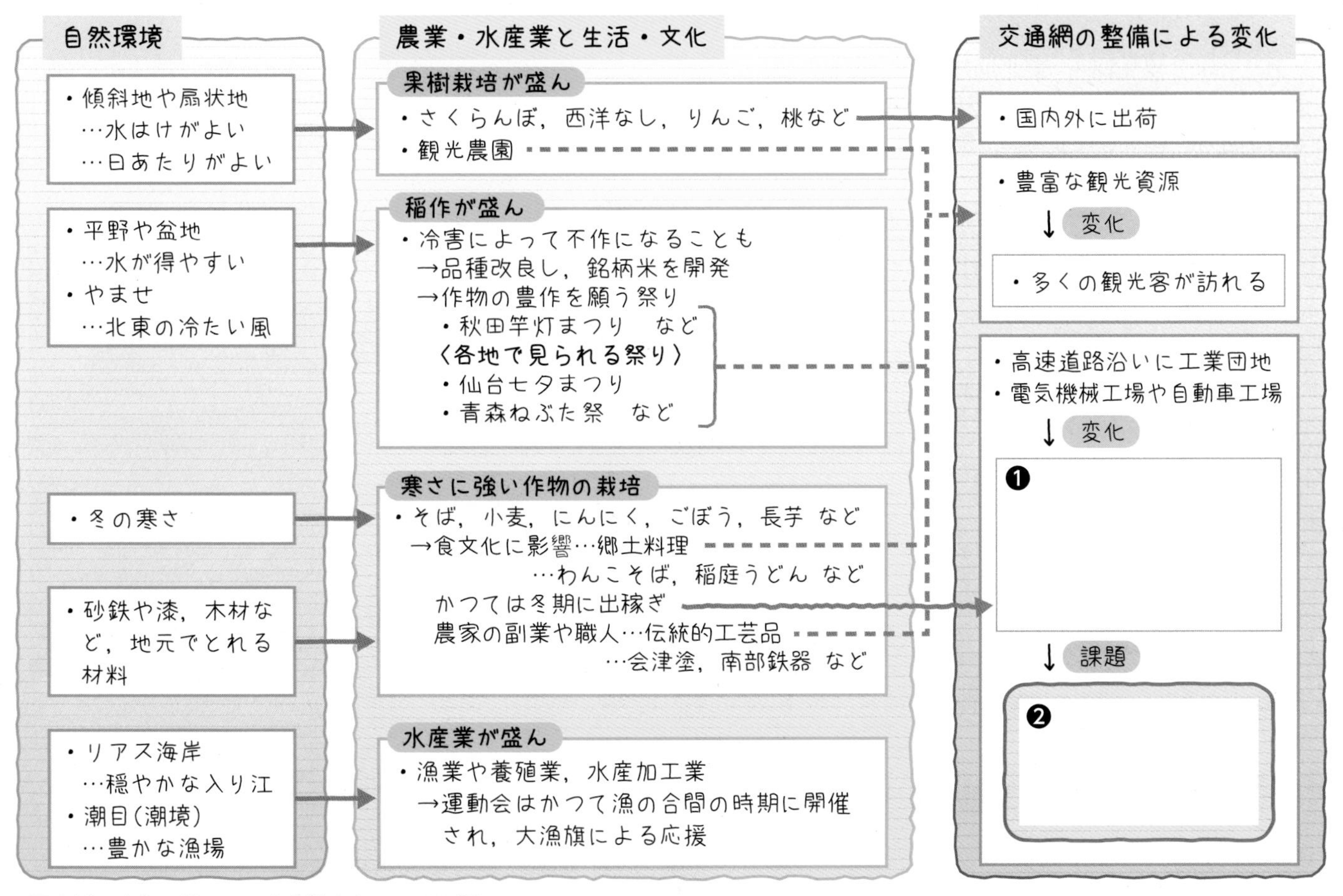

▲2生活・文化に着目して東北地方をまとめた例

ステップ1 この地方の特色と課題を整理しよう

交通網の整備によって生じた，東北地方の生活における変化や課題について，p.266 のキーワードや教科書を振り返りながら，図2の❶と❷を埋めよう。

ステップ2 「節の問い」への考えを説明しよう

作業1　東北地方では，自然環境を生かして，どのような産業が発達したか，図2を参考に説明しよう。

作業2　東北地方における人々の生活や文化に，自然環境や交通網の整備はどのような影響を与えているのだろうか。地理的な見方・考え方を働かせて，節の問いに対するあなたの考えを，「伝統行事」，「冷害」，「工業団地」の語句を使って説明しよう。

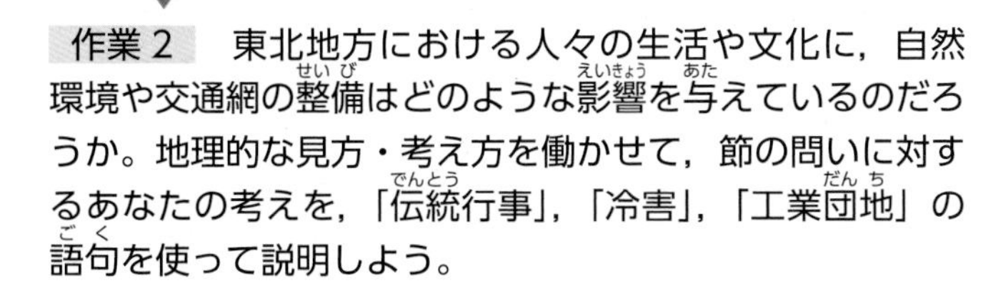

「節の問い」に関連が深い見方・考え方
ほかの場所への影響，地域全体の傾向（→巻頭7）

ステップ3 【発展】持続可能な社会に向けて考えよう

作業1　東北地方の伝統文化を継承していくためには，どのような取り組みを行うとよいだろうか。抱えている課題を踏まえて考えよう。

作業2　グループになり，どのような取り組みを優先的に行うことが大切か，また，その取り組みは実現可能か，話し合おう。

作業3　話し合いの結論を p.286 の表1に記入し，第4部第1章「地域の在り方」を考える際の参考にしよう。

私たちとの関わり

私たちが住む町には，どのような伝統文化が継承されているのだろうか。祭り，伝統的工芸品，食文化などについて調べよう。

地域の在り方を考える

災害からの復興と生活の場の再生

～高台に移転した岩手県宮古市田老地区を例に～

2011年3月11日，東北地方太平洋沖地震（東日本大震災）によって，東北地方の太平洋側の沿岸を中心とする地域を，巨大な津波が襲いました。これにより，多くの人命，建物，人々の暮らしの場が奪われました。被害が大きかった宮古市田老地区では，復興に向けてどのような取り組みが行われているのでしょうか。

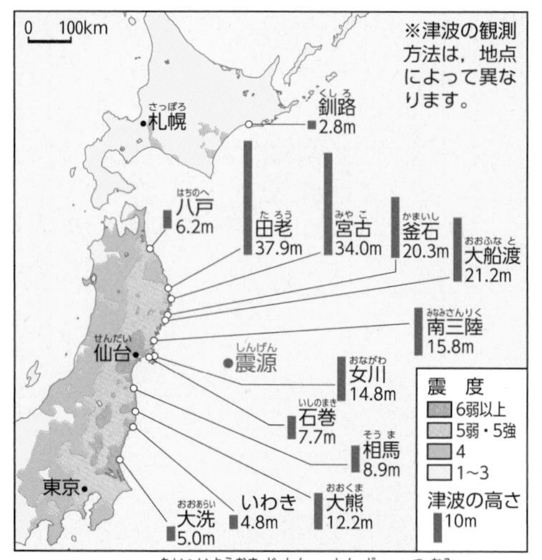

1 東北地方太平洋沖地震の震度と津波の高さ〈気象庁資料，ほか〉

2 田老地区の様子（岩手県，宮古市，2018年撮影）　海に近い地域は，津波によって大きな被害を受けたため，住宅を建てることができないエリアに指定されています。

3 高台に造成された新しい住宅地（三王団地）の移り変わり（岩手県，宮古市）

4 集会所で行われた餅つき大会（田老地区，2019年撮影）

宮古市田老地区では，長年，町を守ってきた防潮堤が2011年の大地震の津波によって破壊され，たくさんの人が犠牲になりました。震災後，多くの人々は住み慣れた地域を離れ，高台に造られた新しい住宅地（三王団地）か，かさ上げした旧市街地に住むことになりました。

三王団地への移転は，2016年ごろから始まり，今では，約240世帯，約600人が暮らしています（2019年）。しかし，震災前には別々の地域に住んでいた人々が集まっているため，新しい団地での生活や近所づきあいに不安を感じる人もいました。そこで，住民たちの呼びかけによって，2017年に「三王地区自治会」が結成され，自分たちの手で地域の問題を解決していこうと，新しいまちづくりに向けた取り組みが始められました。

自治会では，地域の問題を定期的に話し合う場を設けたり，多くの人が気軽に参加できるイベントを開催したりするようになりました（写真4）。また，家に閉じこもりがちな高齢者が集まる場も，積極的に設けられています。このような取り組みを通して，世代や職業を超えて，さまざまな交流が生まれ始めています。

現在，田老地区では，新たな防潮堤の建設など，災害に強いまちづくりが進められています。同時に，幅広い世代の人々が生活しやすい環境を整え，地域の担い手を確保していこうと，人々によるさまざまな取り組みが続いています。

HOKKAIDO

北海道地方

礼文島
こんぶ
稚内
宗谷岬
利尻島
天塩川
天塩山地
北見山地
旭山動物園（旭川市）
択捉島
国後島
さけ
色丹島
歯舞群島
根室
かに
オホーツク海
かに
ほたて
知床半島
エゾヒグマ
サロマ湖
網走
肉牛
旭川
大雪山
ナキウサギ
たまねぎ
屈斜路湖
石狩山地
小樽運河（小樽市）
石狩川
ラベンダー
北海道
タンチョウ
乳牛
根室
根釧台地
小樽
石狩平野
メロン
時計台
スキー
札幌
小麦
十勝平野
てんさい
帯広
釧路
かき
日本海
肉牛
さけ
洞爺湖
だいこん
日高山脈
十勝川
渡島半島
有珠山
じゃがいも
アットゥシ織
太平洋
ほたて
室蘭
馬
奥尻島
教会
襟裳岬
函館
青函トンネル
流氷と観光船（網走市）
さっぽろ雪まつり（札幌市） 
五稜郭（函館市） 

探してみよう!

イラストの中には，小学校で学習したものも含まれています。あなたが知っているイラストを見つけよう。

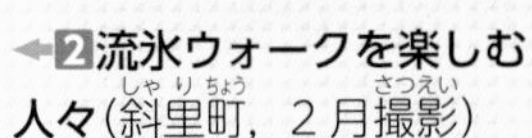

2流氷ウォークを楽しむ人々（斜里町，２月撮影）

1オホーツク海を覆う流氷を観光船に乗って見る人々（網走市沖，2016年３月撮影）　北海道のオホーツク海沿岸には，２月中旬から３月上旬にかけて，流氷が押し寄せます。 ➔ p.273, 280

3函館山から見た函館の市街地（函館市，2017年６月撮影）　函館山は，夜になると美しい夜景が見られる観光名所です。 ➔ p.281

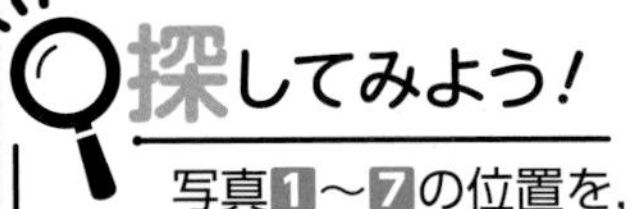

4根釧台地で行われている大規模な酪農（別海町，７月撮影）　北海道の東部に位置する根釧台地では，広大な牧草地にたくさんの乳牛が放牧されており，生乳の一大産地となっています。 ➔ p.272, 278

スーパーマーケットで北海道産のこんぶが売られているのを見たことがあるよ。

◀5 **こんぶ干しの様子**（利尻富士町，7月撮影） 利尻島で採れた天然のこんぶは，高級品として全国で販売されています。 ➔p.279

▼6 **「赤れんが庁舎」で知られる北海道庁旧本庁舎**（札幌市，2018年11月撮影） 北海道開拓の歴史のなかで，北海道の行政の中心的な役割を果たしてきました。 ➔p.276

▼7 **日本有数の畑作地帯，十勝平野**（士幌町，6月撮影）

山から吹き降ろす強風から農作物を守るために，畑の端には開拓の頃から防風林が作られてきました。

➔p.272, 278

第7節 北海道地方 自然環境に注目して

第7節の問い p.269〜281　北海道地方の自然環境は，人々の生活や産業にどのような影響を与えているのだろうか。

▲1北海道地方の自然

▲2世界遺産に登録されている知床半島(羅臼町・斜里町，2015年撮影)(右)とエゾヒグマ(左)　知床半島には，手つかずの豊かな自然が残っており，貴重な野生動物が生息しています。

1 北海道地方の自然環境

学習課題　北海道では，地形や気候にどのような特色がみられるのだろうか。

	九州	中国・四国	近畿	中部	関東	東北	北海道
面積 38万km²	11.8%	13.4	8.8	17.7	8.6	17.7	22.0
人口 1.2億人	11.4%	8.8	17.7	16.9	34.1	6.9	4.2

▲3日本の面積・人口に占める北海道地方の割合(2019年)〈住民基本台帳人口・世帯数表 平成31年版，ほか〉

▲4展望台から摩周湖を眺める観光客(弟子屈町，2015年7月撮影)

特色ある地形が形づくる景観

北海道は，日本の北の端に位置し，津軽海峡を挟んで本州と，宗谷海峡を隔てて樺太(サハリン)と向き合っています。北海道の東部には，択捉島をはじめとする北方領土の島々があります。→p.20 北海道の面積は，九州地方の約2倍で，日本の総面積の5分の1を占めるほど広大です。3

北海道の中央部には石狩山地の山々がそびえ，その南側には日高山脈が，その北側には北見山地が南北方向に連なっています。1 石狩山地を源流とする石狩川の下流には，大規模な水田地帯である石狩平野が広がり，→p.276 東部には火山灰が厚く積もった十勝平野や根釧台地があります。→p.270，271，278 北海道の中央部から南西部にかけては，大雪山や十勝岳，有珠山などの火山が多くあります。1 こうした火山は，たびたび噴火して災害を引き起こす一方で，7 摩周湖や洞爺湖などの美しい景色や，4 温泉などの恵みを人々にもたらしてきました。

小学校●歴史●公民との関連　日本の自然環境(小)，防災対策(小)

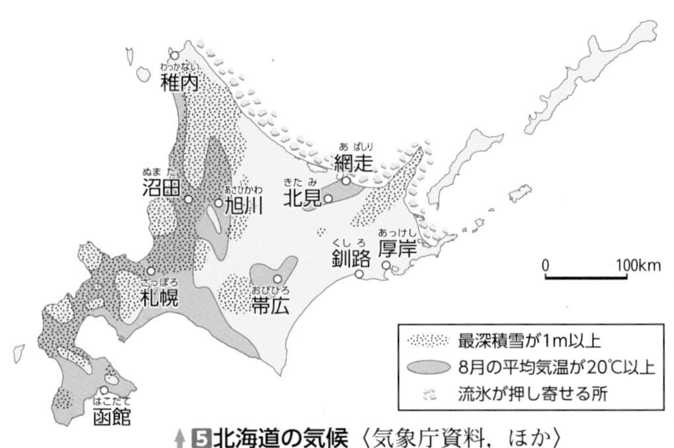

5 北海道の気候〈気象庁資料，ほか〉

6 海から発生した濃霧に包まれる太平洋沿岸（厚岸町，7月撮影）

未来に向けて

防災 全員避難を実現した地域ぐるみの防災教育 

2000年3月，北海道の有珠山が23年ぶりに噴火しました。このとき，事前に噴火の兆候が観測されたのを受けて，周辺地域に避難指示が出され，噴火前に全住民が避難を完了していました。そのため，有珠山周辺の建物などは大きな被害を受けましたが，一人も負傷者や死亡者が出ることはありませんでした。全員避難が成功した背景には，1977年の噴火直後から，学校などで徹底した防災教育がなされていたこと，1990年代にはハザードマップ（→p.152）が作られ，それに基づいて避難訓練が繰り返されるなど，地域住民が火山災害の恐ろしさを十分に理解していたことがありました。現在では，2000年の噴火の被害を受けた建物や道路などは，被災した状態のまま残され，火山活動による災害や，減災の知識を学ぶ場として活用されています。

7 火山について学ぶ登山ツアーで，1977年の噴火の説明を聞く参加者たち（有珠山，2017年8月撮影）
有珠山とその周辺の地域は，ユネスコ世界ジオパークに認定されています。

亜寒帯に属する寒冷な気候

北海道のほとんどの地域は，**亜寒帯（冷帯）**に属しています。→p.29 そのため，内陸部では－30℃を下回ることもあるほど冬の寒さが厳しく，はっきりとした梅雨がないのが特色です。→p.147 また，南北方向に連なる山々を境に，日本海側と太平洋側で気候が大きく異なることも特色です。5

日本海に面する地域では，冬になると湿った北西の季節風が石狩山地などに吹きつけるので，多くの雪が降ります。→p.147 一方，東部の太平洋に面する地域では，雪はあまり降りませんが，夏でも気温の上がらない日が多くあります。これは，夏に太平洋から吹きつける南東の季節風が，寒流である親潮→p.145によって冷やされることで，**濃霧**を発生させるからです。6 また，知床半島などのオホーツク海沿岸には，2 冬になると**流氷**が押し寄せます。5 流氷の上にはアザラシなどが見られることもあり，船から流氷を間近で見たり，流氷の上を歩いてみたりする観光が人気を集めています。→p.270

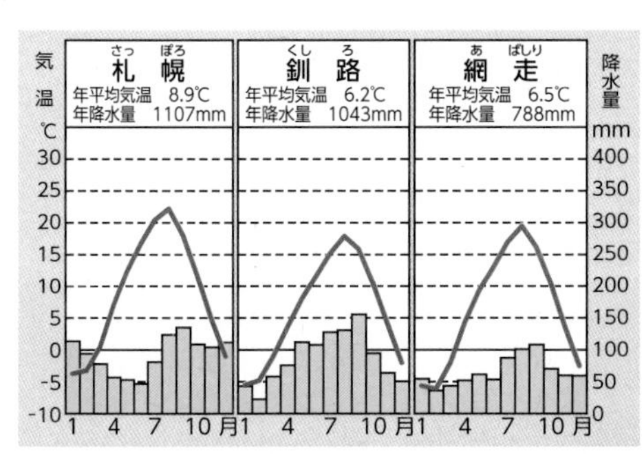

8 北海道地方の主な都市の雨温図〈理科年表2020〉 **資料活用** 九州地方の主な都市の雨温図（→p.175）と，気温や降水量を比べよう。

確認しよう 北海道の中央部に位置する山脈や山地の名称を，図1で確認しよう。

説明しよう 北海道地方と九州地方の地形や気候を比べて，共通点と相違点を説明しよう。

1 道路の除雪作業（上）**と集めた雪を捨てるための堆積場**（下）（札幌市，2019年2月撮影）
雪の堆積場は，河原や広場などに設置され，札幌市内に約30か所あります。

2 雪と共にある北海道の人々の生活

学習課題　北海道の人々は，雪をどのように克服したり，利用したりしているのだろうか。

雪のなかの大都市札幌市の取り組み

約195万（2019年）の人々が暮らす北海道最大の都市である札幌市 →p.277 では，一冬に約5mにも達する雪が降り積もります。人口100万を超える大都市で，これほど降雪量が多い都市は世界的にもあまり例がありません。このため雪の日には，人々の生活を守るための除雪作業が欠かせません。1 札幌市内には，除雪が必要な道路が5000km以上もあり，機械を用いて効率的な除雪が行われています。一方で，除雪にかけられる人手や予算には限りがあるため，住宅街の道路などでは，除雪が遅れるなどの課題もあります。除雪作業で集められた雪の多くは，堆積場に運ばれ，1 暖かくなって自然にとけるのを待つ方法で処理されます。

札幌市では，毎年大量に降る雪を生かそうと，1950年から「さっぽろ雪まつり」2, →p.146 が開催されています。会場には巨大な雪の像がいくつも並び，雪のすべり台なども楽しめます。そのため，寒さの厳しい時期にも関わらず，およそ1週間の開催期間中に国内外から約200万人（2019年）の観光客が訪れます。

2 北海道を代表する冬のイベント「さっぽろ雪まつり」（札幌市，2019年2月撮影）　メイン会場である大通公園（→p.277）は，特に大勢の人でにぎわいます。

③道路沿いの防雪柵と路肩を示す標識(弟子屈町，1月撮影)

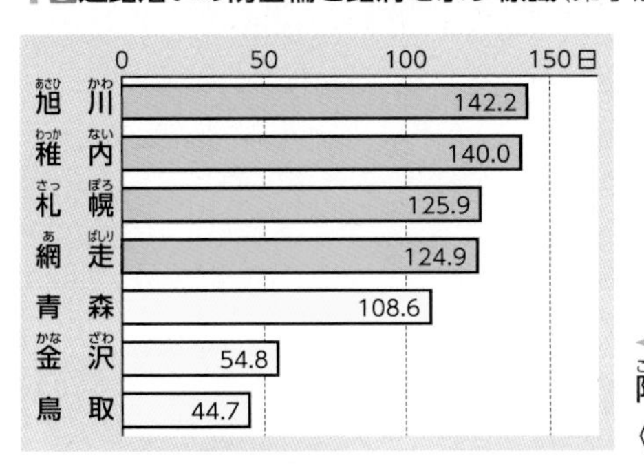

④各都市の年間降雪日数の平均
〈理科年表 2020〉

⑤雪や寒さへの工夫がなされた住宅(沼田町，2019年2月撮影)

資料活用 それぞれの工夫がどのような点に役立つか考えよう。

雪に備える生活の工夫

北海道の中でも雪の多い地域では，雪に備えるために，さまざまな対策がとられてきました。例えば，屋根の傾きを大きくして，雪が積もりにくいようにしています。近年では，太陽光などの再生可能エネルギーを利用して，屋根の雪をとかす方法も取り入れられています。また，住宅の壁や床には厚い断熱材を入れ，室温を保つ工夫をしています。

④，→p.273 ⑤ →p.157

気温が低い北海道では水分の少ない粉雪が降るため，強い風が吹くと，地面に積もった雪が舞き上げられて視界が真っ白になる地吹雪が起こります。そのため，道路の風上側に防雪柵を設けて雪が吹き込まないようにしたり，積雪量の多い日でも道路の両端の位置が分かるように，矢羽根とよばれる標識を取り付けたりしています。③

雪の恵みを生かす試み

近年は，雪に備えるだけでなく，雪を利用して生活に役立てようとする**利雪**の試みも進んでいます。石狩平野北部の沼田町では，冬の間にダンプカー約500台分の雪を雪室に入れ，その中に収穫した米を貯蔵しています。⑥雪によって米の貯蔵に適した温度と湿度が保たれるため，次の年の夏まで新米の風味を保ったまま，出荷できるようになりました。⑥

→p.272～273

また，雪を貯蔵庫に蓄え，空気を冷やすことによって建物を冷却する雪冷房システムの取り組みが，新千歳空港や公共の施設などで行われています。

⑥雪室に雪を入れる様子(上)(沼田町，2月撮影)と「雪中米」(下)　雪室で貯蔵された米は，「雪中米」として全国に出荷されています。

確認しよう　北海道では雪に備えてどのような工夫をしているか，挙げよう。

説明しよう　北海道で行われている，雪を生かした取り組みについて説明しよう。

↑1 **広大な水田が広がる石狩平野**（美唄市，7月撮影） かつて川が蛇行していた部分は，湖として残っています。

→2 **石狩平野の土地改良**（模式図）

3 厳しい自然環境を克服してきた稲作

温暖な気候の下で行われる米作りが，寒冷な北海道で盛んに行われているのはなぜだろうか。

農作物の栽培に不向きな土地

石狩川の下流に広がる石狩平野は，かつて農業に不向きな土地とされてきました。[1] それは，冬の気温が－10℃以下になることもあり，土の栄養分が少ない湿地（**泥炭地**）が広がっていたからです。さらに，石狩川がひんぱんに洪水を起こしてもいました。一方で，この地に住むアイヌの人々に→p.284とっては，石狩川は さけ などをとるための漁場でもありました。

農地開発から始まった稲作への挑戦

北海道の開拓が本格的に始められたのは明治時代の初めで，開拓のための役所（**開拓使**）が札幌に置かれました。[7] →p.271 手つかずの原野や森林を切りひらいて農地を造るために，**屯田兵**❶をはじめ，全国各地から北海道に移住する人々が大勢集められました。石狩平野の開拓に入った人々は，原生林を切り倒し，泥炭地の水はけをよくするために排水路を掘りました。そして，作物を育てるのに適した土をほかの場所から運びこむ「客土」を繰り返し，土地の改良を行いました。[3] さらに，蛇行した石狩川をまっすぐにする工事によって，洪水対策も行いました。[2] このように，当時の人々が忍耐強い努力を続けた結果，約100年

解説 泥炭地

沼地などに積もった枯れた植物が，低温のために十分に分解されないまま長い年月を経て炭化したものを泥炭といい，これが堆積した湿地を泥炭地といいます。

↑3 **大正時代の泥炭地の開発の様子**（石狩平野）〈北海道大学附属図書館所蔵〉 昭和時代の初めごろまでは，人の力で土を掘り，馬が土を運んでいました。

❶ 北海道の開拓とロシアへの防備にあたっていた屯田兵は，ふだんは農業を営みながら，軍事訓練を積んでいました。初期の屯田兵には，明治維新によって仕事を失った士族が多くいました。

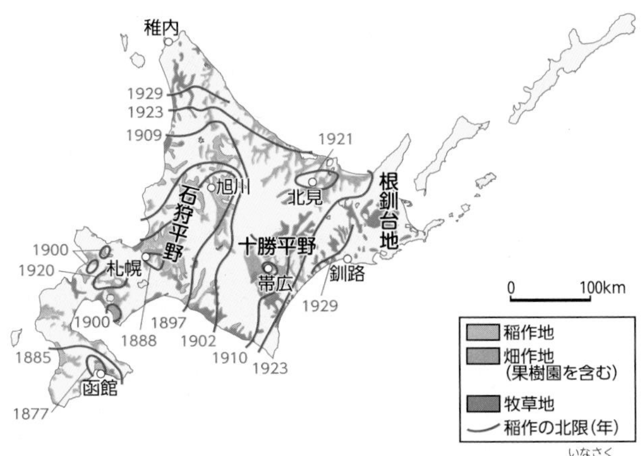

▲**4北海道の土地利用**〈新版 日本国勢地図，ほか〉 稲作の北限は，年代を追うごとに北に進んでいきました。

◀**5北海道産の銘柄米が売られているスーパーマーケット**（東京都）

地理プラス 開拓の中心地として発達した札幌

札幌は，北海道開拓の中心地として計画的につくられた都市です。中心部の街路は碁盤の目のように規則正しく区画され，開拓に携わる人々の教育のために設立された札幌農学校（現 北海道大学）の建物など，歴史的な建物が今も残されています（→p.271）。

1960年代以降，北海道内で炭鉱の閉山が相次ぎ，仕事を求めて札幌に移り住む人が増えました。現在では，北海道の人口の約3分の1が札幌市に集中しています。

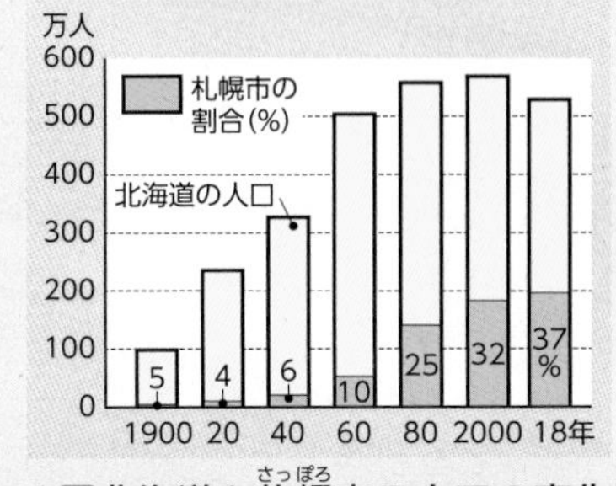

▲**6北海道と札幌市の人口の変化**〈第127回 北海道統計書，ほか〉

→**7碁盤の目のような街路が広がる札幌市の中心部** 京都市をモデルにつくられました。

の年月をかけて，荒れた土地は農地へと姿を変えました。現在では，石狩平野は，日本有数の米どころに成長し，収穫した米は日本各地に出荷されています。5

「寒さに強い米」から「おいしい米」へ

稲はもともと暖かい地方の作物です。→巻末2 春が遅く秋が早い北海道で稲を育てるのは，とても難しいことでした。しかし，北海道の開拓に入った人々は，稲作への熱意をもち続けました。寒さに強く，短い生育期間で実る稲を作るために，長年にわたって品種改良を重ねた結果，稲作が可能な範囲は北へと広がりました。また，味のよい米の研究も進められてきました。4 現在，主に栽培されている「ゆめぴりか」や「ななつぼし」は，味のよさで評価を得ている北海道の銘柄米です。5，→p.230，261

一方，1970年代以降の国の**減反政策**→p.261によって，転作❷を行う農家が増え，田の面積は減り続けました。8 石狩平野でも，小麦→巻末2やそば，大豆→巻末2などの畑作物を栽培するなど，稲作に頼らない農家が増えてきました。本州に比べて涼しい気候を生かし，野菜や花の栽培も盛んになっています。

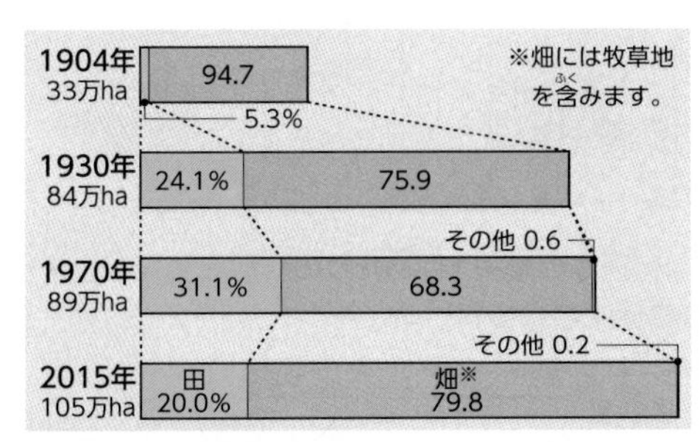

▲**8北海道の農地面積の変化**〈農林水産省資料〉

資料活用 田と畑の面積は，それぞれどのように変化しているだろうか。

❷ 同じ農地で，それまで生産してきた作物を，別の作物に替えて生産することをいいます。

確認しよう　石狩平野に広がっている，農業に適さない土地の名称とその特徴について確認しよう。

説明しよう　現在のように，北海道で米の生産が盛んになった経緯を，説明しよう。

1 広大な畑が広がる十勝平野(上)と じゃがいもの収穫(右)(芽室町，2017年9月撮影)

4 自然の恵みを生かす 畑作や酪農，漁業

学習課題　北海道で，畑作や酪農，漁業が盛んになったのはなぜだろうか。

北海道
23.8ha

北海道以外の都府県の平均
1.6ha

2 日本の農家1戸あたりの耕地面積(2015年)〈農林水産省資料〉

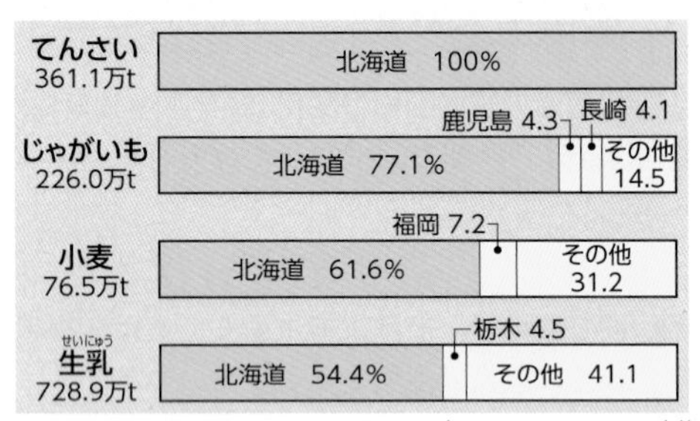

3 主な農産物の全国生産に占める北海道の割合(2018年)〈農林水産省資料〉

❶ 輪作は，同じ場所に同じ作物を栽培し続けることによる地力の低下を防ぎ，収穫量を安定させます。

❷ しぼりたての乳を生乳といい，牛乳や乳製品の原料となります。生乳を加熱殺菌処理したものが牛乳です。

気候と広い土地を生かした畑作

十勝平野や北見盆地などは，降水量が少なく，火山灰が積もってできた栄養分が乏しい土壌が広がる土地だったため，かつては農作物の栽培に適していませんでした。そのため，この地域の開拓に入った人々は，堆肥など→p.276を用いて，長い年月をかけて豊かな土壌を作り上げてきました。その結果，この地域は日本有数の**畑作**地帯に生まれ変わりました。1，→p.271

ここで主に栽培されるのは，小麦→巻末2や てんさい→巻末3，じゃがいも1，→巻末2，豆類など，寒さや乾燥に強い作物です。3 多くの農家は，耕地をいくつかの区画に分けて，年ごとに栽培する作物を変える**輪作**❶を行うほか，大型の農業機械を使って効率よく広大な土地を耕しています。1，2

寒冷な気候を生かして発展した酪農

北海道の東部や北部は，夏でも濃霧の影響を受けて，気温があまり上がらないため，稲作→p.273や畑作には適していません。そこで，寒い地域でも栽培できる牧草と，広い土地を生かして，**酪農**を発展させてきました。特に，根釧台地→p.272とその周辺は，1950年代から大規模な農場が造られ始め，日本有数の酪農地域になりました。→p.270

現在では，全国で生産される生乳❷の半分以上を北海道産が占めて

▲4**機械化された搾乳**（標茶町）　生乳を効率よく生産するために，規模が大きな牧場の多くは，大型の自動搾乳機械を導入しています。

◀5**生乳運搬船への生乳の積み込み**（釧路市，2018年撮影）
写真の運搬船は，ほぼ毎日，釧路港と茨城港の間を行き来し，関東地方に生乳を届けています。

未来に向けて

環境　持続可能な漁業を目指して

水産資源の管理を行う養殖業や栽培漁業は，「育てる漁業」ともいわれています。例えば，オホーツク海沿岸では，3～5cmの大きさに育てた ほたての稚貝を海に放流し，4年後にとるようにしています。自然に近い状態で育てるため，ほかの場所へ逃げてしまう貝も出ますが，高品質な貝が育つと評判になり，多くの地域へ出荷されています。

このように，水産資源を守りながら海の恵みを受けていく，持続可能な漁業の在り方が模索されています。

▶6**ほたて の稚貝の放流**（サロマ湖沖，5月撮影）

おり，バターやチーズなどの乳製品を作る食品工業も発達しています。さらに，大規模化や機械化に取り組んだ結果，高品質な生乳を大量に生産できる体制が整いました。輸送技術も進歩したので，鮮度を保ったまま生乳を全国に出荷できるようになりました。近年では，品質の高さが評判をよび，外国への輸出も増えてきています。

北海道を取り巻く豊かな漁場

北海道は日本海，太平洋，オホーツク海の三つの海に囲まれています。そのため，豊富な水産資源に恵まれ，水産物の漁獲量は全国第1位です（2018年）。北海道の各地で さけ や ます，こんぶなどの漁が盛んに行われており，特にオホーツク海沿岸は，餌となるプランクトンを多く含む海流が流れているため，ほたてなどの漁獲量が多い地域となっています。

以前はアラスカ沖などの遠い北の海で，さけ や すけとうだら などをとる**北洋漁業**が盛んでしたが，各国が排他的経済水域を設定すると，漁ができる範囲が限られたため，北洋漁業は衰退しました。

1970年代以降は，沿岸漁業や沖合漁業のほか，将来にわたって水産資源を安定的に利用できるよう，ほたて・こんぶ などを育てる**養殖業**や，稚魚・稚貝を育てて海に戻す**栽培漁業**が盛んに行われるようになりました。また，大きな漁港の周りには水産加工場が集まり，そこで製造された加工品は国内外に出荷されています。

3 4 5 7, →p.271 →p.145 →p.19 →p.159 6, →p.159 8

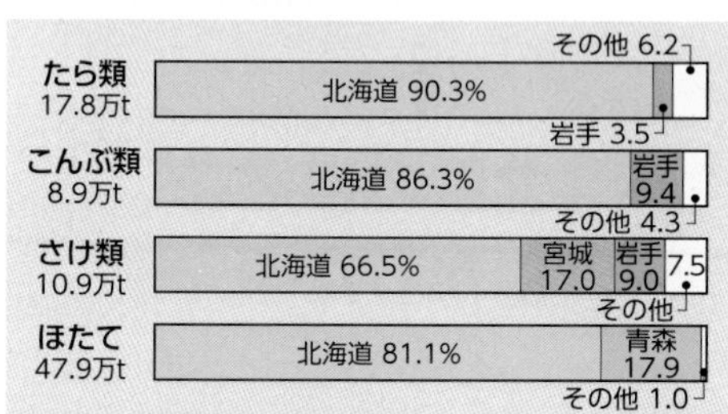

▲7**主な水産物の漁獲量**（2018年）〈農林水産省資料〉

▲8**ほたての水産加工場**（湧別町，2015年撮影）　丁寧に並べられた貝柱は，急速冷凍されて海外にも出荷されます。

確認しよう　北海道でとれる農産物で，生産量が全国の上位を占めるものを，図3で確認しよう。

説明しよう　北海道で畑作や酪農，漁業が盛んになった理由について説明しよう。

↑1ラベンダー畑を楽しむ観光客（中富良野町，2016年7月撮影）　ラベンダーは主に冷涼な地域で栽培されます。

5 北国の自然を生かした観光業

学習課題 北海道では，観光業をどのように発展させてきたのだろうか。

観光業の発展

北海道の中央部に位置する中富良野町では，7月になると丘一面にラベンダーが咲きます。[1] 北海道には，美しい自然や雄大な景色，貴重な動植物，新鮮な食べ物など，多くの魅力があります。このため，国内でも有数の観光地になっており，特に夏には，涼しさを求めて全国から多くの観光客が訪れます。[2, 3]

北海道では，観光客の増加に伴い，ホテルや飲食店などが増え，観光業は今日の北海道の経済を支える重要な役割を果たしています。[1]

→p.162

増加する外国人観光客

近年，北海道を訪れる外国人観光客が増加しています。特に，北海道へ直行する航空路線が整備された，中国や韓国などから多くの人が訪れるようになりました。[5]

温暖なアジアの国々などから，北海道の雪や寒さを味わうために，冬の時季に訪れる外国人観光客も多くなっています。なかでも，西部のニセコ町や倶知安町などには，低気温・低湿度が生み出す粉雪を求めて，世界中からスキーやスノーボードなどを楽しむ人々が訪れています。日本とは季節が逆になるオーストラリアなどから来た人々のなかには，ニセコ町などに別荘を建てる人もいます。[4]

↑2冬の旭山動物園で見られるペンギンの雪上散歩（旭川市，2017年2月撮影）

↑3新千歳空港で販売される土産用の海産物（千歳市・苫小牧市，2018年12月撮影）

小学校●歴史●公民との関連　自然環境に適応した生活（小），国土の保全（小）

4 外国人観光客でにぎわうスキー場（倶知安町，2018年12月撮影）

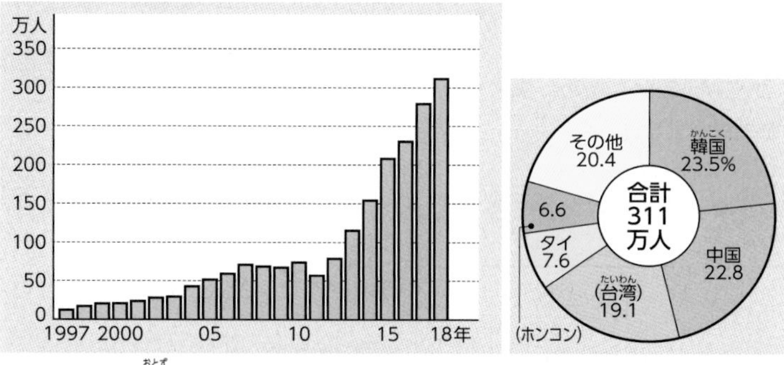

5 北海道を訪れる外国人観光客数の変化（左）と外国人観光客の出身国・地域の割合（右）（2018年）〈北海道資料〉 **資料活用** 外国人観光客数の変化と，出身国・地域の割合を読み取ろう。

地理プラス 歴史も魅力！北海道

北海道には歴史的な町並みが数多く残っています。例えば，日米和親条約（1854年）で開かれた港であり，外国文化の玄関口として栄えた函館市には，江戸時代末期から明治時代にかけて建てられた赤れんがの倉庫やキリスト教の教会が残り，函館山からの夜景と共に観光名所となっています（→p.270）。

また，小樽市は，明治時代から昭和時代初期にかけて港町として栄えました。荷物を保管するための石造りの倉庫や，にしん漁でにぎわっていたころの建物などが現在も残り，多くの観光客が訪れます。

6 倉庫が立ち並ぶ小樽運河と運河クルーズを楽しむ人々（小樽市，6月撮影）

自然環境との共存に向けて

北海道の人々は，寒冷な自然環境と向き合いながら，さまざまな産業を発展させてきました。そのなかで，自然環境とどのように共存していくかという課題にも，常に向き合ってきました。

観光業においては，自然保護との両立が課題です（→p.177）。スキー場などの開発に伴う森林の伐採や植生の変化は，野生動物の生息域を狭めることにもなりかねません。世界遺産に登録された知床（→p.272）では，森の奥深くまで入り込んだ観光客によって，貴重な植物が踏み荒らされました。そのため，知床五湖周辺では高架木道を設置したり（7），地面を歩く地上遊歩道の利用人数に制限を設けたりするなどの対策が取られました。現在では，生態系の保全と観光の両立を目指した**エコツーリズム**の取り組みも進められています。

また，北海道に特有のエゾヒグマやエゾシカ（→p.272）は，生態系を維持するために保護されてきましたが，近年は頭数が増えたため，人里近くに現れて農作物に被害を与えることもあります。北海道の貴重な自然とどのように共存していくか，人々の模索が続いています。

7 知床五湖周辺に設置された高架木道上を散策する観光客（斜里町，10月撮影） 貴重な植物を踏み荒らさないように，配慮されています。

確認しよう 北海道に外国人観光客が多く訪れる時期や，訪れる人が増えた理由について，確認しよう。

説明しよう 北海道の観光業の持続可能な発展に向けて必要だと思うことを，説明しよう。

節の学習を振り返ろう

第7節 北海道地方

第7節の問い p.269～281 北海道地方の自然環境は，人々の生活や産業にどのような影響を与えているのだろうか。

1 学んだことを確かめよう ≫ 知識

1．A～Gにあてはまる都市名を答えよう。
2．ⓐ～ⓓにあてはまる山地・山脈名，河川名，半島名を答えよう。
3．①～⑤にあてはまる語句を，下のキーワードや教科書を振り返りながら答えよう。

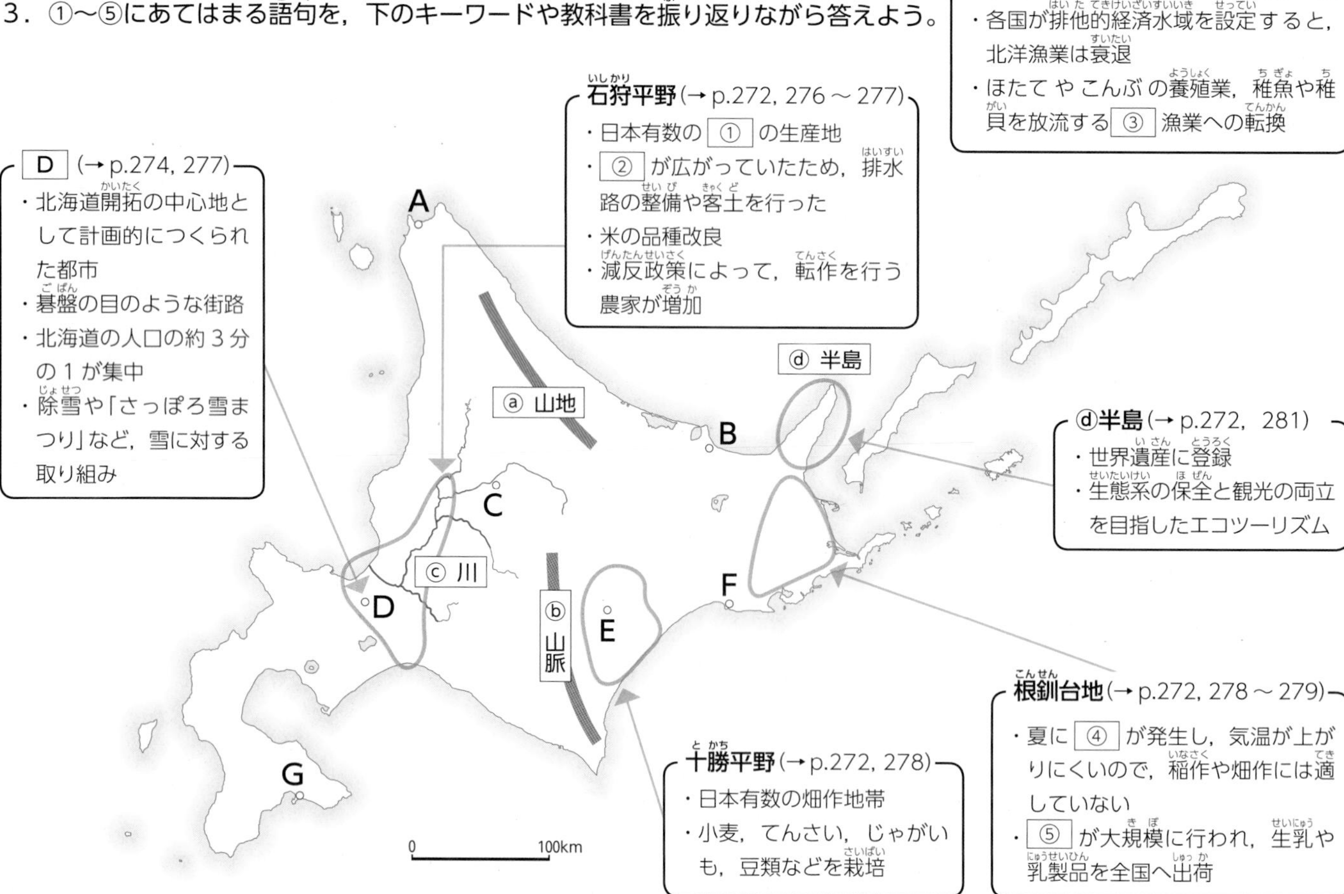

↑1白地図を使ったまとめ

写真を振り返ろう

p.270～271 の写真に関連した以下の文章を読んで，㋐～㋔にあてはまる語句を，キーワードから答えよう。

自然豊かな北海道では，写真1のように，冬にはオホーツク海沿岸に［ ㋐ ］が押し寄せ，観光客の人気を集めています。北海道は周囲を海に囲まれているため，写真5のように，水産業が盛んです。以前は［ ㋑ ］が盛んでしたが，現在は，養殖業や［ ㋒ ］への転換が進められています。また，広大な土地や冷涼な気候を生かして，写真4のように，根釧台地では［ ㋓ ］が，写真7のように，十勝平野では［ ㋔ ］が大規模に行われています。

✓キーワード

意味を説明できた語句にチェックを入れよう。

- □亜寒帯(冷帯)
- □濃霧
- □流氷
- □利雪
- □泥炭地
- □開拓使
- □屯田兵
- □減反政策
- □畑作
- □輪作
- □酪農
- □北洋漁業
- □養殖業
- □栽培漁業
- □エコツーリズム

2 「地理的な見方・考え方」を働かせて説明しよう ≫ 思考力，判断力，表現力

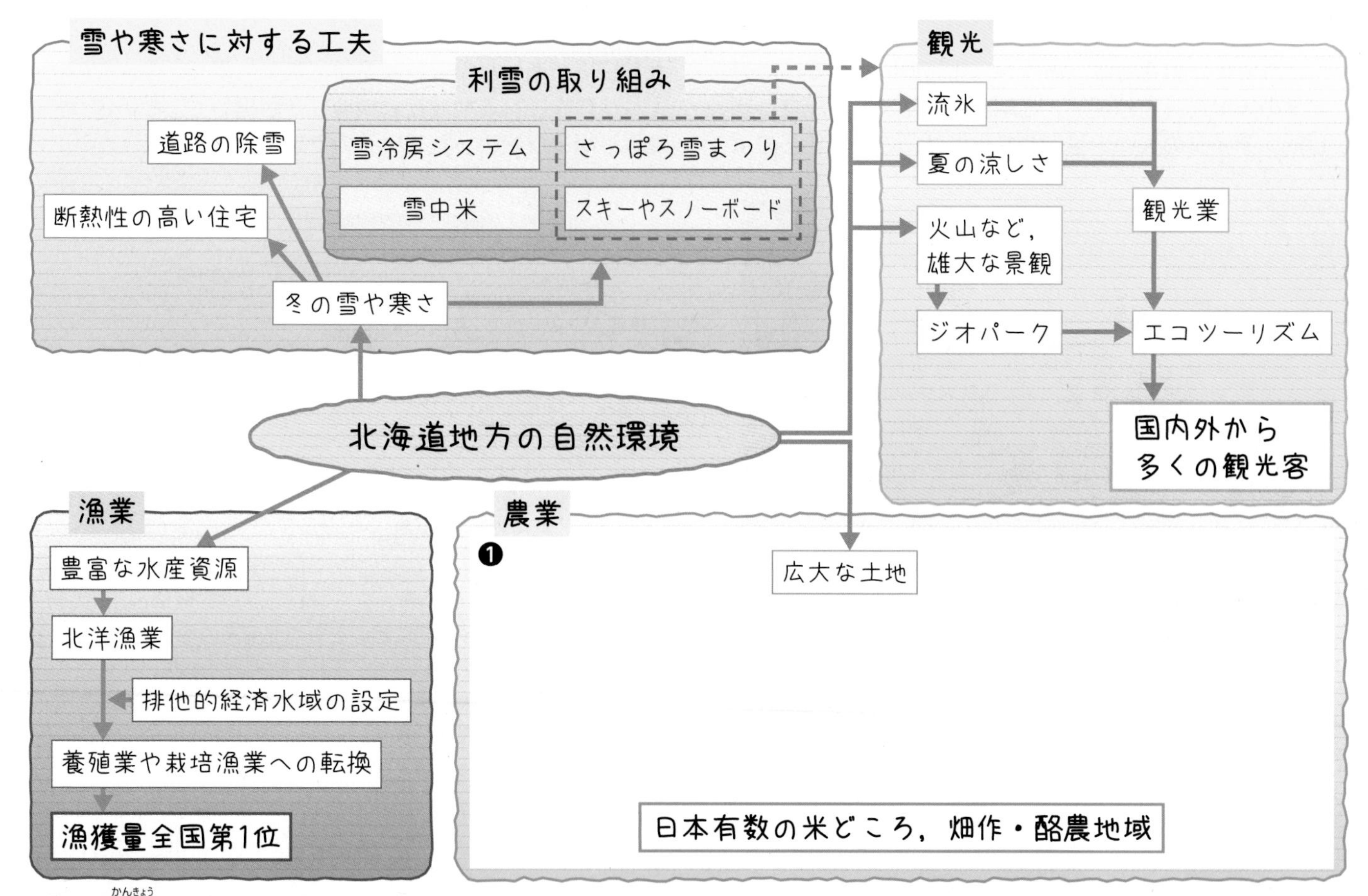

▲2 自然環境に着目して北海道地方をまとめた例

ステップ1 この地方の特色と課題を整理しよう

北海道地方における農業（稲作や畑作，酪農）の特徴について，p.282 のキーワードや教科書を振り返りながら，「広大な土地」から関連する語句をいくつか書き出し，図2の❶の空欄を埋めよう。

ステップ2 「節の問い」への考えを説明しよう

作業1　北海道地方の自然環境の特徴を，図2を参考に説明しよう。

作業2　北海道地方の自然環境は，人々の生活や産業にどのような影響を与えているのだろうか。地理的な見方・考え方を働かせて，節の問いに対するあなたの考えを，「利雪」と「エコツーリズム」の語句を使って説明しよう。

「節の問い」に関連が深い見方・考え方

ほかの場所への影響，地域全体の傾向（→巻頭7）

ステップ3 【発展】持続可能な社会に向けて考えよう

作業1　人々の生活を改善したり，産業を発展させたりするためには，どのような取り組みを行うとよいか，自然環境に着目して考えよう。

作業2　グループになり，どのような取り組みを優先的に行うことが大切か，また，その取り組みは実現可能か，話し合おう。

作業3　話し合いの結論を p.286 の表1に記入し，第4部第1章「地域の在り方」を考える際の参考にしよう。

私たちとの関わり

私たちが住む町の魅力を伝えるとしたら，どのようなことを紹介するとよいか，各地方の学習を振り返り，考えよう。

地域の在り方を考える

地域の多様な文化を大切にする取り組み

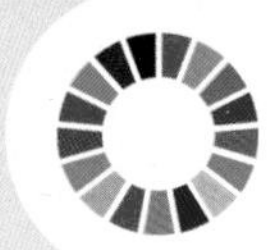

～自然と共に生きるアイヌの人々を例に～

2019年の国会では，古くから北海道に住んでいたアイヌの人々を「先住民族」と明記する新法案が成立しました。アイヌの人々の生活や文化には，これまでどのような経緯があったのでしょうか。また，アイヌの人々の誇りが尊重される地域社会づくりを目指して，どのような取り組みが始められているのでしょうか。

↑1豊漁と漁の安全を祈るアイヌの伝統的な祭り（白糠町，11月撮影）

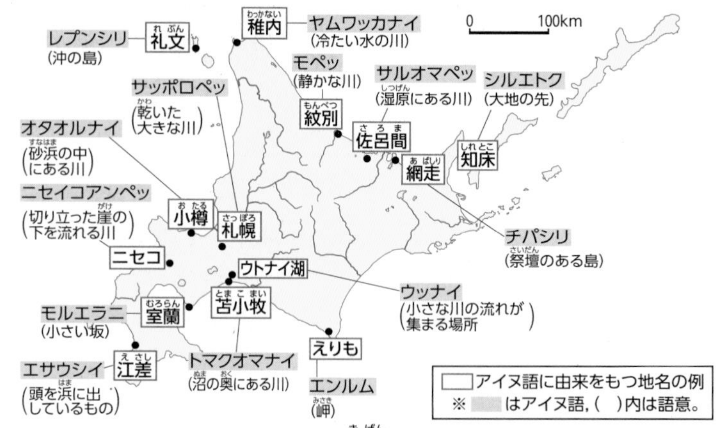

↑3アイヌ語に起源をもつ北海道の地名〈北海道地名分類字典，ほか〉 アイヌ語の地名には，川の水の流れや土地の様子など，自然環境の特徴を表現したものが多く見られます。

↑2アイヌの伝統的工芸品，アットゥシ織の着物（左）とアットゥシを織る人（右）（平取町）

→4アイヌ語地名と現在の地名を併記した標識（旭川市）

アイヌの人々は，古くから北海道とその周辺地域に住み，自然と共生した暮らしを営んできました。木の皮から作った糸で織り上げた織物などを着て，川で捕獲したさけや山林で採集したオオウバユリの球根などを調理して食べていました。また，災害が少なく，食料や水が豊富に得られる場所に，木や草などを材料に家を建て，自然から得たものを持って，交易に出向いていました。

しかし，明治時代に北海道の開拓政策が進められると（→p.276），アイヌの人々は土地を奪われて住む場所を失ったり，狩猟・採集を中心としたそれまでの生活ができなくなったりしました。そこで，明治政府は北海道旧土人保護法を制定し，アイヌの人々に残された土地を耕させました。しかし，開拓が難しい荒れ地が多く，苦しい生活が続いたとされます。また，学校では日本語の使用を強制され，アイヌ独特の儀式や慣習が禁止されたため，アイヌ語やアイヌ文化を受け継ぐ人は激減しました。

アイヌの人々は，社会的地位の向上や民族としての名誉と尊厳の回復を求めて，ねばり強く運動を続けました。その結果，1997年には，北海道旧土人保護法は廃止され，アイヌ文化振興法が新たに制定されました。この法律をきっかけに，アイヌの人々が育んできた文化の伝承・再生を目指して，さまざまな取り組みが進められました。

さらに，2007年に，国連総会で「先住民族の権利に関する国際連合宣言」が採択されたのち，2019年には，日本の国会でアイヌの人々を「先住民族」と明記する法律が成立しました。この法律では，アイヌの人々の誇りが尊重される地域社会づくりに対する，国からの財政的な支援も，盛り込まれています。

第４部　地域の在り方

部のねらい　地域をよりよくしていくために，地理的な見方・考え方を働かせて地域をとらえ，発展させていく方法を身に付けよう。

序説　学ぶにあたって

私たちはこれまでの学習で，世界のさまざまな地域の様子や，私たちが通っている学校周辺の様子，そして日本のさまざまな地域の様子を学習してきました。その学習を通して，地域はどこでも同じではなく，それぞれの地域には，それぞれの特色があることを学びました。

地域の特色は，現在においてすでに存在している事象ですが，第４部では，将来に向けて地域をよりよくするためにはどのようなことをすればよいのかを，私たち一人一人が構想していきます。

構想するとはいっても，何もない所から“地域の将来を考えよう”ということではありません。私たちがこれまで学習してきた，世界や日本の諸地域の学習を振り返ってみると，地域が抱えるさまざまな課題とその解決を目指した取り組みがあったと思います。それらの取り組みの中には，地域をよりよくするためのヒントになることがあるかもしれません。また，身近な地域の調査を通して，何気ない風景の中から，地域の特色に結び付く事象を見つける技能も身に付けてきました。そこで見つけた地域の特色の中には，地域の魅力につながることもあるかもしれません。

これまでの学習を生かして，大人でも気が付かなかった地域の魅力を見つけ出し，積極的に提言することで，持続可能な社会の在り方について考えていきましょう。

日本の諸地域

各地方の地域的特色と地域の課題について

日本の各地方で抱える課題は，身近な地域と，どのように関わっているのだろうか。

地域調査の手法を生かして，日本の諸地域の学習を深めよう。

身近な地域の調査

身近な地域の調べ方について

日本は，地球的課題にどのような影響を与え，また，どのような影響を受けているのだろうか。

持続可能な社会を考え続ける

地域の課題を解決するためには，どのように取り組んでいけばよいだろうか。

世界の諸地域

各州の地域的特色と地球的課題について

地球的課題と私たちの生活は，どのように関わっているのだろうか。

地域の在り方

将来に向けた構想について

▲**1これまでの学習と「地域の在り方」の関係**　「地域の在り方」では，これまでの学習の中で得た知識，考えたこと，身に付けた地理的な技能のすべてを使って，地域のよりよい将来を構想します。

第１章　地域の在り方

第1章の問い p.286～295　地域をよりよくするためには，どのようなことに取り組むとよいのだろうか。

	持続可能な社会に向けて考えたこと		持続可能な社会に向けて考えたこと
九州地方 (p.184～p.185)	●自然環境を生かした地域の発展	**関東地方** (p.250～p.251)	●人口の多さを生かした地域の発展
中国・四国地方 (p.200～p.201)	●交通網や通信網を生かした地域の発展	**東北地方** (p.266～p.267)	●伝統文化を生かした地域の発展
近畿地方 (p.216～p.217)	●自然環境や歴史的景観の保全と地域の発展	**北海道地方** (p.282～p.283)	●自然環境を生かした地域の発展
中部地方 (p.232～p.233)	●産業を生かした地域の発展		

↑**1持続可能な社会に向けて考えたこと**　**資料活用**　第３部第３章「日本の諸地域」における各地方の「節の学習を振り返ろう」ページの設問（2の ステップ3）で話し合ったことを振り返ろう。

1　課題を把握しよう

学習課題　地域が抱えている課題は何だろうか。その課題を発見し，追究するテーマを設定しよう。

各地域でみられた課題を振り返ろう

この章では，これからの**地域の在り方**について考えていきましょう。私たちが住む地域や関わりの深い地域などを，より安心で安全な町にするために，また，地域の特色を生かしながら，将来の世代にわたって発展していける**持続可能な社会**を目指すために，私たちはどのようなことに取り組んでいけばよいでしょうか。

これまでの地理的分野の学習で，世界規模でみられるさまざまな地球的課題や，日本の各地域におけるさまざまな課題をみてきました。世界の各地域では，どのような地球的課題がみられたでしょうか。また，日本の各地域では，どのような地域の課題がみられ，そして，その課題に対してどのような取り組みが大切だと考えたでしょうか。図1や2をみながら，振り返ってみましょう。

アジア州	→ 都市・居住問題
ヨーロッパ州	→ 経済格差
アフリカ州	→ 食料問題
北アメリカ州	→ 生産と消費の問題
南アメリカ州	→ 熱帯林の破壊
オセアニア州	→ 多文化の共生

↑**2第２部第２章「世界の諸地域」で注目してきた地球的課題**（→ p.47）

3 観光客や住民で混雑した京都駅前のバス停（京都府，京都市，2020 年撮影）

4 外国人観光客でにぎわう清水寺付近（京都府，京都市，2020 年撮影）

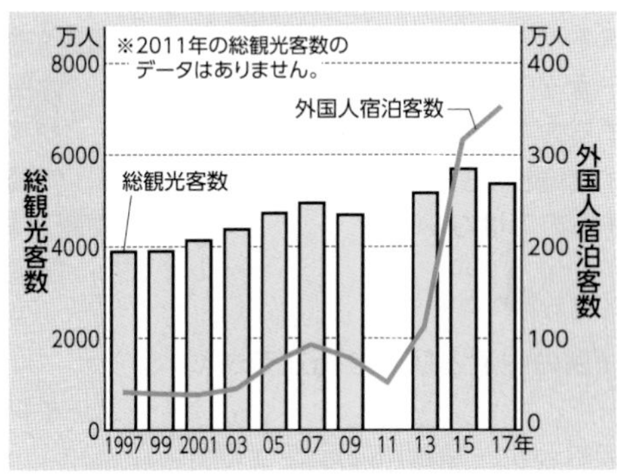

5 京都市を訪れる観光客数の変化〈京都市資料〉 p.212 図4の資料を振り返ろう。

追究するテーマを決めよう

まず，地域の在り方を考えていく対象の地域を選定しましょう。例えば，学校が所在する市区町村やその姉妹都市，校外学習や修学旅行で訪れる市区町村などが，その候補になりそうです。

ここでは，ひろとさんたちが修学旅行で訪れる京都府京都市を対象地域として，持続可能な観光について考えていくこととします。第３部第３章「日本の諸地域」→p.170で学習したように，京都市では歴史的な景観を保全することによって，海外からも多くの観光客が訪れるようになりました4, 5, →p.212。一方で，公共交通機関が混雑したり3，道路が渋滞したり，ごみのポイ捨てや騒音などの問題が発生したりして，地域に暮らす人の中には困っている人がいるようです。さまざまな人々にとってよりよい町にしていくためには，どのようにしたらよいでしょうか6。例えば，バスの混雑に着目して，「多くの観光客が訪れるようになって，町は発展するはずなのに，なぜ，住みにくさを感じている住民がいるのだろうか。どうすれば，住民の生活と観光を両立できるのだろうか。」という問いを立てて，持続可能な社会をつくるために，地域の在り方を考えていきましょう。

視点❶ 自然環境や歴史的景観の保全
住宅地が増え，道路が整備されるなかで，緑地や歴史的景観などを保全するためにはどのような取り組みが大切だろうか。

視点❷ 人口の増減や移動
京都市の人口は，今後，どのように推移していくのだろうか。またそれによって，どのような影響が生じるのだろうか。

視点❸ 産業の転換や流通の変化
西陣織や清水焼などを作る伝統産業を維持・発展させていくためには，どのような取り組みが大切だろうか。

視点❹ 防災・減災
京都市では，かつて，どのような自然災害に見舞われたのだろうか。また，これらの災害に備えて，どのような取り組みが大切だろうか。

視点❺ 伝統文化の変容
聖護院大根や九条葱などの京都特産の野菜（京の伝統野菜）を継承していくためには，どのような取り組みが大切だろうか。

6 京都市において地域の在り方を考える視点の例

ひろとさんのグループが追究する例

追究するテーマ　持続可能な観光　－バスの混雑に着目して－

～多くの観光客が訪れるようになって，町は発展するはずなのに，なぜ，住みにくさを感じている住民がいるのだろうか。どうすれば，住民の生活と観光を両立できるのだろうか。～

追究するテーマに対する仮説

～多くの観光客が訪れるようになって，町は発展するはずなのに，なぜ，住みにくさを感じている住民がいるのだろうか。～

1．バスの混雑は，住民だけでなく，観光客にも迷惑なので，観光地としての魅力を低下させてしまうのではないか。
2．観光客がバスを利用するのは，観光地への利便性がよいからではないか。そのためにバスが混雑するのではないか。
3．観光客が訪れる観光地が偏っているため，バスが混雑するのではないか。

～どうすれば，住民の生活と観光を両立できるのだろうか。～

・調査で明らかになった，京都市で起こっている課題を解決することで，住民の生活と観光を両立した町づくりができるのではないか。

調査項目と調査方法

調査計画書

追究するテーマ

持続可能な観光　－バスの混雑に注目して－

～多くの観光客が訪れるようになって，町は発展するはずなのに，なぜ，住みにくさを感じている住民がいるのだろうか。どうすれば，住民の生活と観光を両立できるのだろうか。～

調査で確かめたいこと

1．住民や観光客は，どのようなことに困っているのだろうか。
2．バスは，どのような場所を走っているのだろうか。
3．外国人観光客は，どのような場所を観光しているのだろうか。

調査方法

1．電話による聞き取り調査
　…京都市に暮らす祖母に電話し，バスの状況や車内の様子を尋ねる。
2．インターネットなどを使った文献調査
　…路線図を使って，バスの路線網を調べる。
　…アンケート調査報告書から，外国人観光客が多く訪れる観光地や日本人観光客の感想を調べる。

[1] 地域の実態を把握するための調査計画書の例

2　地域をとらえよう

学習課題　地域の実態を把握するためには，どのような手順で進めるとよいのだろうか。

地域の実態を知ろう

追究するテーマが決まったら，地域の課題の現状を詳しく知るために，どのようなことを確かめたいか考えましょう。そして，第３部第１章「身近な地域の調査」➜p.130で学んだ手順を振り返りながら，調査計画書にまとめ，[1] 調査を行ってみましょう。

確かめたいことを調査することができたら，統計資料などから表やグラフ，主題図などを作りましょう。そこから，地域の特色や課題などがみえてきます。どの資料から，どのようなことが分かったのか，整理しておきましょう。[6] 例えば，ひろとさんのグループでは，さまざまな行き先のバスがたくさん走っていること，[3] 外国人観光客が訪れる観光地は，清水寺や祇園など一部の場所に偏っていること，[4] 住民や日本人観光客はバスの混雑に困っていることなど[5]について，

[2] 自家用車やバスで渋滞する祇園（京都府，京都市，2020年撮影）

●調査で分かったこと

－電話による聞き取り調査結果・
インターネットなどを使った文献調査結果－

声 京都市に暮らす祖母の話

最近は，京都市を訪れる外国人観光客がとても多くて，バスの車内が混み合って困っているんだよ。特に，京都駅と清水寺や祇園を結ぶ路線がとても人気で，時間帯によっては，よく混雑しているって聞くよ。それに，大きな荷物を持ってバスに乗り込む外国人観光客もいるから，車内の通路が狭くなって乗り降りがしづらいね。

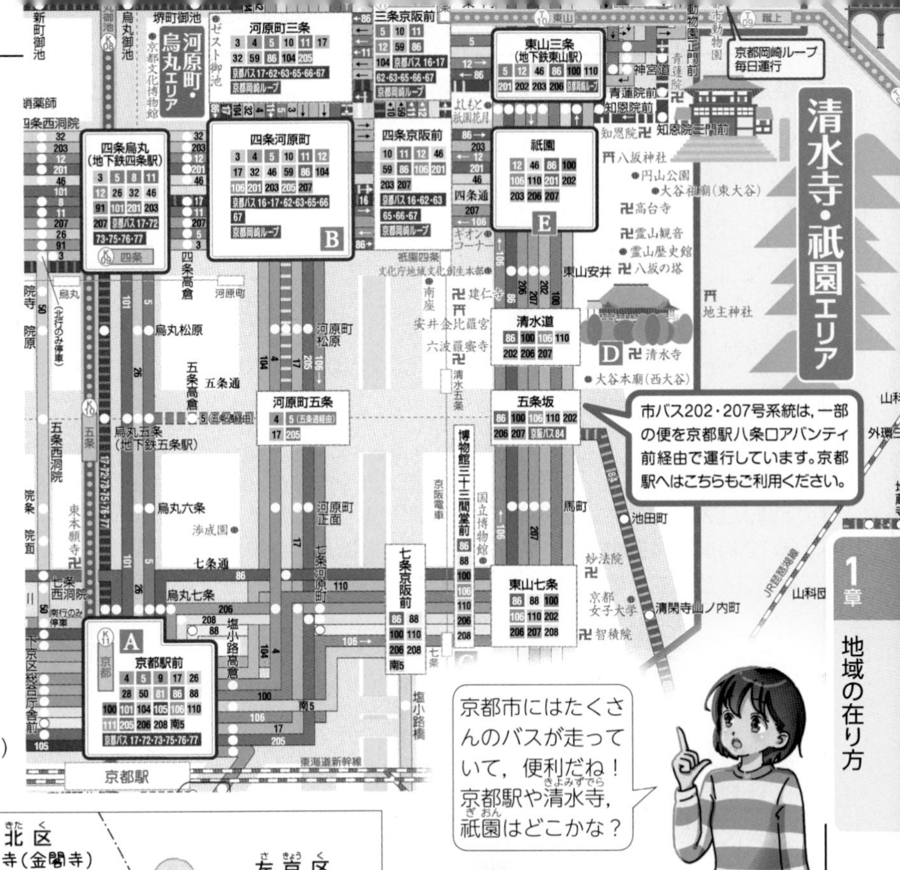

➡3京都市を走るバスの路線図(部分)
(2019年)〈京都市資料〉

京都市にはたくさんのバスが走っていて，便利だね！京都駅や清水寺，祇園はどこかな？

外国人観光客の多くは，清水寺や祇園周辺を訪れるんだね！だから京都駅とこの地域を結ぶバスが人気なのかな？

*回答者総数 4400 人

残念に思ったこと	回答者の割合
・観光客が多すぎて，観光を楽しめなかった ・混雑していて，落ち着かなかった	19.7%
・大きな声で騒ぐなど，観光客のマナーが悪い ・路上駐車が多いなど，交通マナーが悪い	11.7%
・バスがわかりづらくて，何度も乗り間違えた ・バスの運転が荒かった	10.0%

⬆5京都市を訪れた日本人観光客の感想
(2018年)〈京都市資料〉

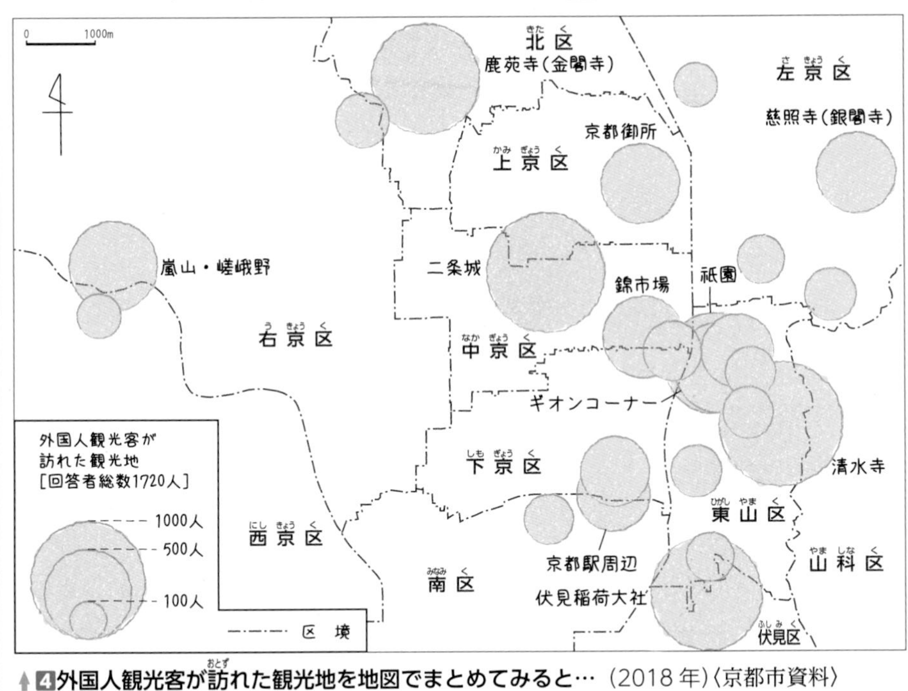

⬆4外国人観光客が訪れた観光地を地図でまとめてみると…(2018年)〈京都市資料〉

⬆6調査結果を整理した例

新たに知ることができたようです。

また，第２部第２章「世界の諸地域」➡p.47や第３部第３章「日本の諸地域」➡p.170などで学んだことを生かして，世界規模でみられる特色や地球的課題なのか，日本全体でみられる特色や課題なのか，それとも地域特有の特色や課題なのか，明らかにしていきましょう。

日本人観光客の２割が，人が多いことや混雑に対して，残念に思っているんだね。

●混雑や渋滞を緩和する取り組みの例

▲1 **人工知能(AI)による混雑予測を公開するウェブサイト**(2019年12月閲覧)〈京都市観光協会，京都市〉 観光客の集中を避けるために，混雑する場所や時間帯の予測情報が提供されています。

◀2 **鉄道と道路の立体交差**(東京都，練馬区，2019年撮影) 踏切が渋滞の原因になっていたので，道路の改修が行われました。

▲3 **京都市や身近な地域(東京都練馬区)での取り組みを調べた例**

地理プラス 鎌倉市のオーバーツーリズムへの取り組み

神奈川県鎌倉市は，寺社仏閣などの多くの歴史的遺産や，海や山などの豊かな自然環境に恵まれています。また，人気漫画の舞台になっていることもあり，中国や台湾などからの外国人観光客が増加しました。その結果，住民が電車に乗れなかったり，観光客が車道で写真撮影するなどの危険行為や迷惑行為が行われたりするようになりました。これらの問題を解決するために，鎌倉市では迷惑行為に対する条例を制定したり，特に混雑する時期には，住民が優先的に電車に乗車できるようにしたりして，持続可能な観光を目指しています。

◀4 **漫画に描かれている風景を撮影する観光客**(神奈川県，鎌倉市，2016年撮影)

3 課題の要因を考察しよう

学習課題 地域が抱える課題の要因を考察するには，どのようなことに着目するとよいのだろうか。

類似した地域と比べよう

課題の要因を**考察**するには，類似した課題がみられる地域と比較したり，関連付けて考えたりすることが大切です。例えば，第3部第1章「身近な地域の調査」(➡p.130)で調査したことを生かしたり，[2] 教科書を振り返ったりしながら，[5] どのような課題を抱え，その要因は何だったのか，そして，地域ではどのような取り組みが行われてきたのか，確認してみましょう。[1]

また，世界的な観光人気の高まりによって，観光地ににぎわいがもたらされる一方で，過度な観光客の集中による問題(オーバーツーリズム)が，日本や世界の観光地の一部で発生しています。[4] 世界的に人気の高い観光地における取り組みを，インターネットを使って調べたり，新聞記事から探したりしましょう。

その際には，これらの地域の事例がそのまま生かせる場合と，生かせない場合があります。地域の特色をふまえて課題の要因を考察し，その地域にあった取り組みを考えることが大切です。

参考になるページ	考えたこと
p.177 地理プラス「自然保護と観光業の両立を目指す屋久島」	観光客のマナーを向上させる取り組みを行ったらどうか。
p.223 未来に向けて「御嶽山噴火の教訓を伝える火山マイスター」	観光マイスター制度を設けて，外国人観光客をサポートしたらどうか。
p.240～241「多くの人々が集まる首都，東京」	訪れる観光地や，訪れる季節・時間帯などを分散させて，観光客の集中を緩和させたらどうか。
p.242～243「東京大都市圏の過密問題とその対策」	
p.280～281「北国の自然を生かした観光業」	自然環境や食文化など，観光客にさまざまな魅力を紹介したらどうか。

▲5 **類似した課題を抱えている地域や，課題の解決に向けて役立ちそうな事例を教科書から書き出した例**

ひろとさんのグループが追究する例

追究するテーマ　持続可能な観光　－バスの混雑に着目して－

～多くの観光客が訪れるようになって，町は発展するはずなのに，なぜ，住みにくさを感じている住民がいるのだろうか。どうすれば，住民の生活と観光を両立できるのだろうか。～

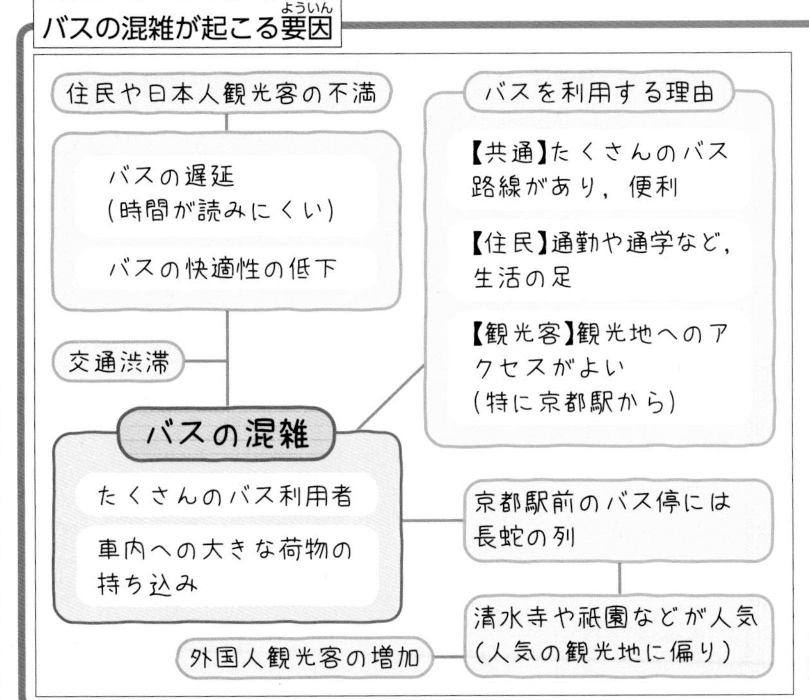

課題の要因の考察

1. たくさんのバス路線があり，住民と観光客の両者にとって，便利である。そのため，バスに利用者が集中し，混雑している。
2. 外国人観光客が多く訪れる観光地に偏りがある。特に，清水寺や祇園などが人気で，その周辺でバスも混雑している。
3. バスの車内に大きな荷物が持ち込まれることによって，乗り降りがしづらくなり，車内が混雑する。
4. 交通渋滞によって，バスが遅延すると，バス停で待つ人が増えるので，車内が混雑する。

など

◀**6**京都市におけるバスの混雑の要因を整理した例

▲**7**地域が抱える課題の要因を考えた例

課題の要因を探ろう

調査結果を分析したり，類似した地域の事例を参考にしたりしながら，課題の要因を考えていきましょう。**7** 地域の特色は，その地域の優れた点である一方で，地域の課題を生み出す背景や要因になることもあります。例えば京都市の場合，歴史的な景観を保全することによって，多くの観光客を呼び寄せることができ，地域の経済を活性化することができました。一方で，外国人観光客の増加は，バスの混雑などの問題を引き起こしました。その背景には，昔からの狭い道路が多いという地域の特色が交通渋滞を引き起こし，それがバスの混雑とも関連しているのかもしれません。また，外国人観光客の増加を歓迎する人々がいる一方で，住民や日本人観光客のなかには困っている人々もいます。他方，外国人観光客は京都市を訪れてどのように感じているのでしょうか。さまざまな人の立場に立って，それぞれの人が困っていることを考えながら，課題の要因を考察することが大切です。

●バスの混雑を緩和させる方法を考えた例

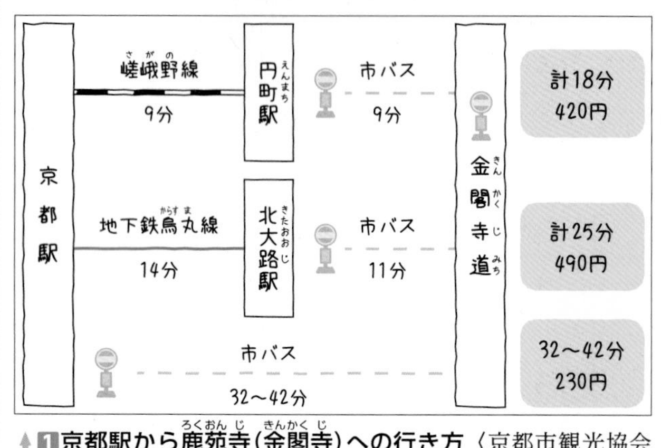

1 京都駅から鹿苑寺（金閣寺）への行き方〈京都市観光協会資料〉

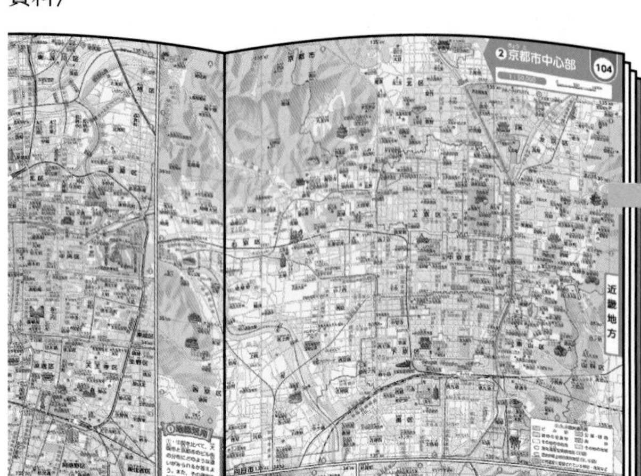

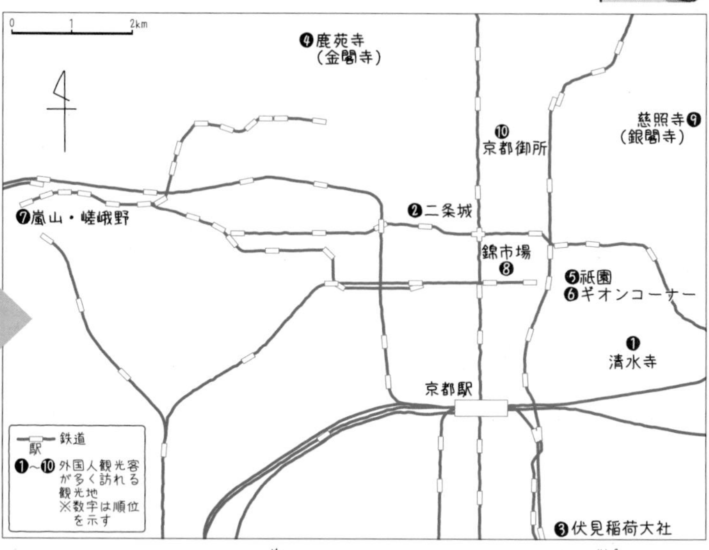

2 地図帳から鉄道路線を抜き出し，多くの外国人観光客が訪れる観光地を示した例（2018年）〈京都市資料，ほか〉

3 課題の解決策を考えた例

4 課題の解決に向けて構想しよう

学習課題　課題の解決に向けて構想するには，どのような点に気を付けるとよいのだろうか。

- 自然環境の再生から資源循環型社会へ（p.186）
- 通信網を生かした地域おこしの取り組み（p.202）
- 環境につちかわれた産業の発展のために（p.218）
- 時代の変化に対応する産業の創出（p.234）
- 都市と農村の交流の取り組み（p.252）
- 災害からの復興と生活の場の再生（p.268）
- 地域の多様な文化を大切にする取り組み（p.284）

4 第3部第3章「日本の諸地域」で学んできた持続可能な社会に向けた取り組みの例

課題の解決に向けた取り組みを調べよう

課題を解決するためには，どのような取り組みが大切か，課題の要因を踏まえて，その解決策を考えていきましょう。まず，これまでの学習内容を振り返り，同じような課題に対して克服してきた先進的なほかの地域の事例と比較したり，関連付けたりしましょう。3 また，対象地域の市区町村や都道府県などでは，地域が抱える課題に対してどのような取り組みが行われているのか，インターネットなどを使って調べてみましょう。4 解決に向けた多様な選択肢を知ることで，課題解決に向けた見通しが立てやすくなることがあります。

課題の解決に向けて構想しよう

地域の将来をよりよいものにするために，どのような点を改善したり，どのような取

ひろとさんのグループが追究する例

追究するテーマ
持続可能な観光　ーバスの混雑に着目してー

課題の解決に向けた構想

・バスの混雑は，観光客の利用が集中することなどによって発生していた。そのため，バスの利用客を分散させることで，バスの混雑を緩和できるのではないだろうか。そうすれば，住民にとってバスが利用しやすくなり，観光客にとっても移動時間の短縮につながるため，持続可能な観光に結び付くと考える。一方，バスの混雑の背景には交通渋滞もあるので，この問題の解決も大切である。

【解決策】

・ーバスの利用客の分散ー　外国人観光客向けに，鉄道による移動を組み合わせた英語表記の観光ルートマップを作成し，特に混雑する清水寺や祇園周辺のバスの混雑緩和をめざす。
・ー交通渋滞の緩和ー　文化財に影響がないように，道路の幅を広げたり，バスとタクシーのみが走行できる車線を設置したりするなど，道路の改修を行う。　など

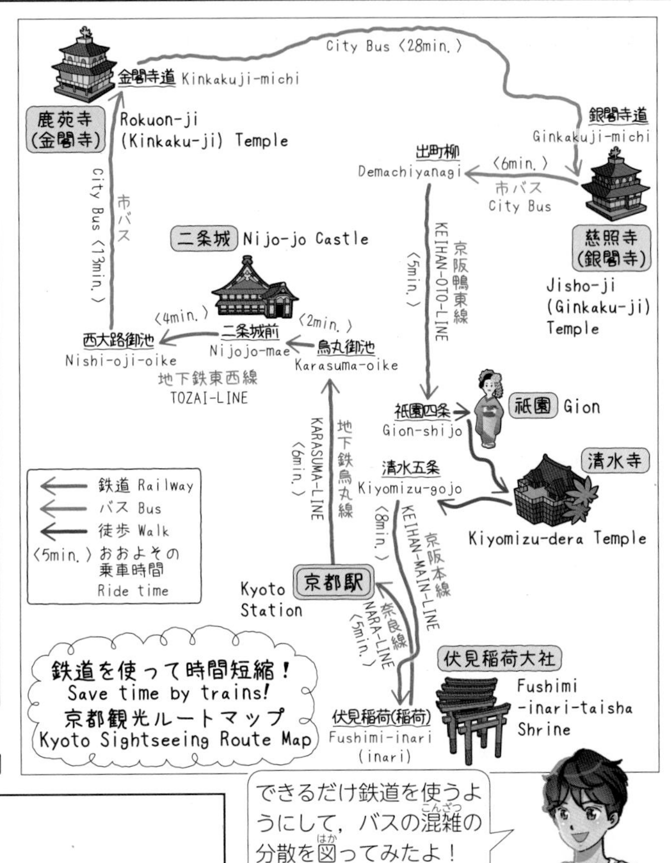

➡5 鉄道による移動を組み合わせた観光ルートマップの例

できるだけ鉄道を使うようにして，バスの混雑の分散を図ってみたよ！住民にとってバスが使いやすくなったらいいな！

⬆6 地域が抱える課題の解決に向けて構想した例

り組みを行ったりすると，地域が抱える課題を解決することができるでしょうか。また，私たちにはどのようなことができるでしょうか。課題の解決に向けて**構想**してみましょう。6

その際，住民と観光客のように，異なる立場の人にとって，それぞれどのような利点や課題点があるのか，多面的・多角的に考えることが大切です。

構想したことを議論しよう

課題の解決に向けて構想したことを，グループやクラスで発表し，さまざまな意見を出し合ってみましょう。発表する際は，グラフや主題図などを用いて課題の要因を説明したり，根拠に基づいて課題の解決策を説明したりすることが大切です。5 ➡p.141 また，ほかのグループの発表を聞いて，さまざまな側面から解決策を見直すことも大切です。例えばひろとさんのグループの場合，ごみのポイ捨てや観光客による騒音の問題と関連付けて考えると，よりよい解決策がみえてくるかもしれません。8

そして，議論したことを踏まえて，課題の解決に向けた構想は，費用や継続性などの面で無理な点がないか，実現の可能性や持続可能性などを意識しながら，もう一度，考えてみましょう。

ほかのグループが追究する例

追究するテーマ　持続可能な観光
ーごみのポイ捨てや観光客による騒音に着目してー

課題の解決に向けた構想

・観光客にマナーの啓発を行ったり，多言語の案内を設置したりする。　など

⬆7 私道での撮影禁止を示す看板（京都府，京都市，2019年撮影）

⬆8 ほかのグループが構想した例

●プレゼンテーションソフトを使ったまとめ

追究するテーマ

持続可能な観光
ーバスの混雑に着目してー

～多くの観光客が訪れるようになって，町は発展するはずなのに，なぜ，住みにくさを感じている住民がいるのだろうか。どうすれば，住民の生活と観光を両立できるのだろうか。～

1. 調査の動機と目的

・修学旅行先である京都市では，外国人観光客が増加することによって町が発展した一方，困っている住民がいる。
↓
・バスの混雑に着目し，その課題の要因を明らかにし，持続可能な観光に向けた地域の在り方を考えたい。

↑京都駅前のバス停

2. 調査の方法

・電話でバスの状況や車内の様子を尋ねた。

・路線図を使ってバスの路線網を調べた。

・アンケート調査報告書を基に，多くの外国人観光客が訪れる観光地や日本人観光客の感想を調べた。

3. 調査の内容と結果の考察

・京都市にはたくさんのバス路線があり，住民や観光客にとって便利。→バスに利用者が集中し，混雑。

・多くの外国人観光客が訪れる観光地に偏り。特に，清水寺や祇園などが人気。
→その周辺でバスも混雑している。

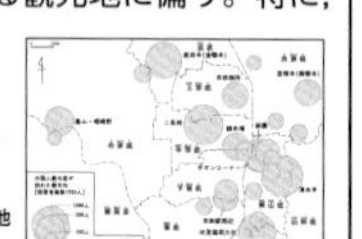

→多くの外国人観光客が訪れる観光地〈京都市資料，ほか〉

4. 課題の解決に向けた構想

・バスの利用者の分散を図ることで，混雑が緩和され，持続可能な観光に結び付くと考える。

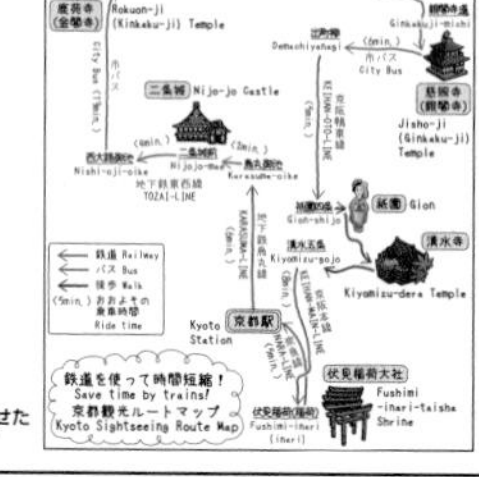

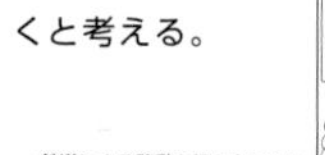

→鉄道による移動を組み合わせた英語表記の観光ルートマップ

5. まとめと感想

・観光客は，バス以外の交通機関を利用したり，町歩きを楽しんだりするなど，住民にも配慮しながら観光を楽しむことが大切だと思った。

・オーバーツーリズムによる問題は，バスの混雑だけではないので，交通渋滞や観光客による騒音などとも関連付けて解決策を考えたい。

↑1 ひろとさんのグループが構想したことをプレゼンテーションソフトを使ってまとめた例

5 構想の成果を発信しよう

学習課題 構想した成果を分かりやすく伝えるためには，どのようにするとよいのだろうか。

構想したことをまとめよう

ここまでの調査結果や課題の考察を踏まえて構想したことを，レポートやポスター，報告書[2]などにまとめてみましょう。調査結果をまとめる際には，簡潔で分かりやすい内容にするための工夫が大切です。テーマや目的，調査方法，調査結果，そして結論などについて端的に記述するほか，地図やグラフ，写真などを交えて作成するようにしましょう。課題の解決に向けて構想したことは，なぜ，そのように考えたのか，根拠を書くと説得力が増します。

社会に向けて発信しよう

レポートやポスター，報告書などにまとめることができたら，学校内や地域の方々へも情報を発信して，意見や評価をもらいましょう。例えば，学校の文化祭などで発表したり[3]，市区町村の役所の方々にプレゼンテーションソフト[1]を使って提言したり，調査に協力してくださった方に送付したりしてみましょう。そして，調査結果や結論について，意見や感想をもらい，次の機会に生かせるようにしましょう。

技能をみがく 22 展示発表のしかた

調査結果を発表する方法には，教室などで説明しながら発表を行う口頭発表のほかに，レポートやポスターなどを掲示して発表する展示発表という方法があります。

文化祭や学校公開日などに校内に掲示して展示発表を行う場合は，口頭発表のように意見や感想を直接もらいにくいので，ふせんとペンなどを用意して，見てくれた人に意見を書いてもらい，掲示物に貼ってもらうとよいでしょう。

技能をみがく 23 ポスターの作り方

タイトル
一目で分かる簡潔な言葉で，調査テーマを書きましょう。

調査の動機と目的
調査をしようと思った理由やいきさつ，調べることで何を知りたいのかを書きましょう。

調査の方法
何を，どのような方法で調べたのかを書きましょう。

調査の内容と結果の考察
調べて分かったことが，読む人によく伝わるように，言葉や表現を工夫しながらまとめましょう。地図やグラフ，写真などの視覚的に分かりやすい資料も入れましょう。

課題の解決に向けた構想
課題の要因を踏まえて考えた解決策や，持続可能な社会に向けて構想したことを書きましょう。

まとめと感想
予想が正しかったのかを振り返りながら，調べて分かったことを簡潔にまとめましょう。また，感じたことや考えたこと，さらに調べたいと思ったことなども書きましょう。

参考資料
参考にした本や資料，ウェブサイトのアドレスなど，情報の出典(出所)を書きましょう。

追究するテーマ　持続可能な観光　－バスの混雑に着目して－
～多くの観光客が訪れるようになって，町は発展するはずなのに，なぜ，住みにくさを感じている住民がいるのだろうか。どうすれば，住民の生活と観光を両立できるのだろうか。～

1．調査の動機と目的
修学旅行先である京都市では，外国人観光客が増加することによって町が発展した一方，困っている住民がいることを知った(写真①)。そこで，バスの混雑に着目し，その課題の要因を明らかにし，持続可能な観光に向けた地域の在り方を考えたいと思った。

↑①京都駅前のバス停

2．調査の方法
・電話でバスの状況や車内の様子を尋ねたり，路線図を使ってバスの路線網を調べたりした。
・アンケート調査報告書を基に，外国人観光客が多く訪れる観光地や日本人観光客の感想を調べた。

3．調査の内容と結果の考察
・京都市にはたくさんのバス路線があり，住民や観光客にとって，便利である。そのため，バスに利用者が集中し，混雑している。
・多くの外国人観光客が訪れる観光地に偏りがある。特に，清水寺や祇園などが人気で，その周辺でバスも混雑している。…図②

↑②多くの外国人観光客が訪れる観光地〈京都市資料〉

4．課題の解決に向けた構想
・バスの利用者の分散を図ることで，混雑が緩和され，住民にとってバスが利用しやすくなり，観光客にとっても移動時間の短縮につながるため，持続可能な観光に結び付くと考える。
・鉄道による移動を組み合わせた，英語表記の観光ルートマップを作成した。…図③

5．まとめと感想
・観光客は，バス以外の交通機関を利用したり，町歩きを楽しんだりするなど，住民にも配慮しながら観光を楽しむことが大切だと思った。
・オーバーツーリズムによる問題は，バスの混雑だけではないので，交通渋滞や観光客による騒音などとも関連付けて解決策を考えたい。

6．参考資料
『京都観光総合調査』，京都市ウェブサイト
(https://www.city.kyoto.lg.jp/)(2019年12月閲覧)

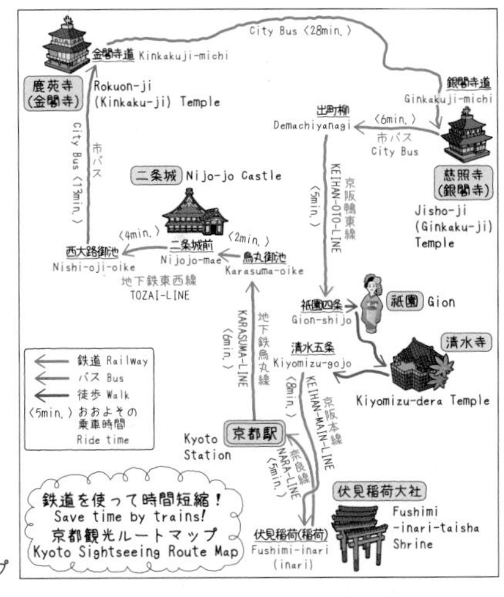

→③観光ルートマップ

2ひろとさんのグループが調査結果を踏まえて構想したことをポスターにまとめた例

持続可能な社会を目指す一員として

現在行われている取り組みは，状況の変化などに応じて，定期的な見直しや改善が求められています。そして何よりも，今後起こる可能性の高い課題に対して，関心を持ち続けることが大切です。持続可能な社会に向けて私たちはどのような行動をしていくとよいのか，これからも社会の一員として，よりよい地域の在り方を考えていきましょう。

3ポスターを掲示して発表する様子

さくいん

太字の数字は，その語が本文中に太字で掲載されているページを示しています。

地名さくいん

事項さくいん

役割	氏名	所属	氏名	所属
監修者	加賀美雅弘	東京学芸大学名誉教授	米田豊	兵庫教育大学名誉教授
	志村喬	上越教育大学教授	吉田剛	宮城教育大学教授
著作者	梅田克樹	千葉大学准教授	漆間浩一	鎌倉女子大学教授
	大山修一	京都大学教授	大呂興平	大分大学教授
	小岩直人	弘前大学教授	小島泰雄	京都大学教授
	近藤章夫	法政大学教授	土屋純	関西大学教授
	堤純	筑波大学教授	永田忠道	広島大学准教授
	仁平尊明	東京都立大学教授	武者忠彦	信州大学教授
	池下誠	東京都公立中学校元教諭	池田康二	東京都江戸川区立篠崎第二中学校主任教諭
	岸上智弘	大阪府大阪市立山之内小学校校長	立石昌文	福岡県公立中学校元教諭
	中野英水	東京都板橋区立中台中学校副校長	渡邊智紀	お茶の水女子大学附属中学校教諭
	株式会社帝国書院			
編集委員	赤坂寅夫	東京都公立中学校元校長	梅津正美	鳴門教育大学理事・副学長
	江口勇治	筑波大学名誉教授	鴛原進	愛媛大学教授
	佐野金吾	東京都公立中学校元校長	土屋武志	愛知教育大学教授
	松岡尚敏	宮城教育大学教授	吉村功太郎	宮崎大学教授
編集協力者	井上弘毅	神奈川県横浜市立金沢中学校主幹教諭	井寄芳春	大阪府立咲くやこの花中学校校長
	岩岡正紘	静岡県浜松市博物館指導主事	上西好悦	京都府久御山町立久御山中学校教諭
	王子明紀	兵庫県三田市立狭間中学校教頭	田村俊司	静岡県静岡市立大里中学校教諭
	時任秀仁	神奈川県川崎市立塚越中学校総括教諭	樋口大祐	三重県四日市市立橋北中学校教頭
	平山裕人	コロポックル学びの家	百瀬顕正	長野県中学校組合立鉢盛中学校教頭
特別支援教育に関する監修・校閲者	柏倉秀克	桜花学園大学教授	丹治達義	筑波大学附属視覚特別支援学校教諭

写真・資料提供

旭川市博物館／朝日新聞社／アフロ／アフロスポーツ／尼崎市立地域研究史料館／アマゾンジャパン／アマナイメージズ／石川県観光連盟／茨城県土木部港湾課／今治タオル工業組合／いろどり／岩手県観光協会／宇部興産株式会社／遠藤 敬／欧州委員会, ドイツ中央銀行, フランス中央銀行, イタリア中央銀行, オーストリア中央銀行, スペイン中央銀行／小熊 栄／海上保安庁／花銀／鹿児島読売テレビ／河北新報社／鎌田養豚／北九州市／共同通信社／京都市観光協会／京都市建設局／近代航空／くぬぎ園／熊本日日新聞社／クリーク・アンド・リバー社／ゲッティイメージズ／齋藤 仁／作田金銀製箔／桜ライン 311／佐藤浩治/JICA／三王１自治会／時事通信フォト／島根県竹島資料室／鈴木盛久工房／駐日欧州連合代表部 ©European Union, 1995-2019／東海大学情報技術センター（TRIC）／東京スカイツリー／東京大学宇宙線研究所 神岡宇宙素粒子研究施設／東北経済産業局／東洋経済／特定非営利活動法人フェアトレード・ラベル・ジャパン／十津川村立十津川第二小学校／長浜市立びわ中学校／なまら十勝野／新潟日報社／西日本新聞社／日刊スポーツ／日経印刷／日清食品／日本製鉄株式会社 九州製鉄所／日本特殊陶業／『ハイジ』ヨハンナ・シュピリ作 上田真而子訳 岩波少年文庫／ハードロック工業／浜松ホトニクス／弘果弘前中央青果／広島県砂防課／フォトライブラリー／福岡県／北海道大学附属図書館／毎日新聞社／マーコ／三菱重工業株式会社／港区／宮武讃岐製麺所／村田製作所／森泰三／山下暢之／ヤマハ／ユニフォトプレス／吉野かわかみ社中／四日市市教育委員会／読売新聞社／ロイター／ANA Cargo 提供 日本物流団体連合会／AP／GIGAZINE／JA大阪中央会／JR 四国／OPO/Artefactory／PIXTA／PPS 通信社／PT. Honda Prospect Motor／United Nations Department of Global Communications

地形図　本書に掲載した地形図は，国土交通省国土地理院発行の，2.5 万分の 1，5 万分の 1 の地形図を使用したものである。

表紙デザイン　加藤文明社

表紙写真

表表紙（上段左より）航空機の部品を専用貨物機に積み込む様子（ドイツ，ブレーメン），祭りのパレードで民族衣装を着て練り歩く人々（メキシコ，グアダラハラ），インドネシアの市場（フロレス島），ハイブリッドカーの生産ライン（愛知県，豊田市），提灯が輝く「秋田竿燈まつり」（秋田県，秋田市），サハラ砂漠を行く人々（モロッコ），夏の上高地（長野県，松本市），地中海に浮かぶミコノス島（ギリシャ），伝統的な衣服を着た人々（オマーン北部），冬の旭山動物園で見られるペンギンの雪上散歩（北海道，旭川市）
裏表紙（上段左）津波の被害を伝えるための石碑（宮城県，女川町），のぞみ N700 系

※先生方へ
本書には東北地方太平洋沖地震（東日本大震災）など，災害の写真を掲載しておりますので，ご留意いただきますようお願いいたします。

社会科　中学生の地理
世界の姿と日本の国土

定価　文部科学大臣が認可し官報で告示した定価
（上記の定価は，各教科書取次供給所に表示します。）

令和 2 年 3 月 24 日　文部科学省　検定済
令和 5 年 1 月 10 日　印刷
令和 5 年 1 月 20 日　発行

46 帝国	地理 -703

著作者　加賀美雅弘　ほか 22 名（上記）
発行者　株式会社　帝国書院　東京都千代田区神田神保町3の29
　代表者　佐藤清
印刷者　株式会社　加藤文明社　東京都千代田区神田三崎町2の15の6
　代表者　加藤文男

発行所　株式会社　帝国書院　振替口座　00180-7-67014 番
電話　東京　03（3262）4795（代）

（本書の指導書・注釈書・ワークブック類の無断発行を禁ずる。）ISBN978-4-8071-6478-3

世界の家畜・鉱産物

肉牛

世界ではフランスやイギリスなどを原産とする品種が主に飼育されています。日本では，小型の在来の牛を外国の牛と組み合わせ，品種改良した肉質のよい牛を飼育しています。

豚

ヨークシャー

ヨークシャーはイギリスのヨークシャー地方が原産の豚で，気性がおとなしく，日本の豚のほとんどがこの品種です。バークシャーはイギリスのバークシャー地方が原産の豚です。

羊

毛用のメリノ種は主にオーストラリアで飼育され，品質の高い羊毛が多量に取れます。食肉用のコリデール種は主にニュージーランドで飼育されています。

乳牛

ホルスタイン　ジャージー

ホルスタインはオランダ原産で，最も多く飼育されている乳牛です。1年間で8～10t程度の乳を出します。ジャージーはイギリス原産の乳牛で，1年間に3～4tの乳を出します。

らくだ

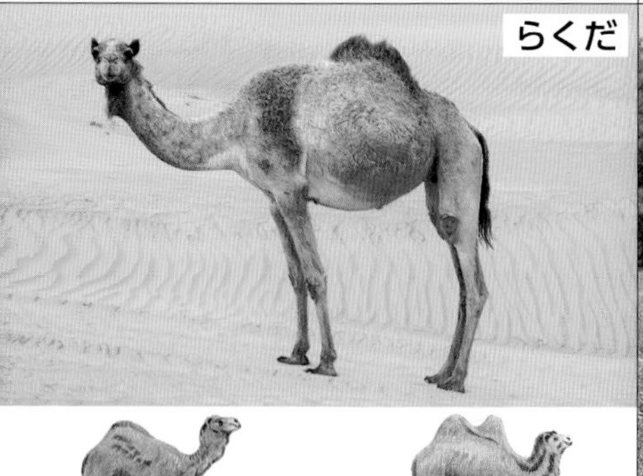

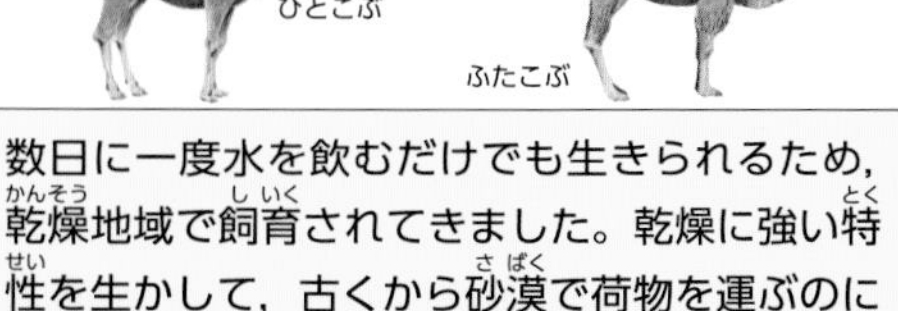

数日に一度水を飲むだけでも生きられるため，乾燥地域で飼育されてきました。乾燥に強い特性を生かして，古くから砂漠で荷物を運ぶのに役立ってきただけでなく，乳も飲まれています。

リャマ　アルパカ

リャマはアルパカより体が大きく力が強いため，荷物を運ぶのに役立ってきました。アルパカは主に毛用に飼育されます。特にアルパカの赤ちゃんの毛は高級品として扱われます。

原油

今日，最も多く利用されているエネルギー源です。日本は国内で使う原油のほとんどを輸入しています。原油を加工することで，ガソリンや灯油，アスファルトなどができます。

石炭

主に燃料として使われ，火力発電や製鉄などに用いられています。炭素が含まれる量によって，使用する目的が異なります。かつては九州や北海道でも生産されていました。

鉄鉱石

最も身近な金属である鉄の原料で，鉄分が含まれる割合によって，製鉄方法が異なります。オーストラリアやブラジルが主な産出地で，日本もこれらの国々から大量に輸入しています。

世界の農産物

稲(米)

気温が高く，雨が多い地域を好み，アジアの多くの国の主食です。インディカ種が主に熱帯地方で，ジャポニカ種が日本や中国北部で栽培されています。

小麦

稲よりも低温・少雨の環境でも作ることができ，世界中で栽培されています。実を粉にして，パンやめん類（ラーメンやうどん，パスタ）に加工され，世界各地で主食となっています。

大麦

小麦のように実を粉にして，パンにすることが多い作物です。また，ビールの原料や家畜の飼料にもなっています。日本では，麦茶にも利用されています。

ライ麦

小麦よりもさらに寒さに強いので，東ヨーロッパやロシアで栽培が盛んです。この実を粉にして作られるパンは黒パンとよばれ，少し黒く，酸味があります。

とうもろこし

実は油を含むため，植物油の原料として利用されるほか，家畜の飼料としても利用されています。日本では食用に改良された多くの品種があり，全国で栽培されています。

大豆

成長が早いので，寒い土地でも短い夏の間に栽培することができます。熟す前に収穫された豆が枝豆です。食用以外に，家畜の飼料としても利用されています。

じゃがいも

16世紀にスペイン人が南アメリカからヨーロッパにもち帰って以降，世界に広まりました。寒さに強く成長も早いので，世界各地で栽培されています。

タロいも

気温・湿度とも高い所を好むため，熱帯地方で主に栽培されています。オセアニアの島々やアフリカの一部では主食となっています。日本のさといもは，タロいもの一種です。

キャッサバ

熱帯地方で主に栽培されています。品種によっては毒をもつこともあるため，すりおろして一晩置き，毒を除いてから利用されます。代表的な加工品にタピオカがあります。